PADRE CÍCERO

O prefeito Cícero, sentado no banco de trás do carro,
em uma visita oficial do comando da Escola
de Aprendizes dos Marinheiros de Fortaleza a Juazeiro

PADRE CÍCERO

PODER, FÉ E GUERRA NO SERTÃO

LIRA NETO

10ª reimpressão

COMPANHIA DAS LETRAS

Grafia atualizada segundo o Acordo Ortográfico da Língua Portuguesa de 1990, que entrou em vigor no Brasil em 2009.

Apoio

Capa e projeto gráfico
Hélio de Almeida

Foto de capa
Acervo de Assunção Gonçalves (Juazeiro do Norte)

Quarta capa
Jagunços que lutaram em nome do padre Cícero, em 1914, durante a chamada Sedição de Juazeiro (Acervo Renato Casimiro e Daniel Walker)

Mapas
Caio Caruso

Preparação
Isabel Jorge Cury

Índice remissivo
Luciano Marchiori

Revisão
Huendel Viana
Marise Leal

Dados Internacionais de Catalogação na Publicação (CIP)
(Câmara Brasileira do Livro, SP, Brasil)

Neto, Lira
Padre Cícero : poder, fé e guerra no sertão / Lira Neto. — São Paulo : Companhia das Letras, 2009.

ISBN 978-85-359-1558-7

1. Cícero, Padre, 1844-1934 2. Devoções populares 3. Juazeiro do Norte (CE) - História 4. Sacerdotes - Brasil - Bibliografia I. Título

09-09998 CDD-922.2

Índice para catálogo sistemático:
1. Padres católicos : Bibliografia e obra 922.2

EDITORA SCHWARCZ S.A.
Rua Bandeira Paulista 702, cj. 32
04532-002 — São Paulo — SP
Telefone: (11) 3707-3500
www.companhiadasletras.com.br
www.blogdacompanhia.com.br
facebook.com/companhiadasletras
instagram.com/companhiadasletras
twitter.com/cialetras

Para Renato Casimiro, meu generoso cicerone
pelas histórias, pelejas e caminhos do Cariri.

Há muito acredito que o realismo é fantástico

Gay Talese

SUMÁRIO

PRÓLOGO

Nos bastidores do Vaticano,
o futuro papa Bento XVI planeja
redimir um padre maldito 11
2001-2006

LIVRO PRIMEIRO
A CRUZ

1

É preciso dar um basta à anarquia:
padres vivem amancebados,
lobisomem corre solto no sertão 23
1844-1870

2

Visão da Última Ceia
muda rumo da história:
Belzebu não samba mais no Juazeiro 44
1871-1889

3

Mistérios no povoado perdido:
hóstia vira sangue,
beata fala com Jesus 65
1889

4

Beata sangra as chagas de Cristo.
Uns dizem que é graça de Deus;
outros, ardileza de Satanás 76
1890-1891

5

Bispo decreta investigação:
Deus sairia da Europa
para fazer milagres no agreste? 94
1891

6

Comissários do bispo diante da dúvida:
esse povo enlouqueceu
ou se abriram mesmo as portas do Céu? 112
1891

7

Bispo contesta inquérito:
Deus não é saltimbanco,
santa não mostra língua a ninguém 133
1891

8

Diocese confisca os paninhos
manchados de sangue:
"Mandaremos pelos ares esse Juazeiro" 149
1892

9

Padre anuncia o fim do mundo:
o sertão vai repetir
a maldição de Sodoma e Gomorra? 166
1892-1893

10

A Inquisição profere o veredicto.
Qual alucinado ousará
discordar do Vaticano? 186
1893-1895

11

Cinco cabras armados tentam
matar o padre rebelde.
Devotos clamam pelo Anjo da Vingança 209
1895-1897

12

Autoridades em polvorosa:
o herege do Juazeiro está mancomunado
com o lunático de Canudos? 227
1897-1898

13

Inquisidores interrogam
padre ameaçado de excomunhão.
Mas ele quer confabular
é com o papa 244
1898-1899

LIVRO SEGUNDO
A ESPADA

1

Sacerdotes juntam os cobres:
com quantos contos de réis
se compra um bispado? 275
1900-1908

2

Padre endiabrado
convoca povo para a guerra:
"Rifle, mais rifle e muito rifle!" 294
1908-1910

3

Aldeia proclama independência.
Paninhos manchados de sangue
viram objeto de barganha 315
1910-1911

4

"Quem bebeu não beba mais,
quem roubou não roube mais,
quem matou não mate mais" 331
1911-1913

5

Mil homens armados
iniciam o assalto ao Juazeiro:
"É hora de tocar fogo neste covil!" 350
1913

6

Moedas de bronze são derretidas
para fabricar a arma mortal:
é o canhão da Besta-Fera 366
1913-1914

7

Uma guerra santa tinge
de sangue o chão sertanejo:
"Por meu *Padim*, vou *inté pro* Inferno" 382
1914

8

Cangaceiro tempera cachaça
com os beiços do inimigo morto.
O que falta para o fim do mundo? 405
1914-1916

9

Devotos não entendem
aquele novo estrupício:
o *Padim* mandou acabarem as romarias 420
1916-1920

10

Em nome do progresso, um boi sagrado
é condenado à morte em praça pública 436
1920-1926

11

O dia em que Lampião foi convocado
para fazer guerra à Coluna Prestes 463
1926

12

O velho padre está quase cego.
Mas encontra forças para advertir:
Getúlio Vargas é mensageiro de Satanás 483
1927-1932

13

Cego, atormentado pelas dores,
o padre agoniza 502
1933-1934

EPÍLOGO

Uma nova guerra santa é declarada no sertão:
"O padre Cícero é antivírus
contra evangélicos" 514
2009

CRONOLOGIA 525

AGRADECIMENTOS 529

BIBLIOGRAFIA 533

CRÉDITOS DAS IMAGENS 541

ÍNDICE REMISSIVO 543

PRÓLOGO

Nos bastidores do Vaticano, o futuro papa Bento XVI planeja redimir um padre maldito

2001-2006

São nove horas da manhã. Como faz todos os dias, o cardeal alemão Joseph Ratzinger, 74 anos, atravessa a pé a praça de São Pedro, no coração da Santa Sé. De batina preta, boina de feltro escuro sobre os cabelos muito brancos, o proeminente teólogo ainda não atende pelo nome de Bento XVI. Mas já é reconhecido como o mais poderoso interlocutor de Sua Santidade, o papa João Paulo II. Ratzinger percorre com passos firmes o caminho de paralelepípedos e, diante do portão de ferro do palácio do Santo Ofício, recebe a habitual continência dos dois soldados da guarda suíça. Reverentes, estes lhe abrem passagem, com os característicos uniformes coloridos em azul, vermelho e amarelo. Aqui, visitantes ocasionais não são bem-vindos. Transposto o pórtico principal, chega-se às dependências da Congregação para a Doutrina da Fé — como desde 1967 passou a ser denominado o Santo Ofício, mais anteriormente conhecido pelo nome original, que fazia tremer a alma dos acusados de heresia: Inquisição Romana. No interior daquelas paredes de pedra, em pleno século XXI, ainda existe um tribunal religioso encarregado de julgar os que professam opiniões divergentes das consideradas oficiais pela Igreja.

Na condição de prefeito da Congregação, o equivalente contemporâneo ao cargo de inquisidor-geral, cabe a Joseph Ratzinger o papel de guardião da ortodoxia católica. Por isso, alguns dos segredos mais caros ao Vaticano são conduzidos na velha valise de couro negro que ele sempre leva à mão direita. Ali vão a agenda de despachos e os documentos para o expediente do dia. No escritório, em cima da vasta mesa de trabalho, a pilha de papéis oficiais com o timbre da Santa Sé divide espaço com um crucifixo de ouro, uma luminária, um porta-lápis e um pequeno calendário. Neste último, vê-se a indicação: é a primavera de 2001. O cardeal, sentado em sua cadeira estofada de espaldar alto, prepara à mão o esboço de uma carta que será enviada em caráter reservado à Nunciatura Apostólica do Brasil. A correspondência diz respeito a um delicado tema: a pertinência de uma possível reabilitação canônica de um sacerdote brasileiro falecido em 1934, aos noventa anos de idade. Alguém que levou para o túmulo o estigma de ter sido um proscrito da Igreja. Um clérigo julgado e condenado como insubmisso, contra o qual os inquisidores da época decretaram a pena de excomunhão. Um reverendo maldito, que a despeito disso continua a arrebanhar milhões de peregrinos e devotos, incansáveis perpetuadores de sua memória: o padre Cícero Romão Batista.

O diligente Joseph Ratzinger, é claro, tem notícia dos cerca de 2,5 milhões de fiéis que acorrem todos os anos a Juazeiro do Norte, cidade localizada a 520 quilômetros de Fortaleza, no interior do Ceará. O número de peregrinos que chegam ao local onde viveu padre Cícero, de fato, impressiona. É como se metade da população de uma metrópole como Roma se deslocasse em massa, anualmente, para reverenciar um sacerdote banido das hostes da Igreja. Em Juazeiro, a multidão compacta paga promessas, acende velas, renova a fé, faz novos pedidos e invoca a proteção de seu guia espiritual. No topo da serra que avizinha a cidade, foi erguida uma imagem gigantesca de padre Cícero, com 27 metros de altura, uma das dez maiores estátuas cristãs de concreto das Américas. Próximo à capela onde está enterrado o corpo do reverendo, na chamada Casa dos Milagres, o testemunho das centenas de milhares de graças alcançadas arrebatam o olhar de quem chega à porta. São os chamados ex-votos: fotografias e esculturas de madeira, cera ou barro, que reproduzem partes do corpo humano. Pernas, braços, mãos, cabeças. Muitas cabeças. Foram deixados ali por doentes terminais que juram ter recuperado a saúde, aleijados que afirmam ter voltado a andar, cegos que dizem enxergar de novo, loucos que asseguram ter recuperado o juízo. Para toda essa gente, padre Cícero é o santo milagreiro, devidamente canonizado pela devoção popular, embora proibido de entrar nos altares oficiais.

Difícil encontrar uma casa no sertão nordestino na qual não exista uma imagem de padre Cícero. Retratado sempre com o cajado, o chapéu e a batina, ele parece onipresente entre os sertanejos. Em Juazeiro, mais ainda. Ele está na fachada das lojas, dos supermercados, dos cartórios, das bodegas, dos comitês eleitorais. Estátuas de Cícero de gesso — e em tamanho natural — adornam até mesmo as agências das grandes redes bancárias instaladas na cidade. Ele só não está nas igrejas.

Para o Vaticano, tal veneração tem se tornado ainda mais eloquente diante da constatação de que a cada ano o catolicismo perde milhares de adeptos no Brasil. Segundo cálculos insuspeitos da própria Conferência Nacional dos Bispos do Brasil (CNBB), a sangria de fiéis é considerada alarmante. O país, na verdade, ainda continua sendo "a maior nação católica do mundo". Mas a última década assistiu à queda vertiginosa no percentual de católicos brasileiros, enquanto o contingente de evangélicos se multiplicou em idêntica proporção. Em última análise, deixar que o culto a padre Cícero permaneça à margem da liturgia significa negar o acolhimento pastoral a toda uma preciosa legião de devotos. Ratzinger sabe disso. Vigilante como sempre no desempenho de sua função, ele tem plena ciência da força do mito em torno do chamado Patriarca do Juazeiro.

É óbvio que o prefeito da Congregação para a Doutrina da Fé não desconhece também as graves acusações históricas que recaem sobre o homem Cícero Romão Batista. Elas não são poucas. Quando reunidas, constituem notórios obstáculos à ideia de anistiar, *post mortem*, as penas que foram impostas ao padre, em vida, pelo Tribunal do Santo Ofício. A primeira incriminação que incide sobre Cícero é a de ter sido ele um mistificador, um aproveitador das crenças do povo mais simples, um semeador de fanatismos. Homem de ideias religiosas pouco ortodoxas, leitor de autores místicos, dado a ver almas do outro mundo e defensor de milagres não endossados pelo Vaticano, Cícero estaria mais próximo da superstição do que da fé, disseram dele os muitos adversários que colecionou no meio do próprio clero. Decorre daí outra incriminação, ainda mais incisiva: a de que nas vezes em que fora repreendido por seus superiores eclesiásticos agira como um rebelde e caíra em desobediência. Na rígida hierarquia clerical, desobedecer a um superior constitui pecado gravíssimo. Almas indóceis à autoridade de bispos e cardeais não vão para o Céu, assim determina a lei da Igreja.

A discutida relação de Cícero Romão Batista com jagunços e cangaceiros tem sido outro entrave à possível anistia cogitada por Ratzinger. Como absolver das penas do Tribunal do Santo Ofício um padre sobre cujas costas os detratores jogam a responsabilidade pela concessão da patente de capitão ao mais feroz de todos os bandoleiros nordestinos, Virgulino Ferreira da Silva, vulgo Lampião, em troca do compromisso para que o "Rei dos Cangaceiros" enfrentasse, em 1926, a célebre Coluna Prestes em sua passagem pelo sertão? Como indultar um clérigo que mesmo antes disso, em 1914, teria benzido rifles, punhais e bacamartes, aparato bélico entregue à jagunçada para promover uma revolução armada, uma sedição que envolveu saques violentos a várias cidades interioranas, provocou a morte de centenas de inocentes e resultou na derrubada de um governo legal? Como redimir as penalidades de um sacerdote que se transformou em líder político, fez-se o primeiro prefeito de Juazeiro do Norte, elegeu-se deputado federal, tornou-se vice-presidente (cargo então equivalente ao de vice-governador) do Ceará e arquitetou um pacto histórico entre os poderosos coronéis do sertão? Como perdoar um padre que acumulou vasto patrimônio à custa das esmolas e das doações de fiéis? Para os algozes de Cícero, não faltariam argumentos contrários à suposta reabilitação canônica.

Entretanto, do mesmo modo, não são poucos os que definem a eterna tempestade de acusações contra Cícero como frutos de inverdades históricas, interpretações distorcidas e preconceitos elitistas que foram se acumulando, ao longo do tempo, em torno de tão controvertida figura. A carta que o cardeal Joseph Ratzinger escreve nesta manhã de primavera europeia tem exatamente o objetivo de retomar — com a chancela do brasão da Santa Sé — uma questão sobre a qual se debatem, por décadas a fio, apologistas e difamadores de Cícero Romão Batista. Quem foi esse homem misterioso que, mesmo tendo um decreto de excomunhão assinado contra si, arrebatou o coração das massas e passou à memória coletiva e ao panteão popular como o santo *Padim Ciço*? Era um apóstolo visionário que soube entender a língua do povo, converteu multidões com sua singela pastoral sertaneja, mas ainda assim foi injustiçado por um clero intransigente, etnocêntrico, refratário às diferenças? Ou foi um sujeito astuto que usou a batina em seu próprio benefício, amealhou fortunas em terras, imóveis e gado, alimentando a sede de poder com a miséria e a ignorância de seus devotos?

Não parece ter sido coincidência. Poucos meses depois de a carta de Joseph Ratzinger ter alcançado o devido destino na sede da CNBB, em Brasília, um novo bispo diocesano desembarca no pequeno terminal de passageiros do aeroporto Orlando Bezerra de Menezes, em Juazeiro do Norte. O homem nomeado por João Paulo II para administrar dali por diante a diocese do Crato, à qual está subordinada a forania de Juazeiro, é um italiano sorridente e de fala serena. Quando perguntado se vem com alguma missão específica — e se tal missão tem relação direta com a possível reabilitação de padre Cícero —, ele silencia. Em alguns casos, dependendo do interlocutor, vai além: esboça um de seus enigmáticos sorrisos.

O recém-chegado, dom Fernando Panico, nascido em 1946 na cidade de Tricase, sul da Itália, exibe um currículo exemplar. Além de sobrinho de um cardeal com respeitáveis serviços prestados à Santa Sé — dom Giovanni Panico, ex-núncio em Portugal —, traz na bagagem os diplomas de bacharel em filosofia pela Pontifícia Universidade Gregoriana e em teologia pelo Pontifício Ateneu Santo Anselmo, ambos em Roma. Mestre em teologia litúrgica e doutor em liturgia, Panico está desde 1974 no Brasil. Aqui, sempre trabalhou em dioceses nordestinas. Primeiro no Maranhão, onde foi reitor de seminário; depois no Piauí, como bispo de Oeiras e Floriano. Conhece bem, portanto, o universo e os matizes da religiosidade popular dos sertões. Está familiarizado com as singularidades das manifestações de fé do catolicismo caboclo, que tem em padre Cícero uma de suas maiores referências.

Tão logo toma posse no comando da diocese, em junho de 2001, dom Fernando Panico demonstra, sem meias palavras, claramente a que veio. Do alto do púlpito, durante a homilia que faz na primeira missa como novo bispo do Crato, anuncia o propósito de encorajar e apoiar novos estudos críticos sobre a trajetória de Cícero Romão Batista. Em uma carta pastoral aos fiéis, datada de 20 de outubro, reafirma o mesmo propósito, dessa vez em letra de forma: "Ele merece nosso carinho, apesar de tudo o que contra ele aconteceu e se tem escrito", observa o bispo, a propósito do ambíguo sacerdote. Tais afirmações causam profundo mal-estar nos membros mais tradicionais do clero do Crato, que têm Cícero na conta de um embusteiro histórico. "Padre Cícero chegou ao Juazeiro missionário, tornou-se visionário e acabou milionário", costumava dizer dom Newton Holanda Gurgel, o antecessor de dom Fernando, que se viu compelido a renunciar ao cargo ao completar 75 anos de idade e passar a mitra ao sucessor.

Contudo, não há dúvidas de que os ventos da Igreja pretendem soprar em outra direção. O que está em cena não é uma mera questão paroquial, uma nova frente de batalha na eterna rivalidade entre cratenses e juazeirenses. Nesse mesmo mês de outubro de 2001, dom Fernando embarca para Roma, acompanhado dos demais bispos do Ceará e do Piauí, por ocasião da visita *ad limina* ao Vaticano — uma obrigação imposta pela Igreja a seus prelados a cada cinco anos, que devem ajoelhar-se diante dos túmulos dos apóstolos são Pedro e são Paulo; nessa ocasião, são recebidos pelo papa para reportar o estado pastoral de suas respectivas dioceses. Dom Fernando aproveita a viagem à Cidade Eterna e logo obtém uma audiência com o cardeal Joseph Ratzinger, no Palácio do Santo Ofício. Na pauta do encontro com o prestigioso prefeito da Congregação para a Doutrina da Fé, o assunto é um só: padre Cícero.

Dom Fernando escuta de Ratzinger as palavras que provavelmente já esperava ouvir. O cardeal não só o estimula a levar adiante os novos estudos sobre a polêmica trajetória de Cícero, como também dá instruções detalhadas a respeito da forma de conduzir o processo, de acordo com os rituais e procedimentos da Congregação. Como conselho adicional, Ratzinger sugere que as concorridas romarias a Juazeiro do Norte devam ser abertamente incentivadas e acolhidas, ao contrário do que fazia o bispo anterior, dom Newton. A recomendação do cardeal será obedecida à risca. Algum tempo após a volta ao Brasil, dom Fernando faz publicar uma segunda carta pastoral aos fiéis, sintomaticamente intitulada "Romarias e reconciliação". O sinal de distensão entre a Igreja e os romeiros, principal herança deixada pelo sacerdote proscrito, está evidente: "Mais do que nunca é necessário reconhecer as romarias de Juazeiro do Norte como uma profunda experiência de Deus e legítima experiência de fé", diz a carta do bispo aos diocesanos.

Para seguir os desígnios ditados por Roma, dom Fernando organiza uma comissão multidisciplinar de estudos, à qual caberá mergulhar nos arquivos oficiais da diocese, mas também em acervos particulares e de instituições públicas, para avaliar a possível reabilitação de Cícero Romão Batista. Pelos trâmites da Santa Sé, reabilitar o padre significaria o primeiro passo a caminho de uma presumível canonização. Após ele ser devidamente perdoado pela Congregação da Doutrina da Fé, o segundo passo seria a abertura do processo de beatificação, depois do qual Cícero passaria ser declarado um "bem-aventurado", o degrau imediatamente inferior ao seu reconhecimento como santo, quando enfim poderia ser elevado à honra dos altares.

A comissão organizada por dom Fernando, obedecendo às diretrizes de Ratzinger, é composta de especialistas, mestres e doutores em diversas áreas do conhecimento: antropologia, filosofia, história, psicologia, sociologia e teologia. Pressionada pela oposição do clero do Crato, os membros se reúnem também em São Paulo, onde recebem a visita de dom Paulo Evaristo Arns, o cardeal emérito da diocese paulista, que na ocasião se revela simpático à causa da reabilitação canônica de padre Cícero. Durante cerca de cinco anos, a comissão de notáveis trabalha estrategicamente em silêncio, reunindo informações, acessando papéis até então intocáveis, trazendo à luz novos elementos para um julgamento póstumo de Cícero Romão Batista.

Uma circunstância inaudita, porém, apanha a comissão no meio do caminho. Às 21 horas e 37 minutos de um sábado, 2 de abril de 2005, o papa João Paulo II, que nos últimos dias vinha se alimentando por meio de uma sonda inserida no nariz e respirando por um tubo que bombeava o ar diretamente na traqueia, exala o último suspiro. Os médicos, após assistirem durante semanas à via-crúcis de tremores e febres do ilustre paciente, informam que o organismo de Sua Santidade parou de manifestar os sinais vitais. João Paulo II, governante da Igreja por mais de um quarto de século, está morto.

Dezessete dias depois, o conclave de cardeais reunido no Vaticano autoriza que a fumaça branca seja lançada pela chaminé da Basílica de São Pedro. *Habemus papam*, logo entendem os milhões de católicos espalhados pelo planeta, que testemunham a tudo com os olhos grudados na televisão. Há um novo papa no poder. O cardeal decano Joseph Ratzinger, prefeito da Congregação para a Doutrina da Fé, é eleito o 264º sucessor de Pedro e coroado como Bento XVI. O homem que iniciou o processo de reabilitação de padre Cícero é agora o chefe supremo da Igreja Católica Apostólica Romana.

Em 30 de maio de 2006, pouco mais de um ano após Bento XVI iniciar seu pontificado, uma comitiva brasileira liderada pelo bispo do Crato, dom Fernando Panico, chega ao Vaticano. Leva consigo onze grossos volumes encadernados em capa vermelha e identificados com letras gravadas em dourado. São cópias de documentos religiosos e seculares, incluindo a vasta correspondência trocada entre os protagonistas da história tumultuosa de Cícero Romão Batista. Também estão ali os relatórios e os pareceres da comissão de especialistas encarregada dos novos estudos em torno do caso. Um volume à parte traz cerca de 150 mil assinaturas de populares em prol da reabilitação, às quais se soma um abaixo-assinado no qual se lê o nome de nada menos que 253 bispos brasileiros favoráveis à causa.

Uma carta de dom Fernando ao papa completa a papelada. "Venho com toda esperança e humildade suplicar a Vossa Santidade que se digne reabilitar canonicamente o padre Cícero Romão Batista, libertando-o de qualquer sombra e resquício das acusações por ele sofridas", escreve o bispo. "Posso testemunhar, Santidade, que as nossas romarias são um baluarte da fé dos pobres, filhos queridos da Igreja Católica, cuja devoção contém e freia, por assim dizer, o avanço das seitas evangélicas na nossa região", explicita. Na carta, dom Fernando faz questão ainda de recordar que o mesmo Bento XVI, então cardeal, é quem lhe sugerira reabrir os estudos históricos sobre Cícero. "A comissão de estudiosos, ao realizar as novas pesquisas, manteve-se numa discrição objetiva das fontes. À Congregação para a Doutrina da Fé compete a análise de nosso trabalho. E à Vossa Santidade a palavra conclusiva."

Nas prateleiras empoeiradas do antigo Tribunal do Santo Ofício, por determinação de Bento XVI, os documentos secretos que resultaram na expulsão de Cícero das fileiras da Igreja começam a acordar de um sono de quase cem anos.

Cruzeiro de madeira erguido por Cícero
no caminho do chamado "Horto",
em Juazeiro, no primeiro ano do séc. XX

LIVRO
PRIMEIRO

A CRUZ

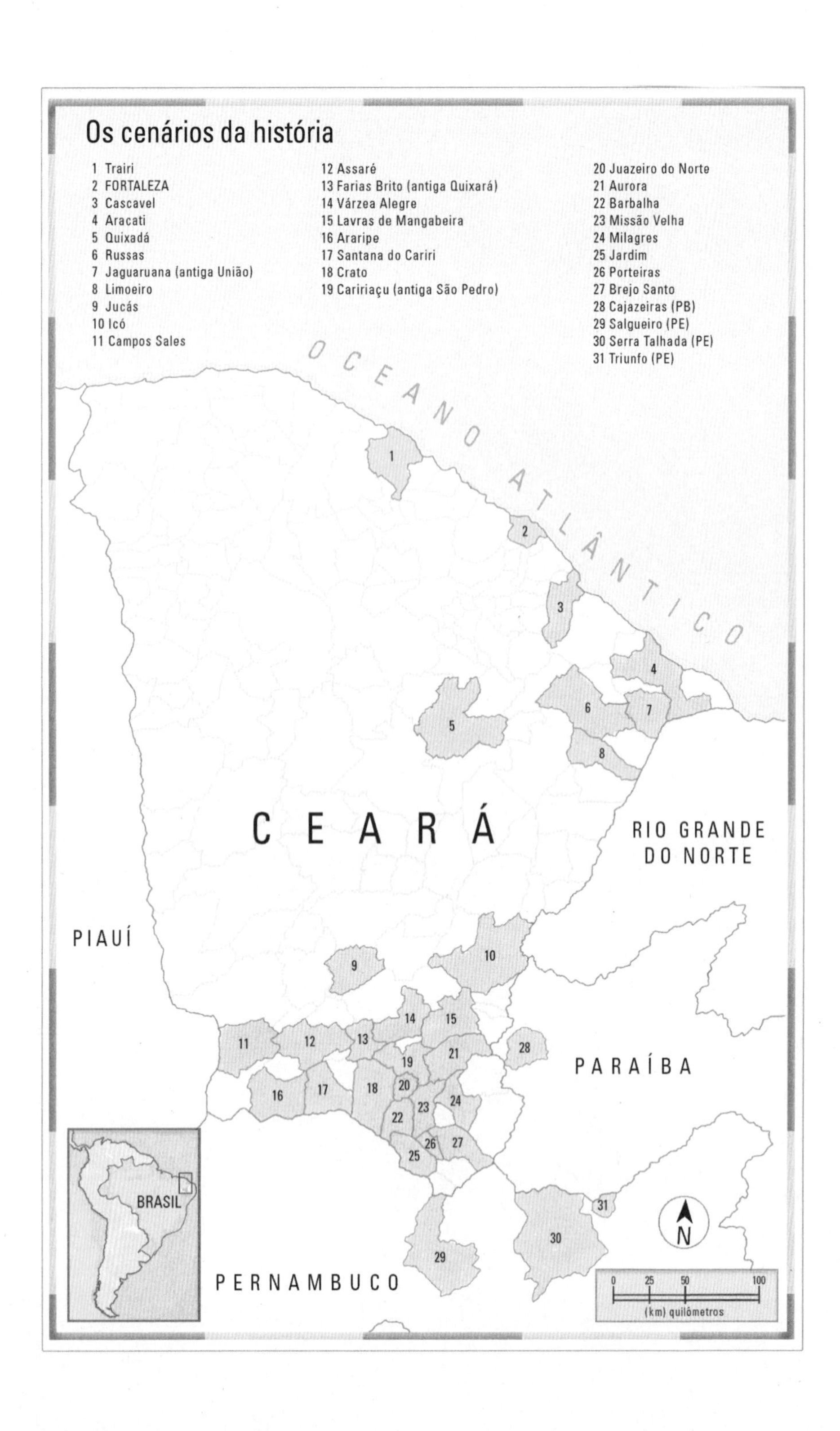
Os cenários da história
1 Trairi
2 FORTALEZA
3 Cascavel
4 Aracati
5 Quixadá
6 Russas
7 Jaguaruana (antiga União)
8 Limoeiro
9 Jucás
10 Icó
11 Campos Sales
12 Assaré
13 Farias Brito (antiga Quixará)
14 Várzea Alegre
15 Lavras de Mangabeira
16 Araripe
17 Santana do Cariri
18 Crato
19 Caririaçu (antiga São Pedro)
20 Juazeiro do Norte
21 Aurora
22 Barbalha
23 Missão Velha
24 Milagres
25 Jardim
26 Porteiras
27 Brejo Santo
28 Cajazeiras (PB)
29 Salgueiro (PE)
30 Serra Talhada (PE)
31 Triunfo (PE)
OCEANO ATLÂNTICO
CEARÁ
RIO GRANDE DO NORTE
PIAUÍ
PARAÍBA
PERNAMBUCO
BRASIL
N
0 25 50 100
(km) quilômetros

1

É preciso dar um basta à anarquia: padres vivem amancebados, lobisomem corre solto no sertão

1844-1870

Mais de 1800 anos após ter sido pregado numa cruz pelos soldados romanos no monte Gólgota, em Jerusalém, Jesus Cristo, o homem em cuja memória se fundou a Igreja que congrega mais de 2 bilhões de fiéis espalhados por todo o mundo, voltou à Terra. Nasceu de novo, na cidade do Crato, interior do Ceará. Cristo retornou na forma de um bebê sertanejo, com traços nitidamente caboclos, mas de cachinhos dourados e olhos azuis. O Menino Jesus redivivo chegou dos céus em meio a uma explosão de luz, com a força de mil sóis, no meio do sertão. Foi trazido por um anjo de asas cintilantes, que na mesma hora levou embora a filhinha recém-nascida de uma católica fervorosa, a cearense Joaquina Vicência Romana, mais conhecida como dona Quinô. De tão intenso, o clarão deixou a mulher temporariamente cega, bem na hora do parto, o que a impediu de perceber a troca das duas crianças. Como sinal de que era um iluminado, o menino santo acabava de regressar ao mundo em um 24 de março, véspera da data em que se celebra a Anunciação de Nossa Senhora, exatos nove meses antes do Natal.

Para muitos dos milhões de peregrinos que chegam hoje a Juazeiro do Norte, essa é a verdadeira história do nascimento do padre Cícero. Ele seria a reencarnação do próprio Cristo. A imaginação coletiva, disseminada de boca em boca e de geração em geração, encarregou-se de atribuir uma origem sagrada, não carnal, ao protetor dos romeiros. Com pequenas variações — às vezes é a própria Virgem, e não um anjo de luz, quem traz nos braços o Cristo menino de volta à Terra — a crença na linhagem divina de Cícero foi igualmente reforçada por uma das mais autênticas expressões da tradição nordestina: os folhetos de cordel. Para os devotos mais enlevados, não há como pôr em dúvida aquilo que dizia o poeta João Mendes de Oliveira, contemporâneo de Cícero e autointitulado "historiador brasileiro e negociante", um dos primeiros a enaltecer o sacerdote em rimas e versos:

Perante a lei da verdade
não vou dizer nada à toa
Padrinho Cícero é uma pessoa
da Santíssima Trindade.

De acordo com o que está disposto nos livros de batismos da Cúria do Crato, o menino Cícero Romão Batista nasceu naquela cidade cearense no dia 24 de março de 1844. A documentação dos cartórios e das sacristias pode ser mais objetiva do que a narrativa mítica. Mas não é menos sugestiva de significados nem deixa de ser alvo de controvérsias. Há quem aponte, mesmo aí, na letra firme do escrivão, a sombra de uma armadilha histórica: Cícero teria nascido no dia anterior, 23, e posteriormente alterado o próprio batistério para vincular sua origem à data litúrgica da Anunciação. Não há provas, contudo, que corroborem essa acusação específica de mitomania. O que se sabe ao certo é que o filho de dona Quinô e do pequeno comerciante Joaquim Romão Batista nasceu um caboclinho de longas orelhas de abano e, de fato, cabelos aloirados e um surpreendente par de olhos azuis — características que ajudaram a associar sua imagem ao Cristo caucasiano das gravuras de origem medieval, mas que na verdade foram herdadas dos antepassados portugueses da família, tanto do lado materno quanto do paterno.

O pai, Joaquim Romão, era o primogênito de um oficial da cavalaria que lutara ao lado das tropas brasileiras nas guerras dos tempos da Independência. A mãe, dona Quinô, trazia por sua vez a história de batalhas familiares marcadas por suplícios quase bíblicos. Suas seis irmãs, as tias de Cícero — Totonha, Donana, Azia, Teresinha, Tudinha e Vicência —, todas teriam sido defloradas pelo mesmo homem, o coronel José Francisco Pereira Maia, o Mainha, juiz de paz, delegado de polícia e deputado provincial pelo Crato.

Só ela, Quinô, teria resistido aos assédios sistemáticos do coronel, um garanhão que se gabava de ter colocado no mundo 82 rebentos, polígamo assumido desde que fora traído pela primeira esposa, uma mulher com fama de adúltera e nome de santa: Clara Angélica do Espírito Santo.

Por trás do balcão da lojinha da família, o pai de Cícero tirava o sustento da casa com a venda de artigos os mais variados, que iam de fechaduras de latão a chapéus para senhoras, de parafusos de ferro a gravatas de seda. Com o dinheiro que pingava no caixa, Joaquim Romão sempre cuidou de proporcionar boa educação ao único varão que o destino lhe concedeu, Cícero, o filho do meio entre as irmãs Maria Angélica, dois anos mais velha, e a caçula Angélica Vicência, cinco anos mais nova.

A tradição oral dá conta de um menino Cícero que construía casinhas de barro para as brincadeiras das irmãs, evitava as típicas estripulias da infância e não se juntava aos demais moleques da rua. Mas que gostava de subir em árvores e de pegar passarinhos, especialmente canários e patativas. Afora isso, vivia enfurnado em uma tenda que armava no quintal de casa, onde ficava sozinho durante horas, silencioso e ensimesmado, como se estivesse a rezar e a conversar com os anjos da guarda. A história da infância de Cícero, tema de inúmeros folhetos de cordel espalhados pelas feiras do sertão, foi sendo construída assim, por meio de relatos posteriores que buscavam abonar o mito e adivinhar indícios de uma hipotética predestinação. Em um velho folheto cuja autoria se perdeu nos desvãos do tempo, *A vida e os antigos sermões do padre Cícero Romão Batista*, o garoto é idealizado em um desses instantes de devoção prematura:

Ele tinha cinco anos
era bem pequenininho,
à noite a mãe procurou,
não o achou no bercinho,
achou-o nos pés duma imagem
dormindo ajoelhadinho.

Décadas mais tarde, em Juazeiro do Norte, os futuros romeiros disputariam avidamente uma singela fotografia de Cícero aos quatro anos de idade. Milhares de cópias daquela imagem que se tornou célebre seriam espalhadas no sertão, apregoadas pelos vendedores de santinhos como uma relíquia sagrada. Nela, vê-se uma criança bochechuda que se equilibra em pé numa cadeira de palhinha, o cabelo partido ao meio, sapatinhos de verniz, roupa enfeitada com pregas e babados. Seria essa a primeira imagem de Cícero de que se tem notícia, por isso apreciada com afeição especial pelos devotos. A foto, porém, é flagrantemente falsa.

Quando Cícero completou quatro anos de idade, em 1848, a máquina fotográfica havia sido apresentada ao mundo apenas onze anos antes, na Europa, pelo inventor francês Louis-Jacques-Mandé Daguerre. No Ceará, ainda não existia quem houvesse visto um desses maravilhosos "daguerreótipos", que faziam retratos como em um passe de mágica. Mesmo no Rio de Janeiro, então a capital do país, a fotografia ainda era uma espantosa novidade restrita aos membros da corte de d. Pedro II. O menino da foto não podia ser Cícero. Na verdade, era o pequeno Antônio Fernandes de Melo Costa, filho do poderoso coronel Manoel Fernandes da Costa, que viria a ser um dos grandes amigos do padre Cícero em Juazeiro do Norte. O instantâneo foi feito já no século XX. Quando, em 1945, homem-feito e residente em Maceió, Antônio Fernandes viajou ao Ceará para visitar o túmulo do pai em Juazeiro, surpreendeu-se ao ver sua foto de criança nas mãos dos romeiros, transformada em objeto de culto.

Cícero começou a soletrar as primeiras sílabas aos seis anos, sob as vistas e a palmatória do bigodudo professor Rufino de Alcântara Montezuma, respeitado mestre-escola da cidade. Um pouco mais crescido, aos doze anos, o rapazote passou a estudar na escola régia de um parente próximo da família, João Marrocos Teles, um padre amancebado e pai de família, em cujo sobrado aprendeu a decifrar os segredos do latim.

As prédicas do padre e latinista João Marrocos, assim como as rezas de dona Quinô, deixaram marcas profundas na formação do menino. Também exerceram grande influência sobre ele as pregações de José Antônio Pereira Ibiapina, um ex-advogado criminalista de cenho grave que largara a toga e passara a envergar a batina bem

Os pais de Cícero: Joaquina Vicência Romana, a dona Quinô, e Joaquim Romão Batista. Acima, a fotografia falsa, que era vendida aos romeiros como o retrato do padre quando criança tarde, aos 47 anos de idade. Após descobrir a vocação sacerdotal, Ibiapina se desfez dos livros jurídicos, trocou o sobrenome Pereira pelo de Maria e conseguiu ser ordenado no Seminário de Olinda. A partir de então, padre José Antônio de Maria Ibiapina cruzaria os sertões nordestinos a pé, de ponta a ponta, erigindo capelas, erguendo escolas, construindo açudes, abrindo hospitais para os pobres, sempre em regime de mutirão. Suas chamadas casas de caridade — instituições sociais dedicadas a educar e doutrinar meninas órfãs, ensinando-as a ler, a adorar a Deus e a desenvolver ofícios manuais — espalharam-se por toda a região.

Sempre baseado no binômio oração e trabalho, o padre e educador de pele queimada pelo sol do sertão serviu de modelo para a futura prática pastoral de Cícero. Como este repetiria mais tarde, Ibiapina recrutou homens e mulheres das camadas mais despossuídas da população e, com eles, fundou uma nova ordem religiosa, a dos beatos e beatas, que se proliferou Nordeste afora e seria mantida à margem da Igreja oficial. Mesmo sem a devida autorização, o missionário fornecia a leigos o hábito característico que nunca mais largariam — uma túnica escura e comprida até o chão, com a qual pediam esmolas para ajudar os necessitados, pregavam o Evangelho e cuidavam dos serviços sagrados, como a celebração de novenas e terços. Foi em fevereiro de 1865, na inauguração da casa de caridade de Missão Velha, vila próxima ao Crato, que o jovem Cícero Romão conheceu pessoalmente o padre Ibiapina. Ficou fascinado pelo verbo eloquente e pelo carisma daquele reformador de costumes.

Mas, segundo o próprio Cícero dizia, a vocação religiosa revelara-se para ele bem antes. Um livro que lhe caíra nas mãos aos doze anos de idade teria mudado, desde então, os rumos de sua vida. Foi o momento de sua hierofania, o instante em que o sagrado se manifestou a ele pela primeira vez: "Pela leitura que nesse tempo fiz da vida imaculada de são Francisco de Sales, conservei a minha virgindade e castidade". Cícero se referia ao livro *Filoteia ou Introdução à vida devota*, a obra mais popular do bispo-príncipe de Genebra que, no século XVI, logo após a Reforma Protestante, se notabilizou por reconverter ao catolicismo milhares de calvinistas. A obra, um manual de iniciação cristã destinado à educação dos jovens, pregava a necessidade da castidade do corpo e da alma. "Os corpos humanos são semelhantes aos vidros que não podem se tocar sem o risco de

José Antônio Pereira Ibiapina, o padre andarilho que fundou a ordem sertaneja dos beatos e beatas, homens e mulheres arregimentados entre a população mais simples do sertão. No Juazeiro, um dos mais célebres entre todos eles foi o chamado "beato da Cruz" (abaixo)

se quebrarem, e com as frutas maduras que ficam manchadas quando se põem umas sobre as outras", advertia são Francisco de Sales.

Após quatro anos recebendo as lições do padre João Marrocos, Cícero acabou sendo enviado ao colégio de outro sacerdote, o padre Inácio de Sousa Rolim, um poliglota que recusou a honra de ministrar uma cadeira no Colégio Pedro II, no Rio de Janeiro, para montar sua própria escola em pleno sertão, às margens do rio do Peixe, em torno da qual foi crescendo a cidade paraibana de Cajazeiras, a dezenove léguas — cerca de 120 quilômetros — do Crato. Cícero permaneceu como aluno interno, sob os cuidados do padre Rolim, por dois anos. Mas, tão logo completou dezoito anos de idade, uma notícia funesta obrigou-o a retornar ao Crato: o velho Joaquim Romão havia morrido. O pai de Cícero foi uma das 1100 vidas que uma terrível epidemia de cólera-morbo ceifou no Crato, naquele ano da desgraça de 1862.

Com fome insaciável, o cólera arrebanhou, ao todo, 11 mil almas pela capital e sertões do Ceará. O pânico se estabeleceu entre os sobreviventes, que creditavam a tragédia a um severo castigo dos céus. Havia relatos de doentes sepultados vivos em valas comuns depois de abandonados pela família e mandados antes da hora para o cemitério, por medo de um possível contágio. Com a falta de coveiros em número suficiente para dar conta de tamanha tarefa, o serviço de enterramento era feito por condenados pela Justiça, em troca de goles de cachaça e do perdão de suas penas. No Crato, a exemplo de outras cidades do interior cearense, o horror diante da moléstia incentivava numerosas procissões de penitência. Noite e dia, viam-se multidões de fiéis entoando litanias desesperadas pela rua. Uns seguiam com volumosas pedras sobre a cabeça; outros se flagelavam, açoitando as próprias costas com chicotes de couro cru, na ponta dos quais eram amarradas as "disciplinas", lâminas de ferro afiadas e dentadas. Foi nesse cenário aterrador que o rapaz Cícero Romão, agora órfão de pai, teve de voltar para casa.

No retorno ao lar, encontrou a mãe às voltas com a tarefa de sustentar as duas outras bocas da família: Maria Angélica, então com vinte anos, e a menina Angélica Vicência, com treze. O falecido Joaquim Romão deixara poucos bens de herança — um boi, quatro vacas, duas novilhas, dez bezerros, duas escravas, uma casa de tijolos, a escritura de alguns palmos de chão. E muitas, muitas dívidas na praça. Devia mais de um conto de réis aos fornecedores de bugigangas e mercadorias. Não era pouco. Representava um valor equivalente a todo o orçamento calculado pelo governo da província do Ceará para a necessária reforma do cemitério de Fortaleza, tornado pequeno diante do número de mortos deixados pelo cólera. Feito o inventário, constatou-se a cruel aritmética dos livros-caixa: Joaquim Romão morrera falido, completamente quebrado.

Com a morte do marido, a viúva Quinô não tinha como manter o filho estudando em Cajazeiras, longe do Crato. Tudo levava a crer que a aspiração do jovem Cícero em prosseguir nos estudos viria a ser sepultada na mesma cova em que descansariam, para sempre, os ossos do pai. Foi o padrinho de crisma, o coronel Antônio Luiz Alves Pequeno, quem socorreu o moço naquele instante de incerteza e aflição. Homem poderoso do lugar, rico comerciante, o coronel Alves Pequeno se compadeceu da míngua em que vivia a família do falecido compadre Romão. E, em especial, ficou bastante impressionado com uma história singular, narrada de viva voz pelo afilhado.

Cícero contou ao padrinho que naqueles dias, bem tarde da noite, estava deitado no fundo da rede estendida de uma parede a outra da sala quando ouviu o som de leves passos dentro de casa. Erguera-se e, entre o sono e a vigília, com aqueles mesmos olhos que um dia a terra haveria de comer, disse ter visto a imagem do finado Joaquim Romão, ali na sua frente, bruxuleando à luz da lamparina. Da eterna mansão dos mortos, o velho teria lhe trazido um pedido e, ao mesmo tempo, um consolo em forma de profecia: o filho não deveria desistir, um só minuto que fosse, do bom caminho dos livros.

"Deus haverá de dar um jeito", teria lhe garantido a visão.

O coronel Alves Pequeno ficou admirado diante do relato fantasmagórico. Para ele, bastava retirar alguns cobres da algibeira e concretizar o desejo do compadre morto. Dinheiro, tratando-se do coronel, nunca fora problema. E quando andam juntas, diz-se no sertão, a fé e a boa vontade fazem o longe ficar perto. Foi assim que, devidamente financiado pelo padrinho, graças à suposta visão, Cícero arrumou as trouxas, pegou a estrada de terra e tomou de volta o rumo de Cajazeiras, onde concluiu os estudos elementares no colégio do padre Rolim.

O coronel Pequeno arrebanhava homens tanto para a cruz quanto para a espada. Em 1865, financiou a ida de vinte jovens cratenses, recrutados no laço, para lutar na sangrenta Guerra do Paraguai. Naquele mesmo ano, ainda sob as asas protetoras do padrinho, o nome de Cícero Romão Batista figurou no livro de matrículas da turma inaugural do Seminário da Prainha, a primeira escola de nível superior do Ceará. Um casarão de dois pavimentos e solenes janelões voltados para o mar esverdeado de Fortaleza. Ali, o rapaz de 21 anos, acostumado à religiosidade popular dos beatos do andarilho Ibiapina, logo entraria em choque com a rigidez de seus novos professores.

Quando avistou do mar o porto de Fortaleza, em setembro de 1861, dom Luiz Antônio dos Santos trazia, além da mitra branca sobre a cabeça e do dourado cajado episcopal nas mãos, um respeitável diploma dentro da mala: ele era, aos 44 anos, um dos três únicos religiosos brasileiros a portar o título de doutor em direito canônico por Roma. Com 25 anos dedicados ao sacerdócio, dom Luiz deixara a reitoria do Seminário de Mariana, em Minas Gerais, para assumir o cargo de primeiro bispo do Ceará. Era um dia histórico para a província. Até 1854, a Igreja cearense estivera subordinada à diocese de Olinda, em Pernambuco. À frente do novo cargo e do novo bispado, a missão de dom Luiz não era pequena.

As longas distâncias entre a antiga sede episcopal e os milhares de cristãos desgarrados pelo sertão provocaram um vazio nas relações entre fiéis e clero. Raros eram os momentos em que os chamados padres visitadores se dispunham a sair do refrigério dos centros urbanos, enfrentando os perigos e as extensões sertanejas, para se embrenharem no interior da caatinga, onde reinava a lei do punhal e do bacamarte. Naqueles confins dominados por latifundiários e cangaceiros, quase nunca se rezavam missas ou se ministravam outros sacramentos além do batismo, pela simples ausência de um número suficiente de párocos para fazê-lo. Em todo o Ceará, só havia 33 padres para cobrir as quase 5 mil léguas quadradas que compreendiam o território da província.

Tal vácuo deu origem a uma religiosidade espontânea no meio do povo, um misticismo rico em manifestações, mas pouco afeito ao controle e aos rituais da Igreja oficial. O menino Cícero nascera e crescera exatamente naquele mundo, em que práticas medievais como a autoflagelação dos corpos se faziam acompanhar das previsões apocalípticas atribuídas a são Malaquias a respeito do fim dos tempos. Antigas crenças indígenas, uma vez mescladas à tradição lusitana do culto aos santos protetores, geravam uma devoção permeada de livres reinterpretações da fé católica, baseadas em elementos mágicos e sobrenaturais. As penitências e o sentimento de expiação dialogavam, sem cerimônias, com as celebrações coloridas e dançantes nas festas anuais dos padroeiros.

No universo mental dos sertões, havia lugar tanto para a crença em caiporas e lobisomens quanto em anjos da guarda. Existia espaço para propaladas aparições tanto de almas penadas quanto de pavorosas mulas sem cabeça. Benzedeiras desfaziam quebrantos com a ajuda de rosários, como também de patuás e folhas de pinhão-roxo. Davam-se notícias de curas extraordinárias, de palestras com mortos e de intervenções miraculosas do Além. A recorrência das secas e pestes inclementes ajudava a fazer de cada manifestação da natureza um recado de Deus — ou uma artimanha do diabo — contra o mundo imperfeito dos homens.

Ao mesmo tempo, além de poucos, os padres não eram nenhum exemplo de cega obediência às leis da Igreja que representavam. Muitos deles, particularmente aqueles ordenados pelo velho e politizado Seminário de Olinda, haviam dedicado mais tempo a organizar revoltas do que às obrigações do altar. Inspirados pelos ecos da Revolução Francesa, escondiam livros clandestinos por baixo da batina, tramavam insurreições republicanas, organizavam-se em sociedades secretas como a maçonaria. E, em especial, faziam vistas grossas ao compromisso do celibato.

Ao visitar o Ceará em 1839, o então bispo de Olinda, dom João da Purificação Marques Perdigão, ficou preocupado com a quantidade de padres concubinados com que deparou no interior da província. "Chamei o padre José da Costa Barros para imediatamente lançar fora de casa uma mulher, que conservava em sua companhia há muitos anos, irmã do vigário de Quixeramobim, e da qual tem um filho", escreveu o bispo em seu relatório à época. "Chamei também o vigário da freguesia do Cascavel e lhe estranhei a comunicação ilícita e pública que tinha com uma mulher, e depois de uma larga exortação, prometeu-me fazê-la residir na distância de cinco léguas", anotou o mesmo dom João da Purificação.

Para o recém-chegado dom Luiz, tratava-se de uma situação inadmissível. Ele fora alçado ao comando da nova diocese com algumas incumbências capitais. A primeira era justamente moralizar o clero local. Em bom português, isso significava, por um lado, dar um basta no catolicismo popular reinante nos sertões, considerado uma imperdoável heresia, e substituí-lo por práticas religiosas mais condizentes com a doutrina e o rito da Igreja. Por outro lado, significava formar novos sacerdotes e exigir deles o modelo de retidão moral compatível com o ofício, principalmente quanto ao cumprimento do celibato e dos sagrados votos de castidade.

A missão de dom Luiz — que incluía a fundação de um seminário na nova diocese — fazia parte do esforço da cúpula da Igreja brasileira para disciplinar seu rebanho. Pelo que ficara determinado desde o Concílio de Trento — a grande reunião de bispos convocada pelo papa Paulo III, ainda no século XVI, como resposta à Reforma Protestante —, os católicos deveriam manter total obediência às ordens e orientações emanadas de Roma. A Igreja do mundo inteiro deveria seguir à risca o que determinava um único centro de decisão, situado por trás dos Alpes europeus — de onde se adotou o nome do movimento, ultramontanismo, do latim *ultramontanus*, "para além das montanhas".

Como consequência, instituíra-se um só ritual para todos os templos ao redor do planeta, abolindo as variações locais: a chamada missa tridentina — referência ao nome da cidade de Trento, sede do grande concílio. Fosse na Itália, na Patagônia ou nos cafundós do Brasil, a missa passara, desde então, a ser celebrada em latim, com os sacerdotes voltados de frente para o sacrário, de costas para os fiéis. Determinara-se, por decreto, a existência do Purgatório e adotara-se como única versão legítima da Bíblia a tradução latina das antigas Escrituras feita em meados do século IV por são Jerônimo. Entre outras centenas de penas previstas aos maus cristãos, o Concílio sentenciara: "Se alguém disser que na Igreja Católica não há hierarquia eclesiástica estabelecida por ordem de Deus — seja excomungado".

Com a posse de Pio IX em 1846, o cerco da hierarquia ultramontana contra os heréticos se fecharia mais ainda. Um ano antes de Cícero Romão Batista haver palmilhado a longa estrada que o levou do Crato ao Seminário de Fortaleza, o sumo pontífice publicou a

A sede do palácio episcopal, em Fortaleza, e dom Luiz Antônio dos Santos, primeiro bispo do Ceará

encíclica *Quanta cura* e promulgou o *Syllabus errorum*, documentos nos quais condenava, de forma contundente, a liberdade de culto, a maçonaria e os "avanços funestos da modernidade", considerados "manifestações monstruosas do espírito de Satanás". Pela nova encíclica papal, a liberdade de pensamento equivalia, textualmente, à "liberdade de perdição".

Sob o papado de Pio IX, porém, a religião católica viria a sofrer um revés histórico: o processo de unificação da nação italiana, entre 1860 e 1870, faria que a Igreja perdesse gradativamente a posse das regiões que desde o século VIII constituíam os chamados Estados Pontifícios, um aglomerado de territórios localizados no centro da península Itálica, considerados "patrimônio de são Pedro". Quando as tropas militares enfim tomassem Roma como capital da nova nação que surgia — a Itália —, a soberania do papa seria reduzida à cidade do Vaticano. A Igreja perderia propriedades, mas procuraria compensar tal vicissitude com um rigor ideológico cada vez maior. Do outro lado do oceano, na distante diocese do Ceará, caberia a dom Luiz o papel de guardião da Igreja contra as muitas astúcias do demo. E a Cícero, o jovem seminarista, competia dobrar os joelhos. Mas não foi exatamente o que ele fez.

Cícero logo percebeu que a rotina do seminário seria marcada pela vigilância e pela disciplina. O dia começava cedo, antes do nascer do sol. Às 5h15, deveria estar de pé, com a cama devidamente arrumada, já cumprida a obrigação das orações e meditações matinais. Os dormitórios permaneciam trancados o resto do dia, só sendo permitida a presença ali em casos extraordinários e, ainda assim, com a devida autorização e supervisão da direção da casa. Às cinco e meia da manhã, Cícero e os demais colegas seminaristas assistiam à missa, de onde saíam direto para a sala de estudos ou, se fosse dia marcado para tal, para a sala de banhos, aberta por curtos períodos, sendo rigorosamente fechada depois do horário determinado. Só então, às sete e meia, iam para o café — isso nos dias em que o jejum não era obrigatório. O resto da manhã de Cícero era dividido entre aulas e momentos de estudo individual, nos quais, ordenava o regulamento, deveria ser observado o mais profundo e respeitoso silêncio.

Cícero almoçava ao meio-dia, rezava o terço e voltava à sala de aula, onde, ao lado de matérias como filosofia, retórica, teologia dogmática, humanística e direito canônico, recebia lições de liturgia e de canto gregoriano. Em seguida, permanecia em estudos intensivos e obrigatórios até as seis da tarde, quando os seminaristas celebravam a hora do Ângelus — o instante da anunciação feita pelo arcanjo Gabriel a Maria. No início da noite, seguiam-se outras duas exaustivas horas de estudos e leituras espirituais compulsórias. Revistas, jornais e livros não religiosos eram expressamente proibidos. Cartas enviadas por parentes eram lidas com olhos de lince pelo reitor, antes de serem entregues aos respectivos destinatários.

Nas horas vagas, Cícero e os outros alunos podiam folhear livremente apenas a Bíblia, o *Breviarium Romanum* e alguns outros poucos títulos como *O caminho do Céu — Considerações sobre as máximas eternas e sobre os segredos e mistérios da Paixão de Cristo Nosso Senhor para cada dia do mês*. O regulamento previa ainda que o jantar devesse ser servido às vinte horas, após o qual era obrigatória a oração noturna. Às 21h15, pontualmente, todos deviam estar recolhidos ao silêncio e à escuridão do dormitório, com exceção daqueles que obtivessem autorização para estudar à luz de vela por mais 45 minutos.

Para Cícero e para qualquer outro colega, a privacidade e os minutos de solidão eram vetados. Possíveis conversas nos quartos ou sob as arcadas dos longos corredores do seminário eram reprimidas com austeridade. "Nos recreios evitarão os gritos desentoados, jogos e brinquedos ofensivos ou grosseiros", determinava o regulamento. Muito riso era sinal de pouco siso, dizia-se. Saídas não autorizadas eram punidas de modo exemplar, com imediata expulsão. De modo estratégico, o imenso casarão assobradado, um dos poucos prédios de dois pavimentos de toda a capital cearense, ficava situado distante do então centro da cidade. O isolamento físico do prédio garantia total imersão nas obrigações religiosas. Uma possível familiaridade com os criados que serviam no seminário — faxineiros, lavadeiras e cozinheiros, por exemplo — era repreendida. Havia um intermediário nomeado especificamente pela direção da casa para receber encomendas vindas de fora, inclusive a roupa limpa, nos sábados à tarde. Uma das raras ocasiões de contato de Cícero com o mundo exterior se dava nas missas domingueiras realizadas na capela, frequentada por pescadores e peixeiros que viviam na praia ali perto.

Acima, o seminário
da Prainha, onde
estudou Cícero.
O casarão de vastos
janelões voltados
para o mar era dirigido
pelo inflexível reitor
Pierre-Auguste Chevalier
(ao lado)

A primeira foto de Cícero
(à direita, ao lado de um
colega), nos tempos
de estudante no seminário
da Prainha, em Fortaleza

Internamente, os alunos do curso preparatório eram separados dos mais adiantados, que frequentavam o curso teológico e estavam mais próximos da ordenação. Como medida adicional de controle, o primeiro artigo das regras internas proibia, de forma explícita, que fossem "cultivadas amizades particulares" entre colegas de seminário. Não se estava ali para fazer amigos e camaradas, mas para aprender a servir a Deus.

Uma consulta detalhada ao *Livro de notas do Seminário da Prainha* evidencia que Cícero foi, à época, um aluno apenas mediano. Ao longo do curso, nas diversas disciplinas que frequentou, recebeu dezesseis vezes o burocrático conceito "Bom", com apenas quatro únicas incidências de "Ótimo". Por onze vezes amargou o conceito "Medíocre" no boletim, especialmente nas aulas de canto gregoriano e eloquência. Nunca seria, de fato, um grande orador, apesar do decantado carisma pessoal que lhe faria a fama anos depois. Também chegaria a receber a mesma avaliação de "Medíocre" em disciplinas fundamentais, como liturgia, história eclesiástica e teologia dogmática. Crescido em meio ao catolicismo popular dos sertões, era difícil enquadrá-lo na rigidez e na ortodoxia ultramontanas do seminário dirigido pelo reitor Pierre-Auguste Chevalier.

O padre Chevalier, que chegara ao Brasil havia oito anos, ostentava o conceito de homem inflexível. Costumava-se dizer que, de tão asceta, nascera desprovido do sentido do paladar: comia apenas para se manter vivo, sem a menor possibilidade de vir a ser seduzido por tentações mundanas, até mesmo pelos mais frugais prazeres da mesa. Nascido na vila histórica de Saint-Riquier, no norte da França, desembarcara no país em 1857 e, sete anos depois de trabalhar em missões religiosas da Bahia, fora convocado pelo bispo do Ceará, dom Luiz Antônio dos Santos, para dirigir o Seminário da Prainha. A escolha de seu nome não se dera à toa.

Dom Luiz, formado pelos padres lazaristas do Seminário de Mariana, um dos principais centros da implantação do ultramontanismo no Brasil, encontrou em Chevalier, igualmente lazarista e rigoroso, alguém com o perfil adequado para formar os novos membros da Igreja no Ceará. Com efeito, no Seminário da Prainha, Chevalier parecia nunca baixar a guarda. Cícero sabia que o reitor era sempre o primeiro a acordar, por volta das quatro horas da manhã, e o último a deitar, após constatar que todos já haviam se recolhido a seus respectivos catres. Era Chevalier também que, pessoalmente, com a estrepitosa sineta, convocava padres e seminaristas para as horas de oração. Substituía professores ausentes, confessava alunos, rezava missas, fiscalizava correspondências, vigiava corredores, esquadrinhava dormitórios, perscrutava salas de banho e de estudo. Como reitor do seminário, presidia o Conselho de Ordenação, que ajuizava o desempenho individual e a disciplina dos jovens seminaristas como Cícero, estabelecendo quais entre eles estavam suficientemente aptos a receber as devidas ordens eclesiásticas e, assim, a se tornarem futuros párocos. Em 8 de setembro de 1867, após quase três anos como aluno, o nome de Cícero Romão Batista apareceu, pela primeira vez, no livro de registros e ocorrências do Conselho.

Aos 23 anos, aluno do curso teológico, Cícero desempenhava a função de monitor de seminaristas mais jovens. Apesar disso, sua avaliação não foi muito positiva. Ao contrário, Chevalier reservou-lhe severa reprimenda por escrito: "Foi dito que ele não receberá a ordenação, porque desde muito tempo ele não se confessa na comunidade", constou, em francês, com letra garranchosa e quase indecifrável, na ata do Conselho. "Ele tem muitas ideias confusas; tem muita confiança em sua própria razão; a primeira é tanto mais grave, uma vez que ele exerce cargo no Seminário", dizia a mesma anotação, que arrematava: "Por isto foi dito a ele que, se continuar assim, não poderá ocupar-se mais desse ofício".

Era apenas uma advertência, ainda que já estivesse claro o tom de severa ameaça. Alguns colegas de Cícero não tiveram idêntica sorte. Muitos foram os companheiros de turma que, por um ou outro motivo, viram seus nomes na lista de alunos desligados em definitivo da instituição. No ano anterior àquela anotação do Conselho sobre Cícero Romão Batista, em julho de 1866, um jovem seminarista havia sido expulso sob a justificativa pouco lisonjeira de "preguiça e vadiação". Padre Chevalier não podia saber, mas naquele dia defenestrou dos seletos quadros do seminário da Prainha o futuro historiador Capistrano de Abreu.

O jovem José Marrocos — dois anos mais velho que Cícero e filho de seu antigo professor de latim, padre João Marrocos — seria outro a ter a matrícula cancelada. No caso, a acusação foi ainda mais grave. Seu nome seria simplesmente apagado, quase por completo, dos registros da casa. A direção da escola decidiu que, por ser filho de padre, Marrocos trouxera uma mancha moral e indelével desde o nascimento, o que aos olhos e ao conceito ultramontano o tornava um indivíduo inadequado ao exercício do sacerdócio. Marrocos ainda chegou a escrever duas cartas diretamente a dom Luiz, implorando para que o bispo intercedesse a seu favor e o mantivesse no quadro de alunos da casa. "Vossa Excelência, que se aproxima cada vez mais da Divindade, se digne por um rasgo de misericórdia atender benignamente a súplica de quem na sinceridade da contrição promete uma conduta em tudo oposta àquela que poderia arredá-lo do seminário", rogou. Em vão. Mesmo com aquele pungente apelo à instância superior, a decisão de Chevalier foi respeitada e mantida. Marrocos estava expulso.

O reitor, é bem verdade, apenas cumpria o papel de zelar pela formação de uma nova geração de sacerdotes moral e intelectualmente capazes, rigorosos defensores da doutrina católica. Mas a formação europeia de Chevalier, com sua fidelidade irrestrita às diretrizes de Roma, só podia entender como tola superstição as manifestações da fé sertaneja expressas pelo jovem Cícero. Do seu lado, o rapaz resistia. Palmatória quebra dedo, mas não quebra opinião.

Um ano depois da primeira censura partida do Conselho de Ordenação, as desinteligências entre Cícero e o reitor apenas se agravaram. "Ele não frequenta os sacramentos, é opinioso e pouco regular, apesar do emprego de confiança que ele tem", constou Chevalier na ata do Conselho datada de 12 de maio de 1868, com a letra tortuosa de sempre. Seis meses depois, em 9 de novembro, o mesmo Conselho tentou selar a sorte de Cícero Romão Batista: "Não se falou do senhor Cícero, cujo estado era o mesmo e, em razão disto, foi dito que entender-se-iam com o Sr. bispo para rogar que o retirasse do Seminário". Parecia ser o fim da história.

Em que pese a resolução de Chevalier, dom Luiz decidiu pela ordenação do seminarista. Há quem diga que isso se deveu, mais uma vez, à ação direta do padrinho de crisma de Cícero, o coronel Antônio Luiz Alves Pequeno, que teria ido a galope do Crato a Fortaleza para advogar por seu afilhado. Como moeda de troca, diz-se que o coronel teria oferecido polpudos donativos à diocese. Não existe nenhuma comprovação documental a esse respeito. Mas não há dúvidas de que Alves Pequeno e dom Luiz mantinham estreita relação de amizade. Muito provavelmente por causa disso, Cícero sempre tivera o bispo como confessor, desde os primeiros dias de seminário. Assim, mesmo com a incumbência oficial de aprimorar o clero sob sua tutela, dom Luiz resolveu dar um voto de confiança ao seminarista que jamais caíra nas graças do respeitável reitor Chevalier.

Em 30 de novembro de 1870, por decisão direta de dom Luiz, Cícero Romão Batista foi ordenado sacerdote, aos 26 anos, na antiga Igreja da Sé, em Fortaleza. Pouco depois de receber as ordens, selou um cavalo e seguiu para o Crato, onde deveria rezar a primeira missa. Uma curiosa — ou premeditada? — coincidência marcaria a volta à terra natal. Cícero, já padre, chegou justamente na primeira hora, do primeiro dia, do primeiro mês, do primeiro ano de uma década que se iniciava. Era 1 hora de 1/1/1871. Para quem, como ele, acreditava em forças misteriosas e mensagens do outro mundo, nada poderia soar como mais cabalístico e premonitório dos muitos prodígios que ainda estavam por vir.

2

Visão da Última Ceia muda rumo da história: Belzebu não samba mais no Juazeiro

1871-1889

Treze homens de barbas e cabelos compridos, pés em alpercatas, entraram no quartinho da escola onde o recém-ordenado Cícero Romão Batista dormia. Vinham vestidos com longas túnicas brancas e se postaram em volta de uma mesa. Um deles, ao centro do grupo, abriu os braços e centralizou a atenção dos demais. A cena, para Cícero, era inconfundível. Ali estavam, diante dele, os doze apóstolos e o próprio Jesus Cristo, tal e qual haviam sido retratados em uma das pinturas mais célebres de todo o mundo: a *Última Ceia*, de Leonardo da Vinci. A diferença é que Cristo, ao contrário do simples manto azul sobre a túnica vermelha com que aparecia no famoso mural do pintor renascentista, trazia o peito em chamas, a exemplo das gravuras populares do Sagrado Coração. Quando Jesus começou a falar aos discípulos reunidos em torno de si, uma multidão de sertanejos apontou na porta. Homens e mulheres carregavam trouxas miseráveis nos ombros e, sobre o corpo esquelético, trajavam apenas farrapos. Os muitos meninos que traziam pela mão estavam sujos, remelentos e completamente nus. Jesus Cristo dirigiu-lhes a palavra e prometeu que faria um último esforço para libertar o mundo de tanta iniquidade e sofrimento. Mas era preciso que, para isso, a humanidade mostrasse sincero arrependimento. Do contrário, os céus mandariam supremo castigo. Viria o Dia do Juízo Final. O mundo iria acabar.

"Você, Cícero, tome conta dessa gente", teria dito Cristo ao jovem sacerdote, apontando para a caravana de famintos.

* * *

Cícero não era homem de desdenhar do mundo dos sonhos. A própria Bíblia estava recheada de referências a mensagens, profecias e avisos oníricos. Deus, diziam as Escrituras, teria aparecido em sonho a Salomão em Gabaon. Jacó, ao fazer de uma pedra o travesseiro, vira uma escada celeste que trazia e levava anjos em direção ao Paraíso. José do Egito soubera ler os tortuosos e enigmáticos pesadelos do faraó. O profeta Daniel, por sua vez, tivera visões noturnas na forma de misteriosas alegorias. José, esposo da mãe de Jesus, recebera várias vezes a visita de anjos enquanto dormia.

Tão logo acordou, Cícero não teve dúvidas. Tomou o sonho como recado de Deus. Até então, seu destino era indefinido. Ordenado no final do ano anterior, ainda não obtivera autorização para servir de modo efetivo em nenhuma paróquia. Celebrara no dia 8 de janeiro de 1871 sua primeira missa, na matriz de Nossa Senhora da Penha, a mesma onde fora batizado no Crato, 26 anos antes. Depois disso, fora enviado por dois meses ao ensolarado e praiano distrito de Trairi, pertencente à antiga freguesia de Parazinho, mais tarde Paracuru, cerca de 120 quilômetros distante de Fortaleza. A sua missão ali era refazer uma série de casamentos e batizados tornados nulos pela diocese porque haviam sido celebrados por um religioso que, excedendo as funções, se passara por padre, quando na verdade era mero sacristão.

Cumprido o encargo em Trairi, Cícero tomou mais uma vez o rumo do Crato, à espera de nova incumbência por parte da diocese. Apesar da notória ausência de vigários em toda a província, o moço recém-ordenado continuava sem atribuição específica. Enquanto um cauteloso dom Luiz não se decidia por lhe confiar uma paróquia em definitivo, Cícero trabalhou durante todo o ano de 1871 como professor de latim no Colégio Cratense, fundado na cidade pelo amigo José Marrocos, logo após este ter sido expulso do seminário em Fortaleza. Cícero era um professor rigoroso, que não hesitava em lançar mão da palmatória — então considerada um recurso didático legítimo, previsto por lei — para disciplinar os alunos mais cabeçudos. Menino tem couro grosso, diziam os mestres de então. Moleque, assim como sino, só na base da pancada, fazia coro a sentença matuta.

A relação tão próxima entre Cícero Romão e José Marrocos devia ser encarada com certa desconfiança pelo palácio episcopal em Fortaleza. Afinal, sabia-se da estreita ligação entre Marrocos e o incômodo padre Ibiapina. Desde 1869, o bispo dom Luiz vinha procurando tolher os passos do missionário andarilho, que apesar de suas recorrentes crises de asma não economizava fôlego para continuar peregrinando e arrebanhando seguidores junto ao povo do sertão. Dom Luiz chegou a enviar um ofício, datado de 19 de julho de 1871, em que prevenia o pároco do Crato, Manoel Joaquim Aires do Nascimento, contra o trabalho social realizado por Ibiapina e suas casas de caridade, apinhadas de beatos. As tais casas, segundo as palavras oficiais de censura do bispo, agiam "em detrimento da disciplina eclesiástica, da paz e harmonia que devem reinar entre o pastor e o rebanho". Apesar de não citar textualmente o nome do padre Ibiapina, o ofício do bispado determinava ao pároco do Crato de forma taxativa: "Não permita nem consinta que missionário algum, de qualquer título e ordem que seja, missione na sua paróquia sem licença nossa por escrito". Ao bom entendedor, meia palavra bastava.

Enquanto isso, em aberta rebeldia às decisões do bispo, José Marrocos tratava de incentivar a mística popular em relação à figura de Ibiapina. As páginas do jornal *A Voz da Religião no Cariri*, que passara a circular desde 1868 com direção do próprio Marrocos, eram pródigas em propagar as maravilhas ocorridas em um distrito da então vila de Barbalha, vizinha ao Crato. Ali, na serra do Araripe, jorrava um manancial de águas límpidas, mornas e, segundo constava, milagrosas. Pelo que alardeava o jornal de Marrocos, por obra e graça daquela fonte de águas medicinais — com a devida bênção de Ibiapina — estariam ocorrendo curas admiráveis por toda a região. Remédio de pobre, enfim, deixara de ser o caminho da sepultura.

Uma moradora do sítio Coité, Teodora da Conceição, vítima de um cancro supurado no peito, banhara-se nos olhos-d'água do Caldas e, com isso, teria ficado completamente sã. Um homem, José Gomes dos Santos, que viera da divisa da Paraíba e trazia o braço paralisado pelo reumatismo, teria recuperado inteiramente os movimentos. Dona Benedita Pinho, senhora residente no sítio Sossego que sofria meses seguidos com febres, vômitos e diarreias, teria se libertado para sempre da moléstia. O lugar virou rota obrigatória de romeiros e logo recebeu capela, erguida em honra ao Bom Jesus dos Pecadores. Dizia-se que tantas eram as muletas ali deixadas por ex-aleijados, então reabilitados, que de tempos em tempos era preciso destruí-las com o auxílio de grandes fogueiras.

"Louvado seja Nosso Senhor Jesus Cristo!", exultava Marrocos nos editoriais de *A Voz da Religião no Cariri*. "Sim, louvemo-Lo por tantas e tão grandes maravilhas que tem liberalizado às águas do Caldas em benefício dos pobres e infelizes", pregava o ex-seminarista, aproveitando a força do jornal para tecer loas às missões do padre Ibiapina na região.

Próximo ao Natal de 1871, nesse ambiente marcado pelas romarias ao Caldas e pela ofensiva de dom Luiz contra as casas de caridade, Cícero foi procurado no Crato pelo professor Simeão Correia de Macedo. O homem, genro de um próspero fazendeiro da região, o coronel Domingos Gonçalves Martins, trazia um convite para que rezasse a Missa do Galo na capelinha de um povoado ali perto. A tal capelinha, erigida em homenagem a Nossa Senhora das Dores, havia algum tempo estava sem sacerdote, assim como Cícero estava sem igreja.

Ele aceitou. Conforme confessaria depois, tencionava celebrar a missa naquele lugarejo e, assim que possível, retornar ao Crato. De lá pretendia seguir para Fortaleza, para tentar conseguir dar rumo menos incerto à própria vida. Cogitava inclusive a quase impossível tarefa de, quem sabe, convencer o reitor Chevalier a lhe conceder vaga de professor no Seminário da Prainha. Porém, o tal sonho com Jesus e os doze apóstolos, no quartinho improvisado nas dependências da única escolinha do arrebalde, situada bem em frente à capelinha de Nossa Senhora das Dores, viria a lhe mudar inteiramente os planos. Ficaria por ali mesmo, no povoado. Cuidaria daquela gente, conforme sugerira o Jesus do sonho. Levaria consigo a mãe, dona Quinô, e as irmãs Maria Angélica e Angélica Vicência. Além delas, carregaria a escrava Teresa — a "Teresa do Padre" —, um dos únicos bens que lhe restaram, uma vez pagas todas as dívidas, do minguado espólio deixado pelo pai. Foi assim que Cícero passou a morar naquele vilarejo que mal constava no mapa: Juazeiro, ou *Joaseiro*, conforme a grafia da época.

Era um oco de mundo. Das cerca de oitenta casas dali, bem poucas eram erguidas com telha e tijolo. A maioria dos quatrocentos habitantes se arranjava em moradias de taipa, mistura rudimentar de argila e cascalho, com improvisada cobertura de palha. O povoado era composto de apenas dois pedaços de rua. A chamada rua Grande — que de grande tinha mesmo apenas o nome — fazia esquina com a rua do Brejo. E só. Conhecido valhacouto de beberrões e desordeiros, o arraial servia de pouso provisório para vaqueiros, tangedores de gado e caixeiros-viajantes a caminho do Crato, situado a três horas de distância, no lombo de bom cavalo. A capital da província, Fortaleza, distava quase oitenta léguas ao norte, cerca de 520 quilômetros, um estirão de terra sem fim, palmilhado em mais de sete dias de viagem e montaria. O nome do povoado, contava a memória dos antigos, viera de três velhos pés de juá — árvore espinhenta e resistente à seca, típica da caatinga — que emprestavam a sombra de suas copas ancestrais a tropeiros e mercadores.

As terras pertenciam originalmente à fazenda Tabuleiro Grande, propriedade do brigadeiro Leandro Bezerra Monteiro, destacado membro da Guarda Nacional que se orgulhava da ascendência tão mestiça quanto célebre, iniciada dez gerações antes com a união do fidalgo português Diogo Álvares, o Caramuru, com a índia brasileira Paraguaçu. No passado mais distante, sabia-se que todo o sul da província do Ceará fora território dos índios cariris, dizimados pelos colonizadores.

O Cariri, vasto arco de serras verdes e vales férteis, é uma espécie de oásis encravado no meio do árido chão nordestino. Antes dos índios que lhe deram nome, outros povos mais antigos seguiram o curso dos rios e chegaram àquele lugar. Deixaram como testemunho de sua passagem um sem-número de inscrições e desenhos gravados na pedra. Em tempos ainda mais imemoriais, tudo aquilo fora um único e imenso oceano. Centenas de milhares de fósseis, muitos deles encontrados em sítios arqueológicos à flor da terra, ainda estão ali para comprovar que peixes pré-históricos, ouriços-do-mar, moluscos de duas conchas e outras criaturas de água salgada habitaram o lugar há cerca de 110 milhões de anos, época bem anterior à chegada dos primeiros humanos na Terra. O mar, um dia, virou sertão.

Foi um neto do brigadeiro Leandro Bezerra Monteiro, o padre Pedro Ribeiro da Silva, sacerdote ordenado pelo Seminário de Olinda, quem lançou em 1827 a pedra fundamental da histórica capeli-

O povoado de Juazeiro à época da chegada de Cícero, em duas recriações artísticas de Assunção Gonçalves, afilhada do padre. Na imagem de cima, a pequena construção à direita da cena é a capela de Nossa Senhora das Dores, onde Cícero passou a rezar missa. Na de baixo, os juazeiros fornecem sombra a mascates e tropeiros nha dedicada a Nossa Senhora das Dores, cuja imagem de madeira fora mandada trazer diretamente de Portugal. A capela fazia companhia às outras poucas edificações da fazenda: a casa principal, a senzala, a casa de farinha e — como era comum a todas as grandes propriedades do vale do Cariri — o engenho para moer cana e fabricar rapadura, então base da economia local. Em torno desse núcleo primitivo, nasceu a acanhada povoação do Juazeiro.

Quando o professor Simeão Correia de Macedo procurou no Crato um padre para rezar missa no lugarejo, a situação havia chegado a ponto crítico. Meses antes, parte da capelinha quase abandonada havia desabado e as demais paredes apresentavam rachaduras. Os moradores, sem a presença de um representante da Igreja para admoestá-los e conduzi-los à missa, entregavam-se às festas e bebedeiras. A falta de autoridade policial, por seu turno, dera origem a episódios de violência e arruaça, com constantes mortes a faca ou a golpes de cacete.

Por causa disso, muita gente se admirou quando Cícero, aquele padre vindo do Crato, apareceu por lá exortando o povaréu a se arrepender de seus muitos e notórios pecados. Apesar de medir apenas 1,60 metro, o novo sacerdote, se preciso, virava um gigante. Acabava pessoalmente com folguedos e sambas, pois acreditava que os batuques herdados dos negros deviam ter parte com Satanás. Até os mais ardorosos entusiastas de Cícero Romão Batista jamais esconderam que nem só de sermões vivia o padre recém-chegado. Para fazer valer sua autoridade de zelador das almas e dos bons costumes, não hesitava em brandir o temido cajado em direção aos pecadores mais renitentes.

Ao mesmo tempo, os desafetos mais ferrenhos reconheciam: Cícero, colérico diante dos incréus, era um capelão afável com os fiéis que frequentavam a igrejinha de Nossa Senhora das Dores. Chamava-os de "amiguinhos", do mesmo modo que um dia o apóstolo João chamara de "filhinhos" os leitores das célebres cartas atribuídas a ele nas Escrituras. Como demonstração de desapego às coisas do mundo, Cícero vivia vestido sem aprumo, a batina rota, os sapatos gastos e furados na sola. Por muitas vezes, os próprios moradores do vilarejo e os amigos do Crato se cotizavam para lhe fornecer roupa e comida, ou mesmo para lhe mandar fazer a barba e aparar o cabelo que de tão desalinhado logo perdia a tonsura, o corte rente e circular na parte alta e posterior da cabeça, característica dos clérigos.

Dom Luiz não se opôs à ideia de Cícero permanecer rezando missa no povoado. Ao contrário, atendeu de imediato à petição que fora endereçada nesse sentido pelo sacerdote ao palácio episcopal e, em setembro de 1872, nomeou-o capelão oficial da igrejinha. Aos olhos do bispo, talvez aquele lugar ermo e pouco expressivo fosse o local mais adequado para que o jovem padre de 28 anos — ordenado com reservas pela direção do seminário de Fortaleza — desse início a sua missão evangelizadora, sem maiores responsabilidades ou possíveis percalços.

Contudo, inspirado na ação de Ibiapina, Cícero Romão não demorou a recrutar um grupo de beatas, que passaram a auxiliá-lo na tarefa de propagar a palavra de Deus junto à população local. Algumas dessas beatas vinham diretamente da casa de caridade do Crato, fundada pelo missionário Ibiapina. Outras eram senhoras solteironas ou viúvas originárias do Juazeiro, que recebiam das mãos de Cícero o manto negro da irmandade. Muitas delas passavam a residir na mesma casa em que ele morava, na rua Grande, onde também já se encontravam a mãe, as irmãs e a escrava Teresa.

De Fortaleza, o bispo não deixara de ficar atento à persistência daquele catolicismo popular e legatário de Ibiapina, considerado semeadouro de fanatismo, bem debaixo de suas copiosas barbas grisalhas. No início do ano, mandara fechar no Crato a Igreja de São Vicente, na qual um grupo de leigos — beatos e beatas — estava presidindo novenas à revelia do vigário local. Como sabia que era impossível mandar cerrar as portas de todas as casas de caridade erguidas à custa da fé e do suor coletivo de milhares de devotos, o bispo optou por retirá-las da órbita de influência de Ibiapina, passando a exercer controle direto sobre elas. Para tanto, soube utilizar-se de métodos pouco ostensivos, com o intuito de não provocar a possível revolta dos fervorosos adeptos do missionário, como Cícero.

Ao que se sabe, não houve nenhum novo ofício ou portaria do bispado a esse respeito. Mas não parece ser mera coincidência o fato de que, no final daquele mesmo ano, Ibiapina tenha endereçado uma inesperada carta de despedida ao povo de toda a região. "Adeus homens, adeus mulheres, adeus meninos, adeus meninas, adeus moços, adeus velhos, adeus gentes todas dessa terra de onde sou retirado por altos juízos de Deus", escreveu o andarilho. Na mesma carta, comunicava aos devotos que entregara a direção das casas de caridade, de modo definitivo, às mãos do senhor bispo.

Dom Luiz providenciou também a fundação de um seminário no Crato, onde os jovens vocacionados do lugar se submeteriam aos estudos preparatórios, para depois serem enviados à Prainha. Do mesmo modo que fizera na capital da província, o bispo lançou apelo à sociedade local, pedindo esmolas públicas para a construção do prédio. Padres de todo o Ceará receberam autorização do palácio episcopal para arrecadar donativos em suas paróquias. "Pedimos aos párocos deste bispado que coadjuvem quanto estiver de sua parte em obra tão meritória, a qual toda se refere à honra de Deus e civilização do povo", dizia a circular assinada por dom Luiz aos subordinados.

Para acompanhar de perto a tarefa de "civilizar" o povo e o clero do Cariri, dom Luiz Antônio dos Santos foi ainda mais longe. Chegou a transferir por seis meses, entre janeiro e junho de 1875, a sede do bispado de Fortaleza para o Crato. Ficaria hospedado debaixo do teto do coronel Alves Pequeno, o padrinho de Cícero, que como gentileza adicional doou o terreno onde seria erguido o imponente seminário, no então morro do Granjeiro. Para dirigir a instituição, o bispo convocou um homem de sua mais estrita confiança: o padre italiano Lourenço Vicente Enrile, lazarista que participara da fundação do Seminário da Prainha, professor de teologia moral e auxiliar direto do reitor Pierre-Auguste Chevalier. Com isso, o bispo satisfazia um antigo desejo de padre Enrile, ansioso por sair de Fortaleza desde que a saúde degenerara por causa de uma tuberculose pulmonar, tendo os médicos da época diagnosticado efeitos deletérios da maresia no frágil organismo do religioso. A escolha de Enrile, é evidente, obedecia também a outro propósito. Era a garantia de que todo o rigor disciplinar exercido na Prainha, aquele mesmo que Cícero bem havia conhecido, fosse devidamente estendido para o seminário no interior da diocese. Ali as portas também teriam olhos e as paredes, ouvidos.

Desde o afastamento de Ibiapina da região, dom Luiz pareceu sentir a situação sob controle. Inclusive em relação a Cícero Romão Batista, o antigo aluno rebelde da Prainha, que ao longo dos anos parecia ter esgotado seu repertório de teimosias. Prova disso era a extensa correspondência trocada ao longo de mais de uma década entre o bispo e Cícero, na qual este solicitava autorizações sucessivas àquele — para continuar rezando missa no lugar, para conceder sacramentos, para benzer imagens, para confessar fiéis —, todas deferidas sem contestação pela diocese. "Há por aqui um velho que mora a uma légua da povoação, de bem setenta anos ou mais, que enviuvou há alguns anos. Tem levado uma vida de compaixão, agora amasiado com uma infeliz moça", comunicou um zeloso Cícero, no dia 2 de agosto de 1887, a dom Luiz. "O tal velho foi ameaçado até de ser assassinado pelos irmãos da sujeita, se não casar", explicou, para em seguida pedir que o bispo permitisse que ele celebrasse o matrimônio entre o casal de amancebados. À sua maneira, Cícero sempre encontrava formas de conciliar as normas da Igreja às demandas da gente do Juazeiro.

Nas cartas de teor mais pessoal, o tom empregado pelo bispo era ameno, de franca familiaridade em relação a Cícero Romão, que dobrava a marca dos trinta anos sem maiores incidentes em sua carreira sacerdotal. "Teria lhe chegado às mãos a obra em português de Guillois que pelo Simeão lhe mandei?", indagava-lhe dom Luiz. Em retribuição, o capelão de Juazeiro também se derramava em gentilezas: "Remeto pelo padre José Maria uma porção de manacá que Vossa Excelência me pediu", comunicou, explicando ao bispo que o povo do sertão costumava utilizar as florzinhas perfumadas na água morna do banho.

Pelo menos até ali, dom Luiz não tinha motivo para queixas. Durante a construção do seminário, Cícero levou um grupo de juazeirenses para ajudar a assentar os alicerces da obra. E, de mais a mais, dentro dos limites de sua igrejinha, ele também contribuía com o objetivo supremo do bispo, o de moralizar cada rincão da província: o cajado do capelão do Juazeiro continuava a enfrentar os valentões, os desordeiros e as mulheres perdidas com a mesma veemência dos primeiros dias. A área em torno da capela deixara de ser o território livre onde antes se bebia a "meladinha", a cachaça misturada com mel de abelha, e se dançava o "bate-coxa" até alta madrugada.

"Lá vem *seu* padre!", era agora o grito de alarme para os que ainda insistiam em fazer samba em Juazeiro. Ao ouvir a frase, todos batiam em retirada, na mais desabalada carreira. O próprio Cícero gostava de contar a história do dia em que acabou com um desses sambas na base da bordoada. Quando alguém soltou no ar o providencial aviso de que o padre vinha chegando, os tocadores e dançadores chisparam do local como um raio. Porém uma prostituta, Francisca Belmira, de tão embriagada, não compreendeu o que estava se passando ao redor.

"Quando eu quero, eu quero; quando eu quero, é já", continuou ela, cantando e requebrando as ancas.

Cícero teria se aproximado e, cajado em punho, repreendido:

"O que é que você quer mesmo, mulher?"

Assustada ao perceber a presença ameaçadora do capelão, Belmira caiu de joelhos, atordoada, pedindo arrego:

"Eu quero é me confessar, *seu* padre."

Dom Luiz apoiou com entusiasmo a ideia de Cícero: substituir a pequena e deteriorada capelinha do Juazeiro por uma igreja maior e mais compatível com o número de fiéis que, de toda a redondeza, passara a frequentar a missa no lugarejo. Cícero lançava o mesmo chamamento a cada homem e a cada mulher que vinham lhe pedir conselhos e orações: era chegada a hora de dar uma virtuosa prova de fé, erguendo com as próprias mãos uma grande morada para abrigar a imagem de Nossa Senhora das Dores, a *Mater Dolorosa*, a virgem Mãe de Deus. Nenhum "amiguinho" cogitava negar um pedido ao padre de olhos azuis que lhes falava das coisas do Céu, bania malfeitores e lhes passara a ensinar o Evangelho. Feita a convocação, eles seguiam em direção ao mato, a fim de derrubar árvores e trazer a madeira necessária para os andaimes, caibros, ripas e portais da construção. Prontificavam-se também a extrair e transportar as pedras que serviriam de alicerce ao templo sagrado. Preparavam o terreno, arrancavam tocos e restos de velhos roçados, confeccionavam a argamassa com o barro retirado do chão. Pedra sobre pedra, tijolo por tijolo, a edificação foi sendo erguida com a força do trabalho de todos. Era a reedição dos mutirões de Ibiapina.

Mas dizem na caatinga que para encontrar o diabo não carece pressa. Em 1877, dois anos após o início, o prenúncio de uma desgraça iminente diminuiu o ritmo da obra coordenada por Cícero. Como sempre acontece no sertão, os profetas da chuva foram os primeiros a ler o mau presságio nas sutilezas da própria natureza: formigas que em pleno mês de março não mudam formigueiros para longe das margens de rios e açudes, aranhas que insistem em tecer fios rentes ao solo, rolinhas que ao pôr os ovos trocam o galho mais alto das árvores por ninhos junto ao chão. Para a sabedoria matuta, sinais inconfundíveis da desdita.

No dia de São José, 19 de março, quando os sertanejos acordaram e olharam para o alto, não viram um único risco de nuvem manchando o azul. Deus os havia abandonado. A data, que coincide com o equinócio de outono, sempre funcionou como última esperança para a chegada da quadra chuvosa — ou o "inverno", como dizem os cearenses. Se não chove até aquele dia, o agricultor se desengana, o povo se desespera. Vem pela frente, de novo, mais um tempo de seca e privação.

E assim foi. Durante três anos seguidos, o sertão ardeu como uma caldeira do Inferno. Entre 1877 e 1879, o Nordeste viveu uma das maiores e mais dramáticas secas de toda a história. Nem mesmo o oásis caririense escapou. Como de costume, as doenças vinham a galope, na garupa da falta de água e de comida. Uma epidemia de varíola elevou o obituário do triênio, só na província do Ceará, à cifra assustadora das 180 mil almas, contra os pouco mais de 6 mil mortos de toda a década anterior. Cícero Romão, que na seca de 1862 perdera o pai para o cólera, aos 34 anos viveria nova e dolorosa tragédia pessoal: entre as vítimas da grande estiagem, estava sua irmã Maria Angélica, a filha mais velha de dona Quinô. "Tenho tanto medo", confessou Cícero em carta ao bispo, atribuindo o flagelo à fúria divina. "Nem se pode duvidar que tanta avareza, tanta impudicícia, tanto assassinato, tanto crime em escala nunca vista façam continuar o castigo e aparecer outros maiores", previu.

Não era só o sertão que agonizava. As notícias que chegavam de Fortaleza eram aterrorizadoras. A capital, que possuía cerca de 30 mil moradores, recebera 200 mil retirantes, arranchados em praça pública, em condições insalubres. A varíola aproveitou para atacar sem piedade. Em um único dia, 10 de dezembro de 1878, o cemitério da cidade recebeu, oficialmente, 1004 corpos. "O número de mortos devia ser muito maior porque em torno da cidade, pelos matos e valados, inumavam-se cadáveres ou se os deixava apodrecer insepultos", testemunhou na época o médico e historiador cearense barão de Studart. Na manhã seguinte àquele que ficaria conhecido como o Dia dos Mil Mortos, Fortaleza amanheceu com uma nuvem negra pairando sobre a cidade. Não era nenhum sinal de chuva: eram centenas de urubus que davam rasantes no céu. Lá embaixo, cães disputavam entre si restos de carne humana.

Para Cícero, era como se pelo menos três dos quatro cavaleiros do Apocalipse — a Fome, a Peste e a Morte — estivessem à solta no Ceará. Dom Luiz, apavorado diante daquela matança, apelou para a misericórdia de Deus. Fez uma promessa pública de que, tão logo findasse a seca, mandaria construir um enorme templo em Fortaleza, dedicado ao Sagrado Coração de Jesus, o reparador das indignidades humanas e uma das devoções introduzidas pelo ultramontanismo que logo viria a ser incorporada pela fé popular. Três sacerdotes do Cariri — padre Cícero, em Juazeiro; padre Félix Aurélio, em Missão Velha; padre Manoel Joaquim Aires do Nascimento, no Crato — recorreram ao mesmo expediente. Em conjunto, organizaram procissões entre uma igreja e outra, levando as imagens dos respectivos padroeiros de cidade em cidade, de vilarejo em vilarejo. Assim como fizera o bispo, prometeram erguer também um santuário em honra ao Sagrado Coração. "Só um milagre pode salvar este povo", desesperou-se o padre Cícero por escrito a dom Luiz.

Para grandes males, grandes remédios. Assim como veio, a seca foi embora. Em 1880, houve água em fartura. Tão logo os primeiros pingos de chuva caíram no chão, levantando no ar o tão esperado cheiro de terra molhada, os demônios da peste saciaram sua sede de sangue. A varíola cedeu. No Cariri, o povo agradecido teve certeza de que Deus enfim ouvira suas preces. Cícero, revigorado pela fé dos juazeirenses, acelerou as obras de reconstrução da capela de Nossa Senhora das Dores. Ao mesmo tempo, começou a planejar o prometido templo ao Coração de Jesus.

A nova capela de Nossa Senhora das Dores ficou pronta apenas em 1884, quando Cícero já completava quarenta anos de idade. Para um povoado tão pequeno, aquela edificação de três naves, com duas altas torres quadrangulares e topos em forma de pirâmides apontando para o céu, construída sem verbas oficiais da Igreja, parecia uma verdadeira catedral. Para dom Joaquim José Vieira, que substituíra dom Luiz no comando da diocese, a construção era um impressionante símbolo de fé: "É admirável que um sacerdote pobre

A nova capela de Nossa Senhora das Dores, construída por Cícero em regime de mutirão entre 1875 e 1884

tenha podido construir um templo vasto e arquitetônico em tempos anormais, ainda mais nestes que atravessa essa diocese, assolada pela seca, fome e peste". Cícero, antes olhado com prevenção, passara a ser um aliado do palácio episcopal. Mas não por muito tempo, logo se veria.

Que ninguém se deixasse enganar pela aparência. Aos 48 anos, paulista de Itapetininga, o esguio dom Joaquim — cuja magreza chamou a atenção dos cearenses que o viram desembarcar do convés do vapor *Espírito Santo*, em fevereiro de 1884 — era homem de ideias firmes. A respeito dele, contavam-se histórias de generosidades beatíficas, mas também de intrepidez extrema. Comentava-se, por exemplo, a doação que fez da própria casa da família, em Campinas, para o asilo de órfãs que fundou naquela cidade, onde ajudou a erguer a matriz e uma famosa Santa Casa de Misericórdia. Mas muito se falava também da ruidosa polêmica que provocou, ao se recusar a cumprimentar o imperador Pedro II em solenidade oficial. Ao lhe indagarem qual o motivo da descortesia e da insubordinação em relação ao monarca, explicava que jamais prestaria reverência a um rei que mandava religiosos para a cadeia.

Quando ocorreu o tal incidente, dom Joaquim José Vieira ainda não havia se sagrado bispo. Ele era apenas o padre Vieirinha, como lhe chamavam os campineiros. E, em sua desabusada resposta, referira-se aos decretos de prisão assinados pelo imperador contra dom Vital Maria Gonçalves e dom Antônio de Macedo Costa, respectivamente bispos de Olinda e do Pará. Os dois haviam sido condenados a quatro anos de trabalhos forçados por terem punido padres de suas dioceses que participavam de irmandades maçônicas.

Dom Vital e dom Antônio seguiam à risca o que determinara o papa, por meio do *Syllabus errorum*, o documento do Vaticano que declarara guerra à modernidade e à maçonaria. Ninguém desconhecia que existiam maçons graduados na alta cúpula da Corte, entre eles o próprio Pedro II, que pela Constituição imperial podia interferir em assuntos de natureza eclesiástica, uma vez que no Império a Igreja era atrelada ao Estado. O episódio não deixava dúvidas de que dom Joaquim cerrava fileiras, de forma radical, junto ao movimento ultramontano. Sua gestão à frente da Igreja cearense se anunciava, portanto, como um prolongamento do trabalho iniciado pelo atento dom Luiz, que deixara Fortaleza ao ser elevado ao posto de arcebispo da Bahia e, consequentemente, de arcebispo primaz do Brasil — desde 1676 aquela arquidiocese era a sede metropolitana da Igreja Católica no país. Uma das primeiras providências de Joaquim como novo bispo do Ceará foi exatamente realizar uma peregrinação de visitas pastorais pelo interior da diocese, incluindo o Cariri. Foi quando conheceu Cícero pessoalmente.

Em 19 de agosto de 1884, a região inteira recebeu o bispo com festas e orações. Dom Joaquim pregou a necessidade de reabertura imediata do seminário do Crato, fechado precocemente por causa dos três anos seguidos de seca. Tratou também de estender a visita às demais igrejas da região, o que o levou à nova capela do Juazeiro, erguida pelo trabalho de certo padre Cícero Romão Batista. Os moradores do vilarejo ficaram maravilhados ao saber que a consagração do altar que eles haviam construído com o próprio esforço seria celebrada por um bispo, com a presença de sacerdotes vindos de todo o Cariri.

Cícero causou uma boa impressão inicial aos olhos do novo titular da diocese. "Cheio de paciência e de bondade em suas relações, é suficientemente instruído e assíduo na leitura dos autores ascéticos", escreveria dom Joaquim a respeito do capelão do Juazeiro. Entre os escritores da predileção de Cícero referidos pelo bispo estavam os místicos cristãos Marquês de Merville e Joseph von Görres. O primeiro, autor francês de um cartapácio de seis volumes, *Des Espirits et de leurs manifestations fluidiques*, tradutor do *Livro negro de são Cipriano* e defensor da tese de que Satanás espreitava cada passo dos seres humanos. O segundo, Von Görres, era um alemão autor de outra obra volumosa, intitulada exatamente *A mística cristã*. Mas além das leituras de Cícero, o bispo notou algumas singularidades no comportamento do sacerdote que lhe causaram espécie: "Este padre tem o mau costume de não se deitar para dormir, o que faz que ele adormeça sentado ou mesmo em pé".

Aquela história de dormir em pé já era bem famosa entre os moradores do Juazeiro. Muita gente havia testemunhado a cena. Cícero arriava a cabeça sobre o peito e ressonava nas horas mais improváveis. Houve quem o visse entregue ao sono até sobre a sela da montaria, enquanto cavalgava, ou em algum alpendre de fazenda,

O bispo
dom Joaquim José Vieira
e Cícero Romão Batista

bem no meio da prosa com os donos da casa. Tais fatos, em vez de depor contra a imagem do padre perante os fiéis, só faziam aumentar a curiosidade e a admiração popular a respeito de sua figura. Se o capelão dormia dentro do confessionário, em pleno sagrado ministério, era porque estava exausto dos jejuns e do trabalho diuturno de missionário da fé, avaliavam.

Além do mais, casos como aqueles iriam se somar a um extenso repertório de histórias pitorescas contadas pelo povo, que aos poucos iam ganhando contornos de lenda. Numa das mais famosas, dizia-se que, quando jovem, Cícero conseguia ler da janela do seminário o letreiro dos navios ancorados no alto-mar a quilômetros de distância. Também havia quem jurasse que na falta de cabide apropriado o padre já conseguira a proeza de fixar o chapéu, como que por encanto, em plena parede lisa. E não faltava quem repetisse que Cícero sabia respirar até debaixo d'água: certa vez, nos tempos de seminário, teria se mostrado capaz de mergulhar no mar de Fortaleza e permanecer submerso por um tempo tão grande que os colegas, assustados, chegaram a dá-lo como morto.

Dom Joaquim relevou os famosos acessos de sonolência do capelão, embora não pudesse ter deixado de reparar na crescente mitologia que, desde então, já começava a cercar o padre do Juazeiro. Contudo, atribuiu todo esse rosário de crendices aos resquícios das pregações populares do andarilho Ibiapina, que morrera cerca de um ano e meio antes, na Paraíba, depois de um derrame cerebral deixá-lo paralítico e preso a uma cadeira de rodas. Imaginava-se que, com o desaparecimento definitivo do missionário, a influência que exercera nos sertões tenderia a diluir-se na memória dos sertanejos.

O bispo só ficou apreensivo quando, em 1886, dois anos após aquela primeira ida ao Cariri, retornou à região em nova visita pastoral. Dessa feita, dom Joaquim José Vieira encontrou-se com Cícero na então aldeia de Quixará (mais tarde município de Farias Brito), localizada poucas léguas ao norte do Crato. O capelão do Juazeiro confidenciou-lhe então uma história fora do comum, a respeito de uma das beatas que frequentavam os trabalhos religiosos na capela de Nossa Senhora das Dores. Foi a primeira vez que dom Joaquim escutou o nome de Maria de Araújo, a "Maria Preta", lavadeira, costureira e doceira. Uma mulherzinha pequena e cafuza, de lábios grossos e carapinha trazida sempre oculta sob o negrume do véu.

Teria sido em novembro, o chamado mês das almas, três meses após a primeira visita do bispo ao Cariri. De acordo com o relato de Cícero, Maria de Araújo assistia à missa como de costume. De repente, a mulher experimentara estranha sensação. Era como se alguém, invisível, a abraçasse fortemente. Na hora, a beata sofrera um desconforto semelhante à dor física, embora ao mesmo tempo fosse reconfortada por um imenso e até então desconhecido consolo espiritual. Logo depois, ao conferir o próprio corpo, Maria de Araújo percebera que algo de extraordinário — e inexplicável — acabara de lhe acontecer: uma cruz de sangue fresco teria ficado impressa, de forma nítida, em seu peito.

O bispo recomendou prudência a Cícero. Ordenou-lhe preservar o mais absoluto silêncio sobre tal assunto. Era preciso não se deixar enganar pelas aparências, argumentou dom Joaquim. Às vezes, por trás da cruz, escondem-se os artifícios do diabo. Cícero obedeceu e, assim, com o episódio aparentemente esquecido, o bispo continuou a oferecer-lhe seguidas provas de confiança. Concedeu-lhe a prerrogativa para absolver maçons em casos de extrema-unção e o nomeou interinamente pároco da freguesia de São Pedro — futura Caririaçu —, distante menos de cinco léguas (cerca de trinta quilômetros) do Juazeiro. Alguém até poderia interpretar tal gesto como uma manobra sutil para retirar Cícero do povoado e, por extensão, furtá-lo do contato com as beatas de que vivia rodeado. Entretanto as palavras do bispo eram de aparente ponderação e quase apelo: "Sei quanto ama esse Juazeiro; mas a incumbência que lhe faço não lhe obriga a ir residir em São Pedro; é somente para ir dar aporte espiritual àquele povo, quando lhe for possível", explicou o prelado. E ponderou:

> Não sei quanto dista do Juazeiro a São Pedro; se for perto, de modo que Vossa Reverendíssima possa celebrar duas missas nos domingos e dias santificados, autorizo-lhe a bisar; isto é, a celebrar uma missa no Juazeiro e outra em São Pedro.

Mais uma vez, Cícero acatou sem discutir o que ordenava o bispo e chegou a celebrar missas em São Pedro. Porém, cerca de seis meses depois, alegou motivos de saúde para abdicar da tarefa. Dom Joaquim molhou a pena no tinteiro e voltou a lhe escrever, no dia 11 de julho de 1888: "Tem me incomodado muito a notícia de seu estado de saúde, não só porque isto lhe é penoso, senão também porque a falta de seus bons serviços é imensamente prejudicial a esse lugar da freguesia de São Pedro". Algumas linhas adiante, o bispo acrescentou: "Escreva-me logo que receber esta, dando-me notícias do seu estado. Se precisa de alguns recursos, diga-me com franqueza. Com muito gosto farei tudo que puder por sua pessoa".

Por causa da conhecida indigência em que vivia o padre, dom Joaquim decidiu recorrer aos préstimos de um cratense que desfrutava de boa relação com Cícero. No dia seguinte, o bispo enviou nova missiva ao Cariri, endereçada a Joaquim Secundo Chaves, farmacêutico e tenente-coronel da Guarda Nacional:

> Talvez o padre Cícero sofra algumas privações por não ter coragem de manifestá-las. Se assim acontecer, desde já autorizo e peço a Vossa Senhoria a bondade de fornecer tudo o que lhe for necessário, mandando-me em seguida a conta das despesas feitas, para que eu pague com prontidão. Não é necessário que o padre Cícero saiba disso, ou antes não convém que lhe chegue ao conhecimento, porque ele talvez recusará. Fique, pois, entre nós.

Ao que tudo indicava, o bispo se esforçava para resolver a pendência paroquial e, ao mesmo tempo, procurava demonstrar legítima boa-fé com o capelão do Juazeiro. Entretanto, além de uma declarada debilidade física, logo Cícero Romão Batista teria motivos adicionais — e bem mais significativos — para não querer ficar longe um só minuto do povoado. A partir de então, os humores de dom Joaquim não tardariam a virar pelo avesso. O bispo ficou profundamente irritado por descobrir indiretamente, por uma notícia de jornal, o que prendia Cícero ao Juazeiro. Algo de muito sério estava se passando por lá, sem que o palácio episcopal sequer houvesse sido comunicado: a beata Maria de Araújo, a mesma de quem lhe falara um dia Cícero, teria voltado a manifestar fenômenos sobrenaturais. Desta vez, o assunto era infinitamente mais grave. Era preciso tomar providências imediatas. A primeira que ocorreu ao bispo foi justamente escrever a Cícero:

> Escrevo às pressas para aproveitar o correio que deve partir daqui a poucas horas. Refiro-me ao boato que por aqui corre com relação à beata Maria de Araújo. Em 1886 Vossa Reverendíssima referiu-me alguma cousa acerca de certas maravilhas praticadas por esta devota. Guardei reserva, esperando que o tempo viesse esclarecer o negócio de modo a não deixar dúvida. [...] Com franqueza lhe digo: não gostei da história, porque esses fatos só devem sair à luz quando bem averiguados. Agora, porém, o negócio tomou uma feição muito séria.

As informações que partiam do Cariri eram cada vez mais inquietantes. Falavam que o padre Cícero Romão Batista e a beata Maria de Araújo haviam protagonizado um milagre. O maior e o mais admirável de todos os milagres a que o mundo cristão já assistira.

3

Mistérios no povoado perdido: hóstia vira sangue, beata fala com Jesus

1889

Naquela noite escura e sem lua, Cícero levantou as mãos para os céus e pediu perdão pelos pecados do mundo. Quem olhasse lá de fora em direção às janelas abertas da capela de Nossa Senhora das Dores avistaria, já de longe, o lampejo das centenas de velas acesas cortando o breu. O forte cheiro de cera derretida e o adiantado da hora indicavam que os membros da irmandade de beatos, cerca de vinte deles, haviam passado mais uma madrugada inteira em vigília, em louvor ao Sagrado Coração de Jesus. Meia hora antes do amanhecer, quando os galos se preparavam para anunciar outra escaldante manhã de sol no sertão, Cícero decidiu que as sete ou oito mulheres ali presentes mereciam receber a comunhão antes dos homens, para retornarem às respectivas casas. Elas precisavam descansar o corpo fatigado de tão prolongada sentinela em nome da fé. Com o véu escuro sobre a cabeça e o alvo rosário entrelaçado nas mãos magras e morenas, as beatas atenderam ao chamado e se aproximaram em fila indiana, uma a uma. À frente delas, ia Maria de Araújo. Com os olhos fechados, ela foi a primeira a se postar diante do padre e entreabrir a boca, contrita. Contudo, quando a hóstia lhe tocou a língua, a beata abriu e revirou os olhos espantados. Parecia ter entrado em estranho transe. E foi então que se deu o fenômeno: segundo chegariam a jurar sobre a Bíblia as testemunhas ali presentes, a hóstia na boca de Maria de Araújo mudou de forma e de cor. Transformou-se, inesperadamente, em sangue vivo.

O fio de sangue desceu dos lábios da mulher e, como ela tentasse contê-lo, este lhe banhou o dorso da mão esquerda. Depois, escorreu ao longo do braço, até cair no chão da capela, que ficou respingado de vermelho. Com ar aflito, a beata mirava e mostrava ao padre uma toalhinha branca dobrada nas mãos, tingida pelas manchas rubras que haviam transbordado da boca e que ela depois procurara enxugar. Foi um alvoroço sem par. Quando os primeiros raios de sol aqueceram a alvenaria da fachada principal do templo, a notícia já corria pelo povoado: na branca capela de Nossa Senhora das Dores, entre os lábios da beata Maria de Araújo, a hóstia consagrada pelo padre Cícero havia se materializado no corpo, na carne e no sangue divino de Jesus. Sangue que, a exemplo do que ocorrera dois milênios antes e no alto da cruz, estaria sendo derramado para lavar os pecados e as dores dos homens.

Foi no dia 1º de março de 1889, uma sexta-feira da Quaresma. Como a desafiar a incredulidade dos mais céticos, o episódio se repetiria por meses a fio, sempre às quartas e sextas-feiras. No Sábado de Aleluia, o sangue teria jorrado de novo da boca da beata Maria de Araújo. Numa das ocasiões, de tão abundante, chegara a atingir e embeber o corporal — o tecido branco e quadrangular sobre o qual se coloca o cálice com o vinho — e a patena, o pratinho de metal com as hóstias. Seria impossível, diante de tão insistentes e misteriosas manifestações, conter o êxtase coletivo. De imediato, uma palavra passou a ser voz corrente na região: milagre. Juazeiro transformara-se em chão sagrado.

Moradores das cidades e localidades mais próximas chegavam de forma espontânea ao minúsculo povoado, atraídos pelas narrativas que davam conta do sangue de Jesus derramado em pleno agreste. Mas foi em 7 de julho, um domingo que marcava o ápice da tradicional festa cristã do Precioso Sangue, que Juazeiro assistiu pela primeira vez à chegada maciça e ordenada de milhares de peregrinos. Foi a primeira de todas as romarias. Naquela manhã, cerca de 3 mil pessoas — quase dez vezes a população do lugarejo — apinharam-se nas estreitas e diminutas ruelas do local. A maioria era proveniente do Crato e vinha sob as bênçãos expressas do novo reitor do seminário, monsenhor Francisco Rodrigues Monteiro. Conhecido pela oratória inflamada, monsenhor Monteiro conduziu

A beata Maria de Araújo, protagonista do "milagre do Juazeiro", e o monsenhor Francisco Monteiro, reitor do seminário do Crato, o primeiro a anunciar publicamente o fenômeno

uma procissão até a capela de Nossa Senhora das Dores, naquele dia adornada com velas, flores e fitas coloridas. Ao término da missa, com sua autoridade clerical e o estilo ardoroso de sempre, Monteiro fez um sermão histórico, durante o qual exibiu, com gestos arrebatados, uma toalha manchada de sangue. Segundo ele, não havia dúvidas de que aquele era o verdadeiro sangue de Jesus Cristo.

As palavras do reitor do seminário do Crato contagiaram o coração daquele mundaréu de gente. A comoção se propagou como descarga elétrica no meio da multidão. Centenas de pessoas se prostraram de joelhos, em choro compulsivo, diante da visão do tecido ensanguentado. Levas de peregrinos se sucederam àquela romaria inicial. Vinham sempre aos milheiros, a pé ou a cavalo, de perto e de longe, com o único intuito de adorar os panos considerados sagrados pelo contato com o sangue divino. Colocadas em uma caixa de vidro e postas à exposição pública na capela do Juazeiro sob a guarda de Cícero, as relíquias tornaram-se alvo de devoção extremada.

Não foi tudo. O Céu parecia ter aberto a caixa de milagres. Pouco depois, em 19 de agosto daquele mesmo ano, espalhou-se que outro fenômeno fantástico ocorrera no povoado. Segundo assegurava Maria de Araújo, dessa vez o próprio Jesus Cristo teria lhe aparecido em visão, enquanto ela orava na capela. Dois dias mais tarde, em nova aparição à beata, em plena celebração da missa pelo padre Cícero, Jesus teria revelado a ela, reservadamente, que decidira fazer do Juazeiro um portal por onde apenas os puros e justos entrassem no reino dos céus. Monsenhor Monteiro parecia convicto de que a beata falava a verdade:

> Não há dúvida de que a beata Maria de Araújo, humilde, pobrezinha, é uma santa, é uma santa como a história ainda não registrou! Muitos livros não bastarão para neles se escrever o que há de sobrenatural naquela simples criaturinha de Deus!

Os romeiros não ousaram duvidar da nova maravilha. Se, de acordo com o que pregava a Igreja, Jesus teria aparecido em outros tempos para um punhado de bem-aventurados, por que não se revelaria agora para Maria de Araújo, que já teria obtido a suprema graça de abrigar o sangue sagrado no interior de sua boca? Se dois séculos antes, em 1675, Jesus teria mostrado o coração exposto em chamas para a freira francesa Maria Margarida Alacoque em um convento da região da Borgonha, por que não poderia repetir o mesmo prodígio, tanto tempo depois, numa capela do pequenino Juazeiro, que tinha o piedoso padre Cícero como seu protetor?

Todos sabiam que a Igreja Católica aceitava, como fato, a crença de que Jesus Cristo, com o peito incendiado de sangue e de luz, teria pedido à francesa Margarida Alacoque que difundisse mundo afora o culto ao Sagrado Coração, confiando-lhe a missão divina de reparar, pela oração, os sortilégios humanos. Pois para os que acorriam em massa a Juazeiro não era de admirar que o mesmo Cristo houvesse voltado à Terra e anunciado a Maria de Araújo, uma devota fervorosa do Coração de Jesus, que iria fazer, por meio dela, um novo chamamento às almas desgarradas do caminho e da palavra de Deus. Padre Cícero, confessor da beata, seria o grande responsável pelas bênçãos que estavam se derramando sobre o Juazeiro. Era ele que indicaria a todos o caminho dos céus.

Não demorou muito para que as histórias espantosas que se contavam a respeito do assunto percorressem léguas e mais léguas, até chegar às letras de forma dos principais jornais do país. O primeiro periódico a noticiar o caso foi uma importante gazeta da capital do Império, o *Diário do Commercio*, que tinha redação, escritório e oficina montados na nevrálgica rua do Ouvidor, no Rio de Janeiro. "Recebemos a seguinte informação, em carta dirigida da província do Ceará", anunciava o jornal carioca, na edição de 19 de agosto daquele ano de 1889. "Quando o padre Cícero dava a comunhão à virtuosa beata Maria de Araújo, transformou-se a sagrada forma em sangue, que caiu na toalha e na murça da beata, fato que se foi dando todas as sextas-feiras e depois diariamente." Informava-se ainda que "um sem-número de habitantes da cidade do Crato, e de toda a circunvizinhança, concorreu de modo que jamais se viu naquela povoação tamanha aglomeração de fiéis".

Dez dias depois, era a vez de o *Diário de Pernambuco* repercutir a notícia, com ainda maior alarde. "Fato estupendo", lia-se em negrito nas páginas do prestigioso jornal de Recife. A descrição do proclamado milagre era novamente seguida da informação de que caravanas de peregrinos não paravam de acorrer ao local.

É provável que esta fiel exposição de um acontecimento sobrenatural levante a incredulidade, e que esta o comente a seu sabor. Mas o que é certo é que ele foi testemunhado por mais de 30 mil pessoas; e que o Juazeiro tem se tornado uma nova Jerusalém pela romaria dos povos vizinhos.

Uma nova Jerusalém. A senha estava dada. A serra do Catolé e seu espinhaço de pedra recortando o horizonte do Juazeiro seria o novo monte das Oliveiras. O riacho Salgadinho, que banhava as terras do povoado, o novo Jordão. Jesus Cristo teria escolhido o povo mais simples e o lugar mais remoto do mundo para, sobre ele, derramar de novo sua palavra. Nada mais justo, acreditavam os peregrinos em romaria. Segundo rezava o Novo Testamento, não foram também os primeiros apóstolos homens do povo, humildes e incultos pescadores de peixe, transformados pela fé em pescadores de almas?

Cícero não podia ter dúvidas de quem era o remetente daquela carta que vinha de Fortaleza, datada de 4 de novembro de 1889, com o selo e as armas eclesiásticas gravados no lacre de cera. O bispo do Ceará, dom Joaquim José Vieira, com a autoridade que lhe competia como chefe da Igreja Católica Apostólica Romana na província, cobrava explicações a respeito dos muitos boatos que lhe chegavam sobre aquele distante povoado. Com caligrafia rebuscada, o tom da correspondência era cortês, mas firme, como convinha à situação e à hierarquia que separava autor e destinatário.

"Sou amigo de Vossa Reverendíssima; confio na sinceridade e na sua ilustração e por isso o julgo incapaz de qualquer embuste", iniciava, amistosa, a carta do bispo ao padre Cícero Romão. "Faça--me, com a maior urgência, uma exposição minuciosa de todas as circunstâncias que precederam, que acompanharam e subseguiram o fato, para que eu possa tomar as providências atinentes ao caso", ordenava dom Joaquim. "Enquanto se espera por esse juízo, proíbo expressamente a Vossa Reverendíssima qualquer manifestação a esse respeito", advertia o prelado, para finalizar:

Estou persuadido que Vossa Reverendíssima, ilustrado e piedoso como é, não se escandalizará com esta minha determinação, pois sabe que me incumbe o dever de velar sobre a pureza da doutrina católica. Deixo de fazer mais considerações porque julgo ter explicado bem claramente o meu pensamento.

Apesar das ordens cristalinas contidas na mensagem, o bispo recebeu apenas o silêncio como resposta. Chegou a enviar uma segunda correspondência oficial a Cícero, reiterando a mesma cobrança, que ficou igualmente sem retorno. "Parece-me ser grande imprudência chamar a atenção do público para a beata Maria de Araújo. Este fato pode trazer a ela sentimentos de vaidade, em detrimento da salvação", insistia dom Joaquim, na segunda carta. "Padre Cícero, parece-me prudente não se dar ainda expansão ao fato, porque é possível que mais tarde se verifique ser ele fruto de causas meramente naturais; e então grande ridículo recairá sobre a nossa Santa Religião."

Ao contrário do minucioso relatório que exigia, dom Joaquim viu-se obrigado a ler pela imprensa uma nova notícia sobre os episódios fantásticos, que não paravam de ocorrer no povoado. Desta feita, o agravo vinha com assinatura e, portanto, assumida autoria. Uma carta escrita de próprio punho pelo monsenhor Francisco Monteiro, o reitor do seminário do Crato, endereçada a um cônego paulista, acabara de ser publicada em um jornal de São Paulo. Nela, falava-se abertamente em novos milagres. Na carta, reproduzida pela folha religiosa *Estrela da Aparecida*, monsenhor Monteiro dizia que, no dia 22 de agosto, em Juazeiro, a beata Maria de Araújo chegara à capela de Nossa Senhora das Dores, pouco antes da missa, com a roupa banhada em sangue. De acordo com o que a mulher explicara, Jesus Cristo havia se revelado de novo a ela, desta vez devidamente paramentado, de sobrepeliz e estola, como se fosse um padre pronto para subir ao altar. Segundo o relato, Jesus oferecera à mulher um cálice de ouro, cheio de vinho, que de imediato se transformara em sangue. Maria de Araújo bebera a metade do líquido e a outra metade teria sido derramada pelo próprio Jesus sobre a cabeça da beata. "Quero que bebas o meu Sangue e te banhes com ele", dissera-lhe o Cristo, ainda conforme a carta assinada e tornada pública pelo reitor do seminário do Crato. "Quero fazer deste lugar, Juazeiro, um chamado para a salvação dos homens. É este um esforço de amor do meu coração", acrescentara Jesus à beata Maria de Araújo.

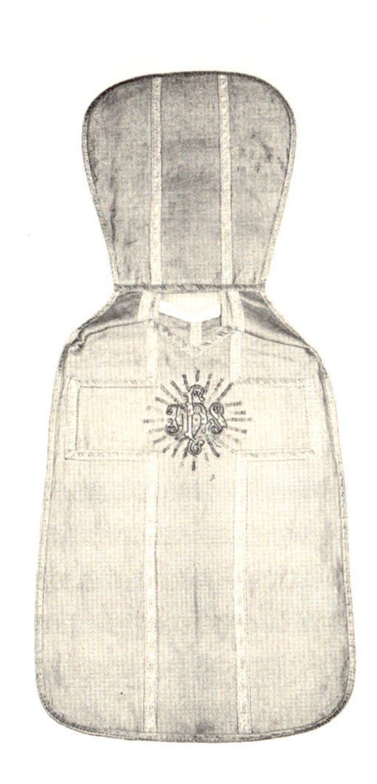

Objetos e trajes litúrgicos que pertenceram ao sacerdote e que hoje fazem parte do acervo do Memorial Padre Cícero, em Juazeiro do Norte

O bispo se convenceu de que estava diante de um grave caso de indisciplina. Meses antes, recebera em audiência no palácio episcopal, em Fortaleza, o mesmo monsenhor Monteiro, que não lhe fizera a mais leve menção ao assunto. Dom Joaquim sentiu-se ludibriado. Tanto por Monteiro quanto por Cícero. Este, em junho, três meses depois da primeira ocorrência dos alegados milagres, chegara a lhe enviar longa carta. Nela, também não havia nenhuma palavra sobre o caso. Apenas um dramático apelo para que o bispado intercedesse junto às autoridades e conseguisse uma possível ajuda contra a seca que mais uma vez assolava a província. "Vossa Excelência Reverendíssima, por caridade e por Nossa Senhora das Dores, que é dona deste lugarzinho tão caro a seu sagrado coração, seja o instrumento de que ela se sirva para nos salvar", implorara Cícero. "Eu não sou nada, tenho consciência do pouco que sou e por isso não me atrevo a dirigir-me aos que governam; são políticos, só com políticos se entendem. Lembrei-me de pedir a Vossa Excelência, que sabe chorar com os que choram, para se interessar por nós, nos alcançando algum recurso do Governo", dizia a carta. "Temos pedido muito a Nosso Senhor e os meus pecados impedem que ele ouça! Como posso ver esse pobre povinho que amo tanto, como uma parte de minha alma, desaparecer?", escrevera o padre Cícero. Sobre hóstias que se transformavam em sangue, nada.

Dom Joaquim sabia que uma circunstância histórica tornava o assunto ainda mais explosivo e suscetível de contagiar multidões. As notícias sobre o milagre se espalhavam com a mesma velocidade daquelas que davam conta de que, no Rio de Janeiro, um grupo de militares havia acabado de derrubar o imperador dom Pedro II e proclamado a República. Para cristãos mais exaltados, a confluência entre os dois episódios significava um claro sinal de que o fim dos tempos estava próximo. Os republicanos, que estabeleceriam a separação constitucional entre Igreja e Estado e instituiriam o casamento civil, passaram a ser a própria representação do Anticristo. A Bíblia dizia que, quando este chegasse à Terra, o fim do mundo estava próximo. O alegado milagre no Juazeiro seria então a resposta dos céus, a advertência celeste de que era chegada a hora do arrependimento final.

Cícero, que durante os longos primeiros quarenta anos de sua vida havia permanecido um sujeito anônimo fora das fronteiras do pequenino Juazeiro, começava a desfrutar de crescente notoriedade. Para os que acreditavam no milagre, ele era o santo benfazejo do Cariri. Para dom Joaquim, ao contrário, ele era a ovelha desgarrada, aquela que ameaça pôr a perder todo o resto do rebanho. Ao deixar de responder às duas cartas enviadas pelo palácio episcopal, Cícero caíra em descrédito perante o julgamento de seu superior imediato. Para o bispo, o indesculpável silêncio equivalia a uma confissão de culpa. No entender de dom Joaquim, o único remédio que restava era fazer cumprir a proverbial sentença: antes que o mal cresça, corte-se-lhe a cabeça.

4

Beata sangra as chagas de Cristo. Uns dizem que é graça de Deus; outros, ardileza de Satanás

1890-1891

Monsenhor Francisco Monteiro entregou o papel dobrado nas mãos de dom Joaquim. O bispo nem mais esperava por aquela carta, vinda do Juazeiro. Nas folhas de papel de seda datadas de 7 de janeiro de 1890, as letras a bico de pena eram firmes e inclinadas à direita, as maiúsculas rebuscadas e redondas. Ao final de dezenove parágrafos, distinguia-se a assinatura de Cícero. Parecia, à primeira vista, um rogo de desculpas. Não era. Nas linhas iniciais, o bispo leu o pedido de perdão pelo atraso de quase dois meses sem notícias. "Com razão, Vossa Excelência me chama de imprudentíssimo", penitenciava-se o remetente. Porém, no parágrafo seguinte, uma frase categórica adiantava o real teor da mensagem. Sobre o alegado milagre protagonizado pela beata Maria de Araújo, Cícero tinha a afirmar, com todas as sílabas: "Não posso duvidar, porque vi muitas vezes".

Padre Cícero assegurava ao bispo que na primeira ocasião em que a hóstia se transformara em sangue ele estava tão compenetrado no ofício de dar a comunhão aos demais devotos que não dera pelo fato. Somente ao final da vigília, quando já depositara a âmbula no sacrário, é que deparara com uma aflita Maria de Araújo, a toalhinha branca manchada de vermelho nas mãos. "Eu que conheço a sinceridade e simplicidade dessa criatura, a confusão e o vexame com que estava, nem sequer tinha dúvida da verdade que via", afirmou. O mais inquietante, para dom Joaquim, viria a seguir, ao virar a página. A carta informava que, para tirar todas as dúvidas a respeito do caso, Cícero mandara a beata orar e indagar a Deus sobre o significado de tão misteriosos fenômenos. O Céu, segundo o padre, não demorou a dar resposta: Jesus Cristo teria se manifestado diretamente à beata. O Nazareno conversava com Maria de Araújo, ficou sabendo o bispo.

A descrição que Cícero fez da suposta conversa de Cristo com a beata era, no mínimo, desconcertante. "Ela, simplesinha como uma criança, cheia de aflição, quando Ele apareceu perguntou-lhe se estava zangado com ela. Como um pai desvelado trata uma filha criança que ama muito, Ele disse que não estava não." De acordo com Cícero, Jesus teria então explicado a Maria de Araújo, em linguagem simples para que a beata pudesse compreender, que tudo aquilo era uma manifestação da imensa caridade e misericórdia divinas. "O mais não carecia ela saber."

Ao fazer o histórico dos acontecimentos, Cícero era capaz de jurar pela cruz do rosário que, mesmo estando crente no milagre, fizera de tudo para não dar a mínima publicidade ao episódio. "Eu fiz por abafar quanto pude; porém o fato continuou regularmente", alegou. Em pouco tempo, ficara impossível ocultar o que já se tornara voz corrente no lugar. Mas, se alguém era o verdadeiro responsável pela divulgação maciça da notícia, esse alguém não seria ele, e sim monsenhor Francisco Monteiro, o fiel portador daquela carta. Foi monsenhor Monteiro quem convocou a primeira romaria a Juazeiro. Ele, Monteiro, que fez o sermão inflamado. Ele, também, que mostrou em público os paninhos ensanguentados afirmando ser aquele o sangue de Jesus. "Quando eu soube, fiquei para morrer de vexame", escreveu Cícero. "Desejava sumir-me pelo chão de angustiado. A pobre beata, que é humilde na altura das graças que recebe, só não morreu de aflição por milagre." O bispo continuou a ler e tomou conhecimento de que diante da visão dos tais panos o povo inteiro chorara de emoção, em extraordinário clamor. "Só eu não chorei, porque a minha aflição era outra", narrou Cícero.

Ao longo de todo o texto da carta, Cícero procurava demonstrar ao bispo que não quebrara o devido voto de obediência a um superior. Tanto que, quando soubera da primeira viagem de Monteiro a Fortaleza, teria sugerido que ele desse detalhada notícia de todos os acontecimentos ao palácio episcopal. Se o reitor não o fizera naquela ocasião, foi por um único motivo, Cícero queria crer: "Monteiro se esqueceu de falar a Vossa Excelência".

Cícero reconheceu que cometera um erro. Mas procurava se justificar: "O que eu devia era comunicar tudo a Vossa Excelência; porém chove de toda parte uma aluvião de gente, que quer se confessar, aos quinhentos, aos mil, aos dois mil, uma cousa extraordinária, famílias e mais famílias, com verdadeiro espírito de penitência, gente ruim se convertendo". Diante de tanta atribulação para com os muitos peregrinos que chegavam ao povoado, simplesmente não lhe sobrara tempo para sentar e escrever. Por fim, Cícero afiançava que Maria de Araújo era mulher abençoada.

> São tantas misericórdias de Nosso Senhor para com esta sua serva, que se eu tivesse escrito tudo o que Ele tem feito e tudo quanto Ele tem dito a esta criatura, essas conferências de amor que só Ele sabe dizer, as comunicações constantes com a Virgem, com os santos, com os anjos de Deus, com as almas, os tremendos combates do Inferno, dariam volumes.

Sim, Maria de Araújo, afirmava Cícero, conversava com toda a corte celeste e fazia viagens espirituais ao Céu, ao Inferno e ao Purgatório: "Eu desejava que Vossa Excelência visse ao menos uma ida dela ao Purgatório para fazer penitência pelas almas. Certamente sensível como é Vossa Excelência, ficaria comovido até as entranhas". Nas últimas linhas, Cícero reafirmava a disposição de manter o dever de obediência ao bispo. Dizia inclusive que, desde que recebera a primeira carta de dom Joaquim, mandara proibir o culto aos paninhos ensanguentados. Mas, infelizmente, a medida de nada adiantara. "Ainda não cessou a concorrência do povo", comunicou, antes de assinar a mensagem.

Dom Joaquim contou que leu e releu o conteúdo daquele maço de papel algumas vezes seguidas. Precisava meditar antes de formar qualquer juízo sobre o que significavam tais palavras deitadas ao correr da pena. Só depois de muito refletir, o bispo decidiu responder por escrito a Cícero, fazendo do mesmo monsenhor Monteiro o portador da mensagem. Seria uma réplica em tom moderado.

Cícero e a irmã Angélica,
em foto da época dos "fenômenos
extraordinários" do Juazeiro

Não constaria nenhuma vírgula sobre as tais conversações da beata com Jesus ou sobre as excursões por Céu, Inferno ou Purgatório, histórias que pareciam ter saído das páginas medievais dos *Diálogos* de São Gregório Magno, nas quais o mundo dos mortos aparece em constante confabulação com o dos vivos.

O bispo apenas dizia que, de tudo que lera de Cícero e ouvira de viva voz de Monteiro, só conseguira tirar uma única conclusão: Maria de Araújo sangrava pela boca. Isso, ao que parecia, era o único fato inconteste. Mas, no entender de dom Joaquim, tal circunstância em nada significava que aquele sangue possuísse origem divina. Poderia ser, afinal, o sangue da própria beata. Qualquer outra ilação a respeito, argumentou o bispo, seria precipitada e herética. Dom Joaquim deixava evidente que não proibia Cícero de falar sobre o que vira, desde que não atribuísse ao episódio o qualificativo de "milagre". Por consequência, também não mais permitiria que prosseguisse em Juazeiro o culto público de adoração a um punhado de panos ensanguentados. O bispo sugeriu que, na hipótese da ocorrência de novos fenômenos como aquele, Cícero se cercasse do maior número possível de testemunhas idôneas. Gente acima de qualquer suspeita, capaz de depor sob juramento em um possível inquérito religioso a respeito do caso. Só um processo que seguisse todos os ritos da lei canônica poderia avaliar se estavam diante de um milagre ou de uma crendice. "Se Deus quiser operar quaisquer maravilhas em favor do Ceará, Ele o fará de modo que não deixará dúvida alguma", avaliou.

Era uma resposta judiciosa, ditada pelo comedimento. Contudo, menos de uma semana depois, dom Joaquim tomou atitude mais resoluta. Após sopesar o assunto, considerou que talvez fosse melhor obter maiores garantias a respeito do caso. Não queria que lhe chegassem aos ouvidos problemas mais graves vindos do pequeno — mas preocupante — Juazeiro. A história de toda a região já estava por demais recheada de exemplos de devoções populares que desaguavam em tragédias coletivas.

Ainda estava viva na memória de todos a matança de Pedra Bonita, cinquenta anos antes. Em Serra Talhada, Pernambuco, um místico de nome João Ferreira derramara o sangue dos próprios seguidores. Velhos, mulheres e crianças foram degolados ou tiveram o crânio esmagado com paus e pedras. Tudo pelo propósito de desencantar e trazer de volta à Terra dom Sebastião, rei português desaparecido no século XVI em meio a uma batalha contra os mouros nas areias do Marrocos. Segundo Ferreira, o rei teria lhe aparecido em visão e proposto o sangrento ritual de sacrifício humano para poder retornar ao mundo. Antes, outro visionário sebastianista, o beato e ex-miliciano Silvestre José dos Santos, também reunira centenas de seguidores em torno de um povoado, na serra pernambucana do Rodeador. O ingresso em tal comunidade, exigia o beato Silvestre, só era permitido após uma petição feita pelo pretendente diretamente a Nossa Senhora. Uma vez membro do grupo, havia leis específicas a seguir. Entre elas, o consentimento para saques armados contra fazendas e propriedades vizinhas como forma de debelar a injustiça e a fome do povo. Nenhuma daquelas histórias acabara bem. Tanto na serra do Rodeador quanto entre os sobreviventes da Pedra Bonita, os insubmissos foram passados na espada pela repressão governamental.

Como se não bastassem tais exemplos, existiam ainda acusações oficiais contra a presumida influência do falecido Ibiapina na chamada Guerra dos Quebra-Quilos, insurreição deflagrada simultaneamente em quatro províncias nordestinas — Alagoas, Paraíba, Pernambuco e Rio Grande do Norte. Em fins de 1874 e meados de 1875, o povo saíra às ruas contra a adoção do sistema métrico decimal, que introduzia o metro, o litro e o quilo no país em substituição às antigas unidades de medida coloniais, como a vara, as canadas e as onças. A insatisfação pela alta de impostos e a grita por causa de uma nova lei de alistamento militar confluíram para o mesmo espírito de revolta. Cartórios e coletorias sofreram invasões e tiveram toda a sua papelada queimada. Cadeias foram arrombadas e prisioneiros postos em liberdade. Feiras e mercados se tornaram alvo de depredações. Os novos instrumentos de medida, considerados pelos mais exaltados como apetrechos malignos de Satã, foram destruídos pela turba em fúria. Daí viera o nome Quebra-Quilos. Em meio à balbúrdia, gritavam-se vivas a Deus e morte aos maçons.

Para quem assistia a tudo da posição estratégica ocupada por dom Joaquim, era necessário imunizar a diocese, antes que ali também se inoculasse o germe da rebeldia. A diligência sempre fora a mãe do bom êxito, ensinava a arte da prudência. Por vezes, uma única fagulha era suficiente para atear fogo a uma catedral inteira.

Precavido, o bispo escreveu outra carta a Cícero, desta vez com uma determinação objetiva: Maria de Araújo deveria sair do povoado e se recolher, o mais breve possível, à casa de caridade do Crato. A intenção de dom Joaquim era evidente: dar fim ao assunto, que para ele já se estendera além da conta. De mais a mais, com a beata apartada de Cícero, ficariam afastadas quaisquer suspeitas de que o capelão do Juazeiro fosse o mentor de um provável embuste. Ou, dito de outro modo, ficaria esclarecido se, de alguma forma, era a presença do padre que provocava a ocorrência dos fenômenos místicos manifestados por Maria de Araújo. "Dando-se os mesmos fatos, em outras condições, verifica-se o negócio e tiram-se todas as objeções que razoavelmente se possam fazer", ponderou o bispo.

Mal recebeu a deliberação de Fortaleza, Cícero apressou-se em implorar a dom Joaquim que revisse a questão, pois julgava a decisão demasiadamente extrema. Explicou que a beata era mulher de saúde frágil — saúde de passarinho, como se diz no sertão. Com certeza, Maria de Araújo iria padecer maus bocados em uma viagem do Juazeiro para o Crato. Quem sabe, coitada, nem sequer resistisse a tão exaustiva travessia. E, caso sobrevivesse aos solavancos da montaria, muito pior seria suportar o isolamento forçado. Era melhor a pobre criatura permanecer no povoado, entregue aos cuidados dos parentes e dos amigos, sob a responsabilidade e olhares dele próprio, seu confessor e conselheiro espiritual, Cícero Romão Batista.

Dom Joaquim, visivelmente contrariado, mandou nova correspondência ao Cariri, redigida em tom mais impositivo. Fazia ver a Cícero que estava apenas tentando cumprir o que cabia a seu dever de bispo: averiguar os fatos para que se pudesse proclamar sem hesitações — *Digitus Dei est hic* —, numa tradução literal, "O dedo de Deus está aqui".

Joaquim empenhava sua palavra em que, longe do Juazeiro, não faltariam cuidados a Maria de Araújo. Mas fazia uma ressalva: "Se a beata vier a morrer porque me obedece, dará mais uma prova de suas virtudes, a Santa Obediência". Logo em seguida, vinha o ultimato. O bispado dava cinquenta dias, a contar do recebimento daquela carta, para que Cícero providenciasse a ida da beata ao Crato. "Se não me obedecer, nada farei, mas ficarei triste e desconfiado", sentenciou dom Joaquim. A carta era datada de 7 de março de 1890.

Dois meses e meio depois, Maria de Araújo continuava no Juazeiro. Entretanto, as tristezas e desconfianças do bispo em relação a Cícero tinham de esperar. Havia um incêndio para debelar bem no coração da diocese. Em Fortaleza, um grupo de seminaristas acabara de rasgar os regulamentos internos. Uma revolta de estudantes explodiu, ruidosa, nos corredores do Seminário da Prainha.

"Bebamos o sangue desses franceses!" — foi o grito de guerra que ecoou no pátio do seminário. Os estudantes haviam tomado o lema emprestado das páginas da *História dos girondinos*, do escritor Alphonse de Lamartine, para desafiar a tutela dos padres lazaristas e a autoridade do reitor Pierre-Auguste Chevalier.

Em 13 de maio, primeiro aniversário da abolição da escravatura no Brasil, os alunos levantaram da cama dispostos a realizar uma série de celebrações patrióticas ao longo do dia. Mas o reitor recusou-se a decretar feriado no seminário, exigindo que todos comparecessem às salas de aula como de costume. Os rapazes do curso teológico — liderados pelos seminaristas Antônio Tomás e João Alfredo Furtado — firmaram posição. Recusaram-se a baixar a cabeça e obedecer. Se os escravos brasileiros não precisavam mais prestar satisfações a seus antigos senhores, eles também estavam dispostos a quebrar os grilhões que os atavam à ortodoxia de Chevalier. O pandemônio logo se estabeleceu.

Nenhum professor conseguiu dissuadir os rapazes do protesto e, durante três dias, do alto da janela de sua sala, padre Chevalier assistiu ao pátio interno do seminário entregue à agitação. O reitor, apesar da conhecida severidade, não encontrou meios para estancar o movimento. Não por omissão ou falta de vontade. O vigor e a saúde é que já não eram mais os mesmos para o velho religioso, fragilizado pela catarata, que lhe foi roubando gradativamente a visão. Os célebres olhos de lince haviam definhado e perdido o poder da argúcia.

O palácio episcopal precisaria ser acionado. Quando percebeu que o reitor não conseguiria dar cabo da situação sozinho, dom Joaquim decidiu agir. Para tanto, usou mão de ferro. Procedeu a uma intervenção radical, sem espaço para indulgências. Suspendeu todos os alunos, decretou que as aulas daquele período estavam encerradas e mandou fechar as portas do seminário por tempo indeterminado. Bem no meio da celeuma provocada pela revolta estudantil, o bispo foi surpreendido por mais uma carta chegada do Juazeiro. Desta feita, a correspondência não era assinada por Cícero, mas por uma certa Josefa do Sacramento. Dom Joaquim procurou na memória, mas não conseguiu identificar aquele nome. Não sabia de quem se tratava. Ao pôr os olhos no papel e ler as primeiras linhas, tomaria conhecimento de que a mãe da beata Maria de Araújo — uma analfabeta — era a hipotética remetente.

"Por tudo quanto é sagrado e caro ao coração bondoso de Vossa Excelência, por Nossa Senhora das Dores, meu Santo Bispo, não me separe de minha filhinha." Apoquentado pela rebelião na Prainha, dom Joaquim não se comoveu diante da súplica que lhe era endereçada. Na verdade, interpretou o pedido de Josefa como atroz insolência. Então Maria de Araújo ainda não havia se retirado do Juazeiro, ao contrário do que recomendara meses antes? E como a mãe de uma mulher do povo — que não deveria ser uma pessoa letrada, a exemplo da filha — lhe escrevia uma carta em que se liam até mesmo certos trechos em latim? O bispo adivinhou a mão de Cícero segurando a pena que escrevera tais despropósitos.

Quem redigiu a carta estava bem informado. Fazia menção, por exemplo, ao fato de que pouco tempo antes o bispo alegara problemas de saúde e declinara do convite de comandar a diocese do Rio Grande do Sul, encaminhando pedido formal à Santa Sé para permanecer no Ceará. Ora, se para dom Joaquim era doloroso separar-se do povo cearense, argumentava a mensagem assinada com o nome de dona Josefa, muito mais lastimoso seria para uma mãe devotada ver-se longe da filha querida. A inusitada comparação, em vez de abrandar as zangas do bispo, só o deixou mais irritado.

"Maria de Araújo desobedeceu-me!!!", disse Joaquim a Cícero, assim mesmo, em uma resposta cravejada de pontos de exclamação. "Para mim, tudo está acabado, não há sobrenaturalidade nos fatos acontecidos com Maria de Araújo." Para o bispo, o cálice da tolerância transbordara de uma vez por todas. Havia um limite depois do qual a paciência deixava de ser uma santa virtude. "Padre Cícero, faça Vossa Reverendíssima como entender, proceda Maria de Araújo como quiser: se quiser ir para o Crato, vá; se não quiser, não vá! — meu juízo está formado." Havia espaço suficiente no papel para adicionar ainda outra repreensão: "Se Maria de Araújo recebe realmente provas do Céu, que as vá gozando só, sem perturbar a boa ordem da diocese". O bispo pedia ainda um derradeiro obséquio: Cícero era padre e, por isso, deveria retirar aquela mulher de dentro de casa. "Ela tem mãe, que vá para a companhia dela."

Quando o médico Marcos Rodrigues Madeira saiu do Crato e se apeou diante da porta principal da capela de Nossa Senhora das Dores naquela Quinta-Feira Santa, 26 de março, encontrou Maria de Araújo ajoelhada aos pés do altar, tendo Cícero à frente dela. Em torno dos dois, formando um semicírculo humano, o médico avistou outros padres e um grupo de cerca de três dezenas de pessoas. A exemplo de todos ali, o doutor Madeira, formado em medicina no Rio de Janeiro e ex-deputado provincial, fora chamado por Cícero para servir de testemunha do alardeado fenômeno: a transformação da hóstia consagrada no sangue de Cristo.

Madeira, que se dizia absolutamente cético em relação aos boatos que ouvia a respeito do tal milagre, aproximou-se e assistiu em silêncio ao momento em que Maria de Araújo recebeu a comunhão das mãos de Cícero. O que veio a seguir desafiaria toda a anunciada incredulidade do doutor, ali convocado por sua autoridade de legítimo representante da ciência. Ao entreabrir a boca, a beata deixou que todos vissem a pasta sanguinolenta e vermelha que trazia sobre a língua. Como sempre, o deslumbre em redor foi geral. Ainda cauteloso, o médico se aproximou mais um pouco e viu que as bordas da partícula se encontravam avermelhadas, enquanto no centro ainda se podia reconhecer o branco do pão consagrado. Era, sem dúvida, um enigma. Enquanto todos se acotovelavam para enxergar melhor a cena, o doutor Madeira solicitou a Cícero que pedisse àquela gente para se afastar dali. Necessitava de espaço e de luz suficientes, a fim de que pudesse averiguar com mais acuidade a ocorrência. Atendido de imediato em seu desejo, o médico constatou que a substância na boca de Maria de Araújo já se encontrava inteiramente rubra, sem vestígios da forma e da cor originais. Um médico sabe reconhecer um sangramento quando o vê. E, para Madeira, não havia dúvidas. Aquilo era sangue.

O que observava era tão evidente quanto incompreensível: a matéria vermelha na língua de Maria de Araújo assumira o claro formato de um coração humano. Madeira procurou uma explicação razoável para o que seus olhos lhe mostravam, mas que sua formação científica se recusava a autenticar. O doutor logo identificou o que procurava: uma úlcera de bordas salientes na parte anterior e média da língua da beata. Era por ali, tudo indicava, que o sangue minava.

A sensação de triunfo do médico se esvaeceu em poucos segundos. Ele ficou intrigado ao examinar de novo o local e reparar que o ferimento simplesmente desaparecera, como se nunca houvesse estado ali. Voltou a olhar a língua de Maria e não conseguiu disfarçar o espanto: nenhuma fissura, nenhum interstício, nenhuma lesão aparente. Madeira pediu que Maria de Araújo abrisse ainda mais a boca. Ficou sem palavras ao constatar não haver o menor vestígio da ferida que notara, de forma nítida, havia poucos instantes.

A pedido de Cícero, o doutor viu-se compelido a redigir e assinar um atestado formal, no qual narrava tudo aquilo a que acabara de assistir, mesmo reconhecendo que o episódio lhe fugia à compreensão. Testemunhara uma inexplicável transformação da matéria. "O que atesto é a expressão da verdade e o juro em fé do meu grau, tantas vezes quantas me forem pedidas", escreveu o pasmo Marcos Rodrigues Madeira.

A mesma solicitação foi feita por Cícero aos demais presentes. Queria que todos deixassem devidamente documentado o que haviam observado. As testemunhas assinaram um termo coletivo, no qual também diziam ter verificado uma maravilha. O documento, que contou com um total de 27 assinaturas, incluía o jamegão das principais figuras da sociedade do povoado ali reunidas, entre comerciantes, religiosos e fazendeiros. "Hoje, na Quinta-Feira Santa, na igreja do Juazeiro, vi com meus olhos a Santa Hóstia transformar-se em sangue do meio para a ponta da língua da beata Maria de Araújo", dizia a declaração.

Cícero apenas seguia ao pé da letra uma das determinações expressas de dom Joaquim. Não fora o próprio bispo quem lhe sugerira que deveria cercar-se do maior número possível de testemunhas na hipótese de o fenômeno vir a se repetir? Pois era exatamente isso o que fazia. Com o mesmo objetivo, convocou o farmacêutico e tenente-coronel Joaquim Secundo Chaves para que também desse seu depoimento por escrito sobre outra espécie de fenômeno que estaria ocorrendo com Maria de Araújo. O doutor Secundo prontamente atendeu ao chamado do padre. No dia 29 de abril, domingo de Páscoa, com suas longas barbas que o faziam parecer um profeta do Velho Testamento, foi até a casa do amigo Cícero, onde a beata permanecia morando a despeito da reprimenda do bispo.

Joaquim Secundo chegou e atravessou a sala mal mobiliada: havia apenas o sofá, meia dúzia de cadeiras rústicas, uma mesa e uma pequena estante na qual se divisava a lombada de alguns poucos livros religiosos. Nas paredes estavam penduradas imagens de santos e o retrato oficial de Leão XIII, o papa coroado em 1878 após a morte de Pio IX. O longo corredor conduzia a um pequeno alpendre interno, no meio do qual se avistava a fileira de quartos contíguos. Em um deles, encontrava-se Maria de Araújo. O farmacêutico encontrou-a deitada em uma rede, as faces coradas, o corpo rígido, quase catatônica. Apesar dos olhos abertos, a mulher parecia não ver e não atentar em nada do que ocorria à volta. Estaria em pleno êxtase, transportada em espírito para algum outro lugar, fora deste mundo material, explicava Cícero. O mais surpreendente, constatou o doutor Secundo, era que a beata sangrava dos pés à cabeça. Conforme o atestado que o farmacêutico registraria em cartório poucas horas depois, era como se as chagas do Cristo crucificado se reproduzissem em Maria de Araújo, nos exatos lugares do corpo e com idêntica brutalidade.

Parecia mesmo que uma coroa de espinhos lhe abrira talhos profundos na testa. Nas mãos e nos pés, orifícios semelhantes aos provocados por pregos pontiagudos deixavam à mostra a vermelhidão da carne exposta. Os joelhos esfolados, por sua vez, remetiam às sucessivas quedas sofridas por Jesus durante a via-sacra. Na altura do peito, à esquerda, abria-se a chaga correspondente à lança romana que trespassou o coração de Cristo. Diante da hemorragia incontrolável, o lençol branco com o qual a mulher havia sido coberta estava completamente vermelho.

O doutor Joaquim Secundo tomou nota da localização exata

das feridas e enumerou cada um dos sintomas do transe em que se encontrava a beata. Tão logo a mulher saiu daquele estado de arrebatamento, veio nova surpresa: ao lhe lavar o corpo, o farmacêutico constatou que as feridas sanguinolentas de Maria de Araújo haviam desaparecido por completo. Sem deixar sequer a mais leve marca ou cicatriz.

Dois dias depois do atestado expedido por Joaquim Secundo, o doutor Marcos Rodrigues Madeira retornou ao Juazeiro e bateu à porta do padre Cícero. Estava determinado a viver o seu dia de são Tomé. Dessa vez, o médico examinaria Maria de Araújo detidamente. Apalpou-lhe o ventre para averiguar a posição, o volume e a localização dos órgãos internos. Sondou-lhe cada milímetro da cavidade bucal. Observou-lhe a garganta em busca de inflamações ou ferimentos. Auscultou-lhe o peito, à procura de sinais que denunciassem uma possível congestão pulmonar. Nada. Tudo parecia em ordem. Era uma mulher de 28 anos, de compleição frágil, mas nada nela justificava os misteriosos sangramentos.

A mesma bateria de exames físicos foi repetida logo no início da manhã seguinte. Como medida adicional, Madeira exigiu que Maria de Araújo procedesse a uma série de gargarejos na presença dele. A mulher obedeceu, sem demonstrar a mais leve sombra de objeção: fez seguidos bochechos e cuspiu de volta a água em uma pequena bacia. Não havia ali nenhum indício de sangue ou de qualquer outra substância corante, averiguou Madeira, que não mais tiraria os olhos da beata durante toda aquela manhã. Ele próprio a escoltou até a igreja, onde também fez questão de examinar com cuidado as hóstias que seriam oferecidas naquele dia à multidão de fiéis. Durante toda a cerimônia, permaneceu de guarda, ao lado de Maria de Araújo, sem descuidar de observar também cada mínimo gesto esboçado por Cícero. Em especial, assegurou-se de que, na hora de ministrar a Eucaristia, o padre retirava de forma indistinta, sem a menor escolha, as hóstias da âmbula antes de oferecê-las aos que ali se encontravam para obter a comunhão. Quando chegou a vez de a beata receber a partícula sagrada, o médico redobrou a vigilância.

A beata comungou sob o olhar inquisidor de Madeira e, depois, retornou a seu lugar, sempre acompanhada do doutor pelos calcanhares. Não demoraria muito para o médico perceber que algo de anormal começara a ocorrer: a mulher demonstrava visível agitação e amparava a cabeça no ombro de outra beata. Ao reparar o mesmo fato, Cícero se aproximou. Ordenou que a mulher pusesse imediatamente a língua para fora. Maria fez um aceno nervoso, como se quisesse dizer que não conseguia abrir a boca, ainda que tentasse. A atmosfera de expectativa tomou conta do templo. Todos já anteviam o que iria acontecer. Cícero se ajoelhou de forma respeitosa diante da mulher, recitando preces em latim. Em seguida, pôs as duas mãos em concha debaixo do queixo da beata e voltou a pedir que ela, pelo amor e pela honra de Nosso Senhor Jesus Cristo, descerrasse lentamente os lábios. Os que estavam mais próximos viram cair da boca de Maria de Araújo, bem no meio das mãos abertas do sacerdote, uma golfada vermelha.

O doutor Madeira, que estava postado imediatamente ao lado dos dois, percebeu que ainda era possível distinguir no meio daquela porção encarnada e viscosa um pequeno pedaço alvacento da hóstia. Contudo, em questão de segundos, a partícula teria se dissolvido completamente, reduzindo-se a um líquido que tinha a cor, a consistência e o odor inconfundível de sangue. Apesar da resistência do sacerdote, Madeira ainda conseguiu cheirar e tocar o líquido vermelho com a ponta dos dedos. Era sangue, não teve dúvidas. Quis então requisitar o material para um exame químico definitivo. Cícero, contudo, recusou-se a atendê-lo. Tal coisa seria impossível, argumentou. Só uma licença especial do bispo diocesano poderia fazer que a substância, de origem supostamente divina, fosse submetida a uma análise de laboratório.

"Não encontrei explicação científica que pudesse satisfazer o meu espírito, pelo que julgo que se trata de um fato inteiramente sobrenatural, para o qual chamo a atenção do Excelentíssimo Senhor Bispo Diocesano", atestou o médico. Aquele testemunho público, escrito por um clínico prestigiado como Madeira, fez que ainda mais gente passasse a dar crédito incondicional ao fenômeno. Em Fortaleza, os leitores e assinantes do jornal *Cearense*, publicação que trazia sob o logotipo a divisa "Órgão democrático", leram a íntegra da primeira certidão assinada pelo doutor Madeira.

Cícero acrescentaria ainda outro atestado à documentação que passara a catalogar a respeito do caso. A nova declaração seria assinada por mais um médico formado pela Faculdade do Rio de Janeiro, Ildefonso Correia Lima. Após assistir a várias alegadas transformações da hóstia em sangue, doutor Ildefonso concluiria: "Penso que fatos da ordem dos observados não podem ser explicados pelo jogo dos agentes naturais, sendo forçoso aceitar a intervenção de um agente inteligente e oculto que represente a causa, o qual nos casos em questão acredito ser Deus".

Clérigos de toda a região cruzaram os sertões em direção ao Cariri. O vigário Cícero Torres, da Paraíba, foi um dos primeiros a chegar. Proveniente de Triunfo, em Pernambuco, o padre Laurindo Duettes engrossou a romaria. Da também pernambucana cidade do Salgueiro, o padre Manuel Antônio Martins de Jesus juntou-se ao grupo de religiosos que passaram a orbitar em torno do Juazeiro e de Cícero Romão Batista. O mesmo padre Manuel Antônio enviou copioso artigo para a revista católica *Era Nova*, de Recife. No texto, afirmava ter assistido por mais de uma vez ao decantado milagre protagonizado por Maria de Araújo. O título do escrito canonizava informalmente a filha de dona Josefa: "Uma santa", lia-se no topo do artigo.

Já não era apenas a gente mais simples do sertão que cantava louvores a Juazeiro. Os humildes romeiros, é verdade, não paravam de chegar. Rosários, fitinhas coloridas e pequenas medalhas, depois de tocar a caixa de vidro em que estavam encerrados os paninhos ensanguentados, eram disputados como relíquias sagradas. Mas o aval do doutor Secundo, assim como o de dois médicos graduados no Rio de Janeiro, além do testemunho de um punhado de outros sacerdotes — muitos deles provenientes de paróquias de fora do Ceará —, granjeou a devoção também de muita gente graúda. O juiz de direito de Barbalha, João Firmino de Holanda, foi um dos que quiseram confirmar o prodígio com os próprios olhos.

No dia 15 de maio de 1891, uma sexta-feira, antes de o dia clarear, o doutor Firmino tomou a estrada que levava de Barbalha a Juazeiro. Desejava chegar a tempo de assistir à missa das sete horas e ver de perto a tão afamada beata milagreira. Depois de duas horas e meia de cavalgada, quando enfim chegou à capela de Nossa Senhora das Dores, o juiz ficou espantado ao ver o mar de pessoas que se aboletavam dentro e fora do templo. Haviam dito a ele que o lugar andava bem movimentado nos últimos dias, mas não imaginava encontrar tanta gente assim no povoado.

O rame-rame de rezas e de cânticos enchia o ar. Depois de se espremer no meio da multidão para chegar um pouco mais perto do altar, o doutor Firmino constatou que a celebração já estava no fim. Frustrado, procurou o padre Laurindo Duettes, que havia oficiado a missa daquela manhã. O juiz, lamentou o padre, perdera a viagem. Mas, de todo modo, diante da honraria de tão ilustre visita, chamaria o colega Cícero Romão Batista para se haver com ele. Não demorou mais do que alguns minutos para Cícero deixar a sacristia e vir ao encontro do doutor Firmino. De acordo com o que testemunharia mais tarde o juiz de Barbalha, ao vê-lo, Cícero demonstrou um ar expansivo de incontida alegria. Porém, durante o encontro, o magistrado não deixou de reparar a batina velha — e um tanto quanto suja — envergada pelo sacerdote. A primeira ideia que lhe veio foi a de que estava diante de um lunático.

Tal juízo se avolumou quando Cícero lhe falou sobre uma voz misteriosa que ouvira certo dia, enquanto meditava sobre as coisas do Céu: "É chegado o fim dos tempos", a voz teria lhe soprado aos ouvidos. "A minha Igreja vai entrar em provas e cruéis perseguições. Meu rebanho ficará reduzido, mas vou derramar o sangue do meu coração para salvar o gênero humano", teria dito a fala vinda do Além. Cícero contou ainda ao juiz que algum tempo antes, ao receber Maria de Araújo em confissão, ela teria lhe comunicado que observara, em uma visão mística, o imperador Pedro II sendo desterrado para países longínquos, enquanto a religião era perseguida pelos republicanos, os novos donos do poder no Brasil. Maria de Araújo previra a Proclamação da República antes de ela ter ocorrido. Para o padre, não poderia haver melhor prova da verdade de tantos prodígios vividos por aquela mística criatura.

A conversa entre Cícero e o doutor Firmino, testemunhada pelas dezenas de romeiros que sempre costumavam estar ao redor do padre, foi interrompida naquele momento por uma das beatas. A mulher trazia um recado ao padre. Maria de Araújo, que estava sentada a um canto da igreja, envolvida em um manto preto, clamava pela presença de seu confessor. Cícero pediu licença ao visitante, foi sozinho até o local, inclinou a cabeça para ouvir o que Maria tinha a lhe dizer e, em seguida, retornou. Ao reaproximar-se do doutor

Firmino, o padre afirmou que o juiz ficasse tranquilo. Não perdera a viagem. Ia ter a chance de presenciar o milagre.

Após receber a comunhão na missa daquela manhã, Maria de Araújo não manifestara o extraordinário fenômeno, esclareceu Cícero. Mas até aquela hora não conseguira também engolir a hóstia, que ainda permanecia em sua boca. Firmino estranhou a insólita explicação, mas o padre assegurou que isso já se tornara fato corriqueiro: nem sempre o milagre ocorria instantaneamente. Várias vezes a beata ficara com a hóstia durante horas na boca, sem que estranhamente a partícula se dissolvesse e sem que também se deixasse ser engolida. Ao dizer isso, Cícero acenou e chamou Maria de Araújo. A beata veio até ele e se ajoelhou diante do altar. Ao colocar uma salva de prata sob o queixo da mulher, ela abriu a boca e despejou ali uma boa quantidade de sangue, acompanhada de uma hóstia quase intacta. Doutor Firmino ficou desconfiado. A cena pareceu-lhe uma armação grosseira. Entretanto, com receio de provocar a fúria de todos ali que se diziam maravilhados, fingiu acreditar.

Mas logo o juiz se mostrou intrigado ao ver que, no instante imediatamente seguinte, a beata mostrou-lhe a língua completamente limpa, sem marcas de sangue. Enquanto o juiz ainda conjecturava sobre o ocorrido, Cícero ponderou que, como Maria de Araújo não ingerira a primeira hóstia, era necessário que comungasse novamente. Foi aí que Firmino pôde acompanhar todo o processo, desde o princípio. Conforme declararia mais tarde, viu a segunda partícula se transformar em sangue bem ali, diante de seus olhos arregalados.

Dom Joaquim não estava alheio aos últimos acontecimentos do Juazeiro. Mesmo em Fortaleza, ele se mantinha ciente do que se passava no Cariri por meio de um solícito informante no Crato, o padre Antônio Fernandes da Silva Távora. Em uma missa dominical, padre Fernandes chegara a advertir os católicos da cidade para que não dessem ouvidos às notícias de milagres vindas do povoado vizinho. Segundo determinara o Concílio de Trento, ninguém deveria acreditar em algo sobre o qual a maior autoridade da Igreja na diocese, o bispo dom Joaquim, ainda não reconhecera como legítimo e, portanto, ainda estava longe de ser autenticado como dogma de fé.

No meio do sermão, padre Fernandes lembrava que, em casos semelhantes, a Igreja costumava proceder à verificação dos fatos com toda a prudência e cautela que se faziam necessárias, antes de se decidir por um pronunciamento oficial. O vigário do Crato prevenia os fiéis de que o demônio era capaz de se manifestar mesmo no meio das coisas mais sagradas, com o capcioso objetivo de deturpar a verdadeira religião de Jesus Cristo, semeando a superstição entre os homens de boa-fé, mas de discernimento curto.

Como agravante, por aqueles dias passou a circular no sul do Ceará um panfleto rodado numa tipografia de Caicó, Rio Grande do Norte, com o título de *Os milagres do Joaseiro ou Nosso Senhor Jesus Cristo manifestando sua presença real no divino e adorável sacramento da Eucaristia*. Publicado sem o devido *imprimatur*, a licença eclesiástica para a divulgação de escritos de natureza religiosa, o livreto afirmava de forma peremptória que o sangue derramado por Maria de Araújo durante a comunhão era mesmo o sangue de Cristo. Estaria assim sendo cumprida a profecia de uma segunda Redenção, um novo derramamento do sangue de Deus no mundo terreno. O Armagedom estaria próximo.

Ao mesmo tempo que acautelava os cratenses sobre os perigos de dar crédito a teses teológicas não abonadas pela Santa Sé, padre Fernandes continuava a prover o bispo de informações detalhadas a respeito da excitação mística que passara a reinar na região. "É impossível conter mais o povo, que neste negócio não se importa mais com a decisão de bispo nem de papa", alertava ele. "O Juazeiro ou há de acabar como o mais célebre santuário do mundo ou então acabará muito mal, dando muito trabalho ao governo ou à própria Igreja", preconizou padre Fernandes.

A publicação dos atestados do doutor Madeira na imprensa de Fortaleza e a adesão de vários sacerdotes nordestinos à causa do Juazeiro eram entendidas como indícios de um possível cisma, em pleno andamento, na Igreja do Ceará. Dom Joaquim convocou Cícero a Fortaleza imediatamente. Ele teria de prestar satisfações oficiais de suas atitudes. Era acusado de incentivar o fanatismo e de pregar ideias esdrúxulas diante do altar. O capelão do Juazeiro deveria ser alvo de um rigoroso interrogatório, um auto de perguntas conduzido pessoalmente pelo bispo. "A Santa Igreja tem leis especiais para estes casos, e eu devo cumpri-las", prometeu um severo dom Joaquim.

5

Bispo decreta investigação: Deus sairia da Europa para fazer milagres no agreste?

1891

Cícero pôs a mão direita sobre a Bíblia e jurou dizer somente a verdade. Bem à frente dele, dom Joaquim, vestido em trajes solenes, estava ladeado por outras duas circunspectas autoridades religiosas. Uma era o quase septuagenário vigário-geral do bispado, monsenhor Hipólito Gomes Brasil. A outra, o secretário oficial do Paço Episcopal, padre Clycério da Costa Lobo, considerado uma das sumidades intelectuais da Igreja cearense. Era a manhã de 17 de julho de 1891, uma sexta-feira. No dia anterior, a informação da chegada do modesto capelão do Juazeiro a Fortaleza aparecera estampada nas páginas dos principais jornais da cidade. Desde algum tempo, o até então obscuro povoado passara a ser notícia constante na imprensa da capital. Os fortalezenses alimentavam uma justificável curiosidade a respeito do sacerdote sertanejo e do milagre de que ele era arauto e, dizia-se, o principal artífice.

Porém as paredes imponentes da sede do bispado — um palacete de dois pavimentos, com amplo jardim e pomar murado, às margens do riacho Pajeú, afastado do bulício do então centro da cidade — trataram de manter o padre abrigado do olhar dos bisbilhoteiros e, ao mesmo tempo, de desestimular qualquer possibilidade de comoção pública diante de sua presença. Mesmo antes de iniciado o interrogatório, Cícero deveria ter plena consciência de que seria exposto a uma saraivada de perguntas implacáveis. Além da já assumida reserva de dom Joaquim em relação aos episódios do Juazeiro, o currículo dos demais interrogadores não deixava margem a dúvidas. Dificilmente ele escaparia ileso daquela sala decorada com móveis sóbrios, situada no andar superior do palácio episcopal, junto à biblioteca e bem contígua ao escritório do bispo. Cícero seria sabatinado pelos membros mais graduados do clero cearense, homens fiéis a Roma e à ortodoxia.

O venerando monsenhor Hipólito Brasil, 69 anos, além de responder pela função de vigário-geral da diocese — cargo que equivalia a uma espécie de vice-bispado —, havia sido vereador de Fortaleza, diretor de Instrução Pública do Ceará e, em 1881, chegara a vice-presidente da província. Exercera interinamente o comando da diocese por vários momentos, especialmente entre a partida de dom Luiz e a posse efetiva de dom Joaquim. Poderoso, bem relacionado, prestes a comemorar seu jubileu sacerdotal, aquele homem não arriscaria um fio da prestigiosa batina em troca de qualquer gesto de condescendência para com um clérigo interiorano, acusado de ameaçar a pureza da fé católica nos rincões mais distantes da diocese.

Padre Clycério da Costa Lobo, 52 anos, também desfrutava de elevada reputação. Ordenado na Bahia, foi o braço direito de dom Luiz à época da fundação do Seminário da Prainha, no qual pontificou como um dos primeiros professores. Por isso mesmo, conhecia Cícero de longa data, pois fora mestre de canto gregoriano do então jovem — e desafinado — seminarista. Reverendo Clycério era tido e havido como o cérebro por trás do Sínodo Diocesano de 1888, evento que reunira todo o clero cearense para adequá-lo, de modo impositivo, às diretrizes do Vaticano. O arrazoado de regras e proibições contidas no documento resultante daquele encontro oficial — as *Constituições Sinodais* — era fruto da pena erudita de padre Clycério. Por reconhecimento a tamanho zelo e semelhante ilustração, dom Joaquim o convidara para o posto de secretário do palácio episcopal, função que já exercera de bom grado na gestão de dom Luiz.

Após o juramento de Cícero sobre o livro sagrado, a torrente de indagações teve início. Como previa o ritual daquele tipo de sessão, o auto de perguntas começaria por questões protocolares. A primeira delas, feita em tom cerimonial, embora a resposta já fosse mais do que sabida, era se por acaso o padre Cícero Romão Batista conhecia certa mulher de nome Maria de Araújo. Cícero obviamente respondeu que sim, acrescentando que a conhecia desde que ela completara oito anos de idade e, na época, dera-lhe a primeira comunhão. Seguiram-se outras interpelações, todas burocráticas, a respeito da filiação, estado civil, profissão e idade da beata. Cada uma delas foi atendida com informações objetivas — e lacônicas — por parte do sacerdote. Era preciso medir o peso de cada palavra, pois uma única hesitação, uma sílaba escorregadia, uma frase mal colocada poderia dar margem a interpretações e indisposições por parte dos inquiridores, o que resultaria na consequente autocondenação do interrogado.

Na condição de secretário do bispo, padre Clycério tomava notas em um grosso compêndio, transcrevendo uma a uma as palavras de Cícero: Maria de Araújo era filha de Ana Josefa e de Antônio de Araújo, já falecido. Nascera na povoação do Juazeiro. Tinha 28 anos. Trabalhava com costuras e outros serviços domésticos. Era solteira. "Em companhia de quem reside essa senhora?" — foi a questão imediatamente seguinte, na qual já se poderia adivinhar, por trás da aparente formalidade, um indisfarçado matiz de reprovação. Cícero, contudo, não titubeou. Disse que até 1889 a beata morara com a mãe. Após aquela data — não por acaso o ano em que começaram a ocorrer os fenômenos em Juazeiro — passara a residir na casa do próprio padre, na companhia da mãe e da irmã dele, dona Quinô e Angélica Vicência.

O bispo quis saber se aquela mulher que morava na casa de um padre, em algum tempo ou situação, apresentara sintomas de qualquer espécie de enfermidade. Cícero informou que, de fato, quando criança, Maria sofrera espasmos frequentes, seguidos de ataques de nervos que a deixavam prostrada, a ponto de fazê-la perder os sentidos. "Este estado mórbido começou desde menina e continuou com maior ou menor intermitência, até o ano de 1889." Como não poderia deixar de ser, a resposta mereceu a devida atenção do bispo, que logo decidiu aprofundá-la. Dom Joaquim iria direto ao ponto: já ocorrera, em meio a um dos tais espasmos ou acometimentos nervosos, o fato de Maria de Araújo expelir sangue? Cícero, cauteloso, respondeu que não tinha plena certeza disso. Mas logo se viu obrigado a remendar a própria frase e reconhecer que, em certas ocasiões, ela chegara a vomitar sangue durante os ataques de que era vítima. Ressalvou, contudo, que isso se dera muitos anos antes dos fenômenos extraordinários que ora se manifestavam em Juazeiro.

Apesar da ressalva, dom Joaquim pareceu ter ouvido exatamente o tipo de informação que queria extrair do auto de perguntas. Mas foi adiante. Para que fosse dirimida uma série de dúvidas previamente anotadas pela mesa, indagou, entre outras minúcias, se o padre Cícero sabia algo a respeito da regularidade do fluxo menstrual de Maria de Araújo. Diante da questão um tanto quanto embaraçosa, a resposta foi curta. Pelo que lhe constava, a menstruação da beata era bem regular, afirmou Cícero. "Embora uma ou outra vez possa ter havido algum excesso no dito fluxo", registrou a ata, redigida por padre Clycério, sempre reproduzindo textualmente a resposta do interrogado.

Depois da talvez estudada indiscrição, a próxima pergunta faria Cícero entrar em uma contradição flagrante. Quando lhe foi perguntado se Maria de Araújo sofria de alguma outra espécie de enfermidade, ele revelou que a beata padecia de ligeiras perturbações do estômago. Desta vez, alongou-se um pouco na resposta: não seria nada grave, tanto que isso não tiraria de todo as forças da pobre mulher, a ponto de ela poder ir do Juazeiro à cidade do Crato, sem maiores sacrifícios. O detalhe, é lógico, não passaria despercebido a dom Joaquim: não foi exatamente aquilo o que escreveu o mesmo Cícero em uma das cartas ao bispo. Na ocasião, o padre argumentara que, diante da saúde frágil de Maria de Araújo, uma viagem de tal natureza poderia vir a custar a vida da beata, de tão enfermiça que era.

Dom Joaquim não demorou a perguntar então por qual motivo Cícero não cumprira a ordem que lhe havia dado com todas as letras: a de que afastasse Maria de Araújo do Juazeiro e a enviasse, sem demora, para a casa de caridade do Crato. Foi um dos instantes mais tensos do interrogatório. Cícero tentou explicar que a doença a que se referira na carta era uma febre intermitente, que felizmente fora tratada pelo farmacêutico do povoado. Argumentou ainda que, ao agir daquela forma, não julgava ter cometido nenhum ato de grande desobediência a seu superior, ao contrário do que o bispo parecia estar convencido. Para reforçar seu ponto de vista, acrescentou que, como a beata vivia sofrendo tentações particulares do demônio, era prudente que tivesse seu confessor e diretor espiritual sempre por perto. No caso, ele próprio, Cícero.

O bispo já poderia ter se dado por satisfeito a respeito do caso.

Mas era preciso cumprir toda a pauta do interrogatório e, ademais, dom Joaquim mostrou-se intrigado a respeito de outro fato que chegara a seu conhecimento e que exigia o devido esclarecimento. Dizia-se que o padre Laurindo Duettes, que viera de Pernambuco e passara apenas cerca de onze dias no Juazeiro, teria assistido à transformação da hóstia em sangue, na boca da beata, nada menos de 31 vezes. Como era possível tamanho número de ocorrências em um período tão curto de tempo?

Cícero explicou que Maria de Araújo nem sempre conseguia comungar efetivamente, pois a partícula sagrada não se deixava ser ingerida após a transformação. Por causa dessa circunstância, ele oferecia o mesmo sacramento várias vezes seguidas à beata. Para que outras pessoas confiáveis pudessem testemunhar o fenômeno, como lhe recomendara o próprio bispo, ele não hesitava em repetir o processo até três ou quatro vezes por dia. Daí existirem tantas partículas e tantos paninhos ensanguentados em seu poder, todos guardados na urna de vidro na capela do Juazeiro. A explicação deixou o bispo estarrecido. As instruções contidas na lei canônica eram claras a esse respeito: os fiéis só podiam comungar mais de uma vez no dia excepcionalmente, no caso de participarem de mais de uma missa sagrada na mesma data. A única exceção à regra era se o cristão estivesse correndo perigo de morte e, por esse motivo, desejasse receber a hóstia consagrada pela última vez, antes de entregar a alma a Deus. Pela interpretação de dom Joaquim, portanto, as comunhões sucessivas de Maria de Araújo constituíam uma ostensiva transgressão religiosa.

O bispo não podia também aceitar a ideia de que os tais paninhos manchados continuassem a ser guardados em uma urna de vidro transparente, como relíquias sagradas expostas à devoção popular. Quis saber se esse abuso ainda ocorria na capela de Nossa Senhora das Dores, ao contrário das determinações anteriores do palácio episcopal. Cícero admitiu que sim. "O povo supõe que aquele é o sangue verdadeiro do Nosso Divino Redentor", justificou.

Antes de dar a sessão por encerrada, o bispo ainda questionou se o padre Cícero confirmava oficialmente que Maria de Araújo apresentava frequentes estados de êxtase. Em caso positivo, queria saber desde quando esse tipo de fenômeno começara a se manifestar. A resposta foi rápida e afirmativa: desde 1884 a beata entrava em êxtases constantes, inclusive em público. Tais êxtases chegavam a durar até cerca de cinco horas, especialmente durante as grandes celebrações religiosas. Haveria, portanto, testemunhas em profusão a esse respeito. Por último, Cícero assegurou ao bispo que, em certas ocasiões, ao tirar da boca de Maria de Araújo a hóstia ainda parcialmente banhada em sangue, a transformação se completava ali, no côncavo de sua mão esquerda. Era verdade. Ele mesmo vira e dava fé.

Para dom Joaquim, parecia mais do que suficiente. Não precisava ouvir mais nada. Para evitar desmentidos posteriores e assegurar que o dito naquela sala não evaporasse no ar, o bispo exigiu que Cícero Romão Batista redigisse uma exposição circunstanciada de todos os fatos ocorridos com Maria de Araújo até aquela data. Junto à ata que estava sendo lavrada pelo padre Clycério, tais apontamentos deveriam compor a documentação oficial a respeito do caso.

O auto de perguntas chegara ao fim. O interrogatório servira para que o bispo confirmasse sua opinião inicial a respeito daquela estranha história de hóstias que se transformavam no sangue de Jesus dentro da boca de uma beata do Cariri. Dom Joaquim estava mais convicto do que nunca. Para ele, não havia intervenção divina em Juazeiro. Não havia milagre. Tudo não passaria da mais absurda invencionice.

Um dia depois, o bispo recebeu o relato escrito de Cícero, conforme exigira ao término do interrogatório. Era um texto detalhista, que em certos trechos parecia ter sido escrito por uma imaginação delirante. Dividido em nove longos tópicos, narrava episódios da vida da beata desde os oito anos de idade, quando o padre a conhecera durante a confissão para a solenidade de sua primeira comunhão: "Notando eu as melhores disposições daquela menina para a vida interior, aconselhei-a a se consagrar ao Nosso Senhor, o que ela executou do modo mais íntimo e perfeito, considerando-se desde aquela data como uma verdadeira esposa de Jesus Cristo". Não teriam faltado, contudo, percalços à vida imaculada de Maria de Araújo. Cícero contou que, por volta dos dezoito anos, ela passara a ser vítima de "graves tentações e perturbações de espírito". O texto não explicitava quais tentações seriam exatamente aquelas, apenas mencionava, de relance, que elas haviam sido "contrárias à santa virtude da castidade". Pelo que se podia depreender das palavras do relatório, quando adolescente, a beata supostamente teria sido vítima dos apelos do demônio, que a provocara com sua luxúria satânica.

Maria de Araújo teria resistido aos caminhos da perdição e, heroicamente, reafirmado sua fidelidade e seu amor a Deus. "Já ela conhecia os ardis do Inimigo", sugeriu Cícero. Desde então, a beata passara a experimentar uma série de visões e consolações celestiais, primeiro com a mediação da Virgem Maria; depois, com a intervenção direta do próprio Jesus Cristo. Em uma dessas alegadas aparições, teria sido ordenada a solicitar a seu confessor — Cícero — que celebrasse um "consórcio espiritual" entre ela, Maria de Araújo, e Ele, Jesus. "O que se efetuou, com grande solenidade", informou o relato. Vestida de branco, como uma noiva, a beata casara espiritualmente com Cristo.

Mas nem assim Satanás teria deixado a beata em paz para se dedicar à sua fé. "Quanto mais intimamente se comunicava ela com o Divino Esposo, mais graves tentações e perturbações sofria da parte do Inimigo, o que era compensado por maiores consolações", relatou Cícero. "Os colóquios que ela entretinha com o Divino Esposo eram tais que, com muita propriedade, podiam comparar-se ao Cântico dos Cânticos", aludia o relatório, referindo-se ao livro do Antigo Testamento atribuído a Salomão, um poema lírico, espécie de canção de amor de linguagem tão sensual que por vezes chegou a ter questionada sua pertinência como texto bíblico: "Ah! Beija-me com os beijos de tua boca! Porque os teus amores são mais deliciosos que o vinho", consta, por exemplo, em um dos primeiros versículos.

Ao citar os estigmas que apareceriam no corpo de Maria de Araújo de modo semelhante aos do Cristo crucificado, Cícero terminava o relato esclarecendo sua posição pessoal em relação a todos aqueles inacreditáveis episódios: como homem temente a Deus e obediente ao bispo, tomara o cuidado de recolher os testemunhos fidedignos de religiosos e leigos, para posterior averiguação. "Guardo o registro de mais de mil pessoas que foram testemunhas presenciais", contabilizou. Ao final, deixava uma derradeira observação: Maria de Araújo nunca se glorificara com a publicidade de tais fatos: "Muito ao contrário, ela experimenta com isso o maior tormento".

Ao entregar aquele texto ao juízo de dom Joaquim, Cícero pediu permissão para fazer sua pequena mala e retornar de imediato a Juazeiro. Não teria tempo sequer para conferir as modernidades que haviam chegado a Fortaleza desde seus tempos de seminarista na Prainha: a linha férrea, os primeiros telefones movidos a manivela, os bondes urbanos puxados a burro. Precisava retornar ao Cariri com urgência. Alegou que a mãe, dona Quinô, era uma mulher doente e, por certo, haveria de estar aflita sem notícias do filho ausente. O bispo aquiesceu. O padre podia se preparar para tomar o rumo de casa. O palácio episcopal não demoraria a proferir uma resolução a respeito do assunto, com instruções detalhadas a ser observadas por todas as partes envolvidas.

Palavra empenhada, sentença cumprida. Menos de 24 horas depois, antes mesmo que Cícero houvesse juntado os poucos apetrechos para a travessia do sertão, dom Joaquim proferiu uma "decisão interlocutória", publicada e assinada com data de 19 de julho de 1891. Como talvez fosse fácil prever, as notícias não eram nada boas para o padre Cícero Romão Batista.

A decisão do bispo vinha antecedida de uma nota elogiosa: "Declaramos que reconhecemos na pessoa do reverendíssimo Cícero Romão Batista um sacerdote de costumes puros, regularmente instruído, zeloso e em extremo dedicado à Santa Religião que professamos. Incapaz, portanto, de qualquer embuste, ou de pretender enganar a quem quer que seja". Em seguida, porém, lia-se a ressalva: "O que não o impede de poder iludir-se".

Dom Joaquim determinava que, seguindo o disposto pelo Concílio de Trento para casos do gênero, deveria ser aberto um inquérito eclesiástico para investigar, com rigor, os acontecimentos do Juazeiro. Amparado nos dispositivos canônicos, o bispo procurava evitar quaisquer insinuações de que estivesse sendo intolerante com os protagonistas do episódio. Uma comissão de altíssimo nível, representando diretamente o bispado, seria nomeada para ir ao povoado e proceder à averiguação *in loco*.

Ao mesmo passo, algumas instruções prévias já haviam sido

deliberadas. O bispo baixava, desde então, quatro ordens categóricas. A primeira delas proibia, de forma definitiva, qualquer espécie de culto ou devoção aos paninhos ensanguentados. A caixa de vidro em que eles se encontravam guardados, junto com seu conteúdo integral, deveria ser imediatamente retirada de exposição pública e abrigada em segredo até a chegada ao povoado da comissão de inquérito. A segunda ordem era mais constrangedora para Cícero: ele deveria se desdizer em pleno púlpito da capela do Juazeiro, diante da multidão de fiéis. O padre teria de afirmar que avançara perigosamente contra a pureza da fé em seus sermões anteriores e deveria garantir, de modo peremptório, que aquele *não* era o sangue verdadeiro de Jesus Cristo.

A terceira determinação referia-se diretamente a Maria de Araújo: desta vez, não seriam aceitas desculpas de nenhuma natureza para que não se realizasse o imediato afastamento da beata do Juazeiro. Seria dado o prazo impreterível de oito dias, contados a partir da chegada da comissão de investigação, para que a mulher fosse recolhida à casa de caridade do Crato, sem mais delongas. A quarta e última ordem era que Cícero deveria prestar obediência e auxílio aos membros da comissão de inquérito em tudo o que fosse necessário para que se chegasse à verdade.

Dois dias depois da publicação daquela decisão, foi baixada uma portaria diocesana, nomeando como presidente do inquérito o padre Clycério da Costa Lobo — o mesmo que participara do interrogatório de Cícero e lavrara a ata do auto de perguntas poucos dias antes. A portaria reconhecia em padre Clycério a envergadura teológica para tal e, por isso, o revestia de plenos poderes para proceder ao encargo. Como secretário e auxiliar direto, Clycério iria contar com outro sacerdote tão culto e confiável para o bispado quanto ele, o padre Francisco Ferreira Antero. Com seus óculos de grau de armação metálica, padre Antero, aos 36 anos, trazia o título de proeminente doutor em teologia, formado pelo Colégio Pio Latino-Americano, de Roma.

A missão dos padres Clycério e Antero era clara: desnudar a presumida fraude que cercaria os fenômenos extraordinários do Juazeiro. Dom Joaquim tinha a mais absoluta certeza de que a iletrada Maria de Araújo não conseguiria manter sua fama de milagreira diante de dois dos melhores quadros intelectuais da diocese. Ao

Os padres Antero (acima) e Clycério, autoridades em teologia e membros da comissão de inquérito eclesiástico encarregada de investigar o alegado milagre

exigir que Cícero se desmentisse publicamente desde logo, o bispo mais uma vez deixava patente que já possuía uma opinião formada a respeito do assunto, antes mesmo de qualquer investigação. Para dom Joaquim, tudo parecia agora ser apenas uma questão de tempo. Desmascarada o que julgava ser uma farsa, não demoraria muito para que ninguém mais sequer falasse de milagre, de beata, de hóstias transformadas em sangue.

Consummatum est. Estava consumado.

Para Cícero, as decisões da diocese chegaram junto com uma carta lacrada, escrita por dom Joaquim, remetida em caráter reservado. O bispo tentava convencê-lo de que as resoluções que tornara públicas nada tinham de pessoais; apenas correspondiam aos interesses maiores da sagrada instituição a que ambos pertenciam. "Atenda-me bem e não desobedeça mais; os fatos extraordinários do Juazeiro exigem máxima prudência e grande circunspecção, de modo que não se anuncie doutrina nova, não se dê culto novo sem permissão da Igreja", recomendava o prelado.

Quando Cícero estivera em Fortaleza, dom Joaquim procurara argumentar que sob nenhuma hipótese o sangue que se dizia derramar das hóstias em Juazeiro poderia ser o sangue verdadeiro de Cristo. Naquela nova carta, o bispo lembrava que tivera o cuidado de descer das estantes da biblioteca do palácio episcopal vários livros e tratados teológicos com o objetivo de corroborar sua tese. Mas Cícero, opinioso como fora desde a juventude, não teria lhe dado ouvidos ou o braço a torcer.

A principal fonte teológica na qual dom Joaquim buscava apoiar-se era Santo Tomás de Aquino, o frade italiano que, tendo vivido no século XIII, era considerado o mais santo dos sábios e o mais sábio dos santos. Ao fazer uma síntese do cristianismo com as ideias do grego Aristóteles, Tomás de Aquino proporcionou ao pensamento cristão o surgimento de uma vigorosa filosofia. Em sua monumental *Suma teológica*, o santo sábio debruçou-se sobre uma gama de temas relativos à fé. Entre eles, a Eucaristia. "A *Suma teológica* é o Céu visto da terra", definiria mais tarde o papa Pio XI.

Pela leitura que dom Joaquim fazia da obra de Tomás de Aquino, mesmo que se desse crédito à ideia de que as hóstias se transformavam realmente em sangue no Juazeiro — e ainda que isso fosse obra de uma genuína intervenção divina —, esse sangue jamais poderia ser o de Cristo. "O sacrifício de Cristo é um só, Jesus Cristo não derramará mais seu sangue como outrora, mas permanecerá na sagrada Eucaristia, velado sob as espécies de pão e de vinho", explicava dom Joaquim a Cícero, esforçando-se para manter um tom didático e ainda minimamente afável. Todavia, a sombra nítida da impaciência ficava evidente nas linhas posteriores da carta: "Não pretendo fazer um tratado sobre este ponto tão delicado, tão misterioso; o que quero dizer é que nada se deve dizer de novo sem se ouvir a Igreja", resumia.

Cícero, segundo o bispo, pecara pela imprudência ao não se opor prontamente à ideia de que uma nova Redenção estaria próxima e que era chegada a hora do fim dos tempos. "A Igreja o autorizou a pregar tal novidade?", ralhava dom Joaquim.

Havia controvérsias, mesmo do ponto de vista estritamente religioso. A seu favor, Cícero poderia evocar uma série de outros episódios endossados pelo Vaticano com a denominação genérica de "milagres eucarísticos". O mais famoso deles era o chamado "milagre de Lanciano", registrado por volta do ano 750, no Mosteiro de São Legoziano, dos monges basilianos, na Itália. Conta-se que um monge, mais afeito à vida mundana do que à palavra de Deus, duvidara da presença do corpo de Cristo na hóstia consagrada. Em certa manhã, durante a celebração da missa, o religioso de fé vacilante encontrava-se mergulhado no mais profundo de suas dúvidas quando teria testemunhado, para seu espanto e alumbramento, o pão se transformar em carne viva. E o vinho, em sangue.

Os católicos sempre sustentaram, com a chancela oficial de Roma, que a história não se tratava de mera lenda ou mitologia. As relíquias de Lanciano foram preservadas e submetidas a exames de laboratório, realizados cerca de 1200 anos depois, pelo médico Odoardo Linoli, livre-docente de anatomia e histologia patológica e de química e microscopia clínica, e Ruggero Bertelli, professor emérito de anatomia humana da Universidade de Siena. Os dois cientistas chegariam a uma misteriosa conclusão: além de serem carne e sangue verdadeiros, as substâncias apresentavam características típicas da matéria viva, sem sinais físicos de decomposição, mesmo quase treze séculos depois do ocorrido. Na suntuosa Basílica de Santa Maria del Vado, em Ferrara, também na Itália, estariam igualmente conservados os traços de outro suposto milagre referendado pelo Vaticano: um jato de sangue teria jorrado de uma hóstia consagrada no ano de 1171. As manchas nas paredes em volta do altar teriam ficado como testemunhas para os peregrinos que transformaram a basílica em um dos principais santuários católicos do mundo.

No extremo, até mesmo uma bula papal poderia ser advogada em defesa de Cícero e Maria de Araújo. Em 1228, o papa Gregório IX citara no documento *Fraternitatis tuae* a história de uma jovem italiana da vila de Alatri, que mantivera na boca uma hóstia consagrada e, aconselhada por uma "senhora maléfica", a escondera posteriormente envolta em um pano. Três dias depois, a jovem teria ficado aterrorizada ao constatar que a partícula havia se transformado, conta-se, em um pedaço vivo de carne. Cerca de quatro décadas adiante, em 1264, outro papa, Urbano IV, endossou um milagre eucarístico que teria ocorrido na Igreja de Santa Cristina, em Bolsena, Itália. Mais uma vez, diz-se que a hóstia deixara cair gotas de sangue sobre o altar sagrado, o que aliás estava na origem de uma das principais datas do calendário católico, a festa de *Corpus Christi* — em latim, "Corpo de Cristo" —, ritual que celebra exatamente a presença do sangue de Jesus na Eucaristia, instituído por Urbano IV no ano seguinte.

Não faltariam outros precedentes. O Mosteiro de Santa Rita, na vila italiana de Cássia, preservava a folha delicada de um breviário, livro de leituras e orações cotidianas, no qual uma hóstia fora utilizada por certo padre como um prosaico marcador de páginas. A hóstia, segundo acredita a tradição católica, transformara-se em um coágulo de sangue para expressar a insatisfação divina. Entre outros tantos relatos aceitos pela Igreja, havia ainda o chamado milagre de Bagno de Romagna. Em 1412, o prior de um mosteiro dos camaldulenses, ordem religiosa pertencente à família dos beneditinos, disse ter testemunhado o vinho consagrado espumar inexplicavelmente, subir até a borda do cálice e dali transbordar, convertido em sangue. O corporal manchado foi conservado na Igreja de Santa Maria, em Bagno de Romagna, comuna da província de Forli-Cesena, na região central da Itália, sendo a partir daí objeto de veneração dos fiéis.

Os êxtases e as visões que Maria de Araújo assegurava receber também possuíam inúmeros relatos similares na tradição cristã. Além disso, as chagas manifestadas no corpo de são Francisco de Assis no monte Alverne, na província de Arezzo, Itália, constituíam o antecedente mais célebre de estigmatização, devidamente corroborada pela Igreja e retratada em obras consagradas de mestres das artes, como Giotto e Alonso Cano. Quanto às alegadas tentações satânicas contra a castidade de Maria de Araújo, a história do catolicismo também era fértil em casos de santos que travaram batalhas pessoais com o demônio para manter a alma e o corpo imaculados.

As visões de Maria de Araújo eram tributárias diretas das decantadas aparições da Virgem Maria na cidade francesa de Lourdes. Em 1858, portanto apenas três décadas antes dos ditos fatos extraordinários do Juazeiro, a Virgem teria aparecido, em nada menos de dezoito oportunidades, à pequena Bernadette Soubirous, jovem camponesa que permanecera analfabeta até os catorze anos de idade. Por afirmar que falava com a mãe de Jesus, a moça foi alvo de severos interrogatórios eclesiásticos até que, em 1862, o bispo de Tarbes, monsenhor Bertrand Sévère Laurence, declarou como oficialmente autênticas as aparições de Nossa Senhora de Lourdes. O lugar se transformou em um centro de peregrinação universal e, anos depois de sua morte, Bernadette seria declarada santa pelo Vaticano.

Para os crédulos, toda aquela galeria de milagres eucarísticos e de santos visionários, permeando a história da Igreja através dos séculos, poderia testemunhar a favor de Maria de Araújo e, ao mesmo tempo, desafiar as resistências de dom Joaquim. Apesar disso, o bispo permaneceria firme em seu ceticismo quanto aos episódios que cercavam o pequenino Juazeiro. No mínimo, Joaquim podia replicar que as principais narrativas de intervenções miraculosas se perdiam nas dobras do tempo. E, mesmo os episódios então mais recentes, como as aparições em Lourdes, haviam acontecido a milhares de quilômetros dali, do outro lado do oceano. Na lógica da Igreja cada vez mais hierarquizada e centralizada pelas resoluções de Roma, era difícil aceitar a ocorrência de um milagre na periferia do mundo, admitir uma manifestação de Deus nascida em meio ao catolicismo popular dos sertões. Para o bispo, zeloso no trabalho de combater o sincretismo da diocese, só haveria mesmo uma palavra para definir o que estava acontecendo em Juazeiro: fanatismo, o casamento da devoção mais sincera com a mais perigosa ignorância.

A esse respeito, uma sentença historicamente atribuída a Pierre-Auguste Chevalier, o ex-reitor do Seminário da Prainha, resumiria toda a questão. O velho sacerdote francês, destituído do cargo desde a revolta dos seminaristas, ainda acumularia as disciplinas de moral, liturgia e direito canônico. Já praticamente cego, achacado pelo reumatismo e por outros males da idade, Chevalier era uma espécie de conselheiro informal da diocese. Para ele, sobre aquele assunto de hóstias que sangravam e se transformavam em carne em pleno Cariri, só uma coisa podia ser dada como certa:

"Nosso Senhor não iria deixar a Europa para fazer milagres no Brasil."

Dezenas de léguas distante dali, em Juazeiro, arregimentava-se um intenso movimento em defesa de Cícero. Um abaixo-assinado com o nome de nove sacerdotes e 28 cidadãos residentes no povoado e no Crato protestava contra as ordens de dom Joaquim. O documento, que ficou conhecido como "Petição de Apelação", solicitava o cancelamento de todas as decisões diocesanas relativas ao caso, sob o argumento de que elas feriam de morte, e de forma injusta, a causa do Juazeiro, pois as punições haviam sido desferidas antes do tempo necessário para que fosse elaborada a necessária defesa. Ao afirmar, sem nenhuma averiguação prévia, que o sangue nas hóstias não poderia ser o sangue de Cristo, o bispo teria atropelado o andamento normal da investigação e feito um prejulgamento. Na linguagem do povo, posto a carroça adiante da parelha de bois.

Os que assinavam a petição, incluindo no topo da lista o próprio Cícero, diziam pretender realizar uma série de consultas a diversas autoridades religiosas, teólogos de reconhecida competência no Brasil e, se possível, no estrangeiro. Queriam ouvir fontes gabaritadas a respeito da possibilidade de que o tipo de fenômeno registrado em Juazeiro, após uma exaustiva verificação, pudesse vir a ser autenticado como milagre. O abaixo-assinado citava o próprio Concílio de Trento para justificar uma possível apelação ao Vaticano, baseada no direito de que o processo deveria seguir as formalidades legais exigidas pela lei canônica: quem era acusado de heresia e de conspurcar a fé cristã haveria de merecer a mínima oportunidade de defesa. Se necessário, os juazeirenses se diziam dispostos a recorrer à última e mais sagrada instância sobre a Terra: Sua Santidade, o papa.

No rodapé do documento, dom Joaquim podia discernir as assinaturas do reitor do seminário do Crato, monsenhor Francisco Monteiro, e de dois destacados professores daquela mesma escola, os padres Quintino Rodrigues de Oliveira e Joaquim Sother de Alencar. Assinavam ainda a petição o vigário e o coadjutor de Missão Velha, respectivamente Félix Aurélio e Nazário de Sousa Rolim; o capelão da Igreja do Rosário da antiga vila caririense de Milagres, elevada à categoria de cidade no ano anterior, padre Manoel Furtado de Figueiredo; e o reverendo Manuel Antônio Martins de Jesus, o vigário da cidade pernambucana de Salgueiro.

Entre os leigos, ao lado das rubricas de fazendeiros, comerciantes e artesãos, vinha o nome de cinco senhoras, o que deixaria dom Joaquim visivelmente aborrecido. E ele contestou:

> Se quiserem apelar, não metam mulheres no meio, isso é ridículo; pois mulheres conhecem teologia a ponto de poderem discutir com o bispo?! Apelem os padres, levem o negócio a Roma. Eu não lhes tolherei os passos; mas sejam prudentes, não haja escândalos contra a autoridade diocesana.

Mal recebeu a petição, dom Joaquim mandou arquivá-la, recusando-se a apreciá-la. Se os amigos de Cícero queriam fazer qualquer reclamação à diocese, que a encaminhassem a seu representante legal naquele caso, o padre Clycério da Costa Lobo. Além disso, o que deixou o bispo particularmente irritado foi a carta pessoal de Cícero que acompanhava o abaixo-assinado. "Nunca me vi em condições tão aflitivas", iniciava a mensagem de Cícero.

> Deus é testemunha do grandíssimo embaraço em que me vejo, da grande repugnância que sinto e das graves apreensões que se apoderam do meu espírito ao ver-me na dura necessidade de escrever uma carta sobre um assunto que Vossa Excelência Reverendíssima pensa de um modo diverso do que está em minha consciência.

Cícero tentava valer-se da comiseração que porventura pudesse restar a seu superior. Dizia-se um homem em conflito, imerso no dilema insolúvel entre a obediência que devia ao bispo e aquilo que estaria ditando a sua fé:

> Senhor bispo, é a minha consciência que reclama que eu continue a estar convencido. Tenho certeza que Deus quer que eu assim proceda, crendo, como creio, firmemente, que o que aqui se tem dado é uma grande manifestação que Nosso Senhor, por um esforço do Seu coração e de Sua misericórdia, quer fazer para a salvação dos homens em uma época de tanta descrença.

Diante do fato de que tantos milhares de pecadores, incluindo dezenas de malfeitores, jagunços e cangaceiros, estavam chegando a Juazeiro e se convertendo à fé cristã, Cícero estaria convicto de que tudo aquilo só poderia ser mesmo uma graça dos céus. Por isso, argumentava, remetera anexo aquele abaixo-assinado, em forma de petição ao bispo, submetendo-o à sua benevolência. "Peço a Vossa Excelência, humildemente, como a um pai compassivo e bondoso, que na complicação em que me vejo me dê conveniente orientação a fim de que a religião, a fé e a salvação de tantas almas não venham a ser prejudicadas."

Para que dom Joaquim se persuadisse da necessidade suprema que Cícero teria de levar aquela demanda adiante, a carta encerrava com uma inusitada confidência. Cícero jurava que aquilo que narraria a seguir era a mais pura das verdades. Para o bispo, o padre apenas perdera de vez o juízo ou o senso de ridículo. Mas, segundo argumentava Cícero, aquela era a prova definitiva: tão logo chegara de Fortaleza após ser interrogado no Paço Episcopal, ele teria pedido em oração, perante a hóstia consagrada, que Deus o amparasse, que lhe concedesse um conforto para tamanha provação pela qual vinha passando. Implorara por um sinal qualquer, uma comprovação de que não incorria em sacrilégio. Naquele instante, de pronto, teria soado no ar uma voz, que dissera, de forma clara e no mais inconfundível latim: *Ego sum Jesus, hostia sancta, hostia pura, hostia imacullata* — "Eu sou Jesus, hóstia santa, hóstia pura, hóstia imaculada".

"Veja Vossa Excelência Reverendíssima se à vista de testemunho desta ordem eu poderia deixar de crer e afirmar que o sangue manifestado aqui nas sagradas formas é o sangue de Jesus Cristo." A mesma voz teria voltado a se manifestar no dia seguinte. Dessa vez, Cícero explicou que teria sido mais precavido. "Não confiando em minha memória, interrompi, pedindo-lhe que me permitisse ir ver um lápis e papel para escrever", contou. "Quando acontecia de eu errar a palavra, Ele repetia, corrigindo", jurou. Cícero procurava convencer o bispo de que Jesus Cristo ditava revelações em voz alta para que ele as anotasse. "Ah! Senhor bispo! Só Nosso Senhor sabe quanto sofro, me vendo obrigado a andar com essas cousas... Eu desejava sepultar-me onde nem sequer se soubesse de meu nome", lamentou.

A resposta de dom Joaquim àquele apelo com inflexão de quase desespero, lida pelo prelado como uma confissão patética de logro ou fanatismo, não tardou a chegar. O bispo continuava irredutível: "Não queria passar por semelhante desgosto, mas já agora sou o primeiro interessado que se prossiga em tal negócio", avisou, antes de lançar um novo ultimato, no qual estava contida desta vez uma grave ameaça: "Exijo que Vossa Reverendíssima cumpra minha ordem dentro de oito dias depois da recepção desta carta, sob pena de suspensão". A exigência chegaria a Juazeiro praticamente junto com a comissão encarregada do inquérito.

Os padres Clycério e Antero recolheram-se a um retiro espiritual de três dias antes de dar início à investigação. Nesse meio-tempo, pediram inspiração e discernimento à Providência, pois tinham um longo e consciencioso trabalho pela frente. Precisavam intimar e interrogar dezenas de pessoas, supervisionar as comunhões de Maria de Araújo, elaborar um relatório esmiuçado para o bispo, escrito nos termos da lei canônica. Os dois eminentes comissários sabiam que o objetivo final de sua missão era desmontar o que a diocese considerava um grotesco teatro, uma burla à Igreja, um insulto ao nome de Deus.

Porém, a douta competência de Clycério e Antero estava prestes a ser confrontada com o mistério, com as entranhas do inexplicável.

6

Comissários do bispo diante da dúvida: esse povo enlouqueceu ou se abriram mesmo as portas do Céu?

1891

Cícero soube que Maria de Araújo seria a primeira intimada a depor. Como se encontrava recolhida à casa de caridade do Crato por ordem do bispo, a beata obteve autorização especial para viajar de volta ao Juazeiro enquanto ali estivessem instalados os membros da comissão. Ela era uma das mais de duas dezenas de pessoas convocadas para os interrogatórios do caso e, por motivos óbvios, testemunha central. O encontro entre a beata e os representantes diocesanos — padres Clycério e Antero — deu-se no consistório da capela de Nossa Senhora das Dores, logo após a missa matinal celebrada por Cícero naquela quarta-feira, 9 de setembro de 1891. O confronto entre dois mundos tão opostos semeou perplexidades e estranhamentos mútuos.

De um lado estava a sertaneja Maria de Araújo, que desconhecia os segredos da cultura letrada e nunca havia posto os pés fora do Cariri, embora afirmasse conversar diretamente com Jesus. Do outro, dois doutores em religião, senhores viajados, que levavam consigo não só a gravidade de suas vistosas batinas, mas também os pressupostos de uma vivência religiosa acadêmica e citadina. Tanto Clycério quanto Antero eram descendentes de famílias interioranas, mas suas experiências pastorais haviam transcorrido, até ali, sem maiores contatos com as manifestações do catolicismo popular dos sertões. Desde o primeiro minuto da audiência com Maria de Araújo, o abismo entre o universo dos interrogadores e o da interrogada se tornou patente.

O depoimento da beata, cuja transcrição foi assinada na forma de cruz pela condição de analfabeta da testemunha, seria o mais desconcertante relato que os veneráveis padres Clycério e Antero poderiam imaginar ouvir. Quando o calhamaço com a íntegra daquele depoimento fosse lido mais tarde por dom Joaquim, ficaria sedimentada no Paço Episcopal a ideia de que tudo aquilo que se dizia do Juazeiro não passaria mesmo da mais bizarra encenação ou, quando menos, fruto de mentes doentias e delirantes.

Como mandava o protocolo, coube ao padre Clycério conduzir o inventário de perguntas, enquanto padre Antero, no posto de secretário da comissão de inquérito, tomaria nota de tudo a bico de pena. Por obrigação processual, tais anotações deveriam primar pela absoluta objetividade. Só depois de ouvidas todas as testemunhas — e averiguadas as manifestações do professado milagre — seria possível aos comissários estabelecer uma conclusão, posteriormente remetida ao bispo para o devido julgamento final. Portanto, no documento resultante daquela inquirição não haveria lugar para se tecer o mais tênue juízo de valor sobre as aparentes excentricidades que, a cada resposta dada, escapariam da boca de Maria de Araújo.

Aquela mulher, com sua linguagem simples e de poucos recursos retóricos, recitou uma ladainha infinda, um vasto repertório de relatos pessoais a respeito de visões, aparições divinas, revelações e profecias que teriam sido recebidas por ela diretamente do Além. Eram tantas e tão indescritíveis as graças alegadas pela beata que, caso fossem creditadas como legítimas pelo clero, por certeza viriam a igualar Maria de Araújo a outras místicas famosas do catolicismo, como Ana Catarina Emmerich ou Teresa de Ávila, consideradas luminares da cristandade.

Maria de Araújo chegou a afirmar durante o interrogatório que, desde criança, aos oito anos, era capaz de ver o Anjo da Guarda e, àquela época, brincava quase todos os dias com o Menino Jesus. Cerca de um século depois da camponesa alemã Ana Catarina Emmerich jurar ter passeado de mãos dadas com o pequeno Cristo pelos jardins e prados da germânica Westfália, a beata caririense dizia que tivera a oportunidade de pajear o Deus-menino pelos quintais e ruelas do Juazeiro.

Assim como Maria de Araújo, Ana Catarina Emmerich fora uma mulher de pouca instrução, trabalhara por algum tempo como costureira, manifestara os estigmas da Paixão e, segundo se afirmava, também tivera uma cruz de sangue impressa misteriosamente no peito. As confluências entre as duas histórias eram evidentes. As descrições que a beata fazia de seus presumidos colóquios divinos muito se assemelhavam aos relatos atribuídos a Ana Catarina, que afirmara ter celebrado um matrimônio espiritual com Jesus, descrito por ela como um jovem resplandecente, de inigualável beleza, e a quem tratava por "Divino Esposo".

Tal expressão não seria, ao contrário do que alguns poderiam admitir, apenas uma metáfora religiosa de uso corrente, para simbolizar a fidelidade e o compromisso incondicional de uma mulher em relação a sua fé. Pelo menos, não era assim que entendia Maria de Araújo. Tanto que, segundo jurou aos comissários, recebera do noivo celeste um belo anel de ouro, uma aliança que o próprio Jesus lhe introduzira no dedo da mão esquerda, em um gesto doce e solene. A cerimônia do casamento espiritual teria contado com testemunhas privilegiadas: "Foi na presença de Maria Santíssima, de são José, de coros de anjos e de virgens", detalhou a beata aos padres Clycério e Antero. Não consta na ata do depoimento que os interrogadores tenham cogitado pedir para pôr os olhos na tal aliança dourada.

Os "divinos prazeres", os "gloriosos delírios" e os "embriagadores martírios" de que tanto falava o livro de memórias da monja espanhola Teresa de Ávila também guardavam imediata correspondência com os êxtases narrados por Maria de Araújo. Ao contrário de Ana Catarina Emmerich, Teresa de Ávila — mais tarde conhecida como santa Teresa de Jesus — foi mulher ilustrada, de família aristocrática do século XVI, mas que também dizia ter celebrado "núpcias de luz" com Jesus Cristo. Durante seus êxtases e transverberações, chegava a emitir suspiros e gemidos de dor e de prazer, segundo alegava, provocados pela flecha de ouro, ferro e fogo disparada por um anjo que lhe trespassava o coração. A imagem desse "gozo místico" de Teresa — ela de olhos fechados, corpo contorcido e lábios entreabertos — ficaria eternizada em mármore, na escultura do italiano Gian Lorenzo Bernini.

Por sua vez, os declarados colóquios amorosos de Maria de Araújo com a divindade estariam cada vez mais frequentes e íntimos, segundo ela afirmou aos interrogadores. De acordo com o que a beata disse, Jesus Cristo tiraria partículas do próprio coração exposto e as ofertaria para que ela comungasse diretamente de Sua carne. Jesus se queixaria com frequência, sempre em tom amargo, da profunda ingratidão dos homens para com o chamado Pai Eterno. Mas, antes de desaparecer envolto em uma intensa luz, prometia conceder ao mundo a chance do último chamado à salvação. Por isso, afirmou a beata, Jesus fizera de Juazeiro aquele portal aberto para o Paraíso. E, dela, Maria de Araújo, apenas um instrumento do perdão divino. Padre Cícero é que seria o enviado dos céus para o bom encaminhamento das almas antes do Juízo Final. Era isso, expunha a beata, o que Cristo lhe revelara. A hóstia transformada em sangue serviria para reavivar o calor da fé, que havia amornado no coração das pessoas.

Ao curso de tão insólito depoimento, Maria de Araújo disse por mais de uma vez que ainda viveria acossada por demônios. Com o propósito de embaraçar os desígnios divinos, Satanás prosseguiria a tentá-la, querendo arrastá-la ao mundo da perdição. Muitas vezes, o Príncipe das Trevas chegaria a açoitá-la violentamente. Em certas ocasiões, tentava ludibriá-la com os disfarces mais capciosos. A Besta-Fera lhe apareceria ora exibindo a feição virginal de Nossa Senhora, ora o feitio de um belo anjo aureolado. Não raro, para lhe amolecer o coração e lhe turvar o juízo, também no lugar da estampa tradicionalmente atribuída aos demônios — olhos vermelhos, par de chifres retorcidos e horrendas patas de bode —, o diabo teria se mostrado a ela com o semblante e os olhos azuis de Cícero Romão Batista.

Para auxiliar Maria de Araújo a combater as visagens e os seres infernais, Jesus lhe ensinara uma nova oração, uma jaculatória que dizia ser infalível contra os mal-assombros do Tinhoso:

Louvadas sejam a morte e paixão de Jesus Cristo
e as dores da Imaculada sempre Virgem Maria.
Meu Pai, abençoai a mim e as almas do Purgatório,
e tudo que Jesus, Maria e José queiram abençoar;
que sejam todos abençoados e salvos pelo Sagrado Coração de Jesus
e seu preciosíssimo sangue.

O erudito padre Antero copiou a singela oração, linha a linha, na transcrição do interrogatório, enquanto o colega Clycério prosseguia na sabatina. Indagou à beata se ela confirmava que era capaz de transportamentos para fora do corpo, de empreender fantásticas viagens espirituais ao Céu, Inferno e Purgatório. Maria de Araújo disse que sim. Era a mais verdadeira das verdades, jurou. Em tais voos místicos, com a ajuda de Jesus, ela já teria inclusive libertado dezenas de almas do Purgatório, algumas das quais pertencentes a gente que fora muito próxima dela, pessoas dali mesmo, do Juazeiro, que conhecera quando vivas. Era por esse motivo que se manifestavam no seu corpo os estigmas de Cristo, tentava Maria de Araújo explicar aos comissários do bispo. Só assim, unida no sofrimento e na clemência divina, tornava-se possível interceder pelos espíritos, purificá-los com o adjutório de Jesus e salvá-los da condenação ao eterno fogo do Inferno, dizia.

As muitas semelhanças entre o depoimento de Maria de Araújo e o conteúdo dos antigos relatos de Ana Catarina Emmerich e Teresa de Ávila eram por demais evidentes para passar despercebidas, especialmente por parte de dois aplicados estudiosos da religião como Clycério e Antero. Parcela considerável da Igreja sempre tratou os relatos místicos com cuidadosa desconfiança. Aceitar a possibilidade de que havia encontros diretos entre seres humanos e a divindade significaria o mesmo que dispensar a Igreja de seu papel de intermediária entre o mundo terreno e os mistérios de Deus. Para essa ala da Igreja Católica, mesmo os relatos bíblicos a respeito de aparições divinas e emissários angélicos deveriam ser interpretados como admiráveis parábolas, criadas pela sabedoria humana sob inspiração divina, para transmitir ao mundo a palavra de Deus. Por isso, ao longo dos séculos, visionários autodeclarados foram alvo de controvérsias e, em tempo de intolerâncias, de graves perseguições. Muitos, particularmente mulheres, chegaram a ser queimados nas fogueiras da Inquisição, acusados de heresia e bruxaria.

Mas havia ali uma série de questões a ser elucidadas por uma comissão de inquérito eclesiástico. Seriam as muitas coincidências entre o relato de Maria de Araújo e os de outros místicos históricos uma armação bem urdida ou, ao contrário, o padrão de uma manifestação divina que atravessaria os tempos? Seriam tais semelhanças um sinal reconhecível das mensagens celestiais, reservadas apenas aos visionários, ou o claro indicativo de uma impostura? Maria de Araújo, com a orientação de alguém minimamente versado na história da mística cristã — talvez Cícero, leitor de autores como o

Marquês de Merville e Joseph von Görres —, concebera tudo aquilo a partir de casos antigos e notórios, livremente reinterpretados pela visão mágica do catolicismo sertanejo?

Em meio àquela verdadeira rapsódia celeste, Maria de Araújo não perdeu a oportunidade de tentar esclarecer um pormenor que havia levantado suspeições do bispo durante o auto de perguntas dirigido a Cícero em Fortaleza. Era verdade, reconhecia ela, que sofria de ligeiros incômodos de estômago e que desde os dois anos de idade fora vítima constante de ataques nervosos. Mas a única vez que vomitara sangue durante um desses acessos se deu por causa de uma queda repentina. Tal fato nunca mais teria tornado a acontecer — a mesma versão que Cícero corroboraria aos membros da comissão. Portanto, não haveria, segundo Maria de Araújo, nenhuma ligação entre o episódio daquela única vomição sanguínea e a transformação miraculosa da hóstia; muito embora ela mesma não pudesse afirmar se a partícula, além de sangue, se transformava também em carne viva ou se as espécies consagradas tomavam a forma de um coração humano. Isso ela nunca vira. Nem poderia, justificou: ficava sempre tão transtornada durante tais ocorrências que perdia a noção dos acontecimentos. Mas pelo que afiançavam todos os testemunhos, incluindo o do próprio padre Cícero, isso haveria de ser uma santa verdade, outra das supremas maravilhas do Céu.

Ao final, caberia a padre Clycério fazer a clássica pergunta: Deus teria enviado algum outro sinal, uma prova mais evidente da natureza divina dos fatos que estariam ocorrendo no Juazeiro? A resposta de Maria de Araújo foi categórica: para se acreditar em todas as graças que Deus estaria derramando sobre seu povo não carecia enviar do Céu mais nenhuma prova, nenhum sinal. O próprio Jesus dissera por mais de uma vez a ela que, para tanto, bastava que todos O amassem de modo sincero.

A réplica da beata poderia ser interpretada como providencial escapadela à pergunta original. Mas, ao mesmo tempo, havia de se admitir que do ponto de vista teológico era correta. De todo modo, qualquer que fosse a verdade, muito em breve ela deveria vir à luz. A primeira verificação do fenômeno — já apregoado abertamente como milagre pelos cantadores de feiras e poetas populares do sertão — estava marcada para o início da manhã seguinte.

Veritas filia temporis. A verdade é filha do tempo.

* * *

Antes de os sinos da capela de Nossa Senhora das Dores chamarem os fiéis para a missa das seis horas, os padres Clycério e Antero já estavam à espera de Maria de Araújo. Ao raiar daquele 10 de setembro, a beata comungaria em caráter reservado. Se houvesse realmente um milagre, se o dedo de Deus estivesse presente, os comissários saberiam reconhecê-lo. Caso contrário, se nada de sobrenatural ocorresse ou, mais ainda, se percebessem o menor vestígio de fraude, seriam os primeiros — e os mais aptos — a denunciá-lo.

Foram convocadas para a averiguação 23 testemunhas juramentadas, entre elas dois sacerdotes — os padres Manoel Francisco da Frota, vigário da cidade de Icó, e José Jacome de Fontes Rangel, residente na povoação de Missão Nova. Sob os olhos de Antero e as ordens de Clycério, com as sólidas portas da igreja ainda fechadas para os demais fiéis, Cícero chamou Maria de Araújo em sua presença e lhe ofereceu a Eucaristia. Fez-se o suspense.

Dois minutos depois de receber a hóstia, a mulher dobrou os joelhos e pareceu desfalecer. Cairia ao chão não fosse amparada à última hora pelas mãos de padre Frota. Por mais de um quarto de hora, Maria de Araújo se manteve imóvel, acudida pelas outras beatas vestidas de negro. No papel de diretor espiritual da devota, Cícero se aproximou e ordenou que a mulher revocasse daquele estado de aparente êxtase. Não obteve, todavia, nenhuma efetiva resposta. De princípio, a beata ainda esboçou tímida reação, mas voltou a esmorecer pesadamente.

Maria de Araújo só recobrou os sentidos de modo inconteste quando padre Clycério lhe tomou a frente e exigiu que, em nome de Deus, de Jesus Cristo e da Igreja Católica Apostólica Romana, ela abrisse os olhos e se ajoelhasse, de imediato, bem ali diante dele. Maria de Araújo pareceu recobrar as forças e enfim obedeceu. Mas permaneceu de lábios cerrados, gesticulando com nervosismo, como se quisesse dizer que não conseguia abrir a boca, por mais que padre Clycério assim determinasse. Cícero estendeu à mulher as duas mãos em forma de concha, a exemplo do que fizera em outras tantas ocasiões. Muitos já haviam visto, em momentos semelhantes, o sangue escorrer copioso da boca de Maria de Araújo. Porém, daquela vez, nada aconteceu. A beata se recompôs e disse que não sabia explicar exatamente o porquê, mas justamente diante da vigilância dos dois comissários, a hóstia não se modificara, não se transformara no sangue de Jesus.

Tão logo as portas da igreja se abriram de par em par, os juazeirenses souberam que a primeira missa da manhã seria rezada pelo forasteiro padre Clycério. Quando o sacerdote já se dirigia ao altar principal de Nossa Senhora das Dores, Cícero foi ter a seu encontro. Sugeriu que, de forma excepcional, concedesse licença para que Maria de Araújo recebesse a Eucaristia novamente, desta feita dentro da própria celebração coletiva, à frente da multidão de fiéis e pelas mãos insuspeitas do comissário diocesano. Clycério assentiu. Estava ali para proceder a uma investigação e precisava ter o maior número possível de elementos para incorporar aos autos do processo. Ficou decidido que a beata receberia nova comunhão.

Assim foi feito. E, mais uma vez, a hóstia não sangrou.

Ao final da missa, quando já tirara a casula cerimonial de sobre a túnica branca, padre Clycério foi chamado de volta à nave da igreja. Maria de Araújo estaria, como antes, em pleno êxtase. Imóvel, alheia ao que ocorria em sua volta, em tudo parecia repetir a malograda cena anterior. Mas, desta vez, quando a beata abriu a boca, era possível distinguir sobre sua língua a substância avermelhada, ainda em vias de transformação. Cícero imediatamente pediu que ela deitasse a hóstia em uma salva de prata guarnecida com o chamado sanguinho, o tecido utilizado pelos clérigos para enxugar o cálice no qual é servido o vinho consagrado. Quando ela assim o fez, a mancha rubra foi pouco a pouco envolvendo a partícula em leves borbulhas, até se converter inteiramente em um líquido encarnado, quase violáceo, tingindo a alvura do tecido.

Era sem dúvida impressionante, mas ainda assim duvidoso. Transcorrera um período de tempo considerável entre o final da missa e a suposta transformação, o que teria dado chances para artifícios e manipulações. Era preciso tirar a prova, entendeu Clycério. Como em tese a beata não havia comungado, pois não chegara a engolir a partícula, o padre considerou que poderia lhe oferecer uma segunda hóstia consagrada. Antes, quis certificar-se de que a boca de Maria de Araújo se encontrava completamente limpa, sem resquícios de nenhuma sanguinolência.

Ao final da segunda comunhão, deu-se idêntico fenômeno, então de forma instantânea, segundo as anotações meticulosas de padre Antero: "Pouco a pouco se ia transformando a hóstia consagrada, divisando-se ao princípio alguns glóbulos de sangue, que foram crescendo". Cícero mandou que a beata passasse também aquela segunda partícula dos lábios para a salva de prata, na qual teria se completado a transformação do pão em sangue. "E de modo ainda mais distinto", ressalvou padre Antero.

Padre Clycério achou que era o caso de administrar a comunhão a Maria de Araújo uma terceira e última vez, para que não restassem dúvidas sobre o fenômeno. Diante dos dois comissários do bispo, a hóstia teria tornado a sangrar. Maria de Araújo não se ausentara dali, não tivera oportunidade de introduzir sorrateiramente nenhuma possível substância química entre os lábios. Se não era um milagre, era no mínimo extraordinário, concluiriam os comissários.

Mal haviam testemunhado o estranho acontecimento, Clycério e Antero tiveram a oportunidade de observar outro fenômeno. No final daquela mesma manhã, encontravam-se na casa do padre Cícero, sentados à mesa à espera do almoço, quando padre Sother de Alencar, professor do seminário do Crato, adentrou de repente a sala. Agitado, Sother pediu que o acompanhassem rapidamente até o quarto onde repousava Maria de Araújo. Clycério e Antero lançaram-se em direção ao estreito corredor que levava aos fundos da casa. Lá, em um acanhado cubículo, encontraram a beata deitada em uma rede armada diante de um pequeno santuário, no qual uma fileira de velas acesas iluminava as muitas imagens de santos. Maria de Araújo, com os olhos imóveis e estatelados em algum ponto indefinido, sangrava em abundância. Padre Antero tomou nota do que viu. Como sempre, sua narrativa foi objetiva, despida de aparatos e adjetivos: "De sua fronte gotejava tanto sangue que ensopava o véu que ela trazia na cabeça e corria pela face abaixo; em suas mãos e em seus pés, divisava-se sangue em forma de chagas, a correr em fitas".

Durante três dias consecutivos — 10, 11 e 12 de setembro de 1891 —, a comissão repetiu a mesma experiência da transformação da hóstia. De acordo com o relatório oficial assinado por padre Clycério e apresentado mais tarde ao bispo, em todos os três dias, sem razão explicável, o pão eucarístico teria sangrado. No terceiro deles, a partícula chegara a se transformar em carne viva.

Na manhã do dia 11, logo após a segunda verificação da experiência, Maria de Araújo retornou de forma espontânea ao consistório da capela de Nossa Senhora das Dores. Com um gesto que denotava autoconfiança, pediu para depor novamente aos dois comissários da diocese. Argumentou que havia esquecido de esmiuçar certas passagens no primeiro dia e, por isso, fazia empenho de que os padres doutores soubessem de tudo, da forma mais amiudada possível. Se o depoimento inicial parecera extravagante ao extremo, o seguinte se mostrou ainda mais arrebatado.

Entre outras afirmativas, a beata jurou que teria mesmo o dom de prever o futuro. Tanto que, muito antes de ser nomeado como novo reitor do seminário do Crato, ela já teria sabido que monsenhor Francisco Monteiro viria a ser anunciado como administrador da casa. Quem lhe dera a notícia — explicou Maria de Araújo com a singeleza habitual — fora o verdadeiro "dono" do seminário e de todas as igrejas que existiam no mundo: Jesus Cristo.

Do mesmo modo, tempos antes, durante uma visão, a Virgem Maria teria lhe dado notícias antecipadas da grande seca que calcinou o Ceará por três anos seguidos, de 1877 a 1879. Para que a chuva e o verde pudessem retornar à terra, Nossa Senhora então recomendara que todos orassem, fizessem novenas e organizassem vigílias em honra das chagas do filho, Jesus. Maria de Araújo dizia não ter dúvidas de que o Céu dedicava ouvidos atentos às orações terrenas. Os habitantes da corte celeste estariam bem mais próximos aos homens do que se costumava acreditar. Por várias vezes a beata afirmava já ter visto coros de anjos adentrando em procissão a capela do Juazeiro. Precedidos de Jesus e Maria, os anjos portariam tochas ardentes e entoariam cânticos de júbilo em direção ao altar, para onde se dirigiam com a intenção de adorar o sangue de Cristo. Numa dessas ocasiões, Jesus teria se achegado à beata e profetizado que, assim como faziam aqueles seres angélicos, romeiros vindos de todo lugar também um dia encheriam a mesma igreja com suas orações e milhares de velas acesas.

As descrições que Maria de Araújo fazia dos presumíveis habitantes da corte celestial — uma Virgem Maria representada como uma rainha dos céus, de coroa dourada na cabeça, secundada por guardiães alados que cantavam hinos de louvor a Deus — eram nitidamente influenciadas pela iconografia herdada da arte sacra medieval. As representações religiosas e as cenas paradisíacas retratadas em antigas iluminuras, retábulos e vitrais da Idade Média haviam se disseminado e popularizado em toda a cristandade por meio de gravuras e livros devocionais. O principal exemplo era a célebre *Missão abreviada para despertar os descuidados, converter os pecadores e sustentar o fruto das missões*, escrita pelo padre português Manoel de Gonçalves Couto, a obra mais continuamente editada em língua portuguesa ao longo do século XIX.

Exemplares da *Missão abreviada* circulavam pelas mãos de beatos, pregadores e profetas populares do sertão nordestino, que tinham tal livro na conta de um guia espiritual e, ao mesmo tempo, de um manual de bons costumes cristãos. Vinham das pregações baseadas naquela espécie de "Bíblia das aldeias" as referências que Maria de Araújo tinha em relação à ideia de Céu — "um lugar formoso, resplandecente, amplo e seguro", onde "todos cantam hinos de alegria, todos se alegram, todos honram, louvam e glorificam a Deus" — e também de Inferno — "um lugar no centro da Terra; numa caverna profundíssima cheia de escuridão, de tristeza e horror, cheia de labaredas de fogo e de nuvens de espesso fumo", conforme as sugestivas descrições da *Missão abreviada*.

Mas nem tudo era motivo de regozijo em Juazeiro, lastimava a beata em seu novo depoimento aos comissários do bispo. A Virgem já teria advertido que, exatamente por causa do propalado milagre, padre Cícero passaria por grandes agonias ao longo da vida. Ela também, Maria de Araújo, deveria se preparar para grandes padecimentos que estavam por vir. Nunca mais teria paz e alegria enquanto vivesse neste mundo de Deus. Dizia-se conformada com o calvário que lhe era reservado: os martírios da vida terrena seriam passageiros e devidamente recompensados pelas supremas maravilhas que a aguardariam na eternidade, quando porventura viesse a adentrar as portas eternas da Pátria Celestial. A beata garantia que

MISSÃO ABREVIADA

PARA

DESPERTAR OS DESCUIDADOS,

CONVERTER OS PECCADORES,

E

SUSTENTAR O FRUCTO DAS MISSÕES.

É DESTINADO ESTE LIVRO

PARA

FAZER ORAÇÃO, E INSTRUCÇÕES AO POVO,

PARTICULARMENTE POVO DE ALDEIA.

OBRA UTILISSIMA

PARA OS PAROCHOS, PARA OS CAPELLÃES, PARA QUALQUER SACERDOTE, QUE DESEJA SALVAR ALMAS,

E, FINALMENTE,

PARA QUALQUER PESSOA QUE FAZ ORAÇÃO PUBLICA.

PELO

P.e Manoel José Gonçalves Couto.

Com licença de Sua Ex.a o Senhor Bispo d'esta Diocese.

PORTO,

NA TYPOGRAPHIA DE SEBASTIÃO JOSÉ PEREIRA — EDITOR,

Praça de Sancta Thereza, n.os 28 a 30.

1859.

Frontispício da *Missão abreviada*, do padre português Manoel José Gonçalves Couto, obra que era leitura de beatos e beatas vinha sendo preparada para o tempo das provações extremas: houvera ocasião em que até o leite e o chá que bebia teriam se transformado em sangue.

Enquanto Maria de Araújo discorria, padre Antero preenchia calhamaços inteiros de papel. Diversos trechos do novo depoimento encontrariam endereço certeiro. Segundo a beata, Jesus Cristo estaria bem decepcionado com homens poderosos que, mesmo fazendo parte da Igreja, teimavam em não acreditar no milagre da hóstia. "Então eu não posso fazer milagres como na primitiva Igreja?", teria indagado Jesus, conforme Maria de Araújo. Mas, ainda segundo ela, estaria escrito: muito em breve todos os padres e bispos deveriam orar e mandar rezar missa pelas hóstias ensanguentadas. Pois se havia quem se recusasse a aceitar aquele mistério, explicara-lhe Jesus, era porque se tratava de um "mistério novo", ainda desconhecido inclusive dos mais sábios teólogos do mundo.

De acordo com a beata, era preciso que todos se convertessem à devoção do Coração de Jesus, do qual finalmente jorrariam o necessário conhecimento e a devida crença no novo mistério. A vontade divina proveria para que se fundasse uma ordem religiosa no Juazeiro, que ficaria encarregada do culto perpétuo à Santíssima Trindade e da louvação ao Precioso Sangue. Por isso, alertava Maria de Araújo, qualquer demora no processo de investigação do milagre seria considerada por Deus um "abuso de graças". Ela mesma, a beata, dizia já ter sido transportada espiritualmente a Roma, por três oportunidades, para tratar com o papa Leão XIII exatamente sobre o assunto.

Como os comissários quiseram saber a presumível resposta do sumo pontífice a essa alegada interlocução espiritual, a beata afirmou que não se lembrava, ao certo, o que Leão XIII teria lhe falado. Não sabia ao menos se o papa ouvira bem o que ela dissera. Não podia afirmar sequer se ele prestara alguma atenção em sua visita mística à Cidade Eterna.

Enquanto isso, um personagem mantinha intensa movimentação nos bastidores e agia, por conta própria e pelas sombras, paralelamente à condução oficial do inquérito. José Marrocos, o antigo amigo de infância de Cícero que havia sido expulso do seminário, desde o fim de agosto enviava do Crato uma série de cartas para teólogos e autoridades eclesiásticas de todo o Brasil. Marrocos tornara-se jornalista de renome, sendo um dos principais editorialistas do fortalezense *O Libertador*, jornal fundado originalmente em 1881 para defender a causa abolicionista e que reunia em seus quadros alguns dos mais destacados intelectuais cearenses da época. Era, portanto, um significativo aliado de Cícero.

Dirigente e professor do tradicional Colégio Cratense — rebatizado por ele de Colégio Venerável Ibiapina, em homenagem ao antigo andarilho religioso —, Marrocos logo se mostrou um dos maiores propagandistas dos fenômenos do Juazeiro. Por meio dele, notícias sobre o episódio atravessariam as águas do Atlântico e seriam publicadas até mesmo em periódicos religiosos de Portugal, a exemplo do *Novo Mensageiro do Coração de Jesus*, editado pelos jesuítas na cidade do Porto. "Louvores a Deus, que nestes tempos de incredulidade assim revela no mistério da Eucaristia milagres assombrosos", escreveu Marrocos também na prestigiada *Revista Católica*, da lusitana Vizeu.

Em sua cruzada para obter pareceres positivos à causa do Juazeiro, as cartas de José Marrocos escolheriam respeitáveis destinatários. Entre eles, o frei Manoel de Santa Catarina Furtado, abade do Mosteiro de São Bento, no Rio de Janeiro; o cônego José Marcelino de Souza Bittencourt, da paróquia de Santa Maria, Rio Grande do Sul; e dom Tomás Gomes de Almeida, bispo da diocese portuguesa da Guarda. Em tais correspondências, o jornalista caririense fazia três interrogações, cujas respectivas respostas deveriam fundamentar uma possível apelação ao Vaticano.

A primeira indagação de Marrocos a seus interlocutores era se seria teologicamente indiscutível afirmar que a Eucaristia guardava realmente o corpo, o sangue e a divindade de Jesus. Nenhum sacerdote católico, é claro, ousaria dizer o contrário a respeito de um dos dogmas essenciais da Igreja. A segunda questão, decorrente direta da anterior, era um pouco mais complexa: se Jesus Cristo está mesmo presente na hóstia e no vinho consagrados, então ele poderia, para confirmar a fé católica, tornar visíveis Seu corpo e Seu sangue aos olhos humanos? A terceira e última interrogação vinha coroar a linha de argumentação de Marrocos: se na transubstanciação tudo é tão miraculoso e sobrenatural, o sangue que estava aparecendo nas partículas sagradas em Juazeiro não poderia perfeitamente ser o sangue de Cristo, do mesmo modo como se admitiu sê-lo em Bolsena, no pontificado do papa Urbano IV?

Com a ausência, na época, de um sistema efetivo de correio, as cartas necessitavam de portadores confiáveis para sair das mãos do remetente até chegar a seus destinatários e, daí, fazerem o mesmo e longo caminho de volta. Mas, quando as respostas finalmente começaram a chegar ao Cariri, não pareceriam de todo animadoras para José Marrocos. Do Mosteiro de São Bento, o abade Manoel de Santa Catarina Furtado escreveu-lhe para dizer que a Cristo tudo era possível e que, assim, a simples pergunta sobre se Ele poderia tornar-se visível aos olhos humanos era no mínimo absurda. O abade também considerava factível que o sangue que estava sendo derramado nas hóstias em Juazeiro fosse o verdadeiro sangue de Jesus. "Porém, se de fato é, somente pode ser averiguado ou por uma comissão mista — de médicos de muita ilustração e critério e de sacerdotes de muito saber e piedade — ou à vista do processo regularmente instruído, para o que me parece prematuro qualquer juízo a respeito."

Dom Tomás, bispo da Guarda, foi ainda menos receptivo à consulta, que julgou ser um ato de escandalosa desobediência. A resposta seria grafada em tom de reprimenda a Marrocos. "O juiz da fé, da moral e da disciplina é o bispo diocesano e o seu veredicto deve ser respeitosamente acatado", escreveu. "Jesus Cristo está na Eucaristia de um modo incruento e seu corpo somente em substância, não sendo, por isso, apto a produzir o sangue", argumentou dom Tomás. Por fim, advertia: "O que nos parece conveniente é que se faça silêncio em volta deste assunto, que se não é obra de especulação ou embuste, pode-o ser de alucinações ou ilusão, e dá ocasião a motejos dos ímpios".

Das terras gaúchas, o cônego Marcelino ponderava que a transformação da hóstia poderia até ser encarada como um fato sobrenatural, mas se recusava a afirmar que, em casos semelhantes, o sangue ali presente fosse o verdadeiro sangue de Jesus. "Esta é a sentença de Santo Tomás de Aquino e é a sentença comum dos teólogos, confirmada pela experiência que mostra que aquilo que parecia ser sangue e carne, no decurso do tempo, muda-se e corrompe, coisa que não se pode atribuir à carne e ao sangue de Jesus Cristo."

José Marrocos (à direita), abolicionista, professor e principal propagandista do "milagre do Juazeiro"

Por fim, cônego Marcelino sugeria que Marrocos devesse se submeter candidamente ao julgamento do seu superior, dom Joaquim. "A decisão cabe ao senhor bispo do Ceará", sentenciou.

Por aqueles dias, José Marrocos recebeu outra carta, endereçada de Fortaleza e assinada por um amigo da capital, o padre João Augusto da Frota, doutor em filosofia por Roma e futuro sócio-fundador do Instituto Histórico do Ceará. Padre Frota afirmava que faria tudo o que lhe estivesse ao alcance para o bom encaminhamento da questão junto à diocese. Mas discordava de Marrocos em um ponto crucial: a exemplo do cônego Marcelino, admitia a hipótese de que estivesse realmente ocorrendo um milagre no Juazeiro, manifestado dos céus por meio da humilde Maria de Araújo. Contudo, achava imprudente afirmar que o sangue que jorrava dos lábios da beata fosse o sangue de Jesus.

Padre Frota deixava uma recomendação ao amigo, a qual indiretamente confirmava o mal-estar provocado no palácio episcopal pela apelação que fora assinada, semanas antes, por leigos e uma porção de beatas. "Quando apresentarem aí alguma reclamação, recurso ou apelação, será conveniente dispensar as assinaturas de mulheres e pessoas não entendidas."

Padre Clycério e padre Antero logo souberam que, no pequenino Juazeiro, Maria de Araújo não era a única mulher a sofrer arrebatamentos e a dizer que recebia visões e comunicações celestes. Todas as demais beatas que moravam com Cícero e que foram chamadas a depor no inquérito relatariam histórias particulares de enlevos, revelações ou aparições místicas. Fossem fruto de imaginações exaltadas, reflexos de um processo de histeria coletiva ou reverberações de uma credulidade ingênua e sincera, o fato é que a excessiva segurança de todos os depoimentos impressionou os comissários do bispo. Só havia uma explicação: ou aquele povo havia de todo enlouquecido ou, sabia-se lá, haviam sido mesmo abertas as portas do Céu.

Os relatos eram tão fantásticos que beiravam o humor involuntário. A beata Jael Wanderley Cabral, de 31 anos, disse-lhes, por exemplo, com toda a naturalidade de que era capaz, que também uma vez se transportara em espírito a Roma, não para manter conferências com o papa como Maria de Araújo, mas para receber a sagrada comunhão das mãos do sumo pontífice. Na ocasião, Leão XIII teria supostamente lhe perguntado quem ela era e da parte de quem vinha. "Da parte de Deus", respondera a mulher, acrescentando que fora transportada espiritualmente ao Vaticano para que o papa tivesse ciência da veracidade dos milagres do Juazeiro.

Outra beata, Maria das Dores do Coração de Jesus, de apenas quinze anos e que também vivia sob o teto de Cícero, não ficou atrás. Sem a mais leve sombra de temor diante da possibilidade de ser acusada de perjúrio, a moça disse à comissão ter visto um dia a âmbula em que o padre guardava as hóstias transbordar rios de sangue. Jesus Cristo teria aparecido nessa mesma hora com o corpo inteiramente ensanguentado e dado a comunhão à colega Maria de Araújo, retirando para isso uma hóstia da âmbula que continuaria a sangrar. A jovem beata também garantiu ter visto por várias vezes Nossa Senhora na capela do Juazeiro, com a coroa dourada na cabeça, ora em adoração à caixa de vidro com os paninhos ensanguentados, ora acompanhada por quatro anjos que voavam a seu redor. Na véspera da chegada da comissão, a Virgem teria feito nova aparição e recomendado à beata Maria das Dores que comungasse na intenção dos padres enviados pelo bispo ao povoado.

Mas o depoimento mais surpreendente e detalhado seria mesmo o concedido por Maria Leopoldina Ferreira da Solidade, uma beata de 29 anos, moradora da casa de Cícero como as outras. Beijando os dedos em cruz, ela afirmou aos padres Clycério e Antero ter recebido dos céus a revelação de que o sangue na hóstia era o sinal da volta iminente de Jesus à Terra. "Eu hei de ser novamente traído, blasfemado, injuriado, odiado, escarnecido e vilipendiado, ainda mais do que antes", dizia ter ouvido Leopoldina dos lábios do próprio Jesus. De outra feita, em uma manhã na qual acabara de receber a comunhão das mãos do padre Cícero, a beata também teria chegado a discernir um grupo de anjos no interior da igreja. Três deles haviam inclusive se apresentado protocolarmente a ela, revelando os respectivos nomes celestiais: Testis Fidelis, Reverentia e Maravilha.

Havia mais. Na antevéspera do Natal, após confessar-se ao padre Cícero, a beata Leopoldina teria recebido — "em honra do preciosíssimo sangue de Jesus, das dores de sua Mãe Santíssima e maior glória da Santíssima Trindade" — a penitência de tomar sobre si mesma as penas infligidas às almas de três papas que se encontrariam recolhidas ao Purgatório. Deus, contudo, considerando a questão, no lugar do trio de papas teria preferido purificar a alma de dois bispos e de um cardeal, mortos mais recentemente. No mesmo dia, afirmou a beata, as tais almas penadas teriam aparecido para assistir placidamente à missa na capela de Nossa Senhora das Dores.

De acordo com o depoimento da beata Leopoldina, pelo menos dois daqueles espíritos teriam se anunciado. Um seria Joachinus, ex-arcebispo da Bahia; outro Petrus, ex-bispo do Rio de Janeiro. Os nomes em latim não ocultariam a conjecturada identidade das fantasmagorias: Joachinus seria dom Joaquim Gonçalves de Azevedo, 18º bispo da Arquidiocese de Salvador, morto em 1879; Petrus, dom Pedro Maria de Lacerda, décimo bispo da Arquidiocese de São Sebastião do Rio de Janeiro, falecido em novembro de 1890. Quanto ao terceiro espírito, o do cardeal, este por enquanto não revelara seu nome terreno, explicou a beata Leopoldina. Só o faria algumas semanas depois, emendou.

Até o Dia de Reis, 6 de janeiro, as três almas não teriam deixado de comparecer uma única vez à missa em Juazeiro, declarou Leopoldina aos comissários. Já no dia seguinte ao Natal, a alma do cardeal, inflamada com as "chamas do amor" que emanariam misteriosamente do sacrário da capela de Nossa Senhora das Dores, prostrara-se diante do altar principal e, com a face cingida ao chão, fora envolvida por uma imensa chuva de sangue. Dois dias depois, durante a missa, a beata teria visto o cardeal elevar as mãos aos céus, enquanto seu rosto se desfazia em chamas: "Oh! Levita do Santuário, tenro arbusto sacerdotal, vaso de eleição, chamado a serdes sentinela em Israel; vós, doce esperança de nossos gozos e resplendores eternos, chegai-vos a este vulcão de amor", teria dito o espírito flamejante, apontando para a caixa de vidro na qual repousariam os paninhos ensanguentados do Juazeiro.

Em 5 de janeiro, um dia antes da última aparição coletiva daquele hipotético trio de almas, padre Cícero teria ordenado ao espírito do cardeal que, enfim, revelasse quem ele fora em vida. *Ego sum Cardinalis Pecci* ("Eu sou o cardeal Pecci") — o espírito teria respondido. Leopoldina não entrou em pormenores, mas por certo os padres Antero e Clycério conheciam bem a história de certo cardeal Giussepi Pecci, ex-prefeito da Congregação para Estudos do Vaticano, falecido havia menos de um ano. O irmão de Giussepi, Gioacchino, estava vivo. E, sem dúvida, era bem mais conhecido por todos os cristãos ao redor do mundo: desde 1878, Gioacchino Pecci fora coroado e atendia pelo título de papa Leão XIII. Segundo Leopoldina, portanto, o finado irmão do papa salvara-se do Purgatório por obra e graça dos mistérios do Juazeiro.

Depois de ouvirem as primeiras onze testemunhas no inquérito, os padres Clycério e Antero decidiram que era chegada a hora de se deslocarem para o Crato. Deixariam para trás o alumbramento das beatas e o clamor das multidões de peregrinos arranchados pelas ruas do Juazeiro. No meio da papelada produzida nos vinte dias que permaneceram no povoado, levavam um inusitado documento assinado por Cícero, apontamentos que o capelão do Juazeiro jurava conter a transcrição de um esclarecimento sobre o milagre ditado a ele diretamente por Jesus Cristo:

> Para satisfazer o desejo ardente que consumia o meu coração, para de novo manifestar-me aos homens, foi necessário eu despojar-me da força de meu braço e multiplicar as mais espantosas maravilhas, vindo derramar de novo o meu sangue entre vós. [...] Do mesmo modo que me entreguei aos homens, permanecerei até o fim dos séculos. Assim como a minha palavra é infalível, do mesmo modo as minhas obras serão permanentes. Portanto não há nada aqui nestas novas manifestações que seja contrário ao ensino da Igreja e dos teólogos.

Os comissários eclesiásticos também carregariam consigo para o Crato a beata Maria de Araújo e a caixa de vidro com os paninhos ensanguentados. Obedeciam assim a uma dupla determinação do bispo. Primeiro, punha-se fim à idolatria dos panos manchados de sangue. Depois, as novas verificações dos fenômenos seriam feitas a uma conveniente distância da influência de Cícero.

Mas nem mesmo depois de instalada na casa de caridade do Crato a comissão ficou livre do clamor público em torno do assunto. Quando se soube que Maria de Araújo estava na cidade acompanhada pelos dois representantes do bispo, a população cratense acorreu em massa ao prédio. No meio da multidão, quem não conseguiu forçar a entrada pelo portão principal deu um jeito de saltar as grades, escalar os muros e, de um modo ou de outro, arranchar-se nos salões e corredores da casa, na contagiante esperança de ver e tocar a beata tida como milagreira.

Impossível afirmar em que ponto exato da investigação padres Clycério e Antero passaram também a considerar a hipótese de que realmente pudessem estar diante de um milagre. Porém é seguro dizer que, se haviam ou não ficado desassossegados com tudo o que viram e ouviram no Juazeiro, os acontecimentos no Crato os arrastariam de vez para o coração do enigma. Maiores e derradeiros mistérios estariam prontos a desafiá-los entre as paredes brancas da casa de caridade. Ao ousar conceder a tais mistérios o benefício da dúvida, os dois comissários logo estariam ateando fogo à sua imaculada reputação.

7

Bispo contesta inquérito: Deus não é saltimbanco, santa não mostra língua a ninguém

1891

Maria de Araújo obedeceu. Bochechou durante alguns minutos a solução de percloreto de ferro, cuspiu aquele líquido cor de café ralo em um vaso de porcelana e só então se posicionou para receber a comunhão oferecida por padre Clycério. Os médicos convocados pela comissão de inquérito asseguravam: se fosse de natureza orgânica, o fenômeno seria desmascarado pelo poderoso coagulante ferroso, uma substância altamente tóxica, mas utilizada na época para conter hemorragias em cirurgias odontológicas. Tão logo reagisse ao contato com a solução, o sangue saído da boca da beata deveria apresentar coloração enegrecida e exibir a presença de coágulos. Caso isso ocorresse, ficaria provado que o sangramento era de natureza humana, descartando assim a hipótese de que se tratava de uma substância com propriedades divinas e, portanto, incorruptível.

Na capelinha da casa de caridade do Crato, por volta das seis e meia da manhã daquele 24 de setembro, padre Clycério benzeu as hóstias e pôs uma delas entre os lábios grossos e entreabertos da beata. Pelo que constou no relatório oficial dos comissários, Maria de Araújo, que parecia disposta a contradizer as leis do bispo, agora teria passado a desafiar as leis da química: mesmo após os gargarejos com percloreto de ferro, o sangue que lhe escorreu da boca foi mais abundante do que o de costume — e de um vermelho ainda mais intenso.

Na manhã seguinte, ainda sob a supervisão dos médicos e com

a mesma administração de coagulante, a hóstia tornou a sangrar. Os doutores Ignácio de Sousa Dias e Marcos Madeira — este último o mesmo que já expedira um atestado a respeito do episódio — foram encarregados pela comissão de escrever a quatro mãos o relatório clínico que seria anexado ao inquérito e remetido à apreciação do bispo em Fortaleza. No documento, atestaram que Maria de Araújo só conseguia consumir a hóstia, sem sangramentos, quando padre Clycério recitava o *Misereatur* em latim:

Misereatur tui omnipotens Deus,
et dimissis peccatis tuis,
perducat te ad vitam æternam.

(Que Deus onipotente se apodere de ti,
que te perdoe os pecados
e te conduza à vida eterna.)

Restariam algumas hipóteses a ser consideradas pelos dois médicos para tentar esclarecer, à luz da ciência, tanto o fenômeno da hóstia quanto os estigmas de Maria de Araújo. Havia relatos na literatura médica a respeito de crises de histeria que resultavam em sangramentos pelo corpo. Existiam notícias clínicas de indivíduos que em situações de grande pressão mental apresentavam hematidrose, a constrição involuntária das glândulas sudoríparas que de tão pressionadas acabam por se romper e provocam a mistura do suor com o sangue. Isso serviria para explicar clinicamente até mesmo a cena do Novo Testamento na qual Cristo, na iminência de ser preso pelos centuriões romanos, passa a suar gotas de sangue no monte das Oliveiras.

Mas, ao contrário do que acontecia nos casos patológicos de transes histéricos, os êxtases da beata não a deixavam extenuada. Em vez disso, pareciam revigorá-la. Para os dois médicos a serviço da comissão, a tese de que ela seria uma histérica se tornava desse modo insustentável:

Logo após os êxtases, ela fica calma como dantes, sem denunciar na sua fisionomia nem nos movimentos nenhuma alteração nos seus hábitos, entrando logo em suas ocupações diárias como se nada tivesse sucedido, conservando também a mesma regularidade na conversação e modo de tratar.

Os médicos ainda rechaçaram oficialmente a possibilidade de que os sangramentos pela boca seriam provenientes de alguma enfermidade física da qual Maria de Araújo fosse portadora.

> Não podemos atribuir este sangue a uma lesão da laringe ou pulmão, pois estes fatos se reproduzem há três anos e ela não tem sofrido na sua constituição e temperamento, além de não ter a menor tosse ou febre; e pelo exame que fizemos não encontramos indício de uma lesão interna que pudesse ser a origem de tais hemorragias.

Uma última hipótese para explicar o fenômeno pelo olhar científico seria a de um possível hipnotismo da beata por parte de seu diretor espiritual, Cícero Romão Batista. Contudo, sem a presença de Cícero, que ficara a quase uma légua de distância, no Juazeiro, Maria de Araújo continuava a converter hóstias em sangue ao receber a comunhão das mãos do próprio comissário do bispo. Mesmo nos primeiros dias em que ficara confinada à casa de caridade do Crato, antes da chegada dos dois comissários ao Cariri, o mesmo já ocorrera: Clycério e Antero foram comunicados da existência, na sacristia da capelinha da casa, de uma caixa de vidro, de quinze centímetros de comprimento por dez centímetros de altura, idêntica àquela que havia na capela do Juazeiro, abarrotada de paninhos e toalhas manchadas de sangue. Por isso mesmo, para esclarecerem o caso, os comissários precisavam convocar para depor todos os que haviam mantido contato com Maria de Araújo durante o retiro compulsório no estabelecimento.

O primeiro a ser ouvido, na manhã do dia 27 de setembro, foi o padre Quintino Rodrigues de Oliveira e Silva, jovem professor do seminário do Crato, assíduo visitante da casa de caridade. Com 28 anos incompletos, padre Quintino era tido como um moço ilustrado, a despeito de suas assumidas idiossincrasias e prevenções pessoais em relação a duas espécies de gente: as pessoas de lábios grossos e os estrábicos em geral. Para ele, aqueles de boca carnuda e sanguínea eram costumeiramente dados à lascívia, por isso julgava uma temeridade alistá-los entre os pretendentes ao sacerdócio. Já o estrabismo, para padre Quintino, era a marca clara de predisposição a defeitos de ordem moral.

Leitor compulsivo desde os tempos de estudante na Prainha, aos dezessete anos Quintino já havia traduzido um bom número de autores latinos, bibliografia seleta que trazia na ponta da língua, citando-a na versão original, na forma de sentenças e aforismos sempre que a ocasião se mostrasse oportuna. Descrito pelos contemporâneos como dono de uma personalidade metódica, tinha um modo de caminhar característico, em passos simétricos e compassados, o que era entendido como a marca mais visível de sua decantada rigidez interior. Em 1887, tão logo recebera a ordem de presbítero, bafejado pelas predileções de dom Joaquim, fora enviado ao Cariri levando uma carta de recomendação escrita pelo bispo e endereçada ao vigário de Missão Velha, padre Félix Aurélio: "Envio a Vossa Reverendíssima, para coadjutor, um anjo, a pérola do meu seminário".

Pois dom Joaquim não gostaria nada de saber que aquele sacerdote promissor, o pupilo favorito, a pérola de seu seminário, andava dando crédito às notícias sobre os transportamentos espirituais de Maria de Araújo. Pelo menos foi o que padre Quintino deixou patente aos comissários durante o depoimento. Em seu testemunho, também confirmou que já tivera a ocasião de dar a comunhão à beata e verificado pessoalmente o fenômeno da transformação da hóstia em sangue. Mostrava-se do mesmo modo impressionado com o fato de a iletrada Maria de Araújo dizer sentir dores e gozos espirituais profundos, sempre que alguém lia para ela trechos da Paixão de Cristo e do Cântico dos Cânticos.

No mesmo dia em que tomaram o depoimento de padre Quintino, os comissários ouviram o padre Sother de Alencar, outro prestigioso mestre do seminário do Crato, um sacerdote que privava da amizade de Cícero e figurava entre os mais fervorosos adeptos da tese da sobrenaturalidade dos fenômenos vividos pela beata. Sother era vice-reitor do seminário e, até ali, homem de total confiança do bispo dom Joaquim. As respostas dele à comissão foram praticamente decalcadas do depoimento de padre Quintino: ambos não cogitavam a hipótese de uma fraude, eram testemunhas das experiências místicas de Maria de Araújo e viam com regozijo as conversões em massa que estavam ocorrendo no Juazeiro por causa delas.

Estava evidente: o seminário do Crato, fundado para funcionar como o guardião ultramontano da pureza da fé no Cariri, havia se transformado em um foco de irradiação do chamado milagre do Juazeiro. O reitor da casa, monsenhor Francisco Monteiro, o próximo a ser ouvido pelos comissários naquele dia, era de longe o mais entusiasmado defensor da causa. Monteiro não apenas confirmou em seu depoimento que Maria de Araújo empreendia incursões espirituais ao Céu, Inferno e Purgatório como assegurou que por vezes tais viagens místicas seriam realizadas sob seu mandado. Por concessão especial de Deus, o monsenhor se dizia capaz de conversar espiritualmente com a beata, mesmo quando Maria de Araújo se encontrava a léguas de distância. Aquela mulher era abençoada com o dom da profecia e da clarividência, explicou o reitor aos comissários do bispo. Tanto que conseguiria saber com miudezas de detalhes o conteúdo das correspondências que ele, monsenhor, mantinha trancafiadas na gaveta de seu escritório e ainda não havia mostrado a ninguém.

Monteiro fez afirmações semelhantes, por escrito, em documento oficial entregue à comissão e anexado ao processo. "Detesto cavilações, e querendo a glória de Deus e a posse dos céus, não farei escadas com degraus de mentiras", escreveu. "Temos passado por sacerdotes ilusos, ignorantes, fanáticos... O *Breviário* aprovado pela Igreja não diz que santa Brígida, na idade de dez anos, viu Jesus todo ensanguentado? O mar sem fundo do coração de Jesus, quem poderá sondá-lo?"

Na opinião de monsenhor Monteiro, a sombra cruel do preconceito impedia que se desse fé aos acontecimentos de Juazeiro. Diante dos comissários, de viva voz, confidenciou ter assistido a uma cena misteriosa, que o deixara absolutamente convicto da natureza transcendental dos episódios que envolviam Maria de Araújo. O fato teria se dado na manhã de 27 de abril do ano anterior, 1890, no Juazeiro, nas dependências da casa do padre Cícero. A beata havia lhe pedido naquele dia algumas palavras de consolação, pois precisava renovar as forças diante dos muitos embates que estaria travando contra espíritos infernais. Maria de Araújo encontrava-se ajoelhada quando Monteiro lhe estendeu o crucifixo de bronze, para que ela orasse tendo a imagem de Cristo entre as mãos. Tão logo o monsenhor se ajoelhara ao lado dela, percebera que a beata se mostrava trêmula, a ponto de mal poder segurar a cruz em meio aos dedos vacilantes. Quando tornou a pôr os olhos no crucifixo, Monteiro teria ficado abismado com a visão: um filete líquido de sangue escorria do bronze.

Durante outros dois dias, o fenômeno se repetira. Ao examinar de perto o crucifixo, Monteiro teria notado que o fio de sangue saía do pequeno cravo que perfurava os pés de bronze de Jesus. Mais adiante, em maio, teria se dado nova manifestação do episódio, e em maior volume. Do lado esquerdo da imagem do corpo do Cristo, à altura do peito, o sangue teria jorrado abundante, a ponto de encharcar dois panos grandes e parcela de um lenço. Em novembro de 1890, o atônito monsenhor decidira enfim tirar uma prova a respeito do assunto. Apresentara outro crucifixo de bronze à beata e pedira para que ela intercedesse a Deus para que uma marca daquela imagem ficasse impressa na palma da mão direita dele. Os céus teriam atendido prontamente: "Como eu pedi, houve derramamento de sangue e a graça que eu desejava".

Não seria essa ainda a maior de todas as maravilhas, jurava Monteiro em depoimento. Havia poucos dias, ele fora até o povoado e, em um início de tarde, estivera mais uma vez com a beata. Dessa feita, o reitor suplicara aos céus por uma evidência de que o sangue aparecido nas hóstias e naqueles dois crucifixos de bronze seria o verdadeiro sangue de Jesus. Como resposta, de imediato, a beata entrara em êxtase. Segundo o monsenhor, das mãos magras de Maria de Araújo, entre o polegar e o indicador, teriam se materializado, no ar, duas hóstias ensanguentadas. Deus as mandara para que reitor e beata comungassem do sangue de Jesus, dissera a mulher.

Monteiro contou ainda que os comissários não precisariam esperar muito para assistir também a prodígios iguais àquele. O reitor alegava ter ciência de que uma assombrosa maravilha estaria reservada para o dia seguinte, ali mesmo na casa de caridade do Crato, bem na presença dos dois membros da comissão episcopal. Assegurou que os padres Antero e Clycério teriam a prova definitiva do caráter divino de tudo o que vinha ocorrendo no Cariri. Depois de testemunharem o que estava por vir, prometeu o reitor, os comissários teriam a certeza de que o dedo de Deus estava, sim, realmente ali.

Havia quem pensasse exatamente o oposto. Não estava ali o dedo santo de Deus, mas a mão horrenda de Lúcifer. "Tudo o que vai pelo Juazeiro é uma farsa habilmente representada pelos homens — ou pelo demônio." Foi o que leu dom Joaquim em carta que recebera de um eminente colega. O remetente, que advertia ser Satanás o possível autor dos fenômenos, não era um religioso qualquer. Dom Joaquim Arcoverde de Albuquerque Cavalcanti, que mais tarde viria a ser o primeiro cardeal de toda a América Latina, tinha um ilustrado currículo. Ex-bispo de Goiás, aos 41 anos, Arcoverde era possuidor de uma distinta coleção de diplomas acadêmicos, todos emoldurados em seu gabinete de então professor do colégio jesuíta São Luís, em Itu, São Paulo. Entre eles, o de bacharel em letras pelo Colégio Pio Latino-Americano, o de doutor em teologia pela Universidade Gregoriana de Roma e o de especialista em ciências naturais pela Sorbonne, de Paris. "Vê-se que um mau espírito paira sobre essa gente mal dirigida e mal aconselhada pelo incauto e imprudente padre Cícero Romão Batista", deduziu Arcoverde. A respeito de Maria de Araújo, também possuía opinião formada:

> Essa mulher põe a língua em verdadeira exposição para ser examinada à vista por quem quer que seja, o que é contra a modéstia e humildade das pessoas visitadas de modo extraordinário por Deus. Além do quê, é sobremodo ridícula essa exposição de língua, *sui generis* e nunca vista em pessoas de santidade e celestialmente inspiradas. Ora, o espírito de Deus não se presta ao ridículo.

Arcoverde escrevera para alertar o bispo cearense sobre o fato de José Marrocos ter lhe enviado correspondência com impertinentes indagações. Junto à missiva propriamente dita, Marrocos tivera a ousadia de remeter-lhe um exemplar do livreto *Os milagres do Joaseiro ou Nosso Senhor Jesus Cristo manifestando sua presença real no divino e adorável sacramento da Eucaristia*, aquele que fora publicado em Caicó sem a devida licença eclesiástica. Arcoverde explicava a dom Joaquim que era abominável a ideia de que Deus estivesse manifestando-se por meio de espetaculosas golfadas de sangue, saídas da boca de uma beata. "Ora, isso é fazer de Deus um saltimbanco, é simplesmente horroroso." Dom Arcoverde informava ainda que

O padre e professor Quintino (à esquerda) dizia ter visto a beata sentir dores e gozos espirituais ao ouvir o Cântico dos Cânticos. Mas dom Arcoverde (à direita) era adepto da tese de que tudo não passava de "obra de Satanás"

decidira responder as interrogações de Marrocos em outra carta, tão categórica quanto severa, e da qual mandava ao bispo cearense uma cópia:

> Nunca, em nenhuma parte do mundo cristão se venerou sangue sagrado que tivesse saído da boca de alguém [...]. Nosso Senhor nunca fez papel de prestidigitador [...]. Houve santo, é verdade, que alguma rara vez, e sem o pedirem, recebeu a comunhão por ministério angélico ou divino; nunca, porém, se leu andarem eles mostrando vaidosamente ao devoto público a língua com a sagrada forma; isto é por demais grotesco, e bem revela a origem espúria de tais milagres do Juazeiro.

O dia no qual deveria ocorrer a suprema maravilha prometida por monsenhor Monteiro aos comissários do bispo, 28 de setembro, começou agitado. Cinco novas testemunhas, todas mulheres, receberam notificação para comparecer naquela data a uma sala reservada da casa de caridade. Se as beatas do Juazeiro haviam alardeado fenômenos inacreditáveis, devidamente juramentadas sobre a Bíblia, as devotas do Crato não seriam mais comedidas. Pelo que se podia deduzir de tudo o que disseram aos padres Clycério e Antero, Maria de Araújo não seria a única milagreira da região. Cada uma daquelas cinco senhoras narrou um novo rosário de histórias a respeito de visitas angélicas, comunhões miraculosas, descrições paradisíacas, palestras com o Céu.

A série de novos relatos confluía para o mesmo ponto: em nome da redenção dos pecados e da salvação dos puros de espírito, o Paraíso teria estabelecido um canal de comunicação imediata e efetiva com o Cariri. Para as beatas, não existiria mais um mundo sobrenatural, que se opunha à noção de um mundo natural. Céu e Terra estariam unidos por obra e graça de Deus. O invisível tornara-se visível, os vivos falavam com os mortos, os anjos e santos desciam à Terra com a mesma facilidade com que as beatas subiam ao Céu.

O dia já avançava com o sol a pino enquanto os comissários ainda aguardavam, com curiosa ansiedade, a manifestação divina anunciada por monsenhor Monteiro. Por volta da uma hora da tarde, quando iniciavam a tomada de depoimento de mais uma beata, Antônia Maria da Conceição, trinta anos, os padres Antero e Clycério viram abrir-se atrás de si, de supetão, a porta dos fundos da sala onde procediam aos interrogatórios. Uma das beatas entrou esbaforida no aposento, trazendo um recado urgente da parte de monsenhor Monteiro: o reitor pedia que os comissários do bispo fossem imediatamente até a sacristia, onde se encontrava Maria de Araújo. Fizessem o obséquio de deixar de lado tudo naquele mesmo minuto e fossem até lá. O prometido prodígio acabara de ocorrer.

Antero e Clycério largaram o interrogatório de Antônia pela metade e apressaram-se a vencer as poucas dezenas de passos que os separavam da sacristia. Ao chegarem, viram Maria de Araújo sentada, imersa em mais um de seus típicos estados de êxtase. De joelhos diante dela, monsenhor Monteiro segurava entre os dedos da mão direita duas hóstias, inteiramente cobertas de sangue. Segundo afirmava o reitor, elas teriam aparecido, minutos antes, miraculosamente, na palma da mão de Maria de Araújo. "Nosso Senhor mandou estas partículas para que os padres da comissão vissem e comungassem", explicou a beata, ao ser revocada do transe pelo reitor.

Como o sangue havia grudado uma hóstia à outra, Monteiro não conseguiu separá-las. Por isso decidiu levá-las à própria boca, fazendo em seguida o respeitoso sinal da cruz. Depois, dirigiu-se novamente a Maria de Araújo e sugeriu que ela indagasse a Jesus Cristo se era da vontade de Deus que fossem enviadas do Além outras duas hóstias, para que enfim os padres Antero e Clycério pudessem comungar do sangue milagroso. Atendendo ao reitor, a beata prostrou-se diante do tabernáculo e começou a rezar em voz baixa. "Nós, posto que unidos também em oração, estávamos em tudo bem atentos ao que se passava", descreveria pouco mais tarde Clycério oficialmente a dom Joaquim. "Depois de um quarto de hora mais ou menos, eis que a beata, tomada de um rapto extático, levantando um pouco a mão direita, deixou ver outras duas hóstias ensanguentadas, que monsenhor Monteiro tomou entre os dedos e passou aos nossos", anotaria Clycério. "Notamos bem distintamente que o sangue que corria de cima a baixo das partículas era fresco, tingindo nossos dedos." As duas hóstias continuariam a sangrar, mesmo nas mãos dos dois representantes do bispo. "Nessas circunstâncias, houve razão para que tomássemos tais partículas por miraculosas, divinas, e as recebemos em comunhão."

Nada poderia ser mais simbólico e, ao mesmo tempo, mais estranho à hierarquia da Igreja Católica: uma mulher, e ainda por cima negra e analfabeta, acabara de dar a comunhão a três padres: um deles, reitor de um seminário; os outros dois, respeitáveis doutores em teologia. Aquela mulher, Maria de Araújo, além de provocar uma ruptura no monopólio masculino da Igreja, não apenas dispensava a intermediação da instituição eclesiástica para se relacionar com Deus como também se colocava na posição de mediadora entre os sacerdotes e a divindade. Quando viesse a saber do episódio, dom Joaquim ficaria escandalizado. "Vossa Reverendíssima foi infeliz, infelicíssimo", diria o bispo a padre Clycério. "Adorar partículas de origem ignorada, como se fossem consagradas! Triste e lamentável idolatria!!!", censurou, por carta.

Ainda sob o impacto da misteriosa ocorrência, Antero e Clycério tiveram de retornar à sala de interrogatórios, para continuar a tomar o depoimento da beata Antônia da Conceição. Mas tão logo dirigiram a ela a primeira pergunta, a mulher também foi tomada de aparente êxtase e, levantando a mão direita, mostrou quatro hóstias que, de acordo com o que asseguraria o relatório final dos comissários, teriam surgido milagrosamente no ar. "Nosso Senhor Jesus Cristo me manda entregar estas quatro partículas ao meu confessor [*monsenhor Monteiro*], para que ele comungue comigo e os padres da comissão", disse-lhes Antônia.

Foi a vez de Antero e Clycério mandarem chamar Monteiro imediatamente. Como haviam acabado de fazer em relação a Maria de Araújo, os três religiosos ajoelharam-se junto à beata Antônia e obedeceram à alegada orientação celeste. "De novo, comungamos", admitiria o relatório final, assinado por Clycério. As posições haviam se invertido: os comissários podiam ser os enviados oficiais do bispo. Mas, para eles, as beatas haviam assumido o papel de enviadas de uma autoridade infinitamente superior: a vontade de Deus.

Depois de um longo mês de trabalho, a comissão deu a investigação por encerrada. A vasta papelada entregue pela dupla de comissários ao bispo incluía a íntegra de 23 depoimentos, o relato de cinco verificações da transformação da hóstia em sangue e a autenticação de duas verificações dos estigmas de Maria de Araújo. Além dos atestados assinados pelos peritos médicos, o apêndice da documentação listava uma eloquente coleção de nada menos de 27 graças obtidas por populares, atribuídas à intercessão do "Precioso Sangue".

Entre tais concessões divinas, figurava o caso de Rosa Maria da Conceição, mulher que alegava ter ficado estéril por uma enfermidade uterina, mas voltara a engravidar logo após seguir em romaria, a pé, do sertão do Pajeú, em Pernambuco, até Juazeiro. Havia também o relato do vaqueiro Henrique Ferreira Parnaíba, que tivera o olho direito varado por um pedaço de pau de meio palmo de comprimento. Depois de desenganado por dois médicos, teria voltado a enxergar após colocar em volta do pescoço uma fita que tocara a urna de vidro na qual repousavam os paninhos banhados em sangue, exposta na capela do Juazeiro.

O relatório final trazia ainda documentos relativos à abertura da urna de vidro encontrada na casa de caridade do Crato. No texto, padre Clycério declarava que assistira ao exato instante em que, ao abrir a caixa transparente, monsenhor Monteiro aspergira água benta sobre uma toalha de linho cuidadosamente engomada, utilizada para forrar a gaveta para a qual seriam transferidos os paninhos que estavam na urna. De acordo com padre Clycério, as gotas de água benta derramadas sobre o linho branco teriam se transformado, ato contínuo, em manchas de sangue. "Tudo foi verificado pelo reverendíssimo comissário e pelas testemunhas presentes", descrevia o relatório.

Nas oito páginas finais do inquérito, liam-se as conclusões de padre Clycério:

> Em abono da verdade, sou obrigado a declarar aqui, querendo cumprir o juramento que prestei de ser fiel à missão que me foi confiada, que todo aquele que bem estudar o espírito de Maria de Araújo, [...] como procuramos fazê-lo, excluirá toda a ideia de artimanha e de embuste nessas comunhões miraculosas ensanguentadas.

Dom Joaquim julgou que aquele documento não passava de uma montoeira de disparates. Para ele, uma coisa era saber da existência de narrativas mágicas, propagadas por beatas e párocos provincianos, gente que talvez pudesse confundir imaginação arrebatada com verdadeira experiência religiosa. Outra, bem distinta, era aceitar relatos ainda mais extraordinários vindos da parte de sacerdotes eruditos, enviados como representantes oficiais da diocese. O bispo considerou que seus comissários haviam renunciado ao senso crítico e se mostrado ingênuos ao ser enredados na trama. "Caíram miseravelmente nas ciladas das beatas, deixaram-se enganar como crianças!!!", avaliou dom Joaquim, com seus já habituais pontos de exclamação.

Padres Clycério e Antero fizeram constar ainda do documento um inesperado acréscimo ao depoimento inicial da beata Jael Wanderley Cabral, no qual a autoridade do bispo se viu vilipendiada e alvo de ridicularias. Pouco antes de partirem do Cariri e retornarem a Fortaleza, os comissários haviam aceitado ouvir novamente aquela beata, em Juazeiro. A mulher contou que, depois de haver se confessado ao padre Cícero, vira Jesus Cristo se materializar diante dela. Cristo teria lhe oferecido a mão e feito o seguinte convite: "Vamos à casa do bispo". Jael jurava sobre a Bíblia que tinha viajado espiritualmente até Fortaleza, de mãos dadas com Cristo, e batido à porta do palácio episcopal.

De acordo com a narrativa de Jael aos comissários, por uma, duas, três vezes, Jesus Cristo teria chamado dom Joaquim, que nem sequer se dera conta da presença de tão ilustre visita. "Está vendo? É a terceira vez que chamo. Vamos embora", dissera Cristo à beata, antes de desistir da visita e desenhar uma cruz com as mãos sob a porta do palácio episcopal. Seria a prova de que não poderiam contar com as boas graças do bispo. Naquele mesmo dia, Jael dizia ter visto Nossa Senhora, toda vestida de verde, que então lhe recomendara: "Remetam o processo ao papa".

Depois disso, o principal interlocutor de dom Joaquim, o bispo Arcoverde, dizia-se convencido de que por trás de toda a questão estavam as articulações de Cícero Romão Batista: "Quanto mais leio, mais asco me causa o procedimento do padre Cícero, sendo ele a causa de que tantas irreverências se cometam diante do Santíssimo Sacramento".

De Fortaleza, padre Clycério achou por bem advertir o colega Cícero a respeito das primeiras reações do bispo ao relatório final. "Achei o bispo bem prevenido contra os negócios do Juazeiro", avisou, em carta sigilosa, datada de 16 de novembro de 1891. Após receber a íntegra do inquérito, dom Joaquim não camuflara a insatisfação em relação ao que lera. "Ele mostrou abertamente não dar maior valor ou merecimento ao mesmo processo; não acha ele provada a transformação das hóstias, não reconhece nas beatas que figuram no processo o dom da contemplação", lamentou Clycério. "Conhece-se muito pouco a teologia mística em nosso país. A sociedade mais culta, em sua grande maioria, não está preparada para tais coisas."

Não precisou muito tempo para que dom Joaquim tomasse as providências que julgava cabíveis. Uma das primeiras medidas foi destituir monsenhor Monteiro do cargo de reitor. Iria ainda além, diante da constatação de que os principais membros do seminário do Crato eram unânimes em defender a tese de milagre: simplesmente decretou o rompimento do órgão em relação à diocese. "Pode Vossa Reverendíssima continuar a dirigir, sob sua única responsabilidade, este estabelecimento, o qual deixará de ter então o caráter de seminário e tomará o nome com que Vossa Reverendíssima quiser designá-lo", indicou, em despacho a Monteiro.

Quanto a Cícero, o bispo informou que ele estava proibido de ouvir confissões de mulheres à noite, bem como de fazer qualquer espécie de vigília com beatas na capela de Juazeiro — o que na prática significava o fim das sessões da irmandade. Fora durante uma dessas sessões que se dera, pela primeira vez, o fenômeno com Maria de Araújo. O bispo lembrava ainda a Cícero que era terminantemente proibida a impressão de livros e folhetos a respeito de presumíveis milagres sem prévio exame e aprovação da diocese. Caso desobedecesse a qualquer uma daquelas recomendações, estava sujeito à imediata suspensão de suas ordens eclesiásticas.

Dom Joaquim exigiu que Cícero mandasse de volta, por um urgente mensageiro, todas as cartas que havia lhe enviado, explicando que não fizera cópia de nenhuma. Iria precisar delas para se documentar a respeito do caso. "Nunca pensamos, padre Cícero, que em um processo de verificação de milagres se levantasse tão grande escarcéu contra o bispo diocesano", repreendeu Joaquim.

Ele censurava o fato de José Marrocos ter enviado consultas a diversas autoridades religiosas à revelia do curso normal do inquérito. Contudo, como última prova de boa vontade, o bispo solicitava que Cícero indicasse nomes dos teólogos que bem desejasse, a quem seriam feitas novas consultas a respeito do caso, agora com a devida chancela do bispado.

A resposta de Cícero às reprimendas iniciais do bispo, escrita nove dias antes do Natal daquele ano de 1891, foi a mais reverente possível. Em vez de insurgir-se contra as determinações de seu superior, o padre redigiu a dom Joaquim uma carta dócil, em tom de franca submissão, na qual soube utilizar-se de toda a cautela e de toda a diplomacia que a situação exigia. "Nunca pensei, nunca quis nem quero causar desgosto a pessoa alguma, quanto mais a Vossa Excelência; Deus o sabe", desculpou-se o padre Cícero.

> Vendo quanto Vossa Excelência está contrariado e desgostoso, não sei dizer da amargura que sofro. Se acaso no correr dos negócios aqui alguma coisa houve que Vossa Excelência não achou correto e se dá por ofendido, peço pelo amor de Deus que me perdoe, pois a minha intenção não é ofender a Vossa Excelência nem de leve; e sobretudo quando se trata de uma causa de Deus.

A carta terminava com a mesma inflexão respeitosa: "Faça o que quiser de mim. Não quero ter vontade. Faço em tudo a vontade de Deus". Apesar disso, Cícero continuava a afirmar sua crença no milagre: "Senhor bispo, eu estou persuadido que estas coisas daqui são de Deus, e são verdade, por isso quisera que Ele encarregasse outro que fosse um instrumento mais apto para sua honra, glória e vontade, e não a mim que nem sei falar e me falta tudo". Por fim, vinha a reafirmação do princípio da obediência, seguida da evocação de que os céus seriam o melhor juiz de toda aquela questão: "Submeto-me de todo o meu coração a qualquer decisão da Santa Igreja, e peço e espero que Nosso Senhor dará triunfo de sua causa. Louvado seja Deus que tão justamente me fere".

Enquanto Cícero tentava abrandar as irritações de dom Joaquim, Arcoverde incentivava o colega no sentido exatamente contrário. Para ele, Joaquim fora condescendente demais com Cícero e com as beatas do Juazeiro. Daí, na sua opinião, os fatos terem chegado a tal nível de ebulição. Dom Arcoverde considerava que o capelão de Juazeiro havia muito deveria ter sido suspenso, junto com monsenhor Monteiro, o primeiro a proclamar, no altar, a ideia de milagre. Estivesse no lugar de dom Joaquim, já teria ordenado o recolhimento de Maria de Araújo a Fortaleza, sob pena de excomunhão. "Assim teria evitado todos os escândalos que se têm dado, e a celeuma que se vai levantando", opinou.

Arcoverde recomendou a dom Joaquim que, por mais tarde que pudesse parecer, era chegada a hora de tomar uma decisão implacável para pôr uma pedra sobre o assunto. O bispo deveria mandar queimar tudo o que existia a respeito dos episódios do Juazeiro: panos, toalhas e lenços manchados de sangue. "Que se fechem em um baú de lata e se remetam a Vossa Excelência, que os fará queimar à sua presença", sugeriu. Como medida adicional, aconselhou que dom Joaquim não perdesse mais tempo e enviasse o caso para ser apreciado por quem era responsável pela repressão aos hereges: "Mande o processo para Roma, para ser julgado pela Inquisição".

8

Diocese confisca os paninhos manchados de sangue: "Mandaremos pelos ares esse Juazeiro"

1892

Quando, por volta das onze e meia daquela manhã, Cícero deixou a capela de Nossa Senhora das Dores e rumou para casa, foi avisado de que havia uma visita esperando-o para o almoço. Quem estava ali sentado pacientemente, já havia cerca de uma hora, era o padre Antônio Alexandrino de Alencar, o novo vigário do Crato, recém-nomeado pela diocese. No bolso da batina, o visitante trazia uma correspondência para o capelão de Juazeiro, com a recomendação de que deveria ser entregue em mãos.

Alexandrino acabara de ser transferido para o Cariri com a missão de dar cabo, em definitivo, dos assuntos do Juazeiro. Se dois insignes doutores, padres Clycério e Antero, não haviam conseguido realizar a tarefa, dom Joaquim esperava que um sacerdote com o perfil de Alexandrino, menos ilustrado, porém mais afeito à disciplina, pudesse vir a fazê-lo sem demora. Ex-pároco de Quixadá, cidade do sertão central cearense, o novo vigário chegara a ocupar uma cadeira na Assembleia Provincial entre 1886 e 1887, mas aos 44 anos de idade, depois de 25 anos de efetivo sacerdócio, continuava a ser um simples pároco de aldeia, com passagem pelas modestas freguesias de Lavras e Araripe, de onde fora acanhado coadjutor.

Formalizados os cumprimentos de praxe, Alexandrino não revelou de imediato a Cícero o motivo daquela inesperada visita. Conversaram amenidades, trocaram gentilezas protocolares, comeram lado a lado. Contudo, não houve tempo sequer para o quilo, a providencial digestão após o almoço. Ao pôr os talheres de lado, o vigário do Crato pediu que ambos se recolhessem em particular ao consistório da igreja. Trazia mensagem oficial, urgente, da parte de dom Joaquim.

Aqueles dois homens de batina negra atravessaram a rua, entraram na capela e trancafiaram-se no aposento reservado. Antes de entregar a Cícero as duas folhas de papel dobradas que trazia no bolso, Alexandrino apressou-se a comunicar que por ordens do bispo não deveria haver, naquele ano, cerimônias religiosas durante o transcurso da Semana Santa no Juazeiro. Estavam proibidas quaisquer manifestações públicas ao longo do período, bem como a bênção de peregrinos que chegassem ao povoado para celebrar a Paixão de Cristo. Nada de representações da Via Sacra, procissões noturnas com velas acesas e desfiles de andores cobertos de roxo em sinal de luto pela morte de Jesus. A dor e a fé teriam de ser exercidas em respeitosa contrição, no âmbito dos lares — ou na capela, de modo estrito, apenas durante o horário regular das missas. Boa romaria faz quem na sua casa fica em paz, sugeria Alexandrino, dando razão ao dito popular.

Dom Joaquim exigia que tal resolução fosse rigorosamente atendida, para evitar surtos histéricos de beatos e beatas, o alastramento de catarses coletivas e novas demonstrações de fanatismo. As notícias escandalosas que chegavam do Juazeiro à capital haviam ultrapassado todos os limites do razoável. Feita aquela primeira advertência, Alexandrino puxou do bolso as folhas de papel e passou-as às mãos de Cícero. Ali estava redigida outra determinação diocesana, ainda mais austera, tanto que o bispo decidira comunicá-la por escrito, para não deixar margem a equívocos.

Cícero desdobrou o papel e viu no alto das páginas timbradas o brasão eclesiástico, ao lado da observação grafada a mão: "Reservado". De imediato, reconheceu no corpo da carta a caligrafia de dom Joaquim, disposta como sempre em linhas perfeitamente regulares, apesar da ausência de pautas na folha. Era um ofício datado de 12 de janeiro, embora já estivessem em 25 de fevereiro. Alexandrino explicou que recebera o documento em Fortaleza, no início do ano, quando estivera em audiência com o bispo, bem antes de tomar a estrada para assumir a paróquia do Crato. Não obstante ter se instalado havia cerca de quinze dias no Cariri, padre Alexandrino não encontrara até então a oportunidade favorável para fazer o ofício chegar imediatamente ao destinatário, como recomendara dom Joaquim. Ele até esperara por uma visita de Cícero ao Crato, mas, como o capelão de Juazeiro não se dignara a aparecer na cidade — a não ser no dia da posse de Alexandrino como novo vigário —, ele próprio decidira ir ao povoado para cumprir com a obrigação e entregar a correspondência.

Dom Joaquim fora econômico nas palavras, mas bem explícito em suas intenções. O ofício, constatou Cícero, era de uma inescapável objetividade:

> Fortaleza, palácio episcopal do Ceará
> 12 de janeiro de 1892
> Ao reverendo Cícero Romão Batista
>
> Reverendíssimo Senhor,
>
> Haja Vossa Reverendíssima de entregar ao reverendo padre Antônio Alexandrino de Alencar, pároco dessa freguesia do Crato, a caixa de vidro existente nessa capela do Juazeiro com todo o conteúdo da dita caixa, conforme consta das folhas 29 e 30 do processo instaurado sobre os fatos extraordinários sucedidos com Maria de Araújo.
>
> Essa entrega Vossa Reverendíssima a fará dentro de oito dias impreterivelmente depois de recebido este ofício, nas seguintes condições:
>
> Vossa Reverendíssima, depois de entender-se com o reverendo pároco acerca do dia em que determinar fazer a entrega, tomará a dita caixa, a envolverá em um véu ou em uma toalha, e sem nada comunicar a quem quer que seja, a conduzirá pessoalmente ou a entregará a algum sacerdote para conduzi-la, sem aparato algum, até a Matriz do Crato, onde será recebida pelo mesmo pároco que passará o respectivo recibo.
>
> Não é permitido de modo nenhum dar-se qualquer culto a tal caixa.
>
> O que acima fica dito, Vossa Reverendíssima o cumprirá sob pena de suspensão *ipso facto* no caso de desobediência.
>
> Abençoe Deus a Vossa Reverendíssima.
> Dom Joaquim, bispo diocesano

De acordo com os relatos minuciosos que Alexandrino faria daquele encontro, Cícero mostrou-se bem abalado após receber o ofício. Chegou a ler o mesmo documento três vezes seguidas, antes de pronunciar qualquer sílaba a respeito. Depois de minutos imerso em silêncio, enfim recobrou a fala e afirmou, transtornado, que não entregaria a ninguém a urna de vidro com os paninhos manchados de sangue. Nem a Alexandrino nem ao bispo. Não esperassem dele tal coisa.

Alexandrino insistiu: o ofício assinado por dom Joaquim não deixava lugar para interpretações ou recusas. Não havia o que discutir. Desobedecer seria atitude inconsequente. Acossado, Cícero tentou explicar que, caso entregasse os paninhos, imaginava que o bispo ordenaria que eles fossem sumariamente destruídos. Como tinha convicção de que o sangue de Cristo estava ali presente, Cícero não poderia consentir que as relíquias fossem profanadas. Alexandrino retrucou. Seria insensato, um desatino, desrespeitar um ofício como aquele, assinado pelo superior eclesiástico. Por várias ocasiões dom Joaquim já discorrera sobre a impossibilidade de o sangue de Jesus Cristo estar presente naquele amontoado de panos: Cristo derramara seu sangue uma única vez, havia quase 2 mil anos, e na cruz. Não lera o que já cansara de escrever o bispo, baseado na leitura da teologia de Santo Tomás de Aquino?

Cícero se disse determinado. Só se curvaria a Santo Tomás de Aquino — ou a qualquer outro teólogo — se alguém lhe provasse que Jesus, autor de tantas maravilhas, fosse incapaz de fazer jorrar de novo seu sangue, se assim bem o quisesse, e da forma que bem entendesse. Ao pressentir que a conversa não prometia chegar a bom termo, padre Alexandrino apresentou suas despedidas. Mas avisou que, no Crato, o padre Sother de Alencar recebera uma ordem semelhante: deveria entregar a caixa idêntica, que se encontrava na casa de caridade, no prazo estipulado por dom Joaquim. Antes de partir, Alexandrino ainda recomendou que Cícero refletisse melhor sobre o assunto, pusesse a mão na consciência e cumprisse os votos de obediência devidos ao bispo.

Conforme dispunha o texto do ofício, Cícero ainda tinha oito dias para entregar a urna, a contar daquela data. Portanto, o prazo final para que mudasse de ideia era 3 de março, uma quinta-feira. Até aquele dia, folhinha após folhinha do calendário, Alexandrino

Acima o padre Antônio Alexandrino de Alencar, encarregado pelo bispo de "desmascarar a farsa" que teria sido armada por Cícero aguardaria por notícias, na sede da paróquia. Depois disso, caso o capelão de Juazeiro insistisse na perigosa teimosia, seria obrigado a comunicar a dom Joaquim que a ordem episcopal não fora cumprida. A pena, Cícero havia lido, era bem severa: suspensão. Se tal ocorresse, ele não poderia mais rezar missa, confessar fiéis, ministrar sacramentos. Seria um pária dentro da Igreja.

O seminário do Crato continuava de portas fechadas. Tamanho era o abandono do lugar que os formigueiros ameaçavam tomar conta dos terrenos que circundavam o prédio, de acordo com um relatório enviado por padre Alexandrino ao bispo. A ideia de que o estabelecimento pudesse continuar aberto, desde que permanecesse desligado da diocese, logo foi revista por dom Joaquim, que decretou a interrupção das aulas. O reitor, monsenhor Francisco Monteiro, depois de destituído do cargo, foi transferido da região e estava oficialmente proibido de pregar na cidade ou localidades vizinhas. Isolado em Iguatu, cerca de 23 léguas — 154 quilômetros — ao norte do epicentro dos fenômenos que tanto propagandeara, Monteiro escrevia cartas suplicantes ao bispo: "Peço a Vossa Excelência que por caridade consinta que eu volte logo para o Crato [...]. Eu sou amigo particular do Alexandrino, viveremos bem [...]. Já prometi a Vossa Excelência e garanto em fé do meu caráter sacerdotal não dizer mais uma palavra sobre os negócios do Juazeiro".

O bispo não se sensibilizou. Mas decidiu que não enviaria — ainda — o caso a Roma, para ser submetido ao Santo Ofício, como sugerira Arcoverde. Dom Joaquim avaliava que o processo instruído por Clycério e Antero estava tão atulhado de absurdos, contaminado que fora pelo catolicismo rústico das beatas, que poderia vir a ser entendido como uma zombaria pelos bispos e cardeais do Vaticano.

Joaquim resolvera só enviar alguma documentação a Roma quando tivesse provas contundentes contra o caso. Somente depois disso seria conveniente levar o inquérito a uma instância superior, imaginava. Por enquanto, trataria de apertar o torniquete em volta dos ânimos dos partidários do milagre. A primeira iniciativa nesse sentido foi enquadrar o padre Quintino Rodrigues, aquele a quem até então o bispo tivera na conta de "pérola do seminário da Prainha". Desgostoso com a leitura que fez do depoimento de Quintino nas páginas do inquérito, dom Joaquim enviou-lhe, em segredo, uma consulta por escrito, na qual pedia esclarecimentos sobre pontos específicos do interrogatório que lhe soaram bizarros. "Não tem encontrado em Maria de Araújo alguma contradição, alguma falta de verdade, alguma impostura ou ostentação?", indagava.

O bispo queria que ele confirmasse se realmente assistira à transformação da hóstia e se de fato vira crucifixos verterem sangue, como afirmara antes a Clycério e Antero. Quintino, mediante a perquirição de dom Joaquim, capitulou. Retratou-se. Em tom de confidência, alegou que não vira propriamente o exato momento em que a imagem de bronze começara a sangrar, pois durante alguns segundos Maria de Araújo a encobrira com o manto. Do mesmo modo, não podia assegurar que a hóstia se tingia de vermelho sem nenhuma interferência externa, pois ao comungar a beata também cobrira o rosto com o véu. A respeito de Maria de Araújo discernir palavras em latim, Quintino agora dizia desconfiar que a mulher apenas reconhecia sons de certos vocábulos, com pronúncia assemelhada ao do português. Por fim, assegurava que em pelo menos uma ocasião flagrara Maria de Araújo em evidente mentira, justamente quando Quintino indagara a ela a respeito de uma das supostas comunicações espirituais. Ao pressioná-la para que desse detalhes do dito episódio, a beata teria deixado escapar um sorriso encabulado — e a revelação de que não estaria dizendo a verdade. Em suma, ao contrário do que afirmara no depoimento oficial, Quintino traçou reservadamente ao bispo o retrato de uma Maria de Araújo dissimulada e embusteira. Uma mulher capaz de mentir para padres, de ludibriar os mais incautos, de forjar prodígios por baixo do manto negro de beata: a cruz nos peitos, o diabo nos feitos.

Dom Joaquim considerou as novas declarações de seu pupilo um atestado de arrependimento sincero e voltou a incluí-lo no rol dos aliados. Comunicou-lhe que, quando decidisse reabrir o seminário, faria dele o novo reitor. Para o bispo, as máscaras dos arautos dos milagres estavam começando a cair. Era chegada a hora de recuperar as ovelhas extraviadas.

No conceito de zelo apostólico de dom Joaquim, Clycério e Antero haviam sido benevolentes em excesso, quem sabe com o objetivo de abrir um canal de diálogo mais pacífico entre a Igreja e a mística popular. Agindo de boa-fé, quiçá apenas buscassem facilitar a transmissão da mensagem cristã ao povo mais simples do sertão. Podiam não ter pecado na intenção, mas haviam errado na direção e na medida. Por cogitar tal hipótese, após enquadrar Quintino, o bispo ainda não desistira de reaver também os préstimos dos dois proeminentes membros da primeira comissão de inquérito.

É bem verdade que padre Clycério, que presidira a investigação, era tido como um caso quase perdido pela diocese. Trocara o elevado cargo de secretário do palácio episcopal por uma provisão no pequeno e então recém-criado município de União (futura Jaguaruana), antes conhecido pela prosaica denominação de Catinga do Góes, desmembrado de Aracati, cidade litorânea do Ceará. "O coitado do padre Clycério, exaltado pelos embustes das beatas do Juazeiro, ferido em seu amor-próprio porque não aprovamos o seu parecer, retirou-se para as praias", lamentava o bispo a seu interlocutor cada vez mais constante, o colega Arcoverde.

Quanto a padre Antero, dom Joaquim alimentava real expectativa de vê-lo o quanto antes reintegrado ao rebanho. Enxergava nele uma rês extraviada pela má influência do parceiro de inquérito, mas um discípulo ainda perfeitamente passível de recuperação. Com esse intuito, escreveu-lhe cartas amistosas, sempre tentando trazê-lo de volta para as hostes palacianas. "Meu bom amigo, esta questão do Juazeiro tem me feito perder o sono muitas vezes, por causa do mal que está resultando das imprudências do padre Cícero", comentava. O bispo chegou até a acenar com a possibilidade de Antero assumir um cargo na alta hierarquia episcopal.

A troca de correspondência entre dom Joaquim e padre Antero revelava um curioso duelo intelectual, no qual se confrontavam posições teológicas francamente antagônicas. "O sangue do Juazeiro, quer dos panos, quer das partículas, é um sangue morto, seco, coagulado e sujeito à corrupção, logo não pode ser o sangue real de Nosso Senhor Jesus Cristo", argumentava dom Joaquim, ao sustentar que era Maria de Araújo, uma mulher tida e havida como doente dos nervos, talvez epiléptica, que provavelmente sofria escarros de sangue.

Antero contestava. Os médicos haviam descartado a hipótese de enfermidades na mulher e ele próprio tinha presenciado as transformações. Vira a hóstia branca mudar-se em uma substância líquida e vermelha. "Se admitirmos que o sangue seja de Maria de Araújo, devemos também admitir um outro milagre *sui generis* — atribuir ao sangue dela a propriedade de converter instantaneamente uma substância em outra." Sobre a promessa de vir a assumir um cargo episcopal, Antero apresentava polidas evasivas para declinar da oferta: "Se Vossa Excelência me desejar algum bem, como acredito, faça com que tal coisa nunca suceda; além de me faltarem todos os predicados perante Deus, gozo de tão pouca saúde, como bem sabe Vossa Excelência".

Enquanto isso, Arcoverde continuava a cobrar mais energia de dom Joaquim, pois chegara a seu conhecimento que o recalcitrante José Marrocos, com a provável conivência do padre Cícero, prosseguia fazendo publicidade dos alegados milagres. Arcoverde lera uma matéria sobre o assunto em uma revista religiosa portuguesa, a *Programmo Catholico*, editada na cidade lusitana de Guimarães, em cujos parágrafos identificara o estilo do ex-seminarista. "Não sei se já chegaram a Roma tais declarações do senhor Marrocos. Creio que ali o homem naufragará desastrosamente — e com ele todos os mais que levianamente concorrem para dar corpo e aparatosa publicidade a semelhantes fenômenos", escreveu Arcoverde ao bispo do Ceará.

Em confiança irrestrita ao destinatário, dom Joaquim confidenciava que certos aspectos do inquérito o deixaram realmente impressionado. "Os milagres são possíveis, e os fatos do Juazeiro são extraordinários; estou convencido, plenamente convencido, de que não são sobrenaturais, mas é preciso prudência na direção do negócio", explicava. "Vossa Excelência diz que eu devo mandar vir a Maria de Araújo para a capital... não, não penso assim... pois hei de mandar vir de distância de cem léguas uma pobre moça epiléptica, filha de uma pobre mulher paralítica, sem recursos?", ponderava.

De seu lado, Arcoverde insistia em um ponto capital: Cícero, Maria de Araújo, José Marrocos, monsenhor Monteiro ou qualquer outro ente mortal não seriam os verdadeiros responsáveis pelos rumos que tomara o caso do Juazeiro. Ao ler a íntegra da cópia do inquérito que lhe fora enviada por dom Joaquim, tivera reforçada a crença pessoal de que o diabo estava administrando os espíritos do lugarejo. Arcoverde pressentia um funesto cheiro de enxofre no ar: "Vossa Excelência havia dito que esses fatos não eram de Deus nem do demônio. Esta proposição me pareceu arriscada. Acho difícil, agora com os depoimentos em mão, poder qualificar de meras ilusões e embustes os fenômenos que se têm dado no Juazeiro e no Crato. Como dizer que são meras ilusões as celebérrimas e estupendas comunhões dos padres da memorável comissão?", indagava Arcoverde, referindo-se ao episódio das hóstias ensanguentadas que teriam aparecido no ar e, em seguida, consumidas por Antero e Clycério. "Olhe, aqui para nós, é difícil encontrar uma coleção de padres do calibre que compunham a tal comissão que Vossa Excelência enviou ao Crato", reconhecia, convicto de que só Satanás seria capaz de ludibriar homens preparados como aqueles.

De todo modo, Arcoverde aprovava as últimas resoluções de dom Joaquim: o fechamento do seminário, a proibição da permanência de monsenhor Monteiro no Crato, o confisco dos paninhos e a ameaça de suspensão de Cícero. Previa que, com apenas um pouco mais de dispêndio de tempo e de severidade, toda a dissidência e toda a força maligna seriam dissipadas: "Que gostosas risadas havemos de dar quando tivermos a sorte de nos encontrar. Então mandaremos pelo ar todo esse Juazeiro que tanto trabalho tem dado ao coração de Vossa Excelência", resumiu.

Foi uma semana inteira de exasperação. No oitavo dia, a fatídica data-limite imposta pelo bispo, Cícero finalmente cedeu. A contragosto, comunicou a Alexandrino que decidira entregar-lhe a urna de vidro. Abalado, Cícero pediu apenas que o vigário, ao remeter os paninhos à diocese, escrevesse ao bispo implorando por tudo o que era mais sagrado neste mundo que as relíquias não fossem atiradas, como simples trastes, ao apetite do fogo. Alexandrino, é claro, não ousaria repassar semelhante demanda a dom Joaquim, mas tratou de comunicar a súplica que lhe fizera Cícero — a quem então descreveu como um indivíduo deprimido, caído no mais profundo abatimento.

Para os críticos do milagre, a hesitação de Cícero em entregar os panos era vista como um comportamento suspeito, altamente comprometedor. Estaria ele querendo evitar um possível exame químico nas tais relíquias, sob a autorização diocesana? — questionariam os adversários. Cícero refutava tal acusação. Na verdade, cuidava para que não fossem suprimidas as provas mais eloquentes — e hipoteticamente sagradas — do milagre do Juazeiro. De todo modo, de acordo com a determinação de dom Joaquim, Alexandrino envolveu de cuidados a entrega da urna, despindo a ocasião de qualquer solenidade ou aparato, para evitar testemunhas inoportunas. Orientou Cícero a levá-la ao Crato em plena meia-noite, sozinho, sem dar conhecimento do fato a ninguém. Por esse motivo, Juazeiro inteira dormia quando o pesaroso capelão selou a montaria e pegou a estrada de pó até a cidade, protegido dos olhares mais curiosos pela escuridão da noite. Ao receber a caixa de vidro envolvida em uma toalha, Alexandrino agradeceu, elogiou o gesto de Cícero e disse que a guardaria em lugar seguro, até que dom Joaquim mandasse novas orientações a respeito.

De posse da urna, dispensou Cícero e, previdente, mandou-o embora de volta ao Juazeiro. Dali por diante, era com ele, Alexandrino. Somente ele, ninguém mais, saberia onde ficaria depositada a caixa de vidro. Ainda na calada da noite, o vigário esvaziou a urna e transferiu seu conteúdo para o sacrário do altar principal da matriz do Crato, onde os paninhos permaneceriam trancados, aninhados uns sobre os outros. Deveriam ficar ali até o dia em que o pároco viajasse para Fortaleza e, conforme o combinado, pudesse entregá-los pessoalmente ao bispo. Mergulhado na penumbra da igreja, Alexandrino fechou a portinhola do sacrário e guardou a chave no bolso. Não mais tiraria aquela chave de perto de si, zelando por ela como quem guarda a própria vida. A urna de vidro, já vazia, seria enterrada em lugar ignorado, cumprindo outra das deliberações do bispo.

Pelo que reconhecia a correspondência de Alexandrino a dom Joaquim nessa época, aqueles foram dias bem difíceis para Cícero — e para os juazeirenses em geral. Apesar do inverno generoso, das chuvas abundantes que então caíam no Cariri, a atmosfera era de absoluta desolação. A notícia de que dom Joaquim confiscara a urna com as relíquias provocou indignação nos peregrinos e nas beatas, mas também esmorecimento. A proibição das celebrações da Semana Santa, que se aproximava, contribuía para alquebrar ainda mais os espíritos. O fato de o seminário permanecer fechado aumentava o desgosto da população, uma vez que muitas famílias, inclusive as bem situadas, tiveram de ver seus filhos interromperem bruscamente os estudos. Nos longos sermões dominicais, do alto do púlpito, padre Alexandrino refutava a tese de milagre e, intensificando uma pastoral baseada no medo, ameaçava os mais resistentes com a danação eterna.

Com isso, angariou a antipatia dos juazeirenses. Alexandrino tornou-se a encarnação do inimigo. "Que importa que aquela gente toda esteja furiosa com você? Eles não sabem o que fazem", incentivava-o dom Joaquim a prosseguir no cumprimento da árdua missão. Para completar o quadro de consternação coletiva no Cariri, espalhou-se a notícia de que Alexandrino iria comandar uma nova comissão para investigar o fenômeno das transformações da hóstia em sangue. Ou seja: tudo o que haviam feito Clycério e Antero, as verificações, os interrogatórios, os depoimentos, os atestados médicos, nada daquilo fora levado em consideração pelo bispo.

Padre Alexandrino convidou Cícero para participar como testemunha dos trabalhos dessa segunda comissão, presidida por ele, Alexandrino, e secretariada pelo padre Manoel Cândido dos Santos, 38 anos, ex-promotor do bispado e então vigário de Barbalha. Era, sem dúvida, uma dupla bem menos refinada intelectualmente do que a primeira. Dom Joaquim retirara a condução do caso das mãos de dois doutores eruditos para colocá-la sob a supervisão de dois curas de província.

Cícero, consternado com o rumo dos acontecimentos, rejeitou a hipótese de tomar parte no assunto. Comunicado de tal recusa, dom Joaquim achou por bem não pressioná-lo. Até achava prudente mantê-lo afastado das novas experiências com Maria de Araújo. Por outro lado, já que Cícero e as beatas diziam falar com Jesus Cristo, o bispo exigia que o capelão de Juazeiro consultasse os céus e remetesse respostas a quatro perguntas básicas:

> 1) O que se dará no Brasil, dentro de um ano, quanto à ordem política?; 2) Quais serão os bispos nomeados para os novos bispados?; 3) Quem será nomeado arcebispo da Bahia?; 4) Em que ano e em que mês se dará a reunião dos bispos brasileiros em um Concílio?

Ora, justificava dom Joaquim, se era verdade que existia gente em Juazeiro capaz de ter colóquios com a Corte Celeste, não haveria dificuldade nenhuma para satisfazer a tais questões. Perto da razão, longe da culpa, supunha. Entretanto, não houve resposta. "Quanto às profecias, sinto não poder satisfazer a Vossa Excelência Reverendíssima, e me acho com tão pouca fé que não tenho ânimo de pedir a Nosso Senhor que me conceda esta graça", desculpou-se o padre Cícero.

O desejo de dom Joaquim em desmascarar um presumível embuste era tão manifesto que, no afã de abreviar o caso, acabariam sendo atropeladas algumas formalidades canônicas. Se a primeira comissão havia respeitado todos os rituais protocolares, a segunda seria estabelecida de modo quase informal, sem decreto ou portaria eclesiástica que a respaldasse. Em vez da tomada de dezenas de testemunhas e de detalhados termos de verificação, a recomendação de dom Joaquim era de que fosse levada a efeito uma espécie de rito sumário: Alexandrino deveria oferecer a comunhão à beata Maria de Araújo em três dias consecutivos, sempre nas dependências da casa de caridade do Crato, cuidando para que, desta feita, ela não portasse nenhum manto sobre a face nem fechasse a boca antes de receber ordem em contrário.

A ideia era que, sem poder esconder o rosto e sem cerrar os lábios, ficariam afastadas as possibilidades de a beata vir a cometer algum tipo de fraude. Alexandrino tinha a tarefa de desconstruir, em apenas três dias, tudo o que a primeira comissão coletara em mais de um mês de trabalho. "Espero em Deus que não tardarei a ver desmascarados os fanáticos desta terra", prometeu Alexandrino.

Toda moeda servia. Quem não possuía dinheiro vivo podia deixar um bem qualquer, por menor que fosse o valor. Anéis, pulseiras, cordões. Uma galinha, uma cabra, um cabrito, um jumento. Tudo seria revertido para a causa, a grande corrente de esmolas e donativos organizada por Cícero para custear a viagem de um representante ao Vaticano. O bispo ficaria bem desapontado quando soubesse quem seria o advogado e embaixador dos milagres junto à Santa Sé: padre Antero. Ele, que continuava a trocar cartas educadas com dom Joaquim, prontificou-se a representar os interesses do Juazeiro no tribunal do Santo Ofício, como fiel procurador do padre Cícero.

À proporção que a população se mobilizava para obter o dinheiro necessário à empreitada, Antero queimava pestanas e passava noites em claro preparando a documentação que deveria levar na viagem. Marrocos traduzia cartas e outros escritos para o latim e o italiano, enquanto o próprio Antero produzia uma cópia fidedigna do primeiro inquérito, com a íntegra do depoimento de todas as testemunhas.

Da distante cidade de União, padre Clycério escrevia a Cícero e a José Marrocos para orientá-los a respeito dos passos que deviam ser tomados na defesa da questão. Como o bispo ainda não remetera nenhuma decisão final a Roma, não era o caso de fazer uma apelação protocolar, mas uma prévia comunicação formal, para que a Santa Sé tivesse ciência de todos os acontecimentos — inclusive do risco de uma possível eliminação de provas, caso os paninhos fossem incinerados pelo bispo diocesano, como se temia.

Do mais humilde juazeirense aos proprietários de terra mais graúdos da região, centenas de pessoas atenderam ao chamado de Cícero. Padre Antero calculara que seriam necessários pelo menos cerca de dois contos de réis para pagar as despesas da viagem, então o equivalente a dois anos de salários de um funcionário público, no nível de amanuense, em uma repartição de Fortaleza. O volume de recursos arrecadados em Juazeiro superou todas as expectativas, o que patenteava o já enorme prestígio de Cícero, inclusive para além das fronteiras do Cariri. O coronel Andrelino Pereira da Silva, rico fazendeiro pernambucano, que se empavonava do título de barão do Pajeú, doou para a causa, sozinho, a quantia de 300 mil-réis em espécie, além de trezentas cabeças de gado.

Mas o grosso das doações vinha mesmo das pequenas ofertas, saídas do bolso raso dos peregrinos. O povoado, convertido à categoria de solo sagrado à revelia do bispo, estava a cada dia mais coalhado de gente. Não há documentos confiáveis que indiquem, com precisão, o número de pessoas que desde então se fixaram no lugar, embora as meticulosas cartas de Alexandrino denunciassem as crescentes multidões de fiéis que, atraídos pelas histórias dos milagres, iam em busca dos conselhos e da bênção de Cícero, o diretor espiritual e o confessor da beata Maria de Araújo. Juazeiro se transformara em um formigueiro humano. Abriam-se novas ruas, construíam-se mais casas. O povoado crescia em torno da fé popular.

Ao passo que a beata mergulhava em temeroso e forçado isolamento, Cícero agigantava-se na admiração dos peregrinos. As ações do bispo, entendidas pelos romeiros como injusta perseguição, estavam fazendo do padre do Juazeiro um mártir, alguém cujo infortúnio e padecimentos em nome da causa santa — a defesa do milagre — despertavam a adesão piedosa das massas. Segundo Alexandrino, uma frase se tornara cada vez mais comum entre o povaréu do Cariri:

"Acredito mais no padre Cícero do que no bispo; porque tudo o que o padre faz é mandado por Deus, com quem inclusive conversa; e o bispo, não."

Durante torturantes dezesseis minutos, Maria de Araújo permaneceu de boca aberta, a hóstia mantida sobre a língua imóvel, diante do olhar ríspido de padre Alexandrino. Por mais de um quarto de hora, ela não se mexeu, não ousou mudar de posição. As dores no maxilar e o adormecimento da mandíbula logo se tornaram insuportáveis. Mas a beata tinha ordem de não cerrar os lábios enquanto tal não lhe fosse autorizado. Relógio em punho, o vigário do Crato acompanhou o lento deslocamento dos ponteiros, um olho no mostrador, outro em Maria de Araújo.

Ao final do 16º minuto, quando constatou que não havia o mais leve sinal de sangue sobre a hóstia, Alexandrino enfim ordenou que a beata mantivesse os lábios fechados por exatos dois minutos, ao término dos quais deveria escancarar novamente a boca. Alexandrino apontou vitorioso para a língua da mulher, sem nenhum indício de hemorragia sobre a partícula consagrada. A hóstia lentamente se desmanchava, em meio à saliva. Naquele 20 de abril de 1892, a segunda comissão nomeada por dom Joaquim, tendo o arrependido padre Quintino como testemunha, comemorou o que julgava ser o início do desmonte da farsa.

Alexandrino demorara mais de dois meses para proceder àquela verificação. Não o fizera antes porque Cícero argumentara que a beata se encontrava gravemente enferma, sem condições físicas de se submeter a novas provações. Para não parecer intransigente, o vigário do Crato aguardou o restabelecimento de Maria de Araújo. Sabia que era impossível Cícero protelar o assunto por muito tempo, pois do contrário provocaria uma ação mais decidida por parte de dom Joaquim. O bispo já estava suficientemente irritado e, todos sabiam, não convinha alimentar ainda mais suas zangas.

No dia 21, seguindo o roteiro preestabelecido, repetiu-se a cena. Às sete da manhã, na casa de caridade do Crato, Maria de Araújo, sem o habitual véu escuro sobre a cabeça, ficou de boca aberta durante tempo ainda maior: ininterruptos vinte minutos. Como na véspera, nada de sangue. Não se deu nenhuma transformação. Padre Alexandrino ordenou que ela fechasse os lábios e contou outros sete minutos no relógio de algibeira. Ao final, ordenou que a beata abrisse mais uma vez a boca. A fina hóstia se desmanchava normalmente sobre a língua. Branca, redonda, inalterada. Nenhum prodígio, nenhuma maravilha. No dia 22, Maria de Araújo permaneceu de boca aberta por novos quinze minutos após receber a Eucaristia. Mais uma vez, nada. Nenhum milagre.

Alexandrino considerou a missão cumprida. Os defensores dos fenômenos contra-argumentavam que, nas condições constrangedoras a que fora submetida a beata, teria sido impossível ocorrer a interferência da mão divina. Manter Maria de Araújo com a boca aberta e a língua exposta por tão longos intervalos de tempo seria uma desumanidade, um desrespeito e uma irreverência incompatíveis com o sacramento da Eucaristia. As acusações, porém, ricocheteavam de lado a lado. Dom Joaquim considerava que a única forma de evitar fraudes era aquela. Se havia um milagre verdadeiro, a hóstia teria de se transmutar de forma instantânea, aos olhos de todo mundo, sem subterfúgios. Desde o começo recomendara o mesmo procedimento a Clycério, que jamais o cumprira. Alexandrino fizera o que tinha de ser feito, declarou o bispo.

A explicação que a desalentada Maria de Araújo encontrou para a ausência do milagre provocaria a explosão de Alexandrino: "Os padres da comissão não se encontram em estado de graça", acusou a beata. Isso significava dizer que Alexandrino e seu assistente, o vigário Manoel Cândido dos Santos, estavam imersos em pecado mortal: os representantes do bispo teriam deliberadamente ofendido a Deus e, por esse motivo, caso não se arrependessem e pagassem penitência, suas almas estariam condenadas a queimar nos quintos dos infernos.

A declaração da beata valeria uma violenta corrigenda: Alexandrino submeteu Maria de Araújo à palmatória, castigando-a com uma sessão de doze doloridas pancadas na palma da mão direita. Santas não mentem, não cometem aleivosias, não levantam falso testemunho, justificou o vigário do Crato. Com isso, deu o caso por encerrado.

Mal houve tempo para Alexandrino celebrar a vitória. Na mesma manhã em que preparava a comunicação oficial ao bispo a respeito dos sucessos da comissão, descobriu que algo de muito grave acabara de ocorrer bem debaixo das barras de sua batina. Alguém entrara durante a noite na nave da matriz, pé ante pé caminhara até o altar e, diante das imagens sacras, praticara um crime.

A única pista estava no resíduo de cera branca deixado em volta do buraco da fechadura do sacrário, o que explicava a ausência de sinais de arrombamento na portinhola. Quem quer que fosse o autor da façanha, providenciara um molde de parafina e depois, com ele, fabricara uma chave falsa. Não havia levado os castiçais de ouro, nem a patena de latão coberta de prata. O ladrão não estava atrás de metais ou objetos preciosos. Tudo permanecia no mesmo lugar de antes, com exceção de um único e decisivo detalhe: o interior do sacrário estava vazio.

Todos os paninhos manchados de sangue haviam sido roubados.

9

Padre anuncia o fim do mundo: o sertão vai repetir a maldição de Sodoma e Gomorra?

1892-1893

À luz do sol que avermelhava o poente, Cícero ajoelhou-se. Pôs as mãos sobre o solo, inclinou o corpo para a frente e, em um gesto simbólico, beijou o chão do Juazeiro. Ao levantar, pronunciou uma única frase, em entonação humilde: "Eu ofereço o meu sofrimento a Nosso Senhor".

Cícero acabara de ser comunicado, por meio do padre Alexandrino, que o bispo decidira decretar sua suspensão dos quadros da diocese. Por ser considerado o principal suspeito do roubo dos panos ensanguentados, o sacerdote do Juazeiro estava proibido de confessar fiéis, batizar crianças, crismar jovens, fazer casamentos, dar extrema-unção a moribundos e, também, de oferecer a comunhão a quem quer que fosse, em qualquer templo do bispado. Só lhe restava a prerrogativa de rezar missa, ainda assim sem o direito a fazer sermões durante a celebração.

Quando a noite caiu, a informação tirou o sossego do povoado. Diante da notícia de que seu conselheiro e líder espiritual estava suspenso da Igreja, as beatas saíram à rua em desespero, entregando-se ao choro convulsivo, levando as mãos ao rosto e atirando súplicas em direção ao Céu. Era como se aquelas mulheres vestidas de negro da cabeça aos pés houvessem acabado de receber a notícia do fim do mundo. Atordoado com o alarido das beatas, Alexandrino decidiu que o melhor a fazer era ir embora o quanto antes, para evitar possíveis hostilidades contra si. Alegou compromissos urgentes no Crato e, montado em seu cavalo, sumiu na poeira da estrada. Ia a galope acelerado, tangido pelo receio de que os devotos de Cícero o seguissem pelos calcanhares e quisessem descontar nele a enorme decepção que os abatia. "Talvez me estrangulassem", chegou a imaginar, conforme revelou em carta ao bispo.

Ao contrário do que temia, Alexandrino teve o pescoço preservado. Escapou ileso após cumprir a missão de entregar a Cícero a portaria datada do dia 6 de agosto de 1892, na qual dom Joaquim enumerava os sete motivos oficiais que haviam levado a diocese a decidir pela punição: segundo o documento, Cícero incutira no espírito dos devotos uma série de "doutrinas temerárias"; não teria o "indispensável critério para dirigir as consciências dos fiéis"; havia "exposto ao ridículo a fé católica", propagara "pretensos milagres"; perturbara a "paz das famílias", exaltara a "fantasia de moças fracas" e, em especial, contribuíra para que se cometesse um "abominável sacrilégio", ou seja, o furto ao sacrário da matriz do Crato.

Cícero negava todas aquelas acusações, particularmente a última. "Virgem Nossa Senhora, quem mais vai sofrer por causa disso sou eu", teriam sido suas primeiras palavras ao ser notificado do roubo, segundo testemunho do próprio Alexandrino. Mas, para dom Joaquim, mesmo que não fosse o autor material do crime, Cícero o incentivara, direta ou indiretamente, ao permitir que os paninhos manchados de sangue fossem cultuados como relíquias sagradas. Seria ele, em última análise, o principal responsável pelo fato. Estava suspenso. Ponto final. *Extra ecclesiam nulla salus*: Fora da Igreja não há salvação.

A lista de principais suspeitos incluía também padre Antero, que estivera de passagem por Juazeiro para recolher o dinheiro necessário à ida a Roma. Alexandrino ruminava a hipótese de Antero estar de posse dos paninhos, talvez para levá-los na viagem e, quem sabe, apresentá-los como possível prova junto à Santa Sé. "Ainda não pude saber quem os tirou do sacrário, mas para mim é líquido e certo ter havido conivência de padre Antero no roubo dos panos", conjecturava Alexandrino. Quando cobrado pelo bispo, Antero repeliria a acusação com veemência: "Assevero a Vossa Excelência, debaixo de juramento se me exigir, que nunca soube de tal roubo, senão depois de praticado e quando já estava na língua do povo".

José Marrocos, o maior apologista dos fenômenos, era outro que inspirava sérias desconfianças em Alexandrino. "Quase todo o povo desta cidade atribui o roubo a José Marrocos. Dizem que só ele seria capaz de semelhante atentado", conferenciava a dom Joaquim. "Se este homem, que é um verdadeiro gênio do mal, não estivesse aqui desde o começo da questão do Juazeiro, as coisas teriam tomado outro caminho", argumentava Alexandrino, que se sentia em evidente dívida com o bispo por não ter conseguido manter os paninhos sob custódia.

Na ávida tentativa de obter alguma pista, Alexandrino passou a pressionar os beatos mais próximos a Cícero, na certeza de que um deles bateria com a língua nos dentes. Um desses beatos mais conhecidos era o velho Francelino, um negro que fora pajem do andarilho Ibiapina e que passara a viver em Juazeiro do Norte. Túnica comprida, cordão amarrado na cintura, Francelino era a figura do beato típico do sertão. Mão direita sobre a Bíblia, jurou que não sabia de nada sobre o caso, para desalento de Alexandrino. No relato que fez ao bispo a respeito do interrogatório do beato Francelino, o vigário do Crato mostrou-se chocado ao constatar que aquele homem de aparência exótica, vestido de penitente e cajado na mão, não tinha em boa conta a augusta pessoa de dom Joaquim: "Este infeliz chegou a afirmar que não reconhecia Vossa Excelência como superior. Assim se tem formado o espírito do povo desta terra".

Todas as ofensivas de Alexandrino mostravam-se infrutíferas. Na verdade, só serviam para levantar contra ele ainda mais os ânimos no Juazeiro. Tanto que, ao retornar ao povoado dias depois, chegou a ser ameaçado por um grupo de romeiros, que o cercaram de facões em punho. Quando achou que havia chegado a hora de entregar a alma a Deus, Alexandrino foi salvo por uma mão inesperada. "O padre Cícero, sabendo do ocorrido, foi em pessoa contê-los; o que conseguiu", contou ao bispo, aliviado.

O contingente de peregrinos prosseguia maior do que nunca. "Devo declarar que a suspensão não produziu o efeito que Vossa Excelência esperava. Continuam as romarias em larga escala e o dinheiro que deixam no Juazeiro é incalculável", relatou. "Há poucos dias, na minha presença, uma mulher que me parecia pobre deu ao padre Cícero um rosário de ouro de não pequeno valor, dizendo ser para Nossa Senhora das Dores." Alexandrino levantava suspeitas sobre o destino que Cícero oferecia a tais donativos espontâneos. "O padre, muitas vezes, recebendo esmolas dos romeiros, dizia-lhes:

Depois que o bispo
o proibiu de pregar na
igreja, Cícero passou
a falar aos devotos
da própria janela de casa

'Recebo-as exigindo dos senhores que me facultem gastá-las como achar mais conveniente'. Não sei o que isso quer dizer", ironizou.

Dom Joaquim ficou ciente também de que, proibido de pregar na igreja, Cícero passara a lançar mão de um astucioso estratagema. Todas as tardes abria a janela de casa e falava ao povo dali mesmo, braço estendido, espalhando bênçãos, distribuindo graças. Sempre havia centenas, às vezes milhares, de pessoas para ouvi-lo. Aquele mar de gente se acotovelava para ter uma visão melhor do pequeno sacerdote, para receber dele um aceno, uma palavra de conforto. "Têm vindo romeiros de Alagoas, Pernambuco, Bahia, Amazonas e até da fronteira do Peru", alarmava-se Alexandrino.

Cícero continuava não sendo propriamente um grande orador. Mas a fala simples, cheia de referências próprias da fé sertaneja, arrebatava e comovia multidões. Moralista, insistia em pregar contra as danças, o feitiço, a cachaça. Apocalíptico, advertia os pecadores sobre o fim dos tempos e alertava contra a chegada iminente do Anticristo. "Se vocês não deixarem de fazer pecado feio e mortal, Deus abreviará os tempos e acabará o mundo mais cedo", sentenciava. "Abreviar, meus amiguinhos, é diminuir", explicava, com o didatismo que lhe era próprio. Os romeiros sabiam que o sacerdote estava suspenso por decisão do bispo, mas não arredavam um milímetro em sua veneração. "Nosso Senhor me enviou esta grande prova para eu sofrer", dizia Cícero, encontrando eco imediato na devoção popular. Afinal, imaginavam os romeiros, não eram os santos alguns poucos mortais privilegiados, escolhidos pelo Céu para padecer em nome de Deus?

Apesar da vigilância episcopal, vigários de outras regiões chegavam a enviar ao povoado supostos endemoniados, para que Cícero os exorcizasse. Foi o que fez, por exemplo, o padre Félix Aurélio, de Missão Velha, ao despachar para o Juazeiro um alcoólatra empedernido, que chegara às raias da loucura por causa do vício, mas cujas costumeiras arruaças na cidade eram atribuídas ao fato de estar com o diabo no corpo. "Tenho até medo de confessar tal pessoa", reconheceu padre Félix ao colega Cícero. "Não me julgo com habilitação alguma para converter quem se acha em tão difícil estado."

Mas nem só das demandas do Céu e do Inferno cuidava Cícero. Desavenças mais terrenas, de ordem familiar, também eram resolvidas com a devida intermediação dele. Certa feita, escreveu um bilhete de advertência para uma senhora do Juazeiro que havia abandonado a casa e deixado o esposo para trás. "Senhora Maria das Dores, a caridade me obriga a fazer esta carta porque a vejo em perigo certo de condenar a sua pobre alma. Tenha juízo, a senhora bem sabe que não pode deixar o seu marido sem incorrer em grande pecado", atemorizou.

> Logo que receber esta carta, volte e venha viver em paz como Nosso Senhor manda, e vá confessar-se. Cuide de sua salvação enquanto é tempo de remédio e Deus está lhe chamando. Se não fizer caso do meu conselho, tenha certeza que Deus lhe castiga. A Santíssima Virgem abençoe e lhe dê o temor de Deus.

Pouco antes da suspensão clerical, chegara-lhe também entre tantos outros casos de pendenga familiar o que envolvia a pureza de uma sobrinha do barão de Pajeú, o mesmo que doara 300 mil-réis em dinheiro e mais trezentas cabeças de gado para a causa do Juazeiro. A sobrinha do barão, filha de uma viúva, havia sido raptada por um vaqueiro, morador da pernambucana Vila Bela. O poderoso e contrariado fazendeiro, em nome da honra doméstica, mandou três jagunços no encalço do sujeito, com a orientação de que lhe arrancassem o couro — e, por certo, algumas coisinhas a mais. Afinal, no sertão, nesses casos de roubo de donzela, a vingança geralmente consistia, no mínimo, na castração do atrevido raptor.

Depois de roubar a sobrinha do barão, o rapaz pusera a namorada na garupa de seu alazão e galopara em disparada, dia e noite, até alcançar o Juazeiro, com o objetivo de beijar as mãos e pedir a proteção do padre Cícero Romão Batista. Aos pés do sacerdote, o esbaforido vaqueiro jurou que tinha as melhores intenções possíveis: queria casar com a moça, a quem honraria como esposa pelo resto da vida. Para decidir o rumo que daria à questão, Cícero quis saber se antes de chegar ao Juazeiro, em algum lugar no meio do caminho, o rapaz "fizera mal" à menina — ou se ela continuava donzela, tão casta como quando viera ao mundo. "Ela está no mesmo estado em que saiu de casa", jurou o moço. Era o suficiente. Certo da sinceridade do vaqueiro, Cícero esperou pelos três jagunços do barão e ordenou que voltassem a Pernambuco. Ordem do milagreiro padre

Joazro. 27 de 8br.o de 1893

Senr.a Maria das Dores

A Carid.e me obriga a fazer esta p.q. a vejo com um perigo certo de condemnar a sua pobre alma. Tenho juiso q. a Senhora bem sabe q. não pode deixar o seu marido sem incorrer em um grande peccado de perder a sua salvação. Logo q. receber esta volte e venha viver em paz como Nosso Senhor manda, e vá confessar-se e seu marido. Cuide em sua salvação em q.to é tempo de remedio e D.s lhe está chamando. Si não fizer

Mensagem de Cícero a uma mulher que abandonara o marido: "A caridade me obriga a fazer esta carta porque a vejo em perigo de condenar a sua pobre alma"

caso do meu conselho tenha certeza q. D.s lhe castiga. Eu espero ser attendido e quero vel-a aqui q. isto não tem logar. A Santissima Virgem abençoe e lhe dê temor de D.s

P.e Cicero Romão

Cícero nem o mais sanguinário jagunço punha em questão. Embainharam o punhal e deram meia-volta na estrada.

Para pôr bom termo à história, Cícero escreveu à mãe da mocinha uma carta de próprio punho, que teve como portador ninguém menos do que o vaqueiro candidato a genro. A mulher se recusou a olhar para o homem que lhe desencaminhara a filha; mas como a mensagem era da parte do padre Cícero, aceitou recebê-la. Soube então que a herdeira se encontrava em segurança, no Juazeiro, sob a proteção do sacerdote, e que a família estava sendo chamada por ele ao Cariri para tratar do assunto. Dez dias depois, cinquenta parentes do barão de Pajeú e do vaqueiro selavam a paz, soltavam rojões e festejavam o casório, celebrado na capela branca do Juazeiro.

Mas aquele tipo de ocorrência se dera antes da suspensão, objetava Alexandrino. Sem poder mais ministrar sacramentos, inclusive o matrimônio, a figura do capelão do Juazeiro tenderia a perder força e influência junto aos romeiros. Nada mais enganoso, logo se viu. Se não podia celebrar batismos, Cícero passaria a receber insistentes pedidos para apadrinhar crianças, tanto de filhos de casais juazeirenses quanto de forasteiros. Tornou-se compadre de quase todos os peregrinos e, por consequência, padrinho de uma profusão de novos devotos espalhados pelo Nordeste. "Padre Cícero é padrinho da metade das crianças que ali se batizam", queixava-se Alexandrino ao bispo, referindo-se ao Juazeiro.

Tais queixas não tinham motivação apenas religiosa. "Não consentirei mais que o padre Cícero, com seu apadrinhamento quase universal de meninos, me esteja prejudicando. Nesta semana, recebi vinte assentos de batizados e apenas dez mil-réis, sendo que de dez meninos foi o padre Cícero padrinho — e nada pagou", lamuriava-se Alexandrino.

Apesar dos protestos do colega, aos poucos, mais do que padre, Cícero Romão Batista viraria o padrinho de toda aquela gente. Ficaria conhecido como o "padrinho padre Cícero". Uma expressão que na fala do povo logo se converteria na variação *Padinho Padi* Cícero. Ou numa forma ainda mais reduzida e afetiva, logo adotada entre os romeiros: *Padim Ciço*.

— Valei-me, meu *Padim Ciço*! — era esse o novo rogo que saía da boca dos homens e mulheres do sertão.

* * *

Os temores de dom Joaquim de que o exemplo de Juazeiro se alastrasse diocese afora estavam se materializando. Em União, a situação parecia fora de controle. Em meados de julho de 1892, padre Clycério anunciou naquela cidade que beatas sob sua orientação espiritual haviam recebido uma revelação de Deus a respeito de um grande cataclismo que estaria prestes a ocorrer. Segundo Clycério, os moradores do lugar tinham apenas duas semanas para se arrependerem de todos os pecados. Caso contrário, a cidade inteira receberia o mais severo castigo dos céus, como nos tempos bíblicos se dera com Sodoma e Gomorra, segundo as Escrituras destruídas pelo fogo de Deus devido à imoralidade e ao desregramento de seus habitantes.

Os municípios vizinhos enfrentavam idêntica polvorosa, fomentada pelo mesmo padre Clycério. De União, ele escrevia cartas amedrontadoras para os vigários de pelo menos três cidades próximas: Aracati, Cascavel e Limoeiro — além de enviar outra para o vigário-geral de Fortaleza, monsenhor Hipólito Brasil. Em todas, anunciava que a ira de Deus se abateria sobre o povo daquelas localidades, caso os pecadores não mudassem de procedimento e não passassem a honrar o que prescrevia a fé cristã. De acordo com Clycério, para escapar da destruição, o povo teria de rezar o rosário, entoar ladainhas para todos os santos, entregar-se à penitência. Nas cartas aos colegas de sacerdócio, afirmava que fora encarregado diretamente por Deus de pregar o aviso fatal.

O resultado das prédicas de Clycério foi devastador. Segundo informou a edição de 9 de agosto de 1892 do jornal cearense *A República*, a população entrou em desespero. O correspondente do Aracati informava que o município estava entregue ao completo desvario.

> Esta terra, estes últimos dias, tem sido teatro de horripilantes acontecimentos. Um magote de beatas de União tem dado revelações de que o Aracati e Cascavel serão arrasados, se antes os povos incrédulos não se arrependerem e fizerem penitência, tendo para isso o prazo de quinze dias.

As notícias davam conta de fugas em massa das cidades, pessoas se descabelando pelas ruas, gente alucinada perambulando pelas estradas com trouxas de roupas na cabeça, todos na intenção de escapar do raio de sete léguas de terra que, segundo se anunciava, compreenderia a destruição. "O povo em grande pânico, especialmente as mulheres, cabeças indomáveis, retirou-se de seus lares, abandonando casa, criações e tudo, para não ser apanhado pelo tal castigo", noticiava *A República*. "A continuar essa ordem de coisas, teremos de lamentar muitas desgraças; pois consta que algumas mulheres têm abortado, outras vagam e correm feito idiotas, e muitas, indignadas com os maridos, propalam deixá-los, se persistirem em ficar aqui."

Como não era de se estranhar, a carta que Clycério enviara ao vigário-geral de Fortaleza foi parar nas mãos de dom Joaquim. Posto a par da fonte dos distúrbios ocorridos na diocese, o bispo apressou-se em aplicar a pena de suspensão também a padre Clycério. Quando soube da punição do colega, Alexandrino lastimou, embora concordasse integralmente com a medida: "Os fatos de Aracati me causaram espanto. Ao mesmo tempo me encheram de comiseração com o padre Clycério. Nunca supus que ele caísse no ridículo, como aconteceu; Santo Deus, acode-nos".

O vigário de União, José Agostinho Santiago, relatou ao bispo que as tais revelações das beatas da cidade incluíam uma inusitada profecia: a de que estavam surgindo no Juazeiro os novos apóstolos de Cristo, do modo exatamente igual ao ocorrido na antiga Jerusalém. "Por isso Juazeiro iria tomar o nome de Nova Jerusalém. O padre Cícero seria um novo João Batista entre os homens. Nosso Senhor lhe havia concedido favores tão extraordinários como não havia concedido iguais a nenhum outro homem", expôs padre Agostinho, que logo depois seria afastado da paróquia e mandado para outra cidade, Russas, por ordem do bispo.

Também era do conhecimento de dom Joaquim que uma das beatas mais arrebatadas de União chegara ao Cariri, enviada sob as recomendações de padre Clycério. A mulher, Maria Caminha de Anchieta Gondim, a exemplo de Maria de Araújo, também transformaria hóstias em sangue durante a comunhão. Depois de abandonar a casa dos pais, atravessara o estado de norte a sul para se fixar na casa de Cícero. No caminho, tornou-se alvo da atenção popular e foi adorada como santa. O bispo, indignado com o fato, ordenou que Alexandrino estabelecesse rigorosa vigilância sobre o comportamento de Maria Caminha junto às demais beatas do Juazeiro. "Nosso Senhor tem sido muito ultrajado pelas miseráveis beatas daquele lugar; o tempo provará o que afirmamos, mas a culpa é dos sacerdotes que se deixaram mistificar por mulheres ignorantes, acreditando [em] quantas asnidades lhes vêm à cabeça delas", desabafou o bispo.

Enquanto o governo da província precisava lançar mão da força policial para conter os tumultos em Aracati e União, a situação no Juazeiro parecia avançar gravemente para destino semelhante. Pouco após a suspensão de Cícero, desencadeou-se no vilarejo uma sequência de episódios que o bispo julgou serem deliberados e orquestrados para desafiar a autoridade do palácio episcopal. Contavam-se histórias cotidianas a respeito de crucifixos que sangravam por toda parte, de imagens de santos que suavam sangue nos altares particulares, de hóstias miraculosas que brotavam inesperadamente de dentro dessas mesmas imagens e nas quais apareceriam as iniciais de Jesus Cristo tingidas de vermelho vivo.

"Reina no Juazeiro uma verdadeira confusão. As beatas, cada uma por sua vez, são acometidas de síncopes, que chamam de 'estado de êxtase', dizem palavras em latim e exibem os seus crucifixos ensanguentados", horrorizava-se o juiz da comarca do Crato, João Batista de Siqueira Cavalcanti. "Onde iremos parar, se a autoridade não aparecer?", indagava. Segundo ele, até mesmo um estandarte com a imagem pintada de Cícero teria aparecido completamente banhado em sangue. "Nunca vi um amontoado de tantos absurdos e tolices. Parece incrível. O Juazeiro é terra endêmica. Reina ali a alucinação com caráter epidêmico: todos os que vão lá apanham infalivelmente o mal da terra: tenho dó daquela boa gente", diria o bispo de Olinda, João Fernando Santiago Esberard, ao tomar conhecimento do que ocorria na diocese vizinha.

No lugarejo, que a essa altura já contava com um contingente de 12 mil moradores, também corriam à boca miúda sérias imprecações contra dom Joaquim, acusado pelos beatos e beatas de não acreditar nos milagres pelo fato de ser supostamente um maçom infiltrado na Igreja. Beatas próximas a Cícero passaram a vaticinar a morte iminente do bispo e houve até quem levantasse a hipótese de que o prelado teria rompido os votos de castidade e colocado no mundo um filho amaldiçoado, fruto do pecado da luxúria. A esse respeito, alastrava-se entre os romeiros do Juazeiro um boato do qual ninguém sabia precisar a origem. Dizia-se que Cícero havia estado em Fortaleza, na presença de dom Joaquim, que então lhe mostrara um bebê e em seguida lançara o desafio:

"Padre Cícero, dizem que você ressuscita os mortos e faz outros milagres. Pois então me diga de quem é filho este menino..."

De acordo com a história fantasiosa contada pelas esquinas do Juazeiro, Cícero teria passado a mão pela fronte da criança e afirmado que ela própria responderia à questão sobre quem seria o seu pai:

"É o bispo!", teria balbuciado o recém-nascido.

Alexandrino apressou-se em denunciar a onda de boataria a dom Joaquim: "Esta história, naturalmente saída e inventada no Juazeiro, tem corrido mundo. Os romeiros, onde quer que cheguem, contam tal história e dizem: aí está por que o bispo não gosta do padre Cícero, pois descobriu-lhe os podres". Dom Joaquim desdenhava. "Eu sei que no Juazeiro me chamam de protestante, ateu e não sei o que mais, e que as beatas desejam até a minha morte. Mas isso não me incomoda. São intrigas miseráveis de pessoas que não têm o que fazer."

Em vez de contribuir para consolidar a hipótese de uma natureza divina dos fenômenos do Juazeiro, todo aquele turbilhão de novos acontecimentos — incluindo o roubo dos panos, as aleivosias contra o bispo e os tumultos em União — apenas serviu para desacreditar ainda mais a imagem de Cícero perante a diocese. "Não estou fazendo delação de meu colega, a quem prezo muito", procurava justificar-se Alexandrino. "Só me parece estar ele com as faculdades um pouco alteradas."

O bispo tinha opinião parecida a respeito do caso: "Estou de acordo com o padre Alexandrino no respeito às virtudes do padre Cícero, que é um santo, mas santo teimoso e desobediente, e inovador, que conversa com Nosso Senhor quando quer e obtém resposta sempre de acordo com o seu modo de pensar".

Os próprios apologistas de Cícero foram obrigados a concordar que o assunto enveredara por caminhos constrangedores. "Houve, do meio para o fim dessas manifestações extraordinárias, diversas beatas que entenderam que Maria de Araújo não era mais do que uma habilíssima artista de truque religioso e que a igreja de Cristo não era mais do que um teatro", reconheceu Manuel Diniz, advogado, amigo pessoal de Cícero e seu futuro primeiro biógrafo. De acordo com Diniz, o sangue derramado das hóstias, imagens e estandartes naquele momento específico, no qual outras beatas procuravam imitar Maria de Araújo e saíam às ruas anunciando o fim do mundo, era grotescamente falso. Não passava de uma espécie barata de tinta vermelha, comprada nas bodegas do Crato.

Para agravar a situação, um dos médicos que atestaram a sobrenaturalidade dos fenômenos ocorridos com a beata Maria de Araújo decidiu retratar-se. "É verdade que assinei os ditos documentos considerando os fatos como sobrenaturais. Mas sou forçado a confessar que o fiz sem os necessários dados e somente pela especialidade das circunstâncias em que me encontrei", desculpou-se o doutor Ignácio de Sousa Dias em correspondência oficial ao bispo. Segundo o médico, ele assinara os atestados por causa da pressão em que se encontrava, alegando ter "fortes razões para recear desacatos de um povo cujo fanatismo transluzia em todas as suas ações e palavras".

Dom Arcoverde não tinha dúvidas. "Padre Antero sairá de Roma corrido e envergonhado do triste papel que foi representar", previu ele, que acabara de ser distinguido, em agosto de 1892, com o cargo de bispo auxiliar da Arquidiocese de São Paulo. Arcoverde informou a dom Joaquim que eles podiam dormir tranquilos. Prevenira "certas pessoas" — não disse exatamente quem, mas deixava entender que se tratava de integrantes da alta cúpula da Congregação do Santo Ofício — a respeito de todos os detalhes do caso do Juazeiro. Os cardeais inquisidores do Vaticano não dariam fé às "maluquices de beatas" ou à insensatez de "padres fabricantes de fingidos milagres", garantiu.

Cícero, por sua vez, depositava todas as esperanças na viagem de padre Antero. O colega partira no início de julho, e as notícias demoravam a chegar. A ausência de informações confiáveis deu margem para as mais variadas suposições. Espalhava-se no Juazeiro a história de que padre Antero já tivera audiência até com o próprio papa Leão XIII. A versão que se propalava no Cariri era a de que o papa chorara, comovido, ao saber que o padre Cícero teria ajudado a salvar a alma do irmão dele, o falecido cardeal Giussepi Pecci, libertando-a do Purgatório e elevando-a ao Céu.

Na verdade, ao contrário do que divulgavam os juazeirenses, o padre Antero não estivera com Leão XIII. E de modo diverso do que imaginava Alexandrino, também não estava de posse dos panos roubados do sacrário da matriz do Crato. Mas era fato que em sua estada em Roma o padre Antero se hospedara na sede do Colégio Pio Latino-Americano e fora recebido pelo cardeal Raffaele Monaco la Valletta, 65 anos, que então respondia pelo cargo de secretário da Congregação do Santo Ofício. Por orientação do cardeal Monaco, Antero apresentou uma defesa por escrito, lavrada em italiano, ao comissário-geral da Congregação, o cardeal inquisidor Vincenzo Leone Sallua.

Uma curiosa circunstância relacionava, indiretamente, o cardeal Sallua aos acontecimentos do Juazeiro. Catorze anos antes, com a autoridade de grande inquisidor, ele chancelara uma biografia laudatória da italiana Catarina Mattei, uma mística piemontesa que vivera no século XV e, segundo conta a tradição católica, tinha visões místicas do Céu e apresentava os estigmas de Cristo, motivo pelo qual foi acusada de exibicionismo e embuste. Mas a Igreja revira sua posição e, desde 1808, o então papa Pio VII proclamara que Catarina era uma "bem-aventurada". Ao referendar a biografia da mística Catarina, o cardeal Sallua a classificara como uma "portentosa heroína" da cristandade. Faria ele o mesmo em relação a Maria de Araújo?

Pelo sim, pelo não, junto à tradução italiana do inquérito e da defesa escrita, Antero anexou à papelada entregue ao cardeal Sallua um cauteloso ofício, desculpando-se pelas possíveis falhas que contivessem aqueles documentos. Reconhecia que alguns fatos narrados nos depoimentos das beatas do Cariri pareciam fantásticos em demasia. "Não acreditamos que a Santa Sé aprove tais fatos", admitia o procurador de padre Cícero.

Mas Antero ressaltava que o grande objetivo que o levara até o Vaticano era a aprovação eclesiástica do suposto milagre da transformação da hóstia em sangue. "Isto é um fato certo, observado e examinado por milhares de pessoas, entre sacerdotes, médicos e peritos", assegurava aos inquisidores, reforçando a tese de que as conversões numerosas de pecadores era a maior prova da necessidade de confirmar o "milagre do Juazeiro" como verdadeiro.

Para os olhos de censura de dom Joaquim, aquela viagem do padre Antero estava cercada de subterfúgios. Antero teria se aproveitado da ausência do bispo — que se encontrava no Pará, em visita pastoral à diocese de Belém — e de forma capciosa conseguira autorização do substituto legal, o vigário-geral de Fortaleza, monsenhor Hipólito, para ir a Roma sob falso pretexto. Oficialmente, padre Antero alegara a doença de um sobrinho, aluno do Colégio Pio Latino-Americano, para fazer a viagem, financiada pelos donativos e esmolas recebidos por Cícero. A justificativa para obter a licença era de uma fragilidade flagrante. O tal sobrinho enfermo já se encontrava no Brasil, em Recife, onde inclusive Antero o encontrou antes de tomar um vapor e zarpar em direção à Europa. "Não obstante esta circunstância, o senhor prosseguiu sua viagem, sem nos deixar uma cartinha e nem um recado sequer", reprovou o bispo.

Dom Joaquim opunha outras restrições à atitude de padre Antero. Não havia dado permissão para que ele fizesse uma tradução oficiosa do inquérito e muito menos que passasse os documentos diretamente às mãos dos cardeais do Vaticano, sem a devida tramitação pela diocese. "Quem lhe forneceu cópia do processo? Não autorizamos ninguém a dá-la", repreendeu mais uma vez o bispo, acusando-o de ter surrupiado um documento eclesiástico. Como repreensão adicional — e não menos veemente —, criticava Antero por não ter levado em consideração a nova posição de um dos médicos citados como testemunha no inquérito. "Fez Vossa Reverendíssima ver à Congregação que o doutor Ignácio Dias se havia retratado?" A conclusão de dom Joaquim era uma só: "Tem-se feito advocacia de roça com o processo do Juazeiro".

Padre Antero não poderia deixar aquelas acusações sem resposta. Tão logo retornou ao Brasil, cobrado por dom Joaquim, cuidou de escrever ao bispo, explicando que não havia feito nenhuma consulta formal a Roma sobre o caso do Juazeiro. Mas admitia que estivera em audiência com o secretário da Congregação do Santo Ofício, o cardeal Monaco. Este o ouvira com atenção e em seguida o encaminhara ao inquisidor-geral, Vincenzo Leone Sallua. Por exigência do mesmo cardeal Sallua, entregara a ele uma cópia em italiano do processo e, feito isso, dera por encerrada a visita. O que Antero por certo não podia assumir é que realmente seria impossível providenciar a tradução de um calhamaço de quase trezentas páginas sem que a versão italiana já tivesse sido preparada com bastante antecedência, ainda no Brasil.

Antero tentou também se justificar pelo fato de ter embarcado para a Europa apesar de o sobrinho já ter retornado ao Brasil: "Quem não continuaria a viagem, principalmente um antigo aluno do Colégio Pio Latino-Americano, achando quem lhe fornecesse as despesas necessárias?". Quanto à ideia de que estava fazendo papel de "advogado de roça" a mando do padre Cícero, rebatia, com dose tamanha de indignação que dom Joaquim interpretaria a frase como uma redobrada insolência.

"Advocacia de roça me parece afirmar que Deus Nosso Senhor não deixa a França para fazer milagres no Brasil", revoltou-se Antero.

Pressionado pela embaixada de padre Antero junto aos inquisidores, dom Joaquim precisava providenciar de imediato uma contraofensiva. Agora que a Santa Sé tomara conhecimento do caso por meios tidos como inconvenientes, era preciso municiar a Inquisição de elementos que colocassem Cícero e seus seguidores em má situação perante os cardeais da Santa Sé. O caso se tornara uma querela institucional de contornos e consequências imprevisíveis.

Aos interlocutores mais próximos, Cícero expressava sua mais aberta confiança de que a tramitação do litígio fosse favorável ao Juazeiro: "Tenho certeza de que Nosso Senhor não deixará que dom Joaquim o vença", dizia, em relação ao processo que corria em Roma. Por isso mesmo, ficou bem transtornado ao tomar conhecimento da Carta Pastoral emitida por dom Joaquim aos fiéis no dia 25 de março de 1893. O documento, que deveria ser lido obrigatoriamente pelos párocos de toda a diocese durante a celebração das missas, demarcava a posição oficial do palácio episcopal em relação aos fatos envolvendo Cícero e Maria de Araújo.

"A asserção que o reverendíssimo padre Cícero Romão Batista avançou no Juazeiro, dizendo que Nosso Senhor derramava de novo Seu sangue para operar nova Redenção, é contrária à fé que professamos", enunciava um dos trechos iniciais da Carta Pastoral. "Uma mulher reconhecidamente doentia, recebendo a comunhão, inquietou-se, agitou-se, fez contrações. Afinal, lançou uma porção de sangue nas mãos do padre Cícero. Haverá coisa mais natural que isto?", indagava dom Joaquim no documento, para sustentar a tese de que não se estava, sob nenhuma hipótese, diante de um milagre ou prodígio divino. Como reforço para amparar sua argumentação, relembrava que todas as presumíveis transformações da hóstia ocorreram após Maria de Araújo permanecer por algum tempo com a boca fechada, o que dera ensejo a possíveis artifícios.

Com argúcia, dom Joaquim escarafunchava contradições nos testemunhos oficiais de Cícero. Em uma das primeiras correspondências ao bispo sobre o assunto, o padre dissera-lhe que as transformações eram de tal modo intensas que ele, Cícero, chegara a sentir enjoos e náuseas por causa do cheiro ativo do sangue. Para dom Joaquim, nada mais denunciador de que o dedo de Deus não estava ali: "Seria um ultraje ao Glorioso Redentor da humanidade supor-se que um sangue nauseabundo possa ser o Sangue Divino".

De acordo com a Carta Pastoral, portanto, não havia milagre — e todo o resto da história era apenas fruto da ignorância, da má-fé e do fanatismo. "Os outros fatos — o aparecimento de crucifixos ensanguentados nas mãos de algumas mulheres chamadas beatas — são artifícios dessas pobres criaturas de imaginação enferma, que talvez não tenham sido inteiramente responsáveis pelos disparates que hão praticado", dizia o documento do bispo, deixando entender que havia um autor intelectual por trás daquelas ocorrências: Cícero. "Grosseiramente supersticioso será, portanto, todo ato religioso que de qualquer modo se refira aos pretensos milagres de Juazeiro", entendeu dom Joaquim. As romarias, por exemplo, estavam oficialmente condenadas.

O bispo ressalvava que a crença em milagres era inerente à fé católica: "A religião cristã é uma obra essencialmente miraculosa", definiu. Contudo, para discernir entre verdadeiros e falsos milagres, a Igreja seguiria regras austeras e tomaria precauções rigorosas. Por isso cabia tão somente aos bispos a responsabilidade de instruir processos nos casos de alegação de milagres para depois enviá-los ao julgamento da Santa Sé. Ao conduzir a causa ao Vaticano à revelia do bispado, padre Antero cometera falta grave: "Grande imprudência, se não falta de bom senso, cometeria qualquer particular, mesmo sacerdote, que pretendesse à sorrelfa ir a Roma tratar de reconhecimento ou aprovação de novos milagres".

O documento condenava ainda o recebimento de esmolas e donativos por parte daqueles que proclamavam milagres ainda não reconhecidos ou aprovados pelo Vaticano, como vinha fazendo Cícero. Dom Joaquim chegou a evocar o disposto em uma bula papal emitida por Urbano VIII ainda em 1625, documento de traço medieval que previa severos corretivos aos eventuais transgressores da norma. As penas previstas na tal bula aos acusados de se beneficiarem da fé alheia variavam conforme a gravidade do ato. Nos casos mais leves, previam-se multas pecuniárias. Nos mais graves, a prática de castigos corporais aos recalcitrantes.

No Cariri, a leitura obrigatória da Carta Pastoral de dom Joaquim durante as missas provocou reações extremadas. No município de Assaré, distante poucas léguas do Juazeiro, o vigário local, padre João Carlos Augusto, cumpriu a obrigação de divulgar oficialmente o documento, mas o fez avisando aos fiéis que ia lê-lo "apenas com os lábios e não com o coração". Após a leitura, uma das beatas invadiu a sacristia e tentou arrancar os papéis das mãos do sacerdote, como se investisse contra um texto saído da lavra do próprio demônio:

"Seu padre, me dê esta porqueira que eu quero rasgar!", gritou a beata, enquanto avançava sobre a cópia da Carta Pastoral assinada por dom Joaquim.

No Juazeiro, como era de se supor, a divulgação do documento desencadeou uma onda de indignação ainda mais intensa. "José Marrocos ficou como um cão danado, querendo morder a todos", descreveu ao bispo o padre Manuel Félix de Moura, pároco de Serra Talhada, em Pernambuco, de passagem pelo Cariri. No caso de Cícero, a reação variou do mais profundo abatimento à mais patente insatisfação. "Três dias depois, apareceu o padre Cícero no Crato, triste e abatido, mas disposto a reagir", preveniu Moura a dom Joaquim, acrescentando que as articulações de Marrocos eram a raiz de todo o mal que irradiaria do Juazeiro. "Desconfio que o José Marrocos conduzirá o padre Cícero ao fundo do abismo."

Por outro lado, os partidários de dom Joaquim situados no alto escalão do clero brasileiro aplaudiram com entusiasmo a Carta Pastoral. "Vossa Excelência cortou a cabeça do embuste de Juazeiro", festejou dom Arcoverde, na diocese de São Paulo. O reitor do seminário de Mariana, em Minas Gerais, padre João Chavanat, também se congratulou com o bispo do Ceará: "Em vista da decisão solene que Vossa Reverendíssima dá sobre os fatos do Juazeiro, a ilusão desaparecerá", previu. O bispo de Olinda, dom João Fernando Santiago Esberard, comparou dom Joaquim a um Hércules vitorioso. Para dom João Fernando, Juazeiro seria uma espécie de Hidra de Lerna, o monstro mitológico com corpo de dragão e várias cabeças de serpente que se regeneravam depois de decepadas: "Vossa Excelência esmagou a Hidra da superstição, assim não renascerão as cabeças malditas".

Enquanto o roubo dos paninhos manchados de sangue permanecia um enigma, dom Joaquim anexou a Carta Pastoral ao original do primeiro inquérito conduzido pelos padres Clycério e Antero, aos relatórios da segunda comissão dirigida por padre Alexandrino e à retratação do doutor Ignácio Dias. Depois despachou o volume para a Inquisição, em Roma, tendo como fiel portador o bispo do Pará, dom Jerônimo Tomé da Silva, que estava em Fortaleza, cumprindo escala de uma viagem a caminho da Santa Sé. Dom Jerônimo, que pouco depois voltaria com a notícia de sua nomeação como arcebispo de Salvador e de arcebispo primaz do Brasil, entregou a documentação diretamente nas mãos do cardeal Raffaele Monaco la Valletta, o secretário inquisidor.

Naquela manhã de junho de 1893, no momento em que o cardeal Monaco recebeu os papéis remetidos por dom Joaquim, a sorte de Cícero começou a ser selada por detrás dos grossos muros de pedra e do imenso portão de bronze que abrigam o centro do poder católico no mundo, o Vaticano. Nas salas de reunião do portentoso Palácio do Santo Ofício, erguido em 1571 pelo papa Pio V e localizado a poucos passos da praça de São Pedro, os cardeais do temido tribunal da Santa Inquisição debruçaram-se sobre o caso de um sacerdote do interior do Brasil, acusado de acobertar o roubo de um sacrário e de forjar um milagre. No retrato dele pintado por dom Joaquim, Cícero era um padre amalucado e de imaginação exaltada, que pregava uma segunda Redenção, vivia em uma casa entupida de beatas e dizia tomar notas a lápis de animadas conversas com Cristo.

"Tenho vergonha, quando penso no conceito que em Roma se fará do clero do Ceará depois da leitura do processo que Vossa Excelência remeteu para lá", escreveu padre Alexandrino a dom Joaquim.

10

A Inquisição profere o veredicto. Qual alucinado ousará discordar do Vaticano?

1893-1895

Mais de mil homens montados a cavalo foram recepcionar o padre Antero na entrada do Juazeiro. Cícero e monsenhor Monteiro seguiam como abre-alas da caravana. A expectativa pela chegada do sacerdote era enorme. Seria a primeira vez que Antero pisaria o solo do Cariri após o retorno da viagem a Roma. Todos, é claro, ansiavam por notícias. Por volta das duas da tarde daquele 3 de julho de 1893, ele finalmente apontou numa curva da estrada. Foi saudado então por aplausos, gritos de entusiasmo e chapéus para o alto. Quando se juntou à comitiva, seguiu ao lado de Cícero, conduzindo a montaria em trote compassado na direção do povoado.

Juazeiro os aguardava em festa. Duzentos arcos feitos com folhas de palmeira e troncos de carnaúba adornavam as ruas. "Viva o padre Antero!", dizia uma faixa estendida em um dos arcos enfeitados de guirlandas. "Viva o padre Cícero!", lia-se em outra, logo adiante. Eram tantos os fogos de artifício pipocando no ar que o lugar foi envolvido em uma nuvem de fumaça, como se uma névoa espessa houvesse descido do céu. Quando padre Antero apeou do cavalo, Cícero fez sinal para que um grupo de moças e meninos vestidos de branco se aproximasse para cumprimentar o visitante. Beijaram-lhe a mão e entregaram-lhe ramalhetes de flores silvestres. Para marcar a data, uma missa solene foi realizada na capela de Nossa Senhora das Dores, celebrada pelo padre Félix Aurélio, pároco de Missão Velha, com direito a sermão do próprio Antero, no qual ele trazia a boa-nova: a questão de Juazeiro estava praticamente resolvida, com ganho de causa para os defensores do milagre. A viagem ao Vaticano fora bem-sucedida, ele garantiu. Faltava muito pouco para a Santa Sé endossar o prodígio da hóstia transformada em sangue, prometeu.

Oculto em meio à multidão, um espião observava tudo. Cada minuto da recepção a Antero seria descrito mais tarde, com detalhes, ao padre Alexandrino. Este se encarregou de reproduzir o mesmo relato, por escrito, ao bispo. "Não fui testemunha ocular do que ocorreu durante a recepção, porque não quis com a minha presença dar importância a ela. Mandei pessoa de minha confiança observar o que se passou e esta me contou o que vai escrito", explicou a dom Joaquim. "Oito padres achavam-se nesse dia no Juazeiro", denunciou. "Pessoa daqui do Crato me disse que a recepção foi acintosa à Vossa Excelência. Não afirmo isso, mas me parece ter sido assim mesmo." Para que nenhuma outra cerimônia pudesse soar como retaliação à diocese, pouco tempo depois dom Joaquim decretou a completa interdição da capela de Nossa Senhora das Dores. Uma portaria datada de 10 de novembro de 1893 proibia todos os padres do bispado de celebrar missa ou qualquer outra festa religiosa no templo. Juazeiro, que já estava sem capelão, ficou sem capela.

O que o bispo não sabia — pelo menos ainda — é que o otimismo alardeado por Antero no dia da chegada ao Juazeiro se fazia acompanhar de uma silenciosa articulação de bastidores. Com o devido aval de Cícero, estabeleceu-se um plano tido como infalível para minar as imposições do palácio episcopal. Uma série de textos produzidos pela pena talentosa de José Marrocos estava sendo enviada em surdina até o Rio de Janeiro, para que de lá chegasse às mãos de dom Girolamo Maria Gotti, internúncio apostólico no Brasil, o equivalente a uma espécie de embaixador do Vaticano no país. A sigilosa operação foi arquitetada com o intuito de ganhar as simpatias do representante da Santa Sé, transformando-o em aliado estratégico na tramitação do processo em Roma.

Na papelada, Marrocos sustentava a necessidade do envio de uma comissão do Vaticano para averiguar o caso *in loco*, no Cariri. A principal justificativa era que os fatos extraordinários do Juazeiro representavam um entrave ao avanço do cientificismo e de outros "ismos" que proliferavam naquele final de século XIX pelo mundo: o positivismo dos republicanos, o darwinismo dos evolucionistas, o espiritismo dos kardecistas, o anarquismo e o comunismo do nascente movimento operário. Marrocos sugeria:

> Quando por todas as partes se fundam sociedades anarquistas e noutras o pensamento ateu desacata Jesus Sacramentado, a diocese do Ceará é a única de todo o mundo que apresenta o mais assombroso dos milagres, o supremo esforço de Deus para a salvação dos homens.

Os documentos ao internúncio dom Gotti, em forma de memorial, pediam ainda a revogação da punição imposta a Cícero ou, quando menos, a nomeação de um padre isento, enviado também diretamente de Roma, para substituir o capelão suspenso. Essa seria uma forma de neutralizar a autoridade do bispo sobre o caso e de reverter a interdição da capela. Marrocos argumentava que a proibição estava provocando sérios constrangimentos aos cristãos juazeirenses:

> Crianças estão morrendo sem a unção batismal, os adultos estão vivendo na perdição sem o corretivo salutar dos sacramentos, os justos estão privados da graça que lhes fortifica a fé, os moribundos estão sem socorros espirituais, atirados ao perigo e à desgraça de uma morte eterna.

Coube ao monsenhor Monteiro a tarefa secreta de levar os textos produzidos por Marrocos até o Rio de Janeiro. Lá, o primeiro depositário dos papéis foi o padre Clycério. Considerado *persona non grata* na diocese do Ceará por causa dos tumultuosos episódios de União, ele passara a responder pela capelania do Hospital de Nossa Senhora da Saúde, mais conhecido pelos cariocas como o Hospital da Gamboa. Como estava morando no Rio, Clycério ficou encarregado de fazer a ponte diplomática com Petrópolis, onde se localizava a sede oficial da nunciatura. O plano foi executado com milimétrica precisão. Monteiro partiu do Cariri com os papéis por terra até Recife e de lá pegou um vapor para o Rio de Janeiro. Clycério não teve dificuldades para conseguir uma audiência com dom Gotti e logo lhe entregou a pasta com os documentos. Contudo, todo aquele esforço de logística parecia ter sido em vão. Dois meses após receber o memorial escrito por Marrocos, o internúncio não havia dado respostas mais efetivas a respeito do assunto. Uma segunda remessa de textos, enumerando as centenas de graças alcançadas por peregrinos no Juazeiro, foi enviada a dom Gotti, com a intenção de reforçar a primeira. Mas, dessa feita, Clycério encontrou problemas para cumprir a missão.

Naquele exato momento, explodira no Rio de Janeiro a Revolta da Armada, a histórica rebelião de oficiais da Marinha contra o governo do presidente da República, Floriano Peixoto. Sem poder sair à rua para honrar a incumbência, Clycério apressou-se em dar a Cícero a má notícia: "Pelo estado de desordem que vai na cidade, não posso ir pessoalmente levar os ditos papéis ao internúncio. Vou fazê-lo por intermédio de um amigo", justificou. Mas aqueles não estavam mesmo sendo dias fáceis para a população do Rio de Janeiro, que se encontrava sob fogo cruzado. Os bairros litorâneos haviam sido evacuados, depois de as areias da Guanabara tremerem debaixo dos bombardeios disparados pelos navios da Marinha. A resposta da artilharia em terra dava-se com idêntica ferocidade. "Já há mais de oito dias espero pelo amigo que levará os papéis, mas está me parecendo que ele não virá, por causa da revolta do senhor Saldanha da Gama, que atira balas para o coração da cidade", lamentou Clycério. "Escrevo-lhe aos tiros de canhão da esquadra revolucionária. Eis o resultado dos governos sem Deus."

Outro tipo de guerra, bem mais silenciosa, estava sendo travada no Ceará. O palácio episcopal era o centro nervoso das operações. O desconhecimento de dom Joaquim a respeito das articulações juazeirenses não se sustentara por muitos dias. Uma carta assinada por ele e enviada ao internúncio, com seis páginas e datada de 14 de novembro de 1893, comprova que o bispo do Ceará realmente possuía informantes privilegiados. "Sei que alguém tem ocupado o precioso tempo de Vossa Excelência Reverendíssima com a história de falsos milagres no Juazeiro, capela da freguesia do Crato, desta diocese", dizia dom Joaquim a dom Gotti. "Os quatro sacerdotes mistificados [Cícero, Monteiro, Clycério e Antero] chegaram a receber hóstias das mãos de beatas, sem saber de onde provinham", ilustrou. "Uma das beatas, Maria Caminha, em União, fez partículas em forminha de coração, pintou-as de tinta vermelha simulando uma cruz de sangue e deu-as a padre Clycério, que as recebeu como se tivessem vindo do Céu", reprovou o bispo dom Joaquim. "Nada receio, mas é meu dever informar a Vossa Excelência Reverendíssima sobre o caso. É auxiliar dos tais sacerdotes um senhor de nome José Joaquim Marrocos, antigo seminarista expulso no tempo do meu antecessor."

Não há dúvidas de que era padre Alexandrino quem continuava a manter o bispo informado de todos os passos de Cícero e seus aliados no Juazeiro. No mesmo dia em que monsenhor Monteiro seguiu viagem para o Rio de Janeiro, uma correspondência sigilosa de Alexandrino partiu simultaneamente em direção a Fortaleza, dando notícias a respeito de tudo. Alexandrino construíra uma eficiente rede de informações, muitas vezes baseada em denúncias anônimas:

> O capitão Raymundo de Alcântara, pessoa saliente desta cidade, ouviu de outra pessoa de todo critério, mas cujo nome não quis declinar, que monsenhor Monteiro seguiu para o Rio de Janeiro armado de documentos em favor da questão do Juazeiro. O fim principal dessa viagem é ver se conseguem do internúncio a demissão ou a retirada de Vossa Excelência dessa diocese.

Outra séria revelação logo cairia nos ouvidos do bispo. Mesmo suspenso das ordens, Cícero continuaria a benzer crucifixos e imagens trazidos pelos peregrinos que chegavam em romaria ao Juazeiro: "Não sei em que teologia se baseia ele para benzer um objeto qualquer, sendo os sacramentos um exercício das ordens. Parece-me que, estando suspenso, não pode fazê-lo". Mais grave ainda, comunicava o vigário do Crato, é que estavam circulando no Cariri milhares de retratos e de medalhinhas de bronze com a efígie de Cícero, mandadas cunhar na Europa. As medalhas, de grande apelo popular, eram vendidas aos romeiros como relíquia religiosa. Em algumas delas, na face oposta onde estava gravada a imagem de Cícero, via-se uma representação da beata Maria de Araújo vestida como uma santa, as mãos espalmadas como quem derrama graças a seus devotos. "Isso é um escarro contra a religião!", indignou-se Alexandrino. "A traficância e a especulação, no Juazeiro, chegou ao auge."

Uma das medalhinhas
com a efígie de Cícero que
eram vendidas aos romeiros
e foram condenadas pelo
bispo como objetos sacrílegos

Enquanto no Brasil seguia a batalha de informações e contrainformações, os cardeais inquisidores do Tribunal do Santo Ofício decidiram a data em que o caso do padre Cícero Romão Batista e da beata Maria de Araújo seria tratado e julgado pela congregação: 4 de abril de 1894. Coincidentemente, menos de duas semanas depois de Cícero ter completado cinquenta anos de idade. Naquele dia, após várias discussões preliminares, o assunto foi analisado de forma definitiva na tradicional reunião semanal dos cardeais, às quartas-feiras. Os inquisidores deram seu voto e imediatamente em seguida o Santo Ofício expediu a decisão na forma de decreto. *Roma locuta, causa finita.* Roma falou, a causa está terminada.

Decreto

Na Congregação de quarta-feira, 4 de abril de 1894, discutidos os fatos que sucederam no Juazeiro, diocese de Fortaleza, os Eminentíssimos e Reverendíssimos padres da Santa Igreja Romana, cardeais inquisidores gerais, pronunciaram, responderam e estatuíram o seguinte:

Que os pretensos milagres e outras coisas sobrenaturais que se divulgam de Maria de Araújo são prodígios vãos e supersticiosos, e implicam gravíssima e detestável irreverência e ímpio abuso à Santíssima Eucaristia; por isso o Juízo Apostólico os reprova e todos devem reprová-los, e como reprovados e condenados cumprem serem havidos.

Mas para dar cabo de tais excessos e a tempo de evitarem maiores males que deles podem nascer, decide-se:

1) À Maria de Araújo seja imposta uma grave e longa penitência, e o quanto antes seja colocada em uma casa piedosa ou religiosa, onde permaneça a critério do bispo, sob a direção de um confessor piedoso, prudente e instruído sobre os antecedentes dessa mulher.

2) O bispo de Fortaleza e os outros do Brasil proíbam por todos os meios ao seu alcance o concurso de peregrinos, ou as visitas e acessos dos curiosos a Maria de Araújo e às outras mulheres incursas na culpabilidade da mesma causa.

3) Quaisquer escritos, livros ou opúsculos publicados ou por publicarem-se em defesa daquelas pessoas e daqueles fatos, tenham-

-se por condenados e proibidos, e sejam quanto possíveis recolhidos e queimados.

4) Todo e cada um dos sacerdotes, bem conhecidos do bispo, tanto os que trataram de modo execrável a Santíssima Eucaristia como os seus cúmplices, sejam obrigados a exercícios espirituais pelo tempo determinado pelo bispo e, de acordo com a gravidade do crime, sejam pelo mesmo punidos gravemente, ficando proibido qualquer relacionamento deles com a citada mulher, nem mesmo por carta. Seja-lhes proibida também toda direção das almas, pelo tempo e a maneira que forem determinados pelo bispo.

5) Tanto aos sacerdotes como aos leigos seja-lhes defeso tratar por palavra ou por escrito dos pretensos milagres supracitados.

6) Os panos ensanguentados e as hóstias de que se falou, e de todas as outras coisas ou relíquias conservadas, o mesmo bispo as tome e as queime.

Congregação do Santo Ofício
Cardeal Monaco

O Vaticano foi taxativo. Em síntese, Maria de Araújo teria de sair de vez do Juazeiro, as romarias estavam proibidas, todos os escritos a respeito do caso deveriam ser destruídos, Cícero e seus "cúmplices" seriam exemplarmente punidos e, para que não restasse à posteridade nenhuma marca do episódio, os paninhos manchados de sangue teriam de ser sumariamente queimados. Uma cópia daquele decreto foi imediatamente enviada ao Brasil, endereçada ao internúncio dom Gotti. Este, seguindo determinação dos cardeais inquisidores, enviou a íntegra do documento a dom Joaquim, anexando-a a uma carta em que dava orientações de como as decisões deviam ser cumpridas. Era preciso evitar possíveis insurreições por parte dos condenados. Por isso, nem tudo poderia ser revelado publicamente. *Quod vis taceri, cave ne cuiquam dixeris* — o que não quiseres que saibam, cuida de não o dizer a ninguém.

A carta do internúncio, que ficaria arquivada na Arquidiocese de Fortaleza, orientava dom Joaquim a sonegar do conhecimento público dois itens, o primeiro e o quarto, que constavam do decreto original do Santo Ofício. "O documento não deve ser publicado na íntegra, como jaz. Publique-se retirando o número 1 e o 4", determinou dom Gotti ao bispo do Ceará.

A intenção era evitar clamores em torno do confinamento definitivo de Maria de Araújo em instituição religiosa fora do Juazeiro, como dispunha o item 1.

> Deve-se proceder nesse assunto com prudência e cautela especial, levando em conta as circunstâncias de tempo e as pessoas. Se Vossa Excelência pressentir resistência de Maria de Araújo ou de seus pais e da família, de modo a razoavelmente se temerem perturbações, reclamações e talvez mesmo invectivas da imprensa, então não prossiga e faça-nos comunicação minuciosa.

Quanto ao item 4, que proibia qualquer contato, mesmo por carta, com Maria de Araújo, a orientação era para que o bispo comunicasse a decisão a Cícero apenas verbalmente, sem deixar determinação escrita que também pudesse ser alvo de possíveis alvoroços e futuras contestações nas páginas dos jornais.

Dom Gotti sugeria ainda que dom Joaquim elaborasse uma nova carta pastoral aos fiéis, na qual deixaria patente a todos os católicos da diocese a resolução do Vaticano. O documento redigido pelo bispo, datado de 25 de julho de 1894, lamentava que um padre experiente e piedoso como Cícero, "outrora filho obediente da Igreja, mas infelizmente extraviado dela", houvesse "abusado da boa-fé e da simplicidade do povo mais pobre". A longa carta pastoral acusava Cícero de atrair e de acobertar espertalhões que estavam construindo fortunas pessoais à custa da ignorância alheia:

> Os depositários das esmolas dadas ao padre Cícero negociam com o dinheiro e fazem papel de arautos das tais maravilhas. Para mais animarem o comércio, canonizaram em vida o padre Cícero e Maria de Araújo, e estes se prestaram a fotografar-se. Os respectivos retratos são disputados pelos romeiros, que desejam conservar as efígies de novos santos descobridores de novos mistérios.

Dom Joaquim condenava, particularmente, as medalhinhas que circulavam com o rosto de Cícero e da beata. "Procurou a ganância comercial derramar pelos sertões desta e de outras dioceses circunvizinhas ridículas medalhas. Quem sabe quantos inocentes foram iludidos?"

Ao fim da carta pastoral, o bispo reproduziu o decreto do Vaticano — suprimindo os itens 1 e 4, conforme recomendara dom Gotti — e sentenciou: "A última palavra já foi solenemente proferida. Não há mais lugar para evasivas; não há mais apelação". A carta do bispo aos fiéis encerrava com três determinações extensivas a todos os cidadãos, homens e mulheres, da diocese. Primeiro, o bispo solicitava que não fossem mais feitas romarias ao Juazeiro e informava que todos os votos e promessas na intenção das graças de Cícero ou de Maria de Araújo eram considerados oficialmente reprovados pela Igreja, portanto tidos como nulos e supersticiosos. Incorreria em grave pecado quem ousasse pensar o contrário. Depois, exigia que qualquer pessoa que guardasse em casa alguma espécie de escrito, fosse impresso ou manuscrito, a respeito do alegado milagre tratasse imediatamente de queimá-lo, conforme determinara o Vaticano. Por fim, estabelecia que quem tivesse em seu poder os panos ensanguentados roubados da Matriz do Crato os devolvesse no prazo de trinta dias, impreterivelmente. Se não o fizesse, estava sujeito à pena de excomunhão.

Ao mesmo tempo, dom Joaquim convocou Cícero a Fortaleza, para que ele fosse oficialmente notificado de todos os termos do decreto do Santo Ofício. Aproveitando a ocasião em que Cícero estaria fora do Juazeiro, o bispo confiou a seu fiel informante no Cariri, padre Alexandrino, a melindrosa tarefa de simultaneamente mandar a beata para longe. O bispo redigiu orientações meticulosas nesse sentido, que deveriam ser seguidas com exatidão, também a fim de evitar comoções por parte de peregrinos e moradores. Pelas ordens do bispo, Alexandrino deveria tentar convencer Maria de Araújo, primeiro com "prudência e suavidade", a se recolher à casa de caridade de Barbalha, onde deveria permanecer por seis meses. Ao longo desse período, ela tomaria como conselheiro espiritual, em vez de Cícero, o padre Manoel Cândido dos Santos, o secretário da segunda comissão de inquérito eclesiástico. Caso Maria de Araújo opusesse alguma resistência, Alexandrino deveria conceder a ela quatro dias para que refletisse sobre a necessidade de obedecer à ordem do Vaticano. Findo o prazo, se a mulher permanecesse inflexível, Alexandrino deveria intimá-la a abandonar o hábito religioso de beata, avisando-a de que ficaria proibida de receber os sacramentos a partir de então, por tempo indeterminado. Todos os padres da diocese seriam advertidos de que ela não poderia mais, por exemplo, comungar e se confessar enquanto durasse a proibição.

Dom Joaquim queria mais de Alexandrino. Ele deveria chamar em sua presença também todas as beatas do Juazeiro que haviam prestado depoimento no inquérito conduzido pelos padres Antero e Clycério. Diria então a elas que, caso resolvessem confessar que haviam mentido durante os interrogatórios, estariam plenamente perdoadas. O bispo, de acordo com o que lhe facultava o Vaticano, dava a elas aquela última chance. Se assumissem que haviam armado uma farsa, poderiam continuar levando a vida normalmente, depois de pagar penitências, embora não mais lhes fosse permitido envergar o hábito religioso de beatas. Caso insistissem em manter a tese de milagre, ficariam proibidas de receber sacramentos até que decidissem confessar que haviam participado de um embuste. Do mesmo modo, de acordo com as ordens do bispo, Alexandrino deveria comunicar às beatas da casa de caridade do Crato que elas também tinham a derradeira oportunidade de escapar à condenação. Se assumissem que haviam sido cúmplices de uma mentira — e que o aparecimento de hóstias ensanguentadas que se materializavam no ar, por exemplo, não passava de um truque barato —, elas poderiam permanecer ali, na casa de caridade, onde estavam havia anos. Do contrário, Alexandrino tinha autorização para enxotá-las. As determinações de dom Joaquim eram claras: "Em caso de se recusarem a revelar suas faltas, o senhor ordenará à superiora da casa que expulse imediatamente do estabelecimento aquelas impostoras", escrevera o bispo.

Enquanto Alexandrino se preparava para cumprir tais deliberações, Cícero obedeceu à convocação e seguiu em direção a Fortaleza, acompanhado de monsenhor Monteiro, que também recebera intimação no mesmo sentido. Antes de partir, Cícero teria feito comentários pouco prudentes a respeito do caso, segundo denúncias de outro informante do palácio episcopal, o padre Quintino Rodrigues — aquele mesmo que defendera o milagre e depois mudara de lado, acusando Maria de Araújo de mentirosa, sendo nomeado então reitor do seminário do Crato tão logo este foi reaberto, em 1893, conforme lhe prometera o bispo. De acordo com Quintino, Cícero orientara os fiéis a não deixarem o Juazeiro para se confessarem nas paróquias vizinhas enquanto ele estivesse fora, pois acreditava que a capela do povoado em breve seria reaberta. Ainda conforme o padre Quintino, Cícero sustentava que a decisão do Vaticano poderia ser revista, já que fora decidida pela Congregação do Santo Ofício e não pelo papa, que era o verdadeiro representante de Deus na terra.

O bispo foi imediatamente comunicado de tal ocorrência. "O povo ignorante, ouvindo dizer que não foi o Santo Padre quem falou, há de suspeitar que a decisão seja coisa sem valor", inconformou-se Quintino. "Para muita gente, a última palavra será mesmo a do padre Cícero", rematou, apreensivo. Alexandrino, por seu turno, avisou a dom Joaquim que continuava grande a afluência de romeiros ao Juazeiro, apesar da proibição imposta pelo decreto de Roma e pela carta pastoral. Segundo Alexandrino, quando eram advertidos de que contrariavam ordens do papa, os peregrinos apenas retrucavam:

"Nosso papa é o padre Cícero."

Aquela alma queria reza. Angélica Vicência não gostou nada de ver padre Alexandrino ali, na casa do irmão dela, Cícero, a pretexto de fazer visita de cortesia a dona Quinô. Ainda mais que Cícero estava ausente do Juazeiro, de viagem para Fortaleza, por ordem do bispo. Para Angélica, Alexandrino era o capeta em forma de gente. Não era bem-vindo naquela morada. O vigário tentou fazer-lhe ver que não adiantava tanta rebeldia, tanta desfeita. Não havia mais como fugir à decisão do Vaticano. Estava tudo acabado. O irmão dela voltaria de Fortaleza derrotado, devidamente punido pelo bispo, tendo de se conformar com as sábias determinações emanadas da Santa Sé. A mulher não se convenceu:

"Pois ele vai voltar nem que seja sem batina. Meu irmão não é criminoso, não matou ninguém para estar sofrendo tanto."

Alexandrino rebateu. Se Angélica continuasse a insistir em defender fatos condenados pelo Vaticano, ela ficaria impedida dos sacramentos, não poderia mais se confessar, comungar, nada. "A mulher não se importou e continuou a dizer muitas asneiras", comunicou Alexandrino ao bispo, com o detalhismo de sempre. "Retirei-me para não ouvir tantos disparates daquela senhora." Mal Alexandrino saiu, Angélica apresentou uma crise nervosa e caiu de cama, com suspeita de ter sofrido um ataque do coração. O episódio deixou Juazeiro em pé de guerra.

Os ânimos ficaram ainda mais acirrados porque Alexandrino saiu dali e foi direto à residência onde se encontrava a beata Maria de Araújo. Durante a viagem de Cícero, ela estava sob os cuidados de parentes, uma vez que não podia mais compartilhar a companhia da mãe, que morrera meses antes, em janeiro. Dona Josefa partira deste mundo levando o desgosto de ver a filha acusada de heresia e de professar falsos milagres. Na casa vizinha à capela de Nossa Senhora das Dores onde a beata estava instalada, Alexandrino intimou-a a sair do Juazeiro o quanto antes. Deveria ir morar, a partir de então, na casa de caridade de Barbalha. Lá não lhe faltaria nada. Padre Manoel Cândido seria seu confessor. Ele é quem cuidaria dela. Maria de Araújo balbuciou algumas palavras e deu a entender que consultaria a família a respeito do assunto. Exatamente como sugerira o bispo, Alexandrino ofereceu-lhe quatro dias para dar a resposta definitiva. Nem mais, nem menos. Voltaria ali transcorrido esse prazo para saber se ela criara juízo e decidira obedecer.

No dia 16 de setembro, exatos quatro dias depois, o vigário do Crato retornou ao Juazeiro. Logo na chegada ao povoado, foi abordado por dois irmãos da beata. Eles disseram que Maria de Araújo estava prostrada em uma rede, muito doente, e nessas condições não podia ser mandada pela estrada até Barbalha. Pediram pelo menos duas semanas de repouso para a irmã. Até o fim daquele mês, ela talvez encontrasse forças suficientes para enfrentar a viagem. Os irmãos da beata provavelmente ganhavam tempo, à espera de que o retorno de Cícero trouxesse novos desdobramentos para o litígio. De todo modo, Alexandrino foi até o quarto da beata, convenceu-se de que ela estava realmente muito mal e decidiu que podia esperar mais um pouco para removê-la do Juazeiro. "Dei o prazo pedido por eles, visto o estado mórbido da beata, supondo que Vossa Excelência aprovaria meu procedimento", desculpou-se mais tarde ao bispo.

Mas, naquela mesma manhã, Alexandrino teria de realizar uma das etapas mais difíceis de sua missão. Às nove e meia, ele autorizou a abertura das portas da capela de modo extraordinário e deixou que a luz entrasse sobre o altar, pela primeira vez em muitos dias. Depois, mandou chamar o povo do lugar, pois tinha uma comunicação a fazer. Quando a igreja estava relativamente cheia, ele subiu ao púlpito, desenrolou um calhamaço de papel e anunciou que iria ler a carta pastoral escrita por dom Joaquim. Todos os cristãos tinham a obrigação de ouvi-lo, avisou.

O texto original era longo e levou cerca de uma hora e meia para ser lido na íntegra. As palavras escritas pelo bispo, como era de esperar, desagradaram a audiência. Durante alguns trechos, beatas replicaram, às vezes com murmúrios, às vezes de forma perfeitamente audível:

"É mentira!"

Houve gente que levantou e saiu ao meio da leitura, indignada com o que ouvia.

"É mentira! É mentira! É mentira!", os protestos ficaram cada vez mais intensos. Alexandrino terminou a leitura apressadamente, fez um sermão convocando todos à obediência e rezou a Deus, pedindo que ele próprio escapasse incólume daquela árdua tarefa.

No dia seguinte, quando se preparava para retornar ao Crato, Alexandrino foi procurado mais uma vez por um irmão de Maria de Araújo. O homem pedia que o vigário fosse até a casa em que estava a beata, pois o estado de saúde dela se agravara. "Lá chegando, encontrei a casa repleta de mulheres, talvez umas duzentas", assustou-se Alexandrino, que naquela hora teve a certeza de haver caído em uma cilada. "O terreiro e as imediações estavam ocupados por uma massa compacta de uns quinhentos e tantos homens, entre os quais alguns armados", contou ao bispo. "Apesar disso, entrei com dificuldade por entre as mulheres e fui ao quarto da beata, onde a encontrei doente. Intimei-a a me dar a resposta definitiva se ia ou não para a casa de caridade de Barbalha, mas não pude ouvir mais nada." Os irmãos de Maria de Araújo teriam interrompido Alexandrino e gritado que a beata não sairia daquela casa, nem viva nem morta:

"Ela não vai. Ela não vai porque não queremos."

Alexandrino chispou dali. Saiu do quarto, abriu a porta da casa, cruzou a multidão com passo acelerado e montou a cavalo. "Quando estava a pequena distância, ouvi vivas não sei a quem; talvez ao padre Cícero e Maria de Araújo. Soube depois que me deram assobios e me chamaram de 'vigário pé oco' e outros desaforos. Segui desapontado para a cidade, por causa da vaia que me deram."

De acordo com o que Alexandrino descreveu a dom Joaquim, Juazeiro estava em estado de aberta conflagração. Haviam lhe dito por lá que, caso a capela permanecesse interditada, os juazeirenses arrebentariam as portas e ninguém mais os impediria de entrar ali para rezar. O vigário do Crato acreditava que não poderia mais voltar ao povoado pois estava exposto a um risco real de morte. "Não sei como continuarei a viver aqui, se as coisas continuarem assim. É tal o meu desassossego de espírito que já me veio a lembrança de pedir demissão", admitiu.

A versão que os partidários de Cícero Romão Batista dariam do episódio seria frontalmente contrária às notícias que Alexandrino enviava a dom Joaquim. Uma carta remetida por Cícero a padre Antero informava sobre possíveis excessos por parte do vigário do Crato. "Realmente, quando voltei, achei o povo em tanta agitação e consternação que eu não sei onde iria parar aquela coisa", reconheceu Cícero. Mas a revolta do povo teria se dado, no seu entender, porque Alexandrino ameaçara pedir o auxílio de soldados para arrancar Maria de Araújo do leito. Dissera que iria retirá-la do Juazeiro nem que fosse debaixo de escolta policial. "Ele gritava que havia de arrastar aquela cabrita ou por gosto ou por força", alegou Cícero. Alexandrino, ao contrário do que expusera ao bispo, teria chegado ao Juazeiro com dois homens armados, um de faca e garrucha, outro de facão e cacete: "Ele falou tanta imprudência que algumas mulheres com medo saltaram pela janela". Ninguém teria armado nenhuma cilada ao vigário do Crato. Também não haveria uma multidão fora da casa, pronta para atacá-lo. Apenas três homens haviam impedido que Alexandrino continuasse a ameaçar a beata enferma. "Ele saiu espalhando e dizendo pelo Crato que bem quinhentos homens armados lhe fizeram resistência e desacato, e que talvez o quisessem matar", criticava Cícero.

Independentemente de qual das duas versões era a mais próxima da verdade, uma coisa é fato: no dia 25 de setembro, antes do final do mês e conforme o combinado com Alexandrino, Maria de Araújo foi mandada por Cícero para a casa de caridade de Barbalha. Como não podia montar na garupa de um cavalo nem ser submetida às trepidações de uma carroça, foi levada deitada em uma rede amarrada em um pedaço de pau, transportada por dois homens, um de cada lado. Estava muito doente. Muitos não acreditavam que ela chegasse viva ao destino.

Em Fortaleza, dom Joaquim revelou a Cícero e a monsenhor Monteiro a existência dos itens 1 e 4 do decreto papal, sonegado à opinião pública. Depois de beijarem o anel do bispo, os dois ficaram sabendo que eles e todos os outros padres que haviam defendido o milagre estavam proibidos de manter qualquer espécie de contato com Maria de Araújo dali por diante. Dom Joaquim indagou se tinham ciência da gravidade do documento emitido pelo Santo Ofício e se estavam dispostos a obedecer inteiramente às decisões do Vaticano. Monteiro respondeu que sim. Cícero, porém, teria feito uma afirmação que irritou o bispo:

"A Inquisição não falhou no caso de Galileu? Pode estar falhando agora, também", disse ele, tomando em sua defesa o erro histórico do Santo Ofício, que havia condenado no século XVII o célebre físico italiano por ter afirmado que a Terra gira em torno do Sol, e não o contrário, como até então acreditava a Igreja. "Além disso, a decisão não foi assinada pelo papa, e sim por um cardeal", insistiu Cícero, segundo relato de dom Joaquim ao internúncio. "Só a palavra do papa é infalível", completou, lembrando que a infalibilidade papal, decretada em 1870 pelo Concílio do Vaticano, não era extensiva aos cardeais, mesmo os inquisidores.

Aborrecido, o bispo teve de explicar a Cícero que o papa sempre era cientificado das decisões do Santo Ofício, cabendo a ele a palavra final em todos os casos, antes de os decretos serem selados, expedidos e divulgados. O fato de o documento ter sido assinado por um cardeal não significava que o papa não tinha ciência ou não estava de acordo com o conteúdo dele. Aquele era um decreto oficial do Vaticano, contra o qual não cabia recurso nem apelação, lembrou. Cícero, a essa altura, entendeu que não podia desafiar o bispo em um bate-boca interminável sem golpear a hierarquia. Não tinha alternativa senão afirmar que se submetia ao decreto, embora sustentasse que o fazia com a consciência intranquila. Dom Joaquim ficou preocupado com tamanha renitência. "Não confio muito no padre Cícero. Temo que ele levante ainda novas questões, mas nada poderá fazer porque perdeu a força moral", confidenciou o bispo do Ceará a dom Gotti.

Dom Joaquim apostava na desmoralização pública de Cícero após o pronunciamento do Santo Ofício. Previa que, fora das fronteiras do Cariri, ele logo seria visto como uma figura bizarra, alvo fácil do desprezo dos mais esclarecidos e do deboche dos mais críticos. Não à toa, o bispo classificava os episódios do Juazeiro de "triste comédia". Bem a propósito, em Pernambuco, o jornal satírico *Lanterna Mágica*, cujos caricaturistas não poupavam nenhuma figura pública do escárnio de seu traço, dedicou naqueles dias uma página inteira a uma charge ferina contra o padre. Sob o título de "Milagres do Juazeiro", via-se um Cícero sorridente, braços abertos, cercado de dezenas de mulheres, presumivelmente beatas, todas grávidas. "Ovelhas amojadas", lia-se ao pé da ilustração, publicada na edição de 30 de setembro de 1894 daquele jornal pernambucano. "Amojada", na linguagem popular, era a vaca ou outra fêmea qualquer de animal que ficava prenhe depois de coberta por um garanhão. A insinuação era malévola. Cícero ficou transtornado. "Para destruir a verdade e a sinceridade dos fatos, para desmoralizar as pessoas, não se poupou nem se poupa nada", indignou-se em carta ao padre Antero.

Outras estocadas ainda estavam por vir. Cinco dias após o encontro com Cícero no palácio episcopal, dom Joaquim baixou uma portaria que proibia os padres envolvidos na questão do Juazeiro — incluindo Cícero, Monteiro e Antero — de manter qualquer espécie de comunicação, "por palavra, por escrito ou por interposta pessoa", não só com Maria de Araújo, mas com toda e qualquer beata considerada cúmplice da história. A portaria determinava também que os sacerdotes estavam proibidos de celebrar missa ou ministrar sacramentos em qualquer lugar do Juazeiro, mesmo fora das dependências da capela interditada de Nossa Senhora das Dores. Exigia ainda que Cícero devolvesse a seus respectivos donos todas as esmolas e donativos recebidos dos peregrinos. Como seria impossível localizar cada ofertante entre centenas de milhares, o bispo ordenava que cada tostão fosse distribuído aos pobres e a obras de caridade.

Charge publicada pelo jornal satírico pernambucano *Lanterna Mágica*, na edição de 30 de setembro de 1894

O decreto do Vaticano e a ação determinada do bispo anularam a resistência de muitos. Pressionadas, uma a uma, as beatas da casa de caridade do Crato fizeram confissões a Alexandrino que deixaram Cícero em situação delicada. Maria Joana de Jesus, por exemplo, que antes dissera em testemunho aos padres Clycério e Antero ser capaz de falar com Cristo e de ver anjos resplandecentes descendo do Paraíso, retratou-se. Nunca tivera visões celestes, jamais conversara com Jesus, jamais o Messias havia lhe dado um cálice de ouro cheio de sangue para beber, afirmou. Mentira, e estava profundamente arrependida. Pedia perdão e suplicava para permanecer na casa de caridade. Antônia Maria da Conceição, aquela que deixara Clycério e Antero emocionados diante da visão de hóstias ensanguentadas que apareciam do nada, também desmentiu tudo. O episódio não passara de um truque previamente preparado. Ela retirara hóstias da capela da casa, molhara-as com sangue e as guardara nos bolsos, para iludir os comissários do bispo.

Dias depois, Antônia tentou modificar mais uma vez sua versão. Alegou que se vira forçada a negar o prodígio por medo de ter de abandonar a casa de caridade. Mantinha, portanto, o que havia dito no primeiro inquérito. Alexandrino explodiu em um acesso de fúria, segundo ele próprio relataria a dom Joaquim.

"Tu não mereces fé, tu és uma perjura, indigna de estar nesta casa, onde sempre te comportaste mal. Deponha o hábito religioso e saia imediatamente daqui, e fique sabendo que estás privada dos sacramentos", disse ele à beata, expulsando-a do lugar.

Com medo de receber o mesmo tratamento, a beata Raimunda de Jesus disse ter flagrado certa vez a colega Maria das Dores cortar os dedos de propósito para derramar o próprio sangue sobre um crucifixo de bronze e, assim, simular que era a imagem de Cristo que sangrava.

Não só as beatas sentiram o peso do decreto do Vaticano. Aos poucos, Cícero viu-se praticamente sozinho entre seus pares. Os colegas que antes lhe prestavam solidariedade estavam se vendo obrigados a emitir desmentidos oficiais por escrito, por temor de serem excomungados. O primeiro a pedir perdão à Igreja foi o padre Laurindo Duettes, pároco de Triunfo, um dos iniciais e mais ardorosos partidários do milagre, que tornou pública sua retratação pelo jornal *Era Nova*, de Recife, no dia 24 de setembro daquele ano de 1894. Menos de cinco meses depois, em fevereiro de 1895, foi a vez de monsenhor Monteiro retratar-se: "Tenho a honra de mandar a minha palavra de obediência ao decreto da Sagrada Congregação do Santo Ofício que condenou os fatos do Juazeiro", escreveu ele em carta ao bispo, que a fez publicar no jornal *A Verdade*, de Fortaleza. O antigo reitor do seminário do Crato, que arregimentara a primeira romaria, pedia clemência ao bispo.

No mesmo mês, padre Clycério, o presidente da comissão de inquérito que endossara a possível sobrenaturalidade dos fenômenos do Juazeiro, seguiu-lhe o exemplo: "Deposito em mãos de Vossa Excelência Reverendíssima, o senhor bispo diocesano, o ato de minha adesão e submissão ao decreto da Santa Igreja, e ao mesmo tempo o de minha retratação". Padre Félix Aurélio, que havia celebrado a missa na recepção a Antero, foi ainda mais longe. Disse ao bispo que nunca teria realmente acreditado em certos prodígios: "Quantas vezes disse aqui ao padre Monteiro que a beata Maria das Dores era uma cabrocha velhaca, mentirosa e até estúpida, por nem saber fingir o que fazia?". Assim, a cúpula que sustentara a sobrenaturalidade dos episódios do Juazeiro estava rendida. Faltava, todavia, que se dobrassem os padres Antero e Cícero.

Últimos resistentes, os dois sacerdotes trocavam cartas desconsoladas: "Meu amigo, morro de aflição e de angústia. Gastei toda a minha vida, desde que me ordenei, somente procurando a salvação dos outros sem me importar com a minha, e agora vejo uma coisa dessas. Não sei dizer o que sofro", lastimava-se o padre Cícero. "Pegaram uma pobre mocinha aterrada, e ela sem saber o que dizia afirmou horrores, cobrindo tudo de infâmias, dizendo que me dava sangue de pinto para eu botar nas hóstias, além de outros absurdos."

Restava a Cícero o consolo de que as beatas que moravam sob seu teto no Juazeiro, mesmo diante da pressão cerrada de Alexandrino, também resistiam. Intimada pelo padre Manoel Cândido a revelar que armara um espetáculo grotesco, a quase moribunda Maria de Araújo continuava a repetir as mesmas frases de sempre:

"Deus é onipotente. Deus pode fazer tudo o que quiser."

O padre Manoel Cândido irritava-se. Com severidade, indagou como seria então a tal imagem de Deus que a beata dizia ter visto várias vezes:

"Deus usa batina? A batina dele é preta? É branca? Ele tem rosto, tem mão?", inquiria.

Maria de Araújo mantinha-se firme. Deus teria mão, sim. Jesus Cristo também. Pois foi com a mão que Ele tirou partículas sangrentas do coração e oferecera a ela. Manoel Cândido irritava-se ainda mais. Explicava à mulher que Deus não tinha um corpo, que Ele era puro espírito, que não era um ser material, com forma de homem. Maria de Araújo balançava a cabeça e lhe negava ouvidos:

"Eu vi a mão dele. Eu sei que vi a mão de Deus Nosso Senhor", respondia.

Parecia inútil insistir. Informado das obstinações de Maria de Araújo, o bispo entendeu que somente um desmentido público de Cícero poria fim ao assunto. Se o padre voltasse atrás, as beatas também o fariam. Mas, ao contrário disso, dom Joaquim continuava a receber apenas notícias preocupantes do Juazeiro. Os moradores do povoado, fiéis ao seu *Padim Ciço*, recusavam-se a participar de celebrações religiosas no Crato, boicotando a missão evangélica de Alexandrino. Este impusera como obrigação aos que queriam se confessar, comungar, casar ou batizar filhos a resposta a uma pergunta básica: "Você condena e reprova os fatos do Juazeiro, que já foram condenados e reprovados pela Igreja?".

Somente os que respondiam "sim" à indagação podiam receber os sacramentos. Porém, os que assim procediam, se ficavam de bem com o vigário, caíam em desgraça junto aos demais juazeirenses. "Bem poucas pessoas do Juazeiro têm vindo se confessar aqui no Crato, e apenas chegam lá de volta, sofrem vaias do povo", deplorava Alexandrino.

Dom Joaquim exigiu que Cícero, a exemplo dos demais colegas que já haviam capitulado, fizesse uma declaração explícita de arrependimento, atestando por escrito sua completa submissão às decisões do Vaticano. Sabia que ele continuava a sustentar a tese do milagre e a alimentar a esperança de uma possível apelação a Roma. "Esperamos que Vossa Reverendíssima, como sacerdote católico, apostólico, romano, será solícito em reparar por esse modo os muitos erros e desvios que praticou na abominável história do Juazeiro, a fim de que não paire qualquer dúvida sobre sua fé e sinceridade". Acuado, Cícero escreveu a declaração formal que pedia dom Joaquim. Mas o fez grafada nos seguintes termos:

> Cumpro o dever de certificar a Vossa Excelência que é inexato que depois de haver declarado na própria presença de Vossa Excelência Reverendíssima que obedecia inteiramente à decisão e decretos da Suprema Congregação sobre os fatos do Juazeiro, eu os tenha sustentado e defendido depois disso. Pelo contrário, tenho guardado o mais completo silêncio, ainda que em detrimento da minha consciência eu não possa negar a verdade e sinceridade do que fui testemunha... Eu declarei e hoje torno a declarar que como sacerdote católico e filho submisso da Santa Igreja, a quem obedeço como a Deus, me submetia e me submeto sem restrição nem reserva a toda decisão e decreto da Suprema Congregação.

Dom Joaquim não ficou satisfeito com o tom da declaração. Aquele trecho sobre guardar silêncio, "ainda que em detrimento do que ditava a consciência", pareceu-lhe despropositado. A frase deixava implícito que Cícero continuava a sustentar, no íntimo, a crença no milagre, ainda que prometesse não falar mais no assunto publicamente. Não era isso que o bispo e o decreto exigiam. Cícero teria de reconhecer que os fatos do Juazeiro eram "prodígios vãos e supersticiosos", como julgara o Santo Ofício.

A ambiguidade do documento exacerbou as impaciências de dom Joaquim: "Padre Cícero, Vossa Reverendíssima afirma, diz e desdiz ao mesmo tempo, de sorte que não se pode entender qual seja seu real sentimento sobre o assunto". Na opinião do bispo, desde a época das primeiras manifestações do alegado milagre, a postura de Cícero sempre fora marcada pela mais escorregadia dissimulação. Era hora de colocar as coisas em termos claros. Para que não houvesse mais subentendidos dali por diante, dom Joaquim tratou de ele próprio reescrever a declaração, riscando os trechos que julgou inadequados. Depois, mandou o texto para que Cícero o passasse a limpo com sua letra e o assinasse novamente.

Cícero, contudo, recusou-se a fazê-lo. "Não tome por desobediência eu não ter assinado a declaração que me enviou", desculpou-se.

> A minha obediência é completa e sem restrição, como já disse na primeira declaração que remeti para ser publicada. Mas como Vossa Excelência Reverendíssima ainda achou que não o satisfaz, peço humil-

> demente que me permita ir pessoalmente a Roma depor aos pés do Santo Padre.

A carta ao bispo era datada de 16 de dezembro de 1894. Dez dias depois, logo após o Natal daquele ano, Cícero redigiu uma correspondência ao Vaticano. Na face do envelope, lia-se a seguinte informação: "Aos Eminentíssimos Reverendíssimos Senhores Cardeais da Suprema Congregação da Santa Inquisição Romana". No corpo da carta, Cícero pedia uma audiência com os inquisidores.

A resposta do Santo Ofício veio na forma de um telegrama lacônico. Eram apenas duas palavras, escritas em latim: *Acquiescat decisis.* Aceite o que foi decidido. Qualquer outro cristão, em seu pleno juízo, talvez houvesse recuado uma vez chegado a tal ponto. Afinal, era a Inquisição que lhe ordenava ficar quieto. Mas Cícero ousou seguir adiante.

11

Cinco cabras armados tentam matar o padre rebelde. Devotos clamam pelo Anjo da Vingança

1895-1897

Eram sete horas da noite quando cinco sujeitos mal-encarados se esgueiraram até próximo ao local onde Cícero falava aos romeiros. O grupo foi abrindo caminho à força, serpenteando entre as centenas de peregrinos, acotovelando-se em meio à multidão. As pessoas que se esquivavam para dar-lhes passagem não puderam deixar de reparar no cabo da peixeira que cada um daqueles homens levava presa à cintura. Não pareciam estar com boas intenções, logo se adivinhava. Quando já haviam vencido a maior parte da aglomeração e se encontravam a poucos passos de Cícero, esbarraram no grupo coeso de beatas vestidas de negro. Os cinco tentaram seguir adiante, mas as beatas não arredaram pé. Como sempre, elas ficavam bem próximas ao líder espiritual, para não perder uma só palavra do que ele dizia. Com isso, formavam uma espécie de providencial escudo humano em torno de Cícero. Os homens carrancudos, porém, continuaram a forçar passagem. Houve um princípio de tumulto e, no empurra-empurra, ouviu-se um grito de dor, partido da boca de mulher. Viu-se o brilho da lâmina da peixeira pontiaguda e o sangue derramado no chão. Uma beata estava ferida. De imediato, abriu-se uma clareira no meio daquele mar de gente:

"Querem matar o *Padim Ciço*!", gritou-se.

Os cinco homens desembainharam as facas e foi um deus nos acuda. Enquanto algumas beatas caíam feridas, outras protegiam Cícero, escoltando-o com seu próprio corpo, retirando-o ileso do meio do redemoinho que se formou naquele instante. Da mesma forma que a clareira humana se abrira segundos antes, o turbilhão se fechou sobre os agressores. Cercados por todos os lados, eles empunharam as armas em direção a quem se interpunha na frente e foram abrindo rotas de fuga a golpes de peixeira, desferidos a esmo no ar. Quatro deles conseguiram escapar a muito custo, debaixo de sopapos e pernadas. Um último foi agarrado e prontamente desarmado, tornando-se alvo de safanões e pancadas. Levado à delegacia, escapou por pouco de ser linchado.

Nunca se provou nada sobre quem organizara o atentado a Cícero. Mas os romeiros e os nativos de Juazeiro foram unânimes em imaginar um suposto culpado por trás do incidente: o vigário do Crato, padre Alexandrino. De imediato, acusaram-no de ter idealizado o plano para assassinar Cícero. Como os espíritos já estavam excitados desde o dia da leitura da segunda carta pastoral na capela de Nossa Senhora das Dores, a situação tornou-se ainda mais instável. Falava-se que o caso não ficaria sem resposta. Quem faz o mal, espere outro tal, comentava-se. Se Alexandrino havia mandado cinco cabras para tentar matar o padre, não seria difícil organizar um pequeno exército, de 5 mil carabinas, para dar o troco e atacar o Crato inteiro: a desforra seria multiplicada por mil. Chegara a hora de invocar o Anjo da Vingança, do qual falava o livro bíblico dos Provérbios. Padre Cícero, porém, conclamava o povo a serenar a sede de revanche. Um possível ataque à cidade só iria tornar as circunstâncias ainda mais difíceis do que já estavam. "Não deem gosto a Satanás. A melhor arma contra a rixa é o estandarte da fé, é a cruz que faz esmorecer os diabos dos infernos", costumava pregar Cícero.

Enquanto isso, no Crato, padre Alexandrino ficou indignado quando soube da acusação de que fora ele quem arquitetara o plano sinistro para dar cabo da vida de Cícero. Logo escreveu ao bispo para solicitar que dom Joaquim comunicasse as autoridades sobre o estado de insurreição no Cariri, requerendo o envio urgente de tropas oficiais e, ao mesmo tempo, a decretação de uma intervenção civil na região. O espírito da revolta, semeado pelas atitudes de Cícero, estava alastrado por todo o Juazeiro, alegava. O povoado, que agora possuía perto de 20 mil moradores, incluindo a população flutuante dos romeiros, transformara-se em paiol de pólvora, prevenia Alexandrino.

Dom Joaquim não pediu reforços, mas sabia que o atentado contra Cícero, ocorrido em 1º de novembro de 1895, era apenas o desaguadouro de uma série de insatisfações que se acumulavam desde o início daquele último ano. Segundo lhe dizia o vigário do Crato, reinava no lugarejo vizinho a completa balbúrdia. O fluxo de romeiros teria transformado o pequeno arrabalde em uma babilônia sertaneja, repleta de celerados, moribundos e famintos. Ali se reuniam, sob a sombra da batina de Cícero, todos os deserdados da sorte. A soma de miséria, ignorância e fanatismo, previa Alexandrino, não chegaria a bom saldo. Aterrorizado, assim descreveu o quadro ao bispo:

> O padre Cícero continua, como dantes, a fazer pregações ao povo e a receber ofertas dos papalvos que em não pequena escala vão chegando todos os dias no Juazeiro, onde mais da metade da população sofre horrorosa fome, que se denuncia pela magreza, palidez do rosto e opilação das pernas. Alguns dos famintos, ou antes muitos deles, têm se espalhado pelas cidades e centros mais populosos deste Cariri, que percorrem maltrapilhos, esmolando o pão da caridade. E apesar de tudo isso, morrem de inanição dezenas de romeiros por semana. Eis o atual estado do Juazeiro.

Alexandrino tinha um longo rosário de queixas a desfiar. Em março daquele ano, a beata Maria de Araújo contrariara as ordens do Vaticano e abandonara a casa de caridade de Barbalha. Ele ainda tentara demovê-la daquele ato de indisciplina que julgava insano, mas a mulher não se convencera do perigo que corria em persistir em tamanha desobediência.

"Se vou ser excomungada mesmo, só por defender o milagre de Nosso Senhor Jesus, por que querem que eu continue nesta casa? Que querem mais de mim?", teria perguntado Maria de Araújo. "Não tenho mais nada que fazer aqui", disse, antes de juntar seus trastes e ir embora de volta para o Juazeiro, acompanhada dos irmãos que foram apanhá-la em Barbalha.

A verdadeira fonte de toda a rebelião era Cícero, diagnosticava o vigário do Crato. Com sua birra e capricho, ao se recusar a assinar a retratação e a submissão às determinações do Santo Ofício, o colega dera mau exemplo, contagiara não só Maria de Araújo, mas a população inteira do lugar. "O povo do Juazeiro, quase em sua totalidade, não acredita na decisão da Sagrada Congregação, e diz que só reprova e condena os fatos que ali ocorreram se o padre Cícero mandar", relatava Alexandrino a dom Joaquim. "É tal a obstinação que muitas pessoas de lá não procuram padre para confessá-las quando estão prestes à morte, e assim vão morrendo sem confissão. Em vez de culparem o padre Cícero, culpam a Vossa Excelência por tal estado de coisas."

Impedidos de ter missas celebradas na capela de Nossa Senhora das Dores, os juazeirenses e os adeptos do padre Cícero continuavam a boicotar a igreja do Crato, recusando-se a aceitar as bênçãos de Alexandrino. Com isso, sem fiéis para ministrar sacramentos, o vigário via os cofres da paróquia cada vez mais vazios. Vinha daí boa parte de sua insatisfação, de acordo com o que se depreendia de sua correspondência com Fortaleza. Alexandrino dizia-se também escandalizado pelo fato de Cícero, burlando a suspensão que lhe fora imposta, prosseguir confessando enfermos e oferecendo o sacramento da extrema-unção. Em seus despachos ao bispo, Alexandrino citava o caso de uma velha senhora que se encontrava no leito de morte, em um casebre localizado bem na entrada da aldeia. Ao passar por ali, monsenhor Monteiro foi chamado para dar os últimos sacramentos àquela pobre senhora, mas voltou sem cumprir a tarefa, pois a mulher lhe falara que acreditava nos milagres do Juazeiro e sustentava a santidade de Cícero. Monteiro, que assinara a retratação, não ousou ministrar a unção dos enfermos a uma rebelde. "Poucos dias depois, o padre Cícero foi chamado para confessar a tal doente. Dirigiu-se à casa dela e a absolveu dos pecados, reprovando depois o procedimento do monsenhor Monteiro", delatou Alexandrino.

Em meio às divergências com o colega, o vigário do Crato dizia sentir-se vítima de uma campanha de desmoralização. No Juazeiro, por exemplo, espalhou-se certo dia o boato de que ele havia decidido remover a imagem de Nossa Senhora das Dores da capelinha, como represália às romarias. Alexandrino cometeria tal desfeita, segundo se dizia, em plena madrugada, para evitar que a ação fosse testemunhada pelos moradores. A dita imagem, de 1,60 metro de altura, havia sido mandada buscar na França por Cícero, para substituir a anterior, vinda de Portugal. A notícia — que de fato era falsa

— deixou mais uma vez os humores dos juazeirenses em estado de fervura. Organizou-se uma vigília armada diante da capela ao longo de toda a noite para impedir que qualquer visitante inoportuno ousasse levar a imagem embora. "Mais de mil romeiros se puseram com armas, vociferando contra mim, e assim se conservaram até o amanhecer do dia, quando souberam que era mentira." A confusão teria sobrado para o padre Félix Aurélio, vigário de Missão Velha, que naquela hora regressava do Crato e, antes de seguir viagem, decidiu pernoitar no Juazeiro. Ao chegar ao povoado, foi confundido com um emissário de Alexandrino e por isso ameaçado pelos devotos.

Diante das contínuas demonstrações de rebeldia, o bispo decidiu que era necessário infligir novas punições aos dois únicos sacerdotes que ainda não haviam capitulado. Em 22 de fevereiro de 1895, baixou uma portaria suspendendo o padre Antero do exercício das ordens. Esgotara a esperança de que podia voltar a ter confiança no teólogo que um dia tanto admirara. Quanto a Cícero, dom Joaquim tinha a sensação de que ele apenas assobiava e olhava para o lado a cada ordem sua. Por isso, tornou a lhe exigir uma declaração inequívoca de retratação, pois considerava que ele continuava abrigando-se por trás de sutilezas para afirmar que se curvava diante das decisões da Igreja, sem todavia desmentir a crença no milagre. "O padre Cícero não confessa seus erros, não se humilha nem pede perdão a Vossa Excelência e aos fiéis pelo escândalo que deu", atiçava Alexandrino. Em vez da retratação efetiva, o bispo recebeu um novo abaixo-assinado, por parte de 190 signatários, todos moradores do Juazeiro, solicitando que fosse revista a decisão que impedia Cícero de rezar missa na capela de Nossa Senhora das Dores. O requerimento foi considerado um ultraje por dom Joaquim.

O bispo também não gostou nada de saber que Cícero Romão Batista estava erguendo um novo templo no Juazeiro com a força de trabalho e as doações espontâneas dos romeiros. Planejava a construção de uma capela no alto da serra do Catolé, local que o próprio Cícero rebatizara de serra do Horto — uma alusão ao bíblico Horto das Oliveiras, onde Jesus Cristo foi orar a Deus em seus últimos momentos de vida, antes da crucificação. O padre alegava que apenas pagava a promessa que havia feito na terrível seca de 1877, de erguer um santuário ao Sagrado Coração de Jesus. Para o bispo, contudo, a construção era mais uma afronta às ordens emanadas da Santa Sé.

Em retaliação, dom Joaquim resolveu cassar a última das prerrogativas sacerdotais que restavam a Cícero, já impedido de ministrar sacramentos e proferir sermões: proibiu-o também de rezar missa, em qualquer lugar que fosse. Havia informações de que ele continuava a fazê-lo no arraial de nome Saquinho, próximo ao Juazeiro. Como Cícero também insistia em receber esmolas dos romeiros em detrimento de decisão anterior, o bispo entendeu que ele se tornara, em definitivo, um insurgente dentro dos quadros da Igreja Católica. Uma nova portaria episcopal comunicou oficialmente aos fiéis que o padre Cícero Romão Batista estava impedido de subir ao altar, sob quaisquer circunstâncias, e que as obras na serra do Catolé estavam interditadas por ordem superior. O templo no alto da colina jamais seria terminado. O esqueleto de tijolos aparentes permaneceria como testemunha da história, logo adotado como local de peregrinação pelos romeiros.

Padre Alexandrino remeteu a Cícero o original da portaria datada de 13 de abril de 1896 por um portador, escrivão do foro eclesiástico, o farmacêutico Dario Duarte Correia Guerra. Mais tarde, o doutor Dario contaria que, ao abrir o envelope que continha os papéis, Cícero leu-o com mãos trêmulas e os olhos encharcados. "Deus queira que as lágrimas sejam o começo da conversão dele", comentou Alexandrino. O vigário do Crato, porém, estava mais uma vez enganado. Ao apontar para o alto da serra do Catolé, Cícero soltava suspiros e dizia aos peregrinos que o rodeavam:

"Aquela igreja só vai ser terminada depois do fim do mundo."

Segundo a profecia naquele momento espalhada aos quatro ventos, o Dia do Juízo Final teria a serra do Horto como cenário. Seria lá que Deus convocaria todas as nações e faria levantar os mortos das tumbas, para então proceder ao julgamento que separaria os pecadores dos justos. O templo, aquele mesmo que o bispo mandara embargar, um dia seria reconstruído, e de forma grandiosa, para servir de sede principal a todas as igrejas do mundo, onde os fiéis de Moisés e de Cristo rezariam juntos e em torno de uma única crença. "O vale do Cariri será o vale de Josafá, do qual fala a Bíblia." Dita ou não por Cícero, a frase se difundiu entre os peregrinos de Juazeiro. "Todo o poder e toda a direção do mundo futuro sairão daqui,

As ruínas da igreja monumental
que Cícero começou a erguer
no alto da serra do Catolé e cujas
obras o bispo embargou

como um dia o salvador Jesus Cristo saiu da Galileia", dizia-se de boca em boca.

Na portaria que Cícero lera com olhos marejados, dom Joaquim afirmava textualmente que só restavam duas possibilidades: ou o padre possuía uma "criminosa pertinácia, incompatível com o espírito de sacerdote católico" ou provavelmente deveria sofrer de "um estado de alucinação" permanente. Diante daquilo tudo, Alexandrino não tinha mais dúvidas de que a segunda hipótese era a mais plausível. "O procedimento do padre Cícero só pode mesmo ser explicado por um desequilíbrio cerebral", definiu.

Até mesmo o papa Leão XIII haveria de convir que vinte contos de réis era um valor nada desprezível, se fosse incorporado ao Tesouro da Santa Sé. Na verdade, vinte contos constituíam uma relativa fortuna. Significavam um valor quase dez vezes maior do que todo o dinheiro previsto pelo governo do Ceará para a concorrência pública que escolheria a firma encarregada, durante os vinte anos seguintes, da implantação do sistema de esgoto em Fortaleza. Era também o equivalente à soma total de impostos pagos ao longo de um ano inteiro por seis municípios cearenses: Brejo Santo, Jardim, Milagres, Missão Velha, Porteiras e Várzea Alegre. Pois exatamente aquela quantia, duas dezenas de contos de réis, foi arrecadada por uma nova irmandade instalada no Ceará, a Legião da Cruz. O dinheiro, angariado em nome da causa de Cícero, teria um único destino: os cofres do Vaticano — ou, como intitulava a Santa Sé, o patrimônio de São Pedro.

Surgida originalmente no Brasil em 1885, na cidade de Niterói, a Legião da Cruz tinha como propósito coletar recursos doados por católicos praticantes, que depois eram remetidos a Roma. Era uma forma de ajudar a Igreja a se refazer do baque financeiro provocado pela perda dos territórios papais após a unificação italiana. O idealizador da sucursal cearense da irmandade foi o fazendeiro José Joaquim de Maria Lobo, tenente-coronel da Guarda Nacional e admirador incondicional de Cícero. Proveniente do município de Lavras da Mangabeira, situado algumas léguas ao norte do Cariri, Lobo se fixara no Juazeiro desde 1894, atraído pelas notícias dos alegados milagres da hóstia ensanguentada. Era uma figura de chamar a atenção: terno preto, fitas coloridas e medalhinhas religiosas sempre pregadas na lapela. Uma espécie de beato de paletó e gravata, dono de sólido patrimônio, ex-vereador em Lavras da Mangabeira e autor de artigos jornalísticos, com aspirações a literato. Sem a devida aprovação canônica de dom Joaquim, Lobo organizou a Legião da Cruz cearense e passou a arregimentar milhares de associados por todo o sertão. Cada membro pagava a mensalidade de cem réis — o preço de um exemplar de jornal na época — para participar da confraria. Para Lobo, o ato de arrecadar dinheiro em nome do Juazeiro para enviar ao Vaticano era uma comprovação de que Cícero não era um sublevado contra a Igreja Católica, mas um súdito reverente à instituição. A campanha tinha assim o claro propósito de aplainar o caminho para uma possível apelação à Santa Sé.

Munido das credenciais de organizador da Legião da Cruz no Ceará e do documento com as 190 assinaturas dos juazeirenses em defesa de Cícero, Lobo viajou em março de 1895 a Petrópolis, onde foi recebido em audiência pelo internúncio, o cardeal Girolamo Maria Gotti, que no ano anterior já recebera padre Clycério em idêntica missão. Insistia-se na perspectiva de que dom Gotti se mostrasse solidário a Cícero e ao povo do Juazeiro. Mais uma vez, foi tudo em vão. O internúncio enviou relatório expresso à Congregação do Santo Ofício no qual traçou um perfil nada elogioso de Lobo: "É um homem que fala muito de devoção, mas ignorante, cabeçudo e bastante impertinente". Dom Gotti chegou também a duvidar da autenticidade das assinaturas do documento que lhe foi entregue e reservou um bom espaço no relatório para advertir os inquisidores a respeito do papel de Cícero em toda aquela história: "Parece fora de dúvida que a rebelião e o resto do fermento existente em Juazeiro sejam obra do reverendo Cícero Romão Batista".

Como a nunciatura mais uma vez fazia ouvidos moucos aos clamores dos juazeirenses, Lobo decidiu que o único remédio que ainda restava em defesa da causa era ele mesmo ir a Roma, tratar do assunto diretamente com os membros da Congregação. Municiado dos primeiros contos de réis obtidos pela Legião da Cruz, partiu do Brasil no início de setembro de 1896, levando consigo duas petições para que as penas contra Cícero Romão Batista fossem revistas. A primeira petição era assinada por ele mesmo. A segunda, subscrita por centenas de juazeirenses.

Nesse meio-tempo, Cícero fazia o que achava ser a sua parte no assunto. Bombardeava o Vaticano com novos telegramas e cartas escritas em tom suplicante, endereçadas ao próprio papa Leão XIII, ignorando a resposta — *Acquiescat decisis* (aceite o que foi decidido) — endereçada meses antes pelo Santo Ofício. Os rogos que Cícero ditava ao telegrafista seguiam escritos em latim, o idioma oficial do Vaticano:

Sanctissime Pater,
per angustias tuas suscipe appellationem facti Joaseiro, sucurre milibus filiorum persecutorum mitte comissionem humiliter petimus expensis nostris. Per Jesum respondere digneris.
Presbyter Cicero Romanus, Sodalita Cordis Jesus, Legionis Crucis, Vicenti Paulo.

Em português, o telegrama de Cícero ao papa, com data de 26 de junho de 1896, dizia o seguinte:

Santíssimo Padre,
por misericórdia receba a apelação dos fatos do Juazeiro, socorra milhares de filhos perseguidos. Pedimos humildemente que envie uma comissão com as despesas assumidas por nós. Por Jesus, digne-se responder benignamente.
Presbítero Cícero Romão, membro da Associação do Coração de Jesus, da Legião da Cruz e da Confraria de São Vicente de Paulo.

Cícero, logicamente, estava ansioso por uma resposta. Embora soubesse que os trâmites no Vaticano sempre costumam marchar a passo lento, ele não suportou a angústia da espera. Menos de dez dias depois, em 4 de julho, como ainda não recebera nenhuma réplica de Leão XIII, enviou uma segunda mensagem telegráfica ao papa:

Sanctissime Pater,
per Jesum benigne respondere digneris.
Presbyter Cicero Romanus.

Desta vez, Cícero havia sido mais sucinto, o que talvez denunciasse ainda maior ansiedade:

Santíssimo Padre,
por Jesus, digne-se responder benignamente.
Presbítero Cícero Romão.

Se o padre Cícero acreditava realmente no milagre, ou se a essa altura apenas tentava preservar a si próprio e a seu séquito de romeiros no Juazeiro, trata-se de um ponto de controvérsia que sempre irá opor, em posições extremadas, seus apologistas e detratores. Numa longa carta que escreveu por esse tempo ao internúncio no Brasil, cardeal dom Gotti, ele tornaria mais uma vez patente a defesa incondicional do suposto prodígio. Classificaria a circunstância em que se encontrava como uma brutal perseguição religiosa por parte do bispo diocesano. "Não é uma acusação que faço; é um brado de aflição pedindo remédio", definiu. E argumentava:

> Interceda por nós ao Santo Padre e leve o nosso gemido aos seus pés, que nas mãos dele está o remédio de tantos males. Peço-lhe pela Santíssima Virgem. Se não tivéssemos tanta certeza dos fatos de Juazeiro, não pedíamos insistindo no envio de uma comissão daí à nossa custa para verificar o que aqui se deu.

As inquietações de Cícero não seriam muito bem interpretadas pela Santa Sé. Os telegramas remetidos por ele ao papa Leão XIII foram lidos na mesa do então todo-poderoso secretário de Estado do Vaticano, cardeal Mariano Rampolla. O secretário, que era considerado forte candidato à sucessão de Leão XIII, não deu resposta direta a Cícero, mas imediatamente tratou de notificar a nunciatura no Brasil a respeito das recorrentes investidas do padre cearense em relação a um assunto que já estava afeito ao julgamento da Congregação do Santo Ofício. "Sacerdote Cícero Romão telegrafou várias vezes, para ter resposta da Santa Sé a respeito de seus negócios", alertou o cardeal Rampolla ao internúncio em Petrópolis, antes de encaminhar o caso a quem de direito: os inquisidores.

O provável mal-estar provocado pelos telegramas recentes de Cícero coincidiu com a chegada a Roma de José Joaquim de Maria Lobo, o legionário da Cruz, portador da generosa oferta ao patrimônio de São Pedro. Em novembro de 1896, Lobo protocolou na sede do Santo Ofício os documentos que recorriam em favor da causa do

Indicazioni di urgenza

N.° 172 di recapito - Rimesso al fattorino - ad ore 20,5

Sanctissimo Pater

Roma

Ufizio Telegrafico di Roma

Il Governo non assume alcuna responsabilità civile in conseguenza del servizio della telegrafia.
Le tasse riscosse in meno per errore od in seguito a rifiuto o irreperibilità del destinatario devono essere completate dal mittente.

Ricevuto il 1 6 189

Pel circuito N.° 60/62 Ricevente [illegible]

Qualifica	Destinazione	Provenienza	Num.	Parole	Data della presentazione: Giorno e Mese	Ore e Minuti	Via	Indicazioni eventuali d'ufficio
	R	Pernambuco	0	11/12	1	2.15 pom		via Car – malta

Per Jesum benigne respondere digneris

Presbyter Cicero Romanus

N. B. È un confessore soppeso d'una pretesa Santa, da [illegible] miracoli; [illegible] communicata da lui più volte al giorno [illegible]

Telegrama de Cícero ao papa Leão XIII, solicitando resposta aos seus pedidos de revogação das penas

Juazeiro e fez a doação do dinheiro que levava ao tesouro de São Pedro, na fiel esperança de que as decisões contra Cícero fossem revogadas em pouco tempo. De fato, antes mesmo que Lobo tivesse tempo de retornar ao Brasil, os inquisidores já haviam deliberado sobre as novas providências a respeito do caso.

Cícero começou a temer por seu destino quando, logo no início de 1897, recebeu a notícia de que padre Alexandrino acabara de ser distinguido pelo Vaticano com o título honorífico de "monsenhor". A palavra, que serve para distinguir sacerdotes com relevantes serviços prestados à Igreja, tem origem francesa — *mon seigneur* (meu senhor) — e remete ao tempo em que a corte papal ficou instalada em Avignon, na França, durante o século XIV, por pressão do rei Felipe IV. Como prevê a regra canônica, o título de Alexandrino foi outorgado pelo papa, por meio da Secretaria de Estado do Vaticano, após solicitação expressa do bispo diocesano e com a intercessão da nunciatura. Assim, o agora monsenhor Alexandrino dava sinal de seu prestígio crescente, o que deixou Cícero receoso de que para ele o pior talvez estivesse por vir.

As apreensões aumentaram no início de abril, quando recebeu por um portador um ofício de dom Joaquim. Foi no dia 15 de abril, quinta-feira da Semana Santa, uma coincidência que revestiu o acontecimento de redobrada significação para Cícero. Apesar de ter de assinar um recibo para comprovar a entrega da correspondência oficial, ele decidiu não abrir o envelope de imediato, pois tinha um pressentimento de que ali dentro não havia boas-novas.

"Coisa boa não é. Não vou ler agora. Vou deixar a carta esfriar um pouco, antes de abrir", expôs ao mensageiro.

A hesitação de Cícero em romper o lacre do ofício diocesano gerou dividida curiosidade. Os amigos e beatas mais otimistas apostavam que a embaixada feita por Lobo junto aos cardeais de Roma deveria ter provocado uma reviravolta no caso. O bispo talvez houvesse escrito para comunicar que o padre cassado teria suas ordens sacerdotais prontamente restabelecidas. Os menos eufóricos receavam o extremo oposto. Temiam que dom Joaquim tivesse imposto mais uma proibição a Cícero, quem sabe dessa vez ordenando que ele depusesse a batina e abandonasse a Igreja. Na dúvida, houve quem procurasse monsenhor Alexandrino para indagar se ele porventura tinha conhecimento do conteúdo de tão misteriosa mensagem enviada pelo bispo. Quando se soube que o padre Antero também recebera um ofício remetido pelo palácio episcopal, a tensão aumentou.

Cícero deixou passar os festejos da Semana Santa e, só então, decidiu tirar o ofício da gaveta na qual cuidadosamente o guardara. Ao ler o que estava escrito naquela única folha de papel, percebeu que o bispo utilizara de linguagem objetiva e ao mesmo tempo circunspecta. Em exatas vinte linhas, dom Joaquim convocava-o a Fortaleza no prazo máximo de trinta dias, para tratar de assunto de natureza grave. O bispo apenas adiantava que o Santo Ofício se reunira no dia 10 de fevereiro para analisar o recurso interposto por José Joaquim de Maria Lobo e emitira um novo decreto a respeito. Sendo assim, Cícero Romão Batista teria de seguir à capital para ser comunicado pessoalmente do assunto, conforme recomendaram os inquisidores.

Para evitar um embate direto com o bispo, independentemente de qual fosse o real teor do decreto, Cícero decidiu escrever duas cartas, assinadas e remetidas no mesmo dia. A primeira ia endereçada a dom Joaquim. Nela, o padre pedia desculpas por estar temporariamente impedido de viajar até a capital, como determinava o ofício. Alegava que estava muito doente e, na falta de estradas de ferro que abreviassem o tempo de jornada até Fortaleza, sentia-se temeroso de ir a cavalo. Anexava à missiva um atestado médico e ainda informava que a mãe, a septuagenária dona Quinô, também andava bastante mal de saúde, assim como a irmã Angélica Vicência, que sofria de constantes problemas de coração. Receava viajar e encontrar a morte ao meio do caminho, o que por certo mataria de desgosto também a mãe e a irmã. Que Deus guardasse o bispo. Assinado, Cícero Romão Batista.

A segunda carta, de oito páginas, foi endereçada aos cardeais do Santo Ofício. Diante dos incômodos de saúde, afirmava ser imprudente ir a Fortaleza, "fazer uma viagem de 110 léguas e muitos perigos". Em vez disso, pedia mais uma vez que fosse mandada uma comissão do Vaticano ao Juazeiro. Ao final, aproveitava para pedir misericórdia — "que o Santo Tribunal se compadeça de nós!" — e para reafirmar sua fé no milagre da hóstia. "É um horror querer nos obrigar a dizer que o fato do Juazeiro é uma mentira, quando juramos de toda consciência que é obra de Deus."

Se o padre Cícero não queria ir a Fortaleza, dom Joaquim não viu outro jeito senão confiar ao monsenhor Alexandrino a incumbência de lhe dar conhecimento dos termos do novo decreto da Inquisição ali mesmo, no Cariri. A primeira providência de Alexandrino foi convocar Cícero Romão Batista a sua presença para uma conversa reservada. Mesmo que o padre afirmasse estar impossibilitado de seguir à capital por causa da longa distância, não deveria haver maiores dificuldades para ele se deslocar por uma estrada bem mais curta, do Juazeiro até o Crato. Desconfiado, Cícero mais uma vez se esquivou.

"Se há algum assunto reservado a se tratar — ainda hoje mesmo ou quando queira Vossa Reverendíssima — pode fazê-lo com melhor vantagem por escrito", respondeu a Alexandrino, por meio de um bilhete, acrescentando ao final uma máxima em latim que ecoou como uma provocação: *verba volant et scripta manent*. As palavras voam, o escrito permanece. Com isso, Cícero justificava que, para evitar mal-entendidos, qualquer conversa entre os dois deveria ser documentada no papel. "Principalmente quando a calúnia e a má vontade há muito me perseguem", completou.

De novo, não havia escolha. Diante daqueles possíveis subterfúgios por parte de Cícero, monsenhor Alexandrino teria de ir pessoalmente ao Juazeiro para ler de viva voz para ele o decreto. Estava preocupado com a recepção que o povo do lugar lhe faria, mas não podia hesitar diante da gravidade da tarefa que lhe fora atribuída. Assim, rezou alguns pai-nossos, recitou outras tantas ave-marias e, por fim, foi ao povoado. Porém, nas duas tentativas iniciais que fez, não obteve êxito. Sempre que chegava ao povoado, recebia a notícia de que o padre estava fora, cumprindo obrigações para as bandas do Crato. "Ele se retirou por ódio de mim, para não me encontrar, temendo que a entrevista seja desfavorável a ele", contou ao bispo.

De todo modo, se não haveria de ser por bem, haveria de ser por mal. Alexandrino resolveu armar uma espécie de tocaia, da qual o padre não teria como escapar. Indo novamente ao Juazeiro e sabendo que Cícero se encontrava na feira do Crato, ficou esperando-o bem ao meio da estrada, até o momento em que ele decidisse voltar. Mais cedo ou mais tarde, Cícero teria de tomar o rumo de casa. Alexandrino estava determinado a esperar quanto tempo fosse necessário, mas não deixaria de cumprir o serviço que o bispo lhe encomendara.

No final da tarde, quando Cícero retornava para o Juazeiro debaixo dos últimos raios do sol daquele dia, foi surpreendido pelo colega que o aguardava montado a cavalo, brandindo o decreto do Santo Ofício na mão. Estavam presentes ali várias testemunhas, os muitos populares que também voltavam da feira pela estrada de terra. Para monsenhor Alexandrino, nada mais adequado. Era a ocasião propícia para que o comunicado do Vaticano se tornasse do conhecimento de toda aquela gente. Começou a ler em voz alta o cabeçalho do decreto, para que fosse ouvido em alto e bom som. Mas Cícero o interrompeu bruscamente:

"Não leia isso, que eu não quero ouvir", falou.

Alexandrino advertiu que cumpria ordens do bispo, que por sua vez seguia orientações de Roma. Mesmo assim, Cícero não permitiu que ele continuasse a leitura. Recusava-se a ouvir qualquer coisa que fosse da parte de Alexandrino. Entregasse-lhe o papel, ele leria depois. "Não podendo intimá-lo de outra maneira, entreguei-lhe o ofício", narraria o monsenhor a dom Joaquim.

Alguns metros depois, quando Alexandrino e as demais pessoas já se encontravam a relativa distância, Cícero enfim se rendeu aos fatos e resolveu ler o que estava escrito naquela folha que lhe queimava as mãos. O documento vinha assinado pelo cardeal Lucido Parocchi, que desde o ano anterior substituíra no Vaticano o cardeal Monaco la Valletta no cargo de secretário inquisidor. No decreto, o Santo Ofício tratava do caso tanto de Cícero quanto do padre Antero. Este último, Antero, não poderia mais protelar ou se recusar a redigir a retratação em torno do caso do Juazeiro, sob pena de suspensão *a divinis*, castigo reservado àqueles que cometem ilícitos contra a Igreja.

Quanto a Cícero, os inquisidores determinavam que, caso ele pretendesse recorrer à Santa Sé contra as penas que lhe haviam sido impostas, deveria primeiro submeter-se ao decreto anterior de Roma. Ou seja: como já lhe fora ordenado, teria de entregar ao bispo todos os panos manchados de sangue que haviam sido roubados da matriz do Crato, assim como todas as medalhinhas com sua efígie, para que fossem incinerados. O pior, entretanto, vinha mesmo a seguir. O decreto dizia também que ele tinha apenas dez dias, a partir da leitura daquele texto, para se retirar para sempre das terras do Juazeiro.

Caso não o fizesse, não havia perdão. Cícero seria excomungado.

Cinco dias depois de entregar aquele ofício, Alexandrino soube que Cícero havia desaparecido. O padre parecia ter sumido no ar. Saiu do Juazeiro em rumo ignorado, sem dizer a ninguém quais seriam seus planos dali por diante. Só havia uma hipótese, comentava-se por toda a região. Ele teria ido direto a Roma, a fim de recorrer pessoalmente à Santa Inquisição. Dinheiro para isso ele deveria ter, uma vez que o doutor Lobo continuava arrecadando vários contos de réis pelo sertão. Em Fortaleza, dom Joaquim até torcia para que tal suposição fosse verdade: "O Santo Ofício verá então que o padre Cícero se trata mesmo de um homem desequilibrado", escreveu ao internúncio, em Petrópolis. Autorização para viajar ele também tinha. Meses antes, Cícero oficialmente pedira permissão ao bispo para ir ao Vaticano. "Vá para Roma ou para onde bem lhe parecer. Nossos ardentes votos são para que Vossa Reverendíssima se retire para bem longe do Juazeiro, onde sua permanência é prejudicial à Santa Religião", escrevera-lhe então dom Joaquim.

Contudo, logo seria revelado o verdadeiro paradeiro de Cícero Romão Batista. Cartas dele à mãe e à irmã indicavam que na verdade ele estava do outro lado da divisa do Ceará, no município de Salgueiro, em Pernambuco, a cerca de cem quilômetros ao sul de Juazeiro. A cidade de Salgueiro sempre foi considerada a "encruzilhada do Nordeste", por causa da equidistância em relação às principais capitais da região. Dali, portanto, Cícero poderia deslocar-se para qualquer outro lugar, quando assim julgasse pertinente. Por isso, as notícias que corriam pelo agreste logo deixaram as autoridades em polvorosa. Dizia-se que Cícero entrara em Pernambuco para dali seguir em busca do sertão da Bahia. Tudo indicava que ele tinha um firme propósito e um único destino: Canudos. Estaria planejando arrastar legiões de romeiros para se unir ao exército sertanejo de Antônio Vicente Mendes Maciel, o Antônio Conselheiro.

Naquele exato momento, o líder de Canudos estava prestes a

enfrentar o quarto ataque desferido pelas tropas do Exército brasileiro ao arraial de Belo Monte. As três expedições anteriores, fortemente armadas, resultaram todas em vexatória derrota para os militares, que sucumbiram à força da chamada "Troia de taipa", como a definiu Euclides da Cunha, que, aliás, acabara de chegar ao local como correspondente de guerra de *O Estado de S. Paulo*. O governo federal tinha esperanças de que o quarto ataque fosse definitivo e, enfim, conseguisse destruir o arraial. Mas a informação de que o "fanático do Juazeiro" estava a caminho de Canudos era aterrorizante. Uma vez juntos, os seguidores de Antônio Conselheiro e os devotos de padre Cícero, por certo, seriam imbatíveis.

12

Autoridades em polvorosa: o herege do Juazeiro está mancomunado com o lunático de Canudos?

1897-1898

O clima era de desassossego no Palácio das Princesas, sede do governo pernambucano, no Recife. O presidente da província, Joaquim Correia de Araújo, estava apreensivo com a informação de que Cícero se encontrava em território sob sua jurisdição. Constava que o padre fora visto na entrada de Salgueiro pregando a rebeldia para cerca de duzentos jagunços armados de parabéluns, rifles e mosquetões.

Tudo o que não interessava a Joaquim Correia era ver o sertão de Pernambuco repetir as cenas de insubmissão de Canudos, na Bahia. Ele temia que as críticas direcionadas a Luís Viana, o presidente da província vizinha acusado de negligência e de fazer vistas grossas à ação de Antônio Conselheiro, recaíssem também sobre seu governo. Por isso, tratou de pôr suas desgrenhadas e governamentais barbas de molho. Telegrafou imediatamente ao juiz de direito de Salgueiro, o doutor Manuel de Lima Borges, pedindo informações a respeito da presença do padre naquela cidade. Queria saber se a notícia tinha fundamento e se era verdade que Cícero fazia ali uma escala para arregimentar mais facínoras, antes de partir de armas em punho em direção ao arraial do Belo Monte:

> Juiz de Direito,
> Constatando padre Cícero deixou Juazeiro procurando Canudos para auxiliar Antônio Conselheiro, peço informeis máxima urgência

o que há de verdade, bem como qual a distância entre Crato e rio São Francisco.

Joaquim Correia

Não eram só as autoridades civis que estavam alvoroçadas. Naquele mesmo dia, 14 de agosto de 1897, o bispo de Olinda, dom Manoel dos Santos Pereira — que em 1853 havia substituído dom João Fernando Tiago Esberard no cargo — tomou idêntica providência. Telegrafou ao vigário de Salgueiro, padre João Carlos Augusto, solicitando esclarecimentos a respeito do assunto. O teor aflito da mensagem demonstrava o abalo institucional que a presença de Cícero gerava em Pernambuco:

Vigário,
Padre Cícero ainda está aí? Não posso aprovar sua responsabilidade qualquer ato. Não tolere pretensão agitar povo. Responda.

Bispo Olinda

A intranquilidade não era para menos. Meses antes, o *Diário de Pernambuco* havia publicado na primeira página um longo texto sobre o padre cearense com o título "Desordens do Juazeiro". O artigo comparava Cícero a Antônio Conselheiro, classificando ambos de "espíritos pervertidos", "oráculos da ignorância", "falsos profetas" que "embruteciam as consciências" dos miseráveis. O artigo ainda estava bem fresco na memória dos pernambucanos e fazia coro à ideia então corrente de que tanto Conselheiro quanto Cícero eram símbolos eloquentes do atraso do sertão, empecilhos à marcha do progresso, anteparo aos ventos da Ilustração que soprariam do litoral. "Tínhamos razão quando uma vez dissemos referindo-nos ao Juazeiro do Ceará que a superstição ali dominante e criada pelo padre Cícero, atraindo milhares de pessoas, traria mais cedo ou mais tarde perturbações da ordem pública", haviam lido os recifenses na edição de 30 de dezembro de 1896 do *Diário*. O periódico apontava o dedo para a omissão das autoridades em relação ao assunto. "É deplorável que o governo tenha sido indiferente aos progressos da empresa de fanatizar os centros do país, ainda distantes da cultura que deveriam ter."

Não era só o jornal pernambucano que estabelecia o paralelo

entre o taumaturgo do Juazeiro e o líder de Canudos. "Padre Cícero é um segundo Antônio Conselheiro, que tem o dom de fanatizar as classes ignorantes", prevenia o bispo cearense, dom Joaquim, em carta oficial à nunciatura em Petrópolis. No entender do prelado, a religiosidade popular sempre constituíra um terreno fértil para a aparição de lunáticos e doidos varridos. "Cumpre-me cientificar que nesta diocese os casos de desequilíbrios das faculdades mentais são frequentes, e quase todos se manifestam por tendências para o maravilhoso, não sendo estranha a essa tendência uma boa parte do clero."

É verdade que havia confluências entre as trajetórias dos dois controvertidos religiosos, embora existisse também notória diferença no modo de ação e na própria história particular de cada um deles. A exemplo de Cícero Romão Batista, Antônio Vicente Mendes Maciel, o Conselheiro, foi influenciado pela pastoral cabocla do padre Ibiapina. Da mesma forma que o célebre andarilho fizera décadas antes, dedicou boa parte da vida a construir igrejas, capelas e cemitérios pelos sertões em regime de mutirão. Antes de se fixar em Canudos, peregrinou sem eira nem beira, levando a todos a palavra de Deus, combinando a defesa intransigente da fé com uma rígida pregação moral e com a exortação ao trabalho coletivo. Assim como Cícero, era um homem do povo, que soube tocar fundo no coração dos devotos e — sem nunca deixar de ser também um deles — reunir multidões de sertanejos que o tomavam como guia. Mas, ao contrário do padre de Juazeiro, Conselheiro não tivera educação católica formal, nunca estudara em seminário, não fora ordenado sacerdote. A dedicação efetiva de Antônio Maciel à religião se dera após alguns percalços particulares, que incluíam desde o flagrante dado na esposa, que o traía com um sargento de polícia, até a sucessão de fracassos financeiros, passando por uma injusta prisão por suspeita de homicídio.

Aquele homem alto e magro ganhou ares de profeta bíblico em plena caatinga. Passou a se vestir invariavelmente com uma túnica azul, amarrada à cintura por um cordão, na ponta do qual pendurava o crucifixo. O apelido viera do costume bem próprio aos místicos nordestinos de distribuir conselhos aos que ouviam suas pregações e profecias. Não por acaso, levava sempre consigo um exemplar da *Missão Abreviada para despertar os descuidados, converter os pecadores e sustentar o fruto das missões*, a obra do padre português Manoel de Gonçalves Couto. Ao congregar fiéis que deixavam tudo para trás, abandonando a terra natal e o pouco que tinham para se juntarem a ele, Antônio Maciel atraiu para si a inimizade dos proprietários de terra. Estes, é óbvio, não ficaram contentes ao notar o desaparecimento paulatino da mão de obra disponível no sertão, na exata proporção em que cresciam as ondas de migração para Canudos. Se Conselheiro era incômodo ao poder econômico, também o era para a Igreja. Sendo apenas beato, pregava no púlpito dos templos sagrados, o que viria a aborrecer o arcebispo da Bahia, dom Luiz Antônio dos Santos. Ele mesmo. Aquele que fora bispo do Ceará antes de dom Joaquim e decidira a favor da ordenação de Cícero, apesar das reticências do reitor Chevalier.

Coincidências e diferenças à parte entre os líderes do Belo Monte e do Juazeiro, há indícios que dão conta de um real interesse de Cícero em relação ao movimento de Antônio Vicente Mendes Maciel. A informação que tem sido repetida por várias narrativas historiográficas partiu originalmente de uma única fonte, um antigo morador e sobrevivente de Canudos, Antônio Vilanova — irmão de Honório Vilanova, um dos homens mais chegados ao líder Conselheiro. Um emissário de Cícero Romão Batista, de nome Herculano — o sobrenome, infelizmente, não passou à posteridade —, teria sido destacado pessoalmente pelo padre para observar o que se passava no arraial baiano. A chegada de Herculano à Bahia coincidira com o primeiro ataque militar aos discípulos do beato.

Após assistir aos conselheiristas colocarem para correr os bisonhos soldados do tenente Manoel da Silva Pires Ferreira na histórica batalha de Uauá, Herculano retornara para dar conhecimento do fato ao guia espiritual do Juazeiro. Antônio Conselheiro inclusive teria mandado um recado para Cícero, em forma de predição, referindo-se aos ataques que as tropas federais em breve iriam desferir contra Canudos:

"Conte ao padre Cícero o que viu. Ainda vai haver três fogos. Ele também terá o seu foguinho", profetizou.

Quando transformasse as anotações de sua caderneta de correspondente de guerra em livro, o repórter do jornal *O Estado de S. Paulo* também faria referências às suspeitas de que Cícero estivesse mancomunado com o líder de Canudos: "Em Juazeiro, no Ceará, um heresiarca sinistro, o padre Cícero, congregava multidões de novos cismáticos em prol do Conselheiro", escreveria Euclides da Cunha no clássico *Os sertões*.

Contudo, os rumores de que Cícero chegara a enviar um emissário ao Belo Monte nunca foram comprovados. Na vasta correspondência ativa e passiva do padre, não há uma única linha a respeito do tal Herculano. Não é improvável, porém, que vários dos devotos de Cícero tenham sido atraídos pelas pregações de Antônio Conselheiro e rumado em caravana para Canudos. Mas o certo é que ele próprio, Cícero Romão Batista, em vez de ir a Salgueiro disposto à guerra, decidira fazer daquele retiro compulsório em Pernambuco o momento de um recolhimento pessoal e, mais do que isso, de calculada trégua em relação a seus oponentes eclesiásticos. Isso não significava que o aparente armistício representasse uma desistência em relação à causa que verdadeiramente o movia. Durante aqueles quase seis meses de exílio pernambucano, Cícero tentaria de todos os modos reverter os destinos de seu litígio com o Vaticano.

Quando Deus tarda, é porque já vem a caminho, acreditava Cícero.

Na manhã de 14 de agosto de 1897, o canhão inglês Withworth das tropas federais transformou em poeira uma das duas torres da igreja do Belo Monte. Enquanto isso, a quilômetros dali, na pequena estação telegráfica de Salgueiro, vivia-se também um dia agitado, mas por motivo bem diverso. O operador do então moderníssimo aparelho de código morse batucou na tecla metálica a pronta resposta do juiz de direito, doutor Lima Barros, ao Palácio das Princesas. O juiz procurava tranquilizar o angustiado presidente Joaquim Correia. A mensagem viajou por quinhentos quilômetros de fios na linha telegráfica que ligava Salgueiro ao Recife para avisar que Cícero estava ali em missão de paz:

> Afirmamos ser absolutamente falsa notícia padre Cícero deixar Juazeiro procurando Canudos para prestar auxílio Antônio Conselheiro. Podemos garantir ser ele virtuoso sacerdote completamente hostil movimento sedicioso Canudos, incapaz tentar contra a ordem e tranquilidade públicas. De Crato a São Francisco, 41 léguas.

A afirmação seria reforçada por um telegrama coletivo ao presidente da província, assinado por gente graúda de Salgueiro. Entre outros figurões locais, subscreviam a mensagem o intendente da cidade (cargo então equivalente ao de prefeito), capitão Cornélio Gomes de Sá; o presidente do conselho municipal, coronel Romão Filgueira Sampaio; o vice-intendente, Othon Soares; além de todos os representantes da Câmara municipal. Seguiam-se ainda cerca de cinquenta assinaturas de pessoas proeminentes do lugar, particularmente fazendeiros e negociantes. Todos garantiam que Cícero, em estrito acato à decisão do Vaticano, só fora buscar paz e sossego em Pernambuco:

> Aqui como qualquer ponto território tem sido e será elemento ordem, paz, tranquilidade, quer como particular quer como sacerdote modelo, vivendo sempre segundo espírito Deus.

Meia dúzia de telegramas como aquele ainda seguiria ao presidente da província, encaminhada por juízes e delegados de outras quatro cidades pernambucanas: Cabrobó, Granito, Parnamirim (antiga Leopoldina) e Ouricuri. Os doutores encarregados da lei e da ordem nesses respectivos municípios igualmente asseguravam que Cícero nem de longe representava uma ameaça pública, como se proclamava no Recife. Ao contrário, a presença dele estava sendo comemorada como um alento na região: o padre ajudara a pôr fim em rixas locais cujas origens se perdiam no tempo, selando a paz entre duas famílias arquirrivais do sertão, os Farias e os Maurício. Promovera assim o término de uma guerra fratricida, que durante longos anos tingira de sangue o chão do agreste. Fora exatamente por esse motivo que o viram antes pregando para os tais duzentos jagunços na estrada de Salgueiro. Cícero não os incitava à luta. Na verdade, conclamava-os a baixar as armas e a trocar o bacamarte pelo rosário.

O mesmo *Diário de Pernambuco* que publicara aquele texto depreciativo contra Cícero estampou em suas páginas, na edição de 17 de outubro de 1897, um elogioso artigo na seção "A pedidos" — espaço que os periódicos da época reservavam ao material publicado sob pagamento dos interessados. O escrito, como sempre, vinha sob o estilo inconfundível de José Marrocos:

> Quando em outros países católicos, como na tradicional Itália (em Bolsena) ou no velho Portugal (em Santarém), os príncipes da Igreja e o clero festejam e solenizam os grandes acontecimentos por meio dos quais o Deus do Calvário firma sua fé a bem da humanidade, no Ceará, por idêntico fato, bane-se do território um virtuoso sacerdote, já velho e alquebrado, como se fosse um pernicioso celerado.

Aquele trecho inicial parecia prever um artigo lavrado em tom de desagravo e indignação. Mas logo em seguida o texto assumia uma inflexão mais ponderada, que cuidava de reforçar a tese de submissão de Cícero às ordens emanadas de Roma. Aos seus defensores, não convinha naquele instante dar chances para que ele continuasse a ser confundido com um "segundo Conselheiro", como queria dom Joaquim. "Cheio de resignação e sincera humildade, aquele sacerdote obedece com paciência evangélica a todas as acusações e perseguições", dizia o artigo do *Diário*.

Ainda que poupasse os cardeais do Santo Ofício de qualquer crítica, o texto de Marrocos não deixava de dispensar farpas certeiras contra dom Joaquim, acusando-o de querer insuflar as autoridades pernambucanas contra Cícero:

> Não conseguindo os desumanos perseguidores a capitulação que almejam, não conseguindo arrancá-lo da alma do povo, que é sempre grande, nobre e generosa, recorrem agora ao poder civil, procurando envolvê-lo no sedicioso movimento dos sertões da Bahia, como um comparte do especulador e nefasto Antônio Conselheiro.

Diante das novas notícias e dos telegramas enviados pelas autoridades do interior da província, o presidente Joaquim Correia mostrou-se aliviado. Ficou absolutamente convencido de que, em vez de um inimigo ameaçador, Cícero Romão Batista poderia ser um parceiro mais do que oportuno para pacificar o interior de Pernambuco. "Acredito que padre Cícero não auxiliará Antônio Conselheiro e nem promoverá agitação hostil", respondeu o presidente da província aos muitos telegramas que recebera de Salgueiro. Até mesmo o famoso industrial Delmiro Gouveia, que começava a fazer fortuna com a exportação de couro para os Estados Unidos — e que dali a alguns anos viria a se tornar um dos homens mais ricos e poderosos do Brasil —, recebeu mensagens tranquilizadoras a respeito de Cícero. Doutor Delmiro podia dormir sossegado. Seus lucrativos negócios em Pernambuco não seriam afetados por possíveis desordens por parte do padre ou de seus seguidores:

> Questões aqui vão tomando caráter pacífico. Padre Cícero tem sido incansável. Havia adjacências cerca de duzentos homens em armas. Ele tem conseguido desarmar uns, fazer outros retraírem-se. É muito possível em breve entrarmos em inteira calma.

Na passagem por Salgueiro, Cícero consagrava uma arte da qual já demonstrara ser perito no Juazeiro. Ele era o *Padim Ciço* dos "náufragos da vida" — como gostava de definir —, mas também sempre fora bem-vindo e chamado para dar bênçãos nos alpendres de chefes políticos e fazendeiros locais. Não foi à toa que, naquele momento em que era acusado de atentar contra a ordem pública em Pernambuco, obteve atestados de idoneidade também por parte de importantes autoridades do Cariri.

"Atestamos que ele tem sido sempre amigo do governo, promovendo, onde quer que se ache, todos os meios de auxílio à sua ação, aconselhando o povo à obediência a todas as autoridades", escreveu por exemplo o intendente cratense, Manuel Lopes da Silva. A engenhosa composição de predicados aparentemente antagônicos — a dedicação pastoral aos mais humildes e o diálogo estratégico com os poderosos e abastados — garantiria a sobrevivência de Cícero como líder espiritual. Nada, inclusive, podia ser mais sintomático: exatamente naquele instante, Canudos se transformava em cinzas e a cabeça de Antônio Conselheiro era decepada pelos soldados do Exército, sendo levada para o litoral como um cobiçado troféu de guerra.

Canudos perecera. Cícero, a partir dali, parecia mais fortalecido do que nunca.

> Salgueiro, 19 de setembro de 1897.
> Minha mãe
> [...]
> Aqui encontrei uma gente muito boa, principalmente o juiz de

direito, que se chama Lima Borges, e a mulher dele, dona Engrácia. São tão bons e têm feito tanto por mim que não sei agradecer. Mande--me meia dúzia de latas de doce de buriti para fazer um presente, uns ananás e mais alguma coisa que achem que sirva. Não sei agradecer as finezas do padre João Carlos. Peça por ele em suas orações.

Me abençoe, como a Santíssima Virgem abençoe todos de nossa casa.

Do filho que muito a estima,

Cícero Romão Batista

Todas as cartas enviadas de Salgueiro à família eram assim, cheias de deferências às cortesias de Lima Borges e também do padre João Carlos, o sacerdote que anos antes, em 1893, lera em Assaré a primeira carta pastoral de dom Joaquim a seus párocos dizendo que o "fazia com os lábios, mas não com o coração". Dispensado desde então das funções eclesiásticas pelo bispo do Ceará, João Carlos Augusto se transferira para a diocese vizinha, fixando-se em Salgueiro. Sua residência ali ajudava a entender os motivos para Cícero ter escolhido cumprir o degredo naquela pequena cidade pernambucana, localizada do outro lado da chapada do Araripe, o paredão de pedra que separa o sul do Ceará do norte de Pernambuco. Além da conveniência de uma estação telegráfica à disposição na cidade — coisa que ainda não existia no Crato —, Cícero tinha também um aliado no comando da paróquia.

Contudo, o que mais se fazia presente na amiudada correspondência de Cícero à mãe e à irmã Angélica nesse instante era a proclamada agonia de se encontrar distante de Juazeiro: "Estou achando tão desconforme esta peregrinação que me obriga a andar como vagabundo, sem casa, sem terra, à toa, só pela maldade e pelo despotismo de homens sem consciência, que não sei até onde irá tamanha opressão". Mesmo longe, Cícero não se esquecia de enviar recomendações a respeito de como a irmã e todas as beatas que deixara no Juazeiro deveriam se comportar durante sua ausência: "Todos de casa passeiem pouco. Sejam unidas e mansas, orem muito a Nossa Senhora das Dores, para que ela, como nossa mãe, me restitua aos pés dela com brevidade".

Cícero, estava claro, planejava uma volta a Juazeiro. Mas tinha a exata consciência de que se as autoridades civis pernambucanas pareciam serenadas, o mesmo não se podia afirmar em relação a seus superiores eclesiásticos. Coube ao padre João Carlos a tentativa de aplacar em primeiro lugar o bispo de Olinda. O vigário de Salgueiro telegrafou para informar que Cícero continuava ali, sim, mas debaixo da mais pacata obediência. "Posso afirmar que tem sido ele um elemento da ordem", observou. "Autoridades daqui telegrafaram ao presidente no mesmo sentido."

Dom Manoel dos Santos Pereira, todavia, não se mostrou convencido. Considerava que a escolha de Cícero pelo retiro em Salgueiro não fora a melhor opção para o caso, uma vez que o lugar distava apenas cem quilômetros do Juazeiro. Era muito próximo do núcleo nervoso da polêmica, calculava dom Manoel. Pelos fios do telégrafo, o prelado voltou a exprimir ao padre João Carlos sua contrariedade em relação ao assunto:

> Padre Cícero continuará aí perturbador consciências, animará superstições pequeno povo ignorante.

Quanto às mensagens das autoridades municipais ao presidente da província de que falava João Carlos, o bispo preferia ignorá-las de modo solene: "Não trato política. Cabe outro poder". Por fim, vinha a advertência de dom Manoel ao vigário de Salgueiro:

> Responsabilizo Vossa Reverendíssima qualquer coisa.

Cícero achou por bem dirigir-se então ele mesmo ao bispo de Olinda. Fez isso por meio de uma carta afável. Cuidadoso em não ferir as susceptibilidades de dom Manoel, reafirmou que se encontrava em Salgueiro cumprindo a decisão de Roma e obedecendo fielmente à suspensão das ordens que lhe foi imposta, sem ministrar sacramentos ou rezar missa. "Em tudo tenho me submetido, sem dizer nada", afirmou. "Não quero o mal."

Do outro lado da divisa, no Ceará, dom Joaquim não destoava das desconfianças do colega de Olinda. Percebeu que Cícero ainda lhe daria muito trabalho. Ficou irritado, por exemplo, ao ter notícia de que no interior da província um beato interrompera a procissão para colocar o retrato de Cícero no andor de Nosso Senhor do Bonfim. Maior escândalo, no entender do bispo, era o de que muitos fiéis haviam beijado aquela fotografia como algo mais digno de veneração do que a própria imagem sacra. O sacristão que organizava o cortejo ainda ordenou que o homem retirasse dali o retrato, mas este não quis lhe obedecer. Foi preciso chamar a polícia para que o devoto do padre Cícero retirasse a fotografia e só assim a procissão pudesse seguir adiante.

Histórias como aquela continuavam a chegar todos os dias, com enervante assiduidade, aos corredores do palácio episcopal. Dom Joaquim sentiu-se na obrigação de publicar mais uma carta pastoral aos diocesanos, dessa vez para esclarecê-los a respeito da decisão do Vaticano de obrigar a saída de Cícero das terras do Cariri: "Pela terceira vez, que esperamos ser a última, vimos, veneráveis irmãos e amados diocesanos, dirigir-vos de modo solene a palavra escrita para falar-vos ainda da triste história do Juazeiro", escreveu o bispo aos fiéis.

As beatas, festejava a nova carta pastoral de dom Joaquim, haviam caído em total descrédito. "Maria de Araújo e outras mulheres invencioneiras já estão bem conhecidas, havendo parte delas confessado e deplorado seus embustes, e parte caído em completo desprezo, de sorte que hoje em dia não vogam mais suas arteirices", dizia o documento, datado de 31 de julho de 1897. As máscaras haviam caído, sustentava o bispo. Padre Antero, um dos últimos a capitular, também não representava mais nenhuma ameaça à diocese, assegurava. Cerca de um mês e meio antes, em 12 de junho, Antero havia remetido ao palácio episcopal a sua mensagem de retratação, na qual dizia prestar inteira obediência a qualquer decisão emanada do Vaticano. Desse modo, escapava da pena de suspensão *a divinis*, prevista no decreto do Santo Ofício.

Cícero, por conseguinte, estava só. "Venerando clero cearense, não sabemos se os deploráveis desvios do nosso irmão padre Cícero procedem da inteligência ou da vontade, ou se de ambas; o certo é que ele tomou veredas tortuosas e falsas", encerrava dom Joaquim a sua terceira carta pastoral.

Mas mesmo o afastamento do padre em relação ao Ceará não conseguiu abrandar as inquietações do bispo. Da paróquia de Santana, vizinha ao Crato, o vigário Inácio Rufino de Moura também remetia notícias bem pouco alvissareiras. Ele estivera em Juazeiro e ficara chocado com o número de maltrapilhos que encontrou arranchados na capela de Nossa Senhora das Dores. Cantavam benditos e diziam estar ali à espera da volta de Cícero, o seu Messias: "Vi tanta gente suja, tão imunda que só me pareceram os mortos da fome de 1877", comparou padre Inácio. "Conservei na ponta da venta durante 24 horas a catinga daqueles miseráveis."

Restava a dom Joaquim, portanto, apenas esperar que o caso do Juazeiro caminhasse para o mesmo desfecho que o Vaticano reservara, havia pouco tempo, a um episódio relativamente semelhante, ocorrido em Loigny, diocese de Chartres, no interior da França. Lá, uma religiosa, Mathilde Marchat, também dizia manter conversações com Cristo e com a Virgem Maria. Além de pregar a necessidade de fundar uma comunidade para louvar o Sagrado Coração, Marchat afirmava que Deus a encarregara de proclamar uma iminente restauração dos Bourbon, a dinastia que havia sido derrubada em 1830 pela revolução liberal francesa. A mulher garantia ainda que o próprio trono do Vaticano estava sendo ocupado por um impostor. Segundo ela, o verdadeiro Leão XIII encontrava-se prisioneiro, enquanto um falso papa daria as ordens em Roma.

Marchat acabou excomungada em 1894 e o livro *A Verdade sobre as condenações que afligem Mathilde Marchat em Loigny na diocese de Chartres e os adeptos das suas revelações*, publicado em 1890, seria incluído no *Index*, a lista de livros proibidos pelo Vaticano. Mesmo assim, os crentes nas visões da mística francesa continuaram a oferecer resistência às determinações da Inquisição, organizando doações em dinheiro para a construção de um santuário em sua homenagem. "Sucede no Juazeiro o mesmo que se tem dado em Loigny, com a célebre Marchat: o amor-próprio ferido e a torpe especulação mantêm ainda um resto de superstição", escrevera dom Joaquim ao internúncio em Petrópolis.

Ao mesmo tempo que mantinha a nunciatura informada sobre os passos de Cícero, o bispo transmitia a Roma todos os boatos que continuavam a chegar de Pernambuco:

> O padre Cícero foi para Salgueiro, localidade da diocese de Olinda, onde continua a defender a sua miserável obstinação e a propagar os pretensos milagres condenados pelo Santo Ofício. Neste lugar, começou uma grande aglomeração de fanáticos, de tais modos perturbadores que o governador civil foi obrigado a enviar tropas que com ele pelejaram, seguindo-se várias perdas,

desinformou dom Joaquim ao cardeal Parocchi, secretário da Inquisição.

Para fazer frente às oposições de seu diocesano, Cícero buscou um derradeiro auxílio na autoridade do arcebispo primaz do Brasil, dom Jerônimo Tomé da Silva, enviando-lhe um telegrama no qual solicitava uma mediação dele junto à Santa Sé para o caso: "Por Deus, vos pedimos, intervenha a nosso favor. Pois se verdadeiro não fosse grande fato ocorrido, examinado até a saciedade por pessoas de boa-fé, não colocaria minha alma a perigo", argumentou. "Ajude a salvar tão grande causa", implorou Cícero. Não há indícios, porém, de respostas por parte de dom Jerônimo.

No Vaticano, após as embaixadas infrutíferas de padre Antero e de Joaquim José de Maria Lobo, o padre Cícero recorria então aos préstimos de um procurador informal, o cônego Antônio Fernandes da Silva Távora, ex-pároco do Crato, que se encontrava cursando doutorado em direito civil e canônico na Universidade de Santo Apolinário, em Roma. Tempos antes da chegada de Alexandrino ao Crato, padre Fernandes havia sido os olhos e os ouvidos de dom Joaquim no Cariri. Desavisado de que o colega continuava a ser um interlocutor contumaz do bispo, Cícero remeteu-lhe vários telegramas de Salgueiro, na expectativa de que a proximidade com o centro do poder em Roma fizesse de Fernandes um advogado de sua causa. As respostas deste, porém, eram sempre evasivas. Se não punham por terra as pretensões do colega, também cuidavam de não alimentar em demasia suas esperanças. Quando Cícero lhe escreveu para que solicitasse ao Vaticano, como ele próprio já fizera antes, o envio de uma comissão apostólica para averiguar os fatos em Juazeiro, padre Fernandes não tergiversou:

"Impossível sem sua presença em Roma."

O povo de Alagoa de Baixo, futuro município de Sertânia, fez festa e saiu às ruas para ver o padre Cícero passar. Diziam por aquelas bandas que, dali, ele viajaria até o Recife e depois tomaria um navio para Roma, para cumprir chamado do próprio papa. Situada a meio caminho entre Salgueiro e Recife, a modesta Alagoa de Baixo parou inteira para saudar o sacerdote. "Foi um espetáculo a chegada do velho taumaturgo à vila. O povo, em delírio, seguia-o pela estrada e ele entrou à frente de uma verdadeira multidão. Da calçada do prédio escolar, pedi-lhe a bênção, estendendo a mão", recordaria anos mais tarde o advogado e escritor Ulysses Lins de Albuquerque em suas memórias.

Cícero ficou hospedado em Alagoa de Baixo na casa do poderoso Francisco Gomes da Silva, o coronel Chico Bernardo, demonstrando mais uma vez que desfrutava do apoio e da consideração dos mais influentes potentados do sertão pernambucano. Chico Bernardo era dono de fazendas de gado e de várias bolandeiras de descaroçar algodão. Agiota, fazia as vezes de banqueiro do agreste, emprestando dinheiro a juros e recebendo como única garantia comprovantes garatujados a mão. A rigor, os papéis não tinham nenhum valor financeiro, mas eram considerados dinheiro vivo no sertão, já que estavam afiançados pelos fios do proverbial bigode branco do coronel.

Dom Joaquim fora devidamente avisado por monsenhor Alexandrino: antes de ir a Alagoa de Baixo, Cícero saíra de Salgueiro e estivera brevemente em Juazeiro, onde inclusive passara junto à família o Natal daquele ano de 1897. Para não parecer que desafiava a determinação do Santo Ofício, permaneceu no Ceará apenas alguns dias, o tempo suficiente para preparar uma grande e audaciosa viagem: "O padre Cícero saiu daqui dizendo que vai para Roma".

Dessa vez, era a mais plena verdade. Na última semana de dezembro, Cícero despediu-se da mãe e da irmã, saudou os romeiros que continuavam a fazer peregrinações ao Cariri e tomou a estrada de volta a Pernambuco, após receber uma carta do juiz de direito de Salgueiro, doutor Lima Borges. A notícia era motivo para grande celebração. O presidente da província, Joaquim Correia de Araújo, antes temeroso da presença do padre em terras pernambucanas, estava agora tão convicto das boas intenções de Cícero que resolvera bancar para ele a passagem de navio até a Europa, atendendo a um pedido expresso do doutor Borges. "O senhor deve estar em Recife até o dia 2 ou 3 de janeiro, satisfazendo o desejo do governador, que tem se prestado perfeitamente bem para ajudá-lo", festejou o juiz, em carta ao padre.

Cícero também comemorou, embora tenha pedido em casa a mais absoluta reserva quanto à informação. "Não digam a ninguém que o juiz de direito mandou pedir uma passagem para mim", deixou escrito à mãe e à irmã. Agradecido, mandou por carta seu muito obrigado a Joaquim Correia, emitindo-lhe um recibo em troca de mais 500 mil-réis a título de ajuda de custo para a viagem. "A gratidão, que com certeza é uma virtude do Céu, me faz ficar sempre em lembrança da generosidade de Vossa Excelência para comigo", escreveu.

Em fevereiro de 1898, Cícero tomou no porto do Recife o vapor que o conduziria pela travessia do Atlântico. Na mala, levava para cobrir as despesas pessoais no Velho Mundo pelo menos mais cerca de um conto de réis, fruto de um empréstimo concedido por um amigo do presidente pernambucano, doutor Sebastião Sampaio. Em uma sacola bem pesada e à parte, iam outros 22 contos, soma oferecida por romeiros e por juazeirenses para que Cícero mandasse rezar missas em Roma na intenção deles e das almas de entes queridos. Era uma generosa quantia. Segundo relatório oficial assinado por Joaquim Correia de Araújo, o governo de Pernambuco investiria um valor praticamente igual àquele para manter acesos os lampiões a gás da cidade de Olinda durante todos os dias daquele ano de 1898.

Antes de partir para Roma, Cícero deixou uma carta à irmã: "Escreverei donde estiver para você e minha mãe. A Santíssima Virgem abençoe os nossos. Ore para seu mano que muito a estima".

Foram catorze dias de viagem. Depois de ser recebido como hóspede na casa do próprio presidente pernambucano Joaquim Correia, o padre Cícero Romão Batista embarcou no porto do Recife no dia 10 de fevereiro de 1898. Após a longa travessia do Atlântico, o navio ultrapassou o estreito de Gibraltar, penetrou no Mediterrâneo, costeou terras da Espanha e finalmente adentrou em águas italianas. Em 24 de fevereiro, Cícero desceu no movimentado porto de Gênova, naquela época apinhado de famílias de trabalhadores que migravam para tentar a sorte no distante Brasil.

De Gênova, tomou um sacolejante trem para Roma, aonde chegou às oito horas da manhã do dia 25. Levava consigo um secretário, o comerciante João David da Silva, residente em Juazeiro e seu fiel escudeiro durante toda a viagem. Ambos não falavam uma única palavra em italiano. A muito custo, tiritando de frio naquele

Recebi do Exm.o Governador do Estado o Sr. Dr. Joaquim Correia de Araujo a quantia de quinhentos mil reis que lhe foi entregue por um amigo para auxilio de minha viagem a Roma.

Rs. 500$000

Recife 8 de Fevereiro de 1898

P. Cicero Romão Baptista

Recibo escrito e assinado por Cícero ao governador de Pernambuco, Joaquim Correia de Araújo, relativo ao empréstimo de 500 mil-réis empregados na viagem a Roma inverno europeu, fazendo-se entender por gestos e com a ajuda de um endereço rabiscado no papel, chegaram ao Albergo dell'Orso, uma antiga hospedaria que funcionava em um prédio de três pavimentos, construído no final do século XV e localizado no número 94 da via Monte di Brianzo. Ali, bem próximo à margem direita do rio Tibre, pagaram duas liras pelo quarto, com direito a cama, lençóis e travesseiros.

A pouco mais de um quilômetro de onde estavam, do outro lado do Tibre, erguiam-se as grandiosas muralhas do Vaticano. Era para lá que estavam voltadas agora todas as esperanças de Cícero.

13

Inquisidores interrogam padre ameaçado de excomunhão. Mas ele quer confabular é com o papa

1898-1899

O recinto era claustrofóbico. O contraste entre os dois ambientes contíguos reforçava tal efeito. Entrava-se na saleta de interrogatórios por uma portinhola, após percorrer um amplo salão de mais de cem metros de comprimento. A magnitude do espaço anterior, com tapetes cobrindo todo o chão, quadros renascentistas espalhados pelas paredes, cedia lugar ao minúsculo aposento atulhado de livros, no centro do qual havia apenas uma espécie de pódio. De um lado, em posição superior, sentava-se o cardeal inquisidor, devidamente paramentado, com todos os símbolos da autoridade clerical à vista. Do outro, em um plano propositalmente mais baixo, ficava o interrogado. O lugar reservado a este, constatou Cícero, era bem desconfortável. Não só pela disposição pouco amigável do assento, mas pela interminável coleção de horrores que um lugar como aquele já testemunhara. Na mesma circunstância um dia estivera Giordano Bruno, poeta, dramaturgo, filósofo e astrônomo, que em 1600 saiu das masmorras da Inquisição amordaçado e enviado direto para a fogueira, condenado por heresia.

No andar imediatamente inferior, bem debaixo dos pés de Cícero, ficava a cela que funcionara como câmara de torturas, na qual os carrascos arrancavam confissões em nome de Deus, à base dos mais variados suplícios. Os tempos eram outros, é bem verdade. A Inquisição não mais destroçava colunas cervicais com ganchos e colares pontiagudos de ferro. Deixara de pendurar os maus cristãos de cabeça para baixo com as pernas abertas para depois serrá-los ao meio. Também não mais ordenava que os hereges fossem queimados vivos em praça pública. Contudo, o ar sufocante da instituição inquisitorial ainda estava impregnado em todos os corredores e desvãos do edifício. Para qualquer sacerdote, ser interrogado naquela saleta representava uma experiência aterradora.

Cícero apresentou-se pela primeira vez ao Palácio do Santo Ofício na manhã do dia 23 de abril de 1898. "Sou o padre Cícero Romão Batista, do Juazeiro do Ceará, Brasil, suspenso desde 1892, desterrado para longe de uma mãe e irmã, ambas em leito de morte e pobres, de quem eu sou o único arrimo", dizia o texto que protocolou ao chegar à secretaria da congregação, endereçado ao cardeal inquisidor Lucido Parocchi. "Como não sei italiano, deixo este papel nas mãos de Vossa Eminência", explicou. Durante cinco longas sessões, no curso das três semanas seguintes, Cícero seria interrogado em caráter reservado com o devido auxílio de um intérprete, o padre José Machado, reitor da Igreja de Santo Antônio dos Portugueses, templo nacional da colônia lusitana em Roma. "Graças a Deus, tenho consciência de não ter cometido crime algum", defendia-se Cícero na documentação entregue ao Santo Ofício.

Um pormenor, porém, não passara despercebido aos atentos cardeais. Segundo informações seguras de que eles dispunham, o padre Cícero Romão Batista estava desde fevereiro em Roma. Mas a comunicação deixada por ele na congregação era datada de abril. Portanto, sem nenhum motivo aparente, Cícero adiara por dois meses aquele momento. Na documentação existente nos arquivos do Vaticano, lê-se uma anotação dos inquisidores a respeito do assunto: "Até hoje Cícero não se apresentou ao Santo Ofício, nem deu notícias de si". Mas logo no início da carta de apresentação aos inquisidores, ele tratou de justificar a demora: "Há dias que cheguei a esta capital e, por motivo de doença, agora é que pude vir à presença de Vossas Eminências".

Era verdade. Uma meia verdade, pode-se dizer. De fato, como seria natural, Cícero ficara indisposto após trilhar intermináveis 10 mil quilômetros na longa viagem por mar e terra, desde o calorento sertão nordestino até a invernosa península italiana. Não haveria por que desacreditar das alegações do sacerdote. Entretanto, além da saúde, existiam também outros motivos para que ele passasse tanto tempo assim, incógnito, mergulhado em misterioso silêncio.

Antes de matar a onça, não se faz negócio com o couro, acautelava a sabedoria cabocla de Cícero.

Uma cidade majestosa como Roma provocou impressões fortes naquele homem simples do sertão que pela primeira vez, aos 53 anos, punha os pés fora do Nordeste: são "ruas de palácios agigantados, cheias de povo como formigas", descreveria Cícero ao amigo Joaquim Secundo Chaves, em carta enviada ao Juazeiro. O mesmo se podia dizer do companheiro de viagem, João David. Este escrevera para a família no Cariri para contar que, não bastasse a friagem insuportável da Europa, ele também sofria por não entender nada do que lhe diziam, do mesmo modo que não se fazia entender por absolutamente ninguém. Quando porventura precisava tratar com algum italiano, David prosseguia a fazer uso de um repertório todo particular de mímicas. Em algumas situações, segundo admitiu aos parentes, até se fez de surdo-mudo para melhor passar quando lhe dirigiam a palavra.

O único com quem Cícero e David conseguiam encetar alguma conversa propriamente dita, sem precisar desenhar gestos no ar, era o padre Fernandes da Silva Távora, que, aliás, tivera a civilidade de visitá-los já no primeiro dia após a chegada. Como gentileza adicional, padre Fernandes atravessara com eles a recém-inaugurada ponte Umberto I e os levara ao outro lado do Tibre para conhecer a Basílica de São Pedro, o centro da fé católica no mundo, cuja cúpula se divisava já ao longe, altiva, na paisagem da Cidade Eterna. "Vimos muitas coisas bonitas", escreveu David à família, com peculiar singeleza.

Em contrapartida, mal terminado o passeio, Fernandes fez saber ao bispo do Ceará que Cícero se encontrava em Roma. "Escrevi a dom Joaquim para dar-lhe a necessária guia desta viagem; ele escreveu-me dizendo que Cícero não se comunicava mais com ele. Afinal, diz que deseja que volte desenganado de sua teimosia", revelou Fernandes em carta a um irmão no Brasil, o também padre Carloto Távora.

Sob o pretexto de que havia muitas obrigações acadêmicas a cumprir na Universidade de Santo Apolinário, padre Fernandes abdicou da tarefa de continuar pajeando o colega, passando o encargo

João David da Silva
(ao lado), o companheiro
de viagem de Cícero.
O padre faria o retrato acima
como recordação de sua
passagem por Roma

a outro confrade, o padre brasileiro Antônio Versiani de Figueiredo Murta, também em temporada de estudos na Itália. "Encarreguei Murta de visitar com Cícero toda a Roma. Mas ele não aguentou mais de dois dias. Em cada altar das 365 igrejas da cidade, Cícero queria rezar meia hora", ironizou Fernandes na carta ao mano Carloto. Padre Fernandes podia ser um homem mordaz, mas pelo menos não era mal-agradecido. Cícero lhe levara alguns mimos do Brasil, ressalvou: "Ele trouxe-me belíssimo roquete e uma lata de doce de buriti".

Embora Cícero continuasse a manter silêncio sobre sua chegada, os cardeais inquisidores prosseguiam aguardando sua presença. Estavam advertidos da viagem pelo internúncio no Brasil, que por seu turno fora avisado por telegrama enviado pelo bispo de Olinda, dom Manoel dos Santos Pereira, poucas horas antes da partida de Cícero do porto do Recife:

> Célebre padre Cícero está aqui. Viajou Roma.

A enigmática discrição de Cícero, até ali, tinha uma explicação. Ele chegara com o firme propósito de conseguir ser recebido em audiência por Leão XIII antes de precisar ir bater às portas do Santo Ofício. Padre Fernandes, contudo, era o primeiro a caçoar de tal pretensão: "Está aqui o padre Cícero, há uns dezesseis dias e bastante contrariado por não poder ver o papa imediatamente. Tenho-me rido a valer", escreveu ele ao irmão. "Não é fácil uma audiência com o papa", acrescentou.

Fernandes achava que aquela expectativa de Cícero podia ser um despropósito, mas também ela tinha lá seu aspecto positivo. Enquanto aguardava com paciência beneditina a tal audiência papal, sem perceber o sacerdote turrão se deixaria cozinhar em fogo brando. O passar dos dias, das semanas, dos meses talvez o levasse a ficar indefinidamente longe do Brasil. Como consequência disso, o entusiasmo inicial de Cícero seria fervido em banho-maria. "Espero que ele resolva ficar em Roma algum tempo, estudando. Sua ida agora ao Brasil é inconveniente", calculava Fernandes. O tempo, senhor da razão, encarregar-se-ia de amortecer o escândalo, imaginava.

Mas uma segunda explicação para aquele misterioso silêncio de Cícero logo se mostraria plausível. Ele agiria assim de caso pensado, por motivação própria, fundamentado em questões estratégicas e bem pragmáticas. Não se apresentara ainda aos cardeais inquisidores porque aguardava a chegada à Itália de um amigo da mais irrestrita confiança, José Joaquim de Maria Lobo, o coordenador da Legião da Cruz no Ceará. Lobo, além de já ter estado antes em Roma — e por isso estava relativamente apto a fazer-lhe o papel de guia —, trazia na algibeira mais um polpudo donativo ao patrimônio de São Pedro. Em dinheiro brasileiro, cerca de outros sete contos de réis arrecadados pela irmandade, prontos para ser convertidos em barras de ouro no Banco do Vaticano e posteriormente entregues à Santa Sé, como prova da boa vontade e da fidelidade institucional de Cícero à Igreja.

Quando tomasse conhecimento das vultosas quantias que continuavam a cruzar o Atlântico dentro das malas de Lobo, o bispo dom Joaquim ficaria perplexo:

> Se o Santo Padre soubesse que alguém usou de meios ilícitos, anárquicos e supersticiosos para angariar donativos para a cadeira de São Pedro, sentiria horror e citaria o Evangelho: *Vade post me satanas scandalum es mihi* [Vá para longe de mim, Satanás; tu és para mim um escândalo].

Cada paralelepípedo de Roma parecia ser testemunha de alguma maravilha. Havia referências a milagres em cada esquina, cada rua, cada prédio que se descortinava diante dos olhos de Cícero. Ele nem precisava ir muito longe. Apenas algumas centenas de metros adiante do hotel em que estava instalado ficava a Piazza Navona, uma das praças mais famosas da cidade, com suas fontes barrocas idealizadas por Bernini. Na carta ao amigo Secundo Chaves, Cícero descreveu a impressão que sentiu ao contemplar ali a basílica consagrada a santa Agnes, mais conhecida no Brasil como santa Inês, a virgem exposta nua em um prostíbulo por se recusar a esposar um nobre pretendente com a justificativa de que já era "esposa" de Jesus.

Cícero, é claro, conhecia bem a história: para ocultar a nudez de Agnes, Deus teria feito crescer-lhe os cabelos de tal modo que o corpo da moça ficara inteiramente coberto por longas madeixas. Mesmo assim, em represália à recusa, foi jogada viva em uma fogueira e depois teve sua cabeça decepada por um golpe de espada. A Basílica de Sant'Agnes in Agone, segundo consta, teria sido erguida exatamente sobre as ruínas do antigo prostíbulo. "Foi aqui onde a prenderam, a despiram e um anjo a protegeu da infâmia que a maldade de Satanás queria. Foi aqui onde a botaram dentro de um grande fogo e a degolaram", explicou Cícero a Secundo.

Na mesma região do hotel, também não muito distante dali, estava o templo de Santa Maria della Pace, onde se dizia que no século V a imagem de uma Madona teria sangrado após ser ferida por um soldado embriagado. Bastaria, portanto, olhar em volta. Eram inúmeros os prodígios contados de geração em geração desde os antigos cristãos, maravilhas eternizadas em catedrais de pedra tão grandes que quase tocavam o céu. Não haveria, desse modo, nenhum disparate em dar fé a um milagre de Deus, só porque ele ocorrera do outro lado do mundo, no modesto Juazeiro: "Nunca cometi, nem ensinei, nem disse coisa alguma contra o ensino e a doutrina da Igreja", afirmaria Cícero na defesa por escrito que preparara para entregar ao Santo Ofício. Seria o mesmo argumento que iria expor ao papa pessoalmente, se afinal conseguisse a sonhada audiência.

Mas os dias se passavam e nada de se concretizar aquela ideia fixa. Padre Fernandes continuava a dizer-lhe que tal não era impossível, mas, naquele momento, não muito provável. Quem sabe precisasse permanecer um bom tempo em Roma para conseguir a oportunidade de agendar uma conversa diretamente com o papa. Quem sabe, talvez, um dia o conseguisse, adoçava Fernandes as esperanças de Cícero. Talvez.

No dia exato em que completou 54 anos, 24 de março de 1898, Cícero Romão Batista ficou diante de Leão XIII. Não em uma sessão particular como tanto esperava, mas a pequena distância, durante uma celebração especial na Sala Régia do Palácio Apostólico do Vaticano. Já era um primeiro passo, imaginou. Na ocasião, quatro arcebispos — três franceses e um espanhol — recebiam das mãos do papa o chapéu vermelho, símbolo de distinção àqueles que são elevados à condição de cardeal. "Hoje, que faço anos, véspera da Anunciação da mãe de Deus, ela me alcançou a graça de ver o papa, o representante de Jesus Cristo na terra", contou Cícero à mãe, por meio de uma carta emocionada. "Assistia [à cerimônia] um número imenso de gente, vendo-se estrangeiros de toda parte. Pareceu-me que, na sala onde eu estava, só tinha de brasileiros eu e o João David."

Aquela regalia foi obtida por obra e graça da influência do padre Fernandes, que usou de suas amizades no Vaticano para franquear o acesso dos dois conterrâneos à solenidade. "Consegui para eles bilhetes de entrada do mordomo do paço, coisas que às vezes nem por meio dos embaixadores se conseguem", gabou-se Fernandes em carta a outro irmão, Belizário Távora.

Cícero ficou maravilhado, conforme narrou para os de casa. Aquela carta, escrita no dia do seu aniversário natalício, seria lida em voz alta para dona Quinô. A essa altura, a velha senhora se encontrava presa a uma cama, pois a velhice a deixara, aos poucos, com a vista apagada e os movimentos limitados. Quase cega, quase paralítica, Quinô soube mais detalhes da manhã em que o filho pôs os olhos na figura do sumo pontífice, numa solenidade oficial do Vaticano:

> É realmente um ato tão admiravelmente majestoso que por aí não se pode fazer uma ideia. Causou-me a maior impressão — e eu me admirava de estar ali. Mas enquanto todos estavam cheios de satisfação, a minha alma estava triste, me lembrando da minha mãe cheia de dores e chorando.

Dona Quinô soube ainda que Cícero, além de ver Leão XIII, também tivera o privilégio de subir de joelhos os 28 degraus da chamada Escada Santa, no interior da Basílica de São João de Latrão, bem ao lado do Palácio Laterano, a residência oficial do papa. Acredita-se que a escadaria contenha os mesmos degraus do antigo palácio de Pôncio Pilatos, nos quais Cristo subira e descera no dia em que foi condenado à morte por crucificação. Trouxeram-se os degraus de Jerusalém para Roma ainda no século IV, por intercessão de santa Helena, mãe de Constantino, o imperador que instituiu o cristianismo como religião oficial no antigo Império Romano. "Quatro partes dos degraus, onde se conservam ainda algumas parcelas do precioso sangue de Nosso Senhor, estão cobertos com uma roda de vidro", descreveu Cícero à mãe. "Eu fiquei impressionado, como se estivesse vendo Nosso Senhor subindo e eu o acompanhando."

Como sempre, na carta seguiam conselhos para as beatas que moravam na casa, mais expressamente para Joana Tertuliana de Jesus, 34 anos, que desde os 21 adotara o hábito religioso e passara a residir ali. Apelidada de Mocinha, Joana assumira o papel de uma espécie de tesoureira, cabendo a ela a administração das finanças pessoais do sacerdote. "Os impostos das casas encarregue ao mestre José Edwirges ou outra pessoa para ir pagá-los, trazer os recibos e guardá-los pregados em um livro para não se perderem", recomendou.

De Roma, podia-se constatar, Cícero zelava pelas coisas do Céu, mas também não descuidava das questões mais terrenas.

A hipótese de que Cícero apenas aguardava a chegada de Lobo para se apresentar ao Santo Ofício se confirmou. Lobo desembarcou em Roma em fins de março, trazendo com ele um abastado comerciante de Juazeiro, João Batista de Oliveira. No dia 18 de abril, os dois pessoalmente fizeram a entrega da quantia de 6:790$400 (seis contos, setecentos e noventa mil e quatrocentos réis) ao tesouro de São Pedro. Não tardou e, cinco dias depois, Cícero encaminhou a correspondência ao cardeal Lucido Parocchi, secretário da Inquisição, comunicando-o oficialmente de sua presença na cidade. Afirmava que vinha defender-se das penalidades que recaíam contra si e implorava aos cardeais que seu caso fosse analisado no mais curto espaço de tempo: "Como sou pobre e vindo da América, tendo necessidade de voltar para lá, humildemente peço a Vossas Eminências queiram despedir com a brevidade possível este negócio".

O argumento de que era um homem necessitado poderia parecer incompatível com os 22 contos de réis que trouxera na arca que lhe servira de mala. Todavia, é absolutamente certo que aquela pequena fortuna em moeda brasileira logo não estaria mais em seu poder. Cícero converteu em liras italianas cada moeda que levava. Depois, honrou o compromisso que havia firmado com os doadores no Brasil: mandou celebrar todas as missas que haviam lhe encomendado os verdadeiros donos daquela montanha de dinheiro.

Em uma folha de papel, Cícero anotou de forma meticulosa o destino de cada tostão recebido, prestando contas de um total de 11354 missas, mandadas rezar em diferentes templos de Roma. Ao lado dos valores, escreveu em letra clara, a nanquim, os nomes dos respectivos padres beneficiários. Numa terceira coluna, firmou as quantidades de celebrações referentes a cada um desses sacerdotes. Na soma geral, o pagamento das espórtulas pelas missas equivalia a corretos 22 contos de réis. Um detalhe saltava à vista naquelas anotações: boa parte das missas, 2600 delas, foi confiada por Cícero diretamente ao cardeal Parochi, o secretário inquisidor.

Padre Fernandes ficou abismado: "Caso Cícero resolva ficar aqui, é provável que eu deixe a academia para morar com ele e servir-lhe de tutor, pois ele quer dar todos os vinténs que trouxe do Brasil, não se lembrando que é impossível estancar todos os sofrimentos do povo italiano", comentou ao irmão Belizário.

Uma vez encomendadas as 11 mil missas, Cícero passou a se ver diante de um problema que o afligiu a maior parte do tempo de sua permanência em Roma: a falta de recursos para se manter na cidade. A situação tornou-se ainda mais crítica quando percebeu que não conseguiria cambiar em liras italianas os muitos patacões reservados para financiar seus custos pessoais durante a viagem. Os patacões, antigas moedas de prata dos tempos coloniais que ainda estavam em circulação e equivaliam a 960 réis no Brasil, não eram facilmente aceitos pelos bancos italianos. "Estou numa condição apertadíssima", confessou então ao padre Fernandes.

Mas muito mais apertado ficou o coração do padre Cícero Romão Batista quando ele foi comunicado oficialmente de que estava sendo esperado, no dia 28 de abril, no Palácio do Santo Ofício. Seria submetido ao primeiro interrogatório secreto, na sala da Inquisição.

Dom Joaquim desconfiou que, do outro lado do mundo, padre Fernandes Távora estivesse fazendo o papel de agente duplo. É verdade que ele continuava a lhe enviar informações detalhadas, mantendo-o a par da marcha dos acontecimentos em Roma: "Hoje, Cícero foi interrogado pela quarta vez pelo Santo Ofício em segredo, tendo como intérprete o reitor do santuário português", escreveu Fernandes, por exemplo, no dia 4 de maio de 1898. Mas uma carta anônima que chegara em envelope selado com estampilhas italianas deixou o bispo ressabiado. A mensagem dizia que padre Fernandes traía a confiança de dom Joaquim por trás das cortinas da Universidade de Santo Apolinário e aderira à causa de Cícero, após entendimentos com Lobo.

A acusação era grave. Dava a entender que a honra do bispo cearense passara a ser enxovalhada por Fernandes junto ao Santo Ofício, no intuito de desacreditar a diocese em relação ao caso de Cícero. Depois de ler a carta, dom Joaquim tratou de rasgá-la em pequenos pedaços e depois queimá-la, para não deixar pistas à posteridade sobre o conteúdo integral que ela trazia. Entretanto, a correspondência imediatamente posterior do palácio episcopal deixaria evidentes os transtornos semeados por aquela mensagem sem assinatura, cuja verdadeira autoria nunca foi elucidada.

Alarmado com a notícia, dom Joaquim resolveu dar parte dela ao internúncio dom José Macchi, que em fevereiro assumira o cargo de representante do Vaticano no Brasil, em substituição a dom Gotti, elevado a cardeal e transferido para a Igreja de Santa Maria della Scala, na Itália. O bispo foi direto ao ponto: "Julguei, depois de muito refletir, que devia levar a seu alto conhecimento o seguinte fato: recebi uma carta anônima de Roma", comunicou dom Joaquim a dom Macchi. "Nunca me passou pelo espírito que ele [Fernandes] tivesse feito tão torpe e miserável contrato com José Lobo, conforme afirma a carta", continuou. "Não irei me defender das acusações que porventura me foram feitas perante o Santo Ofício, porque seria extemporânea qualquer defesa sem que o Santo Ofício a exigisse."

Em resposta, o internúncio cuidou de pôr água fria naquela guerra de bastidores dentro da Igreja e tranquilizou o bispo: até aquele instante, ninguém do Vaticano o interpelara a respeito do assunto. "Não tenho notícia de que o cônego [Fernandes] Távora tenha se permitido em Roma os manejos que o anônimo escreve em detrimento de Vossa Excelência", informou. "De resto, Vossa Excelência nada tem a temer. A Congregação do Santo Ofício terá de toda maneira bem compreendido a falsidade e a maldade de tais acusações."

Dom Joaquim, ainda intranquilo, decidiu dividir as preocupações com seu lugar-tenente no Crato, monsenhor Alexandrino. Enviou-lhe uma carta para cientificá-lo do ocorrido, mas ordenou que logo após a leitura destruísse também o papel, de modo a não deixar que ninguém nunca o lesse. Alexandrino se disse espantado com a suposta deslealdade de Fernandes. Sugeriu ao bispo toda a cautela do mundo, mas o sossegou em relação ao sigilo no qual deveria permanecer o assunto: "A carta em que Vossa Excelência se refere ao monsenhor Fernandes foi inutilizada logo depois de recebida e lida", avisou.

Afora isso, Alexandrino não tinha muitas notícias sobre o estado das coisas em Juazeiro para transmitir ao bispo. Passara a sofrer de uma obesidade quase mórbida, chegara à marca dos 130 quilos e, por isso, tinha dificuldades de ir até o povoado para saber como aquela gente estava vivendo sem a presença de Cícero. Seu poder de locomoção estava comprometido, uma vez que nenhum cavalo era suficientemente forte para suportar seu desmedido corpanzil sobre a sela. Mas de uma coisa Alexandrino tinha certeza: pelo que se podia depreender de todos os cuidados do bispo em torno da tal carta anônima, o caso era cabeludo. Dom Joaquim passara a temer que as articulações de Lobo e Fernandes, em Roma, pudessem comprometer-lhe o nome e, em decorrência disso, representar uma reviravolta no julgamento de Cícero no tribunal do Santo Ofício.

Cícero sabia que não podia ser afoito a ponto de confrontar um inquisidor sem o risco evidente de ser considerado, de saída, culpado de todas as acusações. Por isso, ao longo das cinco sessões do interrogatório no Palácio do Santo Ofício, mostrou-se um homem cauteloso e reverente. Acima de tudo, declarou que se submeteria de forma incondicional a qualquer que fosse a decisão do tribunal. Para ele, estava claro, o mais importante naquele instante não era fincar pé, tentar convencer os cardeais a endossarem o alegado milagre da hóstia. Interessava mais a Cícero, a partir daquele ponto, recuperar as prerrogativas sacerdotais que lhe haviam sido suspensas. Esta passara a ser sua causa. Queria voltar ao Brasil revestido do direito eclesiástico de rezar missa, celebrar sacramentos e poder voltar a residir no Juazeiro. Se fosse preciso sufocar as próprias convicções em nome disso, não hesitaria em fazê-lo.

A história havia ensinado que Galileu Galilei escapara da morte na fogueira ao desmentir sua firme certeza de que era a Terra que se movia em torno do Sol. Pressionado a se contradizer, Galileu nunca abandonou sua teoria. Reza a lenda que, ao final do julgamento, até teria murmurado a frase célebre: *Eppur si muove* ("E, no entanto, ela se move"). Com Cícero, respeitadas as devidas proporções, resguardadas as contingências históricas específicas, parecia ocorrer algo então semelhante. A diferença é que, ao declarar obediência irrestrita aos inquisidores, ele não chegou propriamente a admitir uma possível culpa. Na documentação que deixou por escrito ao Santo Ofício e que seria conservada nos arquivos secretos do Vaticano, afirmou que "não havia dúvida sobre a verdade e a sinceridade" do suposto milagre em Juazeiro. Mas, ainda assim, não se considerava um rebelde. Longe disso. Apenas seguira todos os trâmites necessários. Se apelara ao Santo Ofício, era porque a lei canônica assim lhe facultava. Como tal, não pedia clemência. Dizia pedir apenas justiça e compreensão. Se o mandassem esquecer o assunto, acataria. "Pela graça de Deus, sempre fui e sempre serei obediente, como filho submisso, à doutrina da Santa Igreja", definiu. "Assim, peço que seja encerrado o meu julgamento."

Era, sem dúvida, uma engenhosa estratégia de defesa perante um tribunal eclesiástico, no qual a obediência sempre será considerada a maior virtude de um cristão acusado de rebeldia. Se não chegou a negar o milagre, Cícero também não se mostrou intolerante à possibilidade de sua não aprovação canônica. Portanto, não correspondeu à imagem de fanático e de celerado com a qual o haviam pintado as autoridades do clero no Brasil. De todo modo, diante do longo e acidentado histórico do caso, era difícil prever qual a interpretação que o Vaticano reservaria para aquela ponderada atitude de Cícero. Encerrados os interrogatórios no dia 12 de maio, o Santo Ofício dispensou-o, mas ordenou que permanecesse em Roma para aguardar as deliberações finais a respeito do assunto. Se necessitassem de mais esclarecimentos, voltariam a convocá-lo.

Cícero Romão Batista agora tinha pressa. O Vaticano, como sempre, não. No dia 9 de junho, menos de um mês depois de ter sido interrogado pela última vez, Cícero escreveu uma carta ao cardeal Gotti, o ex-internúncio do Brasil que já se encontrava na Itália. Pedia-lhe que intercedesse a seu favor junto ao Santo Ofício. A única coisa que queria, por ora, era a permissão para retornar o quanto antes para casa. Dali a três dias, 12 de junho, sairia de Gênova um vapor para o Brasil — e Cícero gostaria de poder estar a bordo dele. Alegava que a falta de dinheiro e as notícias de que a mãe se encontrava com a saúde cada vez mais debilitada eram determinantes para essa sua manifesta vontade. "Vossa Eminência, em nome da caridade cristã, interceda por mim", suplicou a dom Gotti. De nada adiantou, todavia, o pedido. Os cardeais queriam mais tempo para anunciar a decisão.

No dia 11, já sabendo que ele e João David haviam perdido o vapor, Cícero escreveu para casa:

> Minha mãe e Angélica
>
> Deus as abençoe.
>
> Seguem hoje José Lobo e João Batista. Eu ainda me vejo na necessidade de demorar-me. Porém, querendo Deus, estou com intenção de seguir no vapor de 28 de junho ou em 12 de julho. Graças a Deus temos tido saúde. Peçam à Santíssima Virgem que me leve sem demora, em sua santa paz. Mando por José Lobo para o pessoal de casa um pouco de terra do lugar onde foi enterrada a cruz em que morreu são Pedro.
>
> De seu filho que muito a estima e lhe pede a bênção.
>
> Padre Cícero Romão Batista

Para Cícero, as horas pareciam se arrastar. Dias viravam semanas, semanas viravam meses. Um despacho interno do Santo Ofício datado de 22 de junho revelava que, assim como padre Fernandes fizera antes, os cardeais inquisidores também passaram a adotar a tática de reter o padre em Roma o tempo que fosse possível para serenar-lhe os ânimos: "Retornando ele ao seu lugar, excitaria de novo aquele povo simples e ignorante. Ainda mais que declarou não poder acreditar que sejam imposturas as coisas daquela mulher [Maria de Araújo]".

Para atenuar as apreensões de Cícero quanto aos custos decorrentes do prolongamento de sua permanência em Roma, o cardeal Parocchi informou que ele podia entregar a chave do quarto no Albergo dell'Orso. Passaria a ocupar um aposento em uma instituição religiosa, o Palácio da Arcádia, anexo à Basílica Santi Ambrogio e Carlo Al Corso, a cerca de meio quilômetro da hospedagem anterior. Mesmo sem precisar pagar dali por diante pela estada, Cícero precisava economizar as poucas liras que lhe restavam. Teria de custear a viagem de volta e havia ainda as despesas com locomoção pela cidade. Por isso, não teve pudores em recorrer ao doutor Mendo Sampaio, irmão de Sebastião Sampaio, o amigo do presidente de Pernambuco que havia lhe concedido o empréstimo de um conto de réis antes da viagem. "A necessidade me obriga a pedir que se lhe for possível mande-me o saque da quantia de 750 mil-réis para eu receber aqui no banco inglês de Roma", escreveu-lhe. Para reforçar o apelo, mandou recado também ao doutor Lima Borges, o juiz de direito de Salgueiro. "Quando eu pensava embarcar para aí no primeiro vapor, um dos empregados do Santo Ofício me disse que eu ainda não podia ser despachado com tanta brevidade", comentou. "É para mim uma dificuldade tão grande que dou graças a Deus se conseguir me sair bem dela."

Mais de dois meses após a data do último interrogatório, quase meio ano decorrido desde a chegada de Cícero a Roma, os cardeais permaneciam deliberando. "Nem sei mais quando irei", mandou avisar em correspondência à mãe. "Já me parece um século o tempo que estou fora daí", lastimou. Além da demora protocolar do Santo Ofício, havia nova preocupação a atormentá-lo: Cícero tivera conhecimento de que o Ceará enfrentava mais um ano de seca. Assim sendo, tratou de relevar as próprias aflições para se preocupar com os de casa. "Angélica, não deixe as meninas de dona Leopoldina, Josefa e Rosa passarem fome." Quanto a si mesmo, sentia-se prisioneiro das circunstâncias: "Até agora, nem notícia da quantia que mandei tomar em Pernambuco. E, aqui, não sei quando me quererão *soltar*", comunicou a padre Fernandes.

Se o objetivo do Santo Ofício era mesmo minar lentamente as esperanças de Cícero, a estratégia estava surtindo efeito. Em carta ao amigo Secundo, confidenciou:

> Se eu não tivesse tantos laços que me prendem, nunca mais voltava ao nosso Brasil, não porque eu não o ame muito, mas porque os desgostos me encheram a vida de tantos abrolhos e espinhos que só aspiro um cantinho esquecido e desapegado de tudo, cuidando só de me salvar.

Justamente para Joaquim Secundo Chaves iam as cartas mais detalhadas de sua longa peregrinação por Roma. Por meio delas, era possível mapear os principais passos do padre na Cidade Eterna. "Hoje encaminhei-me para a rua do Coliseu, passei ao pé desta imensa montanha de construção humana, cujo solo foi embebido pelo sangue de muitos milhões de mártires", escreveu, referindo-se aos cristãos que eram supliciados e atirados aos leões na arena de anfiteatros romanos.

Sempre acompanhado de João David, fazia questão de recolher alguma pequena recordação para enviar aos amigos no Juazeiro. Se mandara para a mãe um pouco da terra onde fora crucificado são Pedro, também colheu uma flor no sepulcro dos Cipião e a mandou dentro do envelope de uma das cartas a Secundo. Nas catacumbas de São Calixto, guardou para levar para casa um pouco da cera derretida dos archotes que lhes clarearam o caminho até os subterrâneos, onde estão empilhados restos mortais dos primeiros cristãos.

Finalmente, em 17 de agosto, em meio às visitas de Cícero a lugares sagrados, o Santo Ofício expediu a decisão final sobre o caso. Mas quando o padre foi procurado para ser cientificado do veredicto, ninguém o encontrou em Roma. Encarregado de localizá-lo, o padre português José Machado, que servira de intérprete durante os interrogatórios, informou à congregação que não tinha a mais remota ideia de onde o sacerdote brasileiro poderia estar. Fazia semanas que não o via. Tudo indicava que havia fugido para não receber a sentença. Os cardeais inquisidores não pensaram duas vezes. Escreveram imediatamente aos superiores hierárquicos de Cícero no Brasil: "Tendo o reverendo Cícero Romão Batista se evadido sem licença da Sagrada Congregação, saibam o bispo de Fortaleza e o internúncio apostólico que ele deve ser considerado suspenso *a divinis* até que se apresente a este Supremo Tribunal do Santo Ofício".

A informação foi abertamente comemorada no palácio episcopal em Fortaleza, mas tudo não passara de um mal-entendido. Meses antes, o padre Machado convidara Cícero para se hospedar em sua residência paroquial, sem saber que ele preferira ficar instalado no prédio ao lado da Igreja de San Carlo, como lhe permitira o cardeal Parocchi. Por isso, quando o Santo Ofício solicitou ao intérprete oficial que fizesse contato com o interrogado, deu-se o equívoco. "Tudo era disposto para que ele fosse aqui recebido, se isto não aconteceu depende exclusivamente do mesmo padre Cícero, do qual não tive mais notícias", relatou Machado aos inquisidores.

Somente duas semanas após armada a confusão, Cícero soube que a congregação o tinha na conta de um insolente desertor. Assim, no dia 1º de setembro, ele correu ao Palácio do Santo Ofício para dizer que sempre estivera alojado, todo aquele tempo, pacientemente, no abrigo que lhe fora oferecido pelo cardeal Parocchi.

Desfeito o engano, com auxílio da tradução simultânea do padre Machado, Cícero ouviu os pontos que lhe diziam respeito no novo decreto emitido pela Inquisição sobre o caso. Antes da leitura do documento, os inquisidores o advertiram que tudo o que estava disposto nos decretos anteriores continuava em plena vigência. Cícero tinha uma última possibilidade de ser perdoado, desde que cumprisse duas exigências básicas. Textualmente, dizia o decreto:

> Deve-se estar pelo que foi decidido nos decretos de quarta-feira, 4 de abril de 1894 e quarta-feira, 10 de fevereiro de 1897, *et ad mentem.*
>
> *Mens est:*
>
> 1) que com prévia sujeição formal, simples e absoluta aos decretos antecedentes do Santo Ofício, e com retratação e detestação dos fatos e palavras que nos mesmos decretos são condenados, proscritos e proibidos, e implorando o perdão das desobediências, resistências, tergiversações e pretextos passados e de todas as irreverências cometidas mesmo só por cooperação e aprovação acerca dos fatos do Juazeiro e outros tais, e imposta salutar penitência, seja absolvido o reverendo senhor Cícero das censuras em que de algum modo tenha incorrido, e seja despedido com grave advertência e com proibição de falar ou escrever sobre coisas do Juazeiro e outras semelhantes.
>
> 2) que o reverendo Cícero não seja mais admitido à pregação da palavra de Deus, a ouvir confissões e à direção das almas sem especial licença do Santo Ofício, e, se possível, vá para outra diocese.

Feita a proclamação daquele veredicto, foi perguntado a Cícero se ele se submeteria, em definitivo, a ele. Naquele instante, não restava escolha, não havia meio-termo, nenhum espaço para ambiguidades. Se dissesse não, provavelmente seria excomungado ali mesmo. Se dissesse sim, seria readmitido no seio da Igreja, desde que cumpridas as "salutares penitências" previstas no primeiro item. Chegara a hora da verdade para Cícero, que, é evidente, tinha plena consciência da gravidade daquele momento.

"Prometo observar tudo o que me foi imposto", respondeu. Era exatamente isso o que os inquisidores precisavam ouvir. Diante daquele compromisso formal, deram por encerrado o julgamento. Como penitência, apenas mandaram Cícero rezar o rosário trinta vezes seguidas e disseram que, depois disso, ele podia arrumar as malas e retornar ao Brasil. Estava absolvido, desde que não se desviasse do caminho rigorosamente traçado linha a linha daquele último decreto. Em suma, não podia nunca mais falar ou escrever sobre os supostos milagres em Juazeiro, mantendo um silêncio obsequioso sobre o caso para o resto da vida. Só poderia exercer a plenitude dos sacramentos dali por diante sob licença expressa do Santo Ofício. E *se possível*, como lhe ordenaram, deveria ir para outra diocese.

"Se possível", é o que estava escrito no decreto. Para Cícero, aquela expressão, na condicional, soou como a trombeta do anjo redentor.

"Foi uma montanha que tiraram de cima de mim", definiu Cícero, em carta ao padre João Carlos, vigário de Salgueiro. E comparou:

> Creio que foi a Virgem que fez tudo. Fui um verdadeiro náufrago quase sem esperança, sem poder voltar, e sem ter recursos para estar aqui. Faça ideia que angústias e aflições não passei. Só Deus sabe. A calúnia, com audácia e autoridade, moveu uma perseguição que deu na morte de Jesus Cristo; quanto mais a mim que de nada sei defender-me.

Aliviado, Cícero escreveu também ao padre Fernandes para dizer que já estava cuidando da volta ao Brasil: "Querendo Deus embarco no vapor de 12 de outubro. Estou ansioso por ver os meus e abraçar minha velha mãe, que me receberá como um José que julgava ter perdido e agora vive". Havia outras boas novas a contar a Fernandes: enfim chegara o dinheiro que mandara pedir aos amigos do Recife.

> Agora que estou desafogado é que vou respirando o ar de Roma, mas a necessidade de voltar e as minhas finanças me comprimem, não obstante ter recebido de Pernambuco um presente principesco de amizade cordial. Mas só chegou para salvar-me das dívidas que me tinha visto obrigado a fazer aqui e para a passagem de João David.

A carta mais longa e reveladora, todavia, foi mesmo para a mãe. Cícero contou a dona Quinô que o navio que iria partir de Gênova o deixaria no porto do Recife em alguns dias. Mas, em vez de voltar logo direto da capital pernambucana para o Juazeiro, ele iria antes até Fortaleza, para cumprir a obrigação de se entender com o bispo. Depois disso, o plano era chegar ao povoado sem maior alarde. "O meu desejo é voltar e chegar em casa na hora que menos me esperem. E como pretendo viver uma vida retirada, depois de tanta luta e tanta angústia, intenciono ir fazer a minha morada quase toda no Horto, lá celebrando a maior parte dos dias", comentou.

Cícero dava instruções prévias a fim de que a mudança para a serra do Catolé fosse ultimada:

> Diga ao mestre José que não deixe carregarem a cal que estava no Horto. Pode acontecer de quando eu chegar precise dele. Ele prepare aquela sala menor da casa do Horto, faça o altar como o da igreja, forre por cima com um assoalho de tábua, [de modo] que fique uma capelinha para celebrar o santo sacrifício de missa.

Ao fim, Cícero alertava à família: nada de festas e ufania quando de seu retorno. "Não quero que isso seja uma coisa pública, fique somente em casa. Se puderem, alimpem a Igreja, também sem fazerem novidade." Pelo que se podia entender daquelas palavras, Cícero estava mesmo disposto a terminar seus dias recolhido ao topo da serra. "Se eu não queria nada do mundo, agora ainda estou querendo menos", avisou à mãe.

Antes de partir de Roma, ele encaminhou ao cardeal Parocchi uma solicitação para que lhe fosse permitido erigir o altar particular em sua casa do Horto. O cardeal, de imediato, autorizou Cícero a fazê-lo. Perante aquela aprovação peremptória, o padre ficou absolutamente convencido de que estava tudo resolvido em relação a seu futuro, embora no íntimo ainda temesse outros embates com o bispo diocesano: "Peço a Deus que no Ceará alguma nova tempestade não caia sobre mim. O demônio não dorme, e a casa onde há o baixo emprego de delator não goza paz", previu em mensagem ao padre Fernandes, poucos dias antes da volta.

Com efeito, no palácio episcopal de Fortaleza, as prevenções contra o padre ainda estavam de pé. Dom Joaquim interpretou de modo diverso o novo decreto do Santo Ofício, cuja cópia lhe foi remetida em caráter oficial pelo internúncio. Pelo que entendera do texto, o prelado não considerou que a decisão deixava Cícero livre das punições anteriores, como ele próprio parecia haver entendido. O bispo se apegava ao cabeçalho do documento, que determinava: "Deve-se estar pelo que foi decidido nos decretos de quarta-feira, 4 de abril de 1894, e quarta-feira, 10 de fevereiro de 1897". Ora, na avaliação de dom Joaquim, aquilo significava que todas as punições contra Cícero estavam mantidas, inclusive a determinação anterior do Santo Ofício para que ele não mais residisse no Juazeiro, sob pena de excomunhão. Por isso, ficou inconformado quando recebeu uma carta de Cícero, enviada de Roma, na qual o sacerdote afirmava estar voltando ao Brasil devidamente anistiado de toda e qualquer culpa: "Fui absolvido das censuras que pudesse ter incorrido e me foi dada a faculdade de celebrar o santo sacrifício da missa e de voltar para casa, como o mesmo Santo Tribunal comunicará a Vossa Excelência Reverendíssima".

Na verdade, nos termos em que foi publicado, o decreto deixara a porta aberta para a instalação de nova cizânia. O Santo Ofício definia que as penas anteriores continuavam válidas, mas não sustentava a obrigatoriedade da saída de Cícero do Ceará. Deixara apenas a sugestão para que ele assim o fizesse, "se possível" (*se fiere potest*, no original em latim). Pelo que dom Joaquim conhecia de Cícero, munido de tal possibilidade, o padre não mais arredaria pé da província. Em carta à nunciatura, o bispo revelou que faria de tudo para tentar evitá-lo: "Farei o possível para que ele se resolva a mudar-se daqui, onde ele será sempre um elemento de desordem, por ter o espírito mal equilibrado. Se eu puder conseguir isso, darei mil graças a Deus". Dom Joaquim não estava jogando palavras ao vento.

Os últimos momentos de Cícero na Itália foram marcados por dois grandes júbilos pessoais. Em 5 de setembro, atendendo a um ofício que encaminhara no dia anterior ao cardeal Lucido Parocchi, foi-lhe autorizado rezar missa em Roma, na Igreja de San Carlo al Corso, o que punha fim à interdição sacramental a que estava submetido havia quase três anos. Cícero festejou o episódio deixando uma anotação nas páginas de seu breviário: "Celebrei o santo sacrifício da missa na Igreja de São Carlos, no altar de Nossa Senhora das Dores, em Roma, por ordem do Santo Ofício e do cardeal Parocchi". Sem dúvida, para quem acabara de passar por um julgamento na Inquisição, era uma inconfundível demonstração de confiança por parte de seus juízes.

O segundo motivo de regozijo para Cícero foi ainda mais reconfortante. Exatamente no último dia de sua estadia em Roma, com a intermediação da embaixada brasileira na Santa Sé e sob a anuência do cardeal Parocchi, ele foi admitido em presença de Leão XIII. Seriam apenas breves instantes, enquanto o pontífice atravessava o caminho de uma sala a outra. Mas foi o suficiente para que Cícero finalmente realizasse o desejo de estar pessoalmente, e a sós, com o papa. Em outra página do breviário, descreveu o rápido encontro com o chefe supremo da Igreja Católica:

> Hoje, 6 de outubro de 1898, ao meio-dia, dia de São Bruno, tive audiência com o Santo Padre. Fui apresentado por monsenhor [Ottavio] Cagiano de Azevedo [bispo encarregado da chefia de gabinete do papa] e falei, só, ao Santo Padre e lhe ofereci um rosário de ouro da Santíssima Virgem e ele benzeu dois crucifixos que intenciono dar um a meu bispo, o senhor dom Joaquim, e o outro ao senhor bispo de Olinda, dom Manoel.

À noite, ainda sob o impacto daquela audiência relâmpago, Cícero já se encontrava no trem a caminho de Nápoles. De lá pegaria o primeiro navio em direção ao porto internacional de Gênova. Permaneceria praticamente um mês e meio em trânsito, antes de chegar a Fortaleza.

Só no dia 12 de outubro o vapor que lhe traria de volta ao Brasil zarpou de Gênova a caminho de São Vicente, litoral paulista, onde ancorou já no entardecer do dia 20. Depois de uma escala de mais 24

Abaixo, a Igreja de San Carlo, em Roma, onde Cícero recebeu autorização especial do Santo Ofício para celebrar missa. Antes de retornar ao Brasil, o padre mandou pintar um estandarte com sua própria imagem (ao lado)

horas para reabastecimento, a embarcação seguiu para o Recife, no que levou outros seis dias no mar. Como já era madrugada quando o navio alcançou a capital pernambucana, foi preciso que os passageiros passassem mais uma noite a bordo. Após compromissos junto aos amigos recifenses por mais duas semanas, Cícero partiu então para Fortaleza, onde enfim aportou no dia 13 de novembro. Estava exausto. Mas ainda teria de encontrar forças adicionais para enfrentar as resistências do bispo. Dom Joaquim estava bem precavido. Sabia que Cícero chegara debaixo do juramento de obediência ao Santo Ofício, mas o bispo não punha mais fé na sinceridade do padre: "Não acredito em tais promessas, em vista da experiência de nove anos", declarou, em correspondência oficial ao internúncio dom Macchi.

Não adiantou Cícero dizer que já havia prometido total obediência aos inquisidores. Tampouco surtiu efeito reafirmar, perante o bispo, que manteria silêncio absoluto dali por diante sobre os proclamados milagres de Juazeiro. Dom Joaquim estava irredutível. Continuava a se amparar no fato de que o novo documento do Santo Ofício confirmava textualmente a vigência dos decretos anteriores. Por esse motivo, ainda que os cardeais houvessem restabelecido prontamente o direito de Cícero celebrar missa em Roma, continuaria sem poder fazê-lo no Juazeiro. O padre estava autorizado a celebrar em qualquer outro lugar do Ceará, mas não no povoado e suas circunvizinhanças. "Dei licença ao reverendo Cícero para celebrar nesta diocese; menos, porém, no Juazeiro, centro estratégico das imposturas e superstições que tanto mal têm causado ao povo ignaro", cientificou dom Joaquim à nunciatura.

Pelo mesmo raciocínio, o bispo não endossou o direito de o padre manter um altar, ainda que privado, no alto da serra do Catolé, como antes os inquisidores haviam permitido. A justificativa era que o local prosseguia sendo destino de peregrinação, desde a interrupção das obras da grande igreja. A presença de Cícero ali só provocaria o recrudescimento das romarias. De acordo com dom Joaquim, o melhor era o padre seguir à risca o conselho do Santo Ofício. Procurasse outra diocese para viver dali por diante.

Cícero ficou chocado com a interpretação que o bispo dera ao decreto. Era como se todo o esforço despendido na viagem a Roma, todas as conquistas junto aos cardeais inquisidores, tudo houvesse sido em vão. De um lado, o padre dizia que o Santo Ofício consentira na sua volta ao Juazeiro — o que inclusive lhe teria sido comunicado pessoalmente pelo cardeal Parocchi —, embora tivesse de admitir que tal prerrogativa não fora documentada em nenhum despacho oficial. De outro, dom Joaquim afirmava que, sem declaração formal por escrito, ficava o dito pelo não dito. Cícero estava autorizado a voltar para casa, mas apenas temporariamente, a fim de providenciar sua mudança definitiva. Tinha exatos dois meses para preparar a família. No Juazeiro, não mais poderia ficar. No Horto, idem. Rezar missa, só à inegociável distância de, no mínimo, três léguas do povoado.

Dom Joaquim mostrava-se particularmente incomodado com a versão que corria no interior da diocese: o papa teria desmoralizado a autoridade do bispo, restaurando todas as ordens de Cícero. Para que não pairassem mais dúvidas sobre o assunto, resolveu publicar, um dia após o Natal daquele ano de 1898, a quarta e última carta pastoral a respeito do Juazeiro. O palácio episcopal julgava que aquela seria o derradeiro palmo de areia sobre o caso. Seria um documento contundente, redigido por dom Joaquim em linguagem demolidora, sem fazer concessões a nenhuma espécie de comedimento verbal. A primeira reprimenda era reservada à Legião da Cruz, que segundo aludia o bispo fora organizada com um único desígnio: tentar subornar o Tribunal do Santo Ofício. "Pretendia-se, por esta forma, apresentar em Roma, com a oferta de soma relativamente considerável, fervoroso zelo pela cadeira de São Pedro, no intuito de atrair-se o Santo Ofício em favor dos pretensos milagres."

José Joaquim de Maria Lobo era tratado na carta pastoral como "o Lobo do Juazeiro". Quando chegara de Roma, trouxera milhares de pequenas cruzes de madeira, que distribuía aos romeiros, afirmando terem sido bentas pelo papa: "Isso aumentou ainda mais o fanatismo daquela pobre gente, pois dizem que quem possuir uma dessas cruzes tem a salvação garantida, ainda que cometa os maiores pecados", acusou dom Joaquim. "Cravam cruzes nas árvores à beira das estradas por onde transitam e cobrem também de cruzes os cavalos em que viajam. Mil outros disparates acompanhados de cenas grotescas e imorais, que o decoro manda calar, têm esses fanáticos praticado."

Entretanto, o bispo afirmava na carta pastoral que o "Lobo do Juazeiro" era um mero coadjuvante de toda a história. Havia um culpado maior pelas "intrujices" destinadas a "velhaquear os tolos e ludibriar os crédulos": ele mesmo, o padre Cícero Romão Batista. "É o principal responsável, se não o único culpado, de todos esses abusos e prevaricações praticadas em seu nome e alguns com seu manifesto apoio." Explicava:

> Os culpados dessas desordens religiosas e morais são seus amigos íntimos, convivem com sua reverendíssima, a quem escutam como a um oráculo, de sorte que uma só palavra sua, um só gesto seu que houvesse reprovado tais desregramentos, tudo seria cessado imediatamente.

Por fim, a incisiva carta pastoral comunicava a todos os diocesanos que Cícero, ao se submeter em Roma aos decretos condenatórios do Santo Ofício, fora realmente absolvido da suspensão de rezar missa. Mas, ao contrário do que procuraria fazer crer, permaneciam todas as disposições anteriores, a exemplo da proibição de ministrar a eucaristia e a ordem de se manter afastado do Juazeiro:

> Este sacerdote, que é, e sempre foi, de bons costumes, também é, e sempre foi, de tal modo tenaz em suas opiniões que uma vez metendo-se-lhe na cabeça que o preto é branco, não há argumento, intrínseco ou extrínseco, capaz de demovê-lo de tal condição ou fantasia.

Em vista daquilo, Cícero escreveu desesperado ao cardeal Parocchi, implorando-lhe que confirmasse ao bispo a permissão que lhe fora dada para retornar ao povoado: "Ele disse que não recebeu de Vossa Excelência Reverendíssima comunicação alguma facultando-me de continuar na minha residência no Juazeiro", lamentou. Depois de se referir à amargura que sofreria ao se afastar de sua casa e de seu povo, assinou aquela carta ao poderoso Parocchi como "o humilde, o devotíssimo e o oprimido súdito padre Cícero Romão

Batista". Não há, na volumosa correspondência do sacerdote, nenhuma resposta do cardeal inquisidor àquela súplica.

A população do Juazeiro procurou correr em socorro a seu capelão e encaminhou ao bispo um longo abaixo-assinado, rogando que a diocese revisse a decisão de expulsar Cícero em definitivo do lugar. Uma das alegações era novamente a de que, sem sacerdote que lhes concedesse o consolo da extrema-unção, os muitos moribundos do povoado assolado pela seca estariam morrendo sem ter sua alma encomendada ao Céu. "Vêm os suplicantes requerer a Vossa Excelência, em nome da caridade de Deus, se digne conceder que o padre demore nesta terra, para evitar tantas vítimas físicas e morais, ao menos durante esta quadra horrorosa que atravessamos." O bispo, do mesmo modo que o cardeal Lucido Parocchi fizera em relação ao pedido de Cícero, também não se deu ao trabalho de enviar uma resposta.

Como último recurso, cópias de uma carta dramática, escrita em nome de dona Quinô, foram enviadas a vários cardeais do alto escalão da Cúria Romana: "Aos pés de Vossa Eminência, quem está de joelhos é uma pobre velha, septuagenária, cega e doente — a mais infeliz das mães —, é a mãe do padre Cícero, pedindo pelo amor de Deus que Vossa Eminência não consinta mais arrancar seu filho único". A exemplo dos apelos anteriores, a carta não obteve nenhuma espécie de retorno. Nos arquivos do Vaticano, a mensagem de dona Quinô seria protocolada junto a um comentário deixado por um funcionário da Cúria, não identificado:

> Leve-se ao monsenhor assessor esta carta dirigida ao cardeal [Camillo] Mazzella [prefeito da Congregação dos Ritos] junto à última pastoral do bispo de Fortaleza, para que se entenda em que conta devem se ter as palavras da mãe do ignorante e perverso padre Cícero.

Durante os dois meses concedidos pelo bispo, Cícero Romão Batista permaneceu em Juazeiro, saindo para o Crato tão logo findou o prazo estabelecido. Em fevereiro de 1899, monsenhor Alexandrino comunicou a dom Joaquim que o sacerdote andava cabisbaixo pela cidade, aparentemente curado de sua célebre teimosia: "O comportamento dele até agora nada teve de repreensível". Cícero, tudo indicava, parecia ter acusado o golpe. Mostrou-se igualmente abalado quando soube que monsenhor Alexandrino, por ordem expressa do bispo, não autorizou a colocação na capela de Nossa Senhora das Dores de uma imagem do Sagrado Coração de Jesus, trazida por ele de Roma e, segundo consta, benzida pelo próprio papa Leão XIII. O episódio demonstrava que dom Joaquim estava determinado a eliminar do povoado todas as manifestações de fé que poderiam ser relacionadas ao padre. Isso incluía até mesmo a proibição daquela imagem sagrada na capela, já que sua origem tenderia a ser associada à peregrinação de Cícero pelo Vaticano.

O fato é que, sob a justificativa de visitar a mãe doente, o padre retornaria ao povoado em vários momentos, ao longo dos meses seguintes. Primeiro em visitas esporádicas, que foram se amiudando pouco a pouco. Em julho, Alexandrino anunciou a dom Joaquim: "O padre Cícero, uma vez ou outra, vai ao Juazeiro, e acontece de demorar dias por ali, em razão do agravamento do padecimento da velha mãe". Em setembro, o vigário do Crato voltava a informar: "O padre Cícero ora está lá, ora está aqui, sendo certa a permanência dele naquele povoado por causa das confissões na hora da morte, para as quais é chamado com frequência. A velha mãe dele continua muito doente".

Dom Joaquim ficou temeroso de que Cícero, mais uma vez, estivesse usando de possíveis dissimulações para contornar uma situação que lhe era adversa. Não tinha dúvidas de que a única maneira de dar fim ao caso era impedindo por completo o contato do sacerdote com seus devotos. "Se o padre Cícero deixar o Juazeiro, tudo estará terminado", opinou o bispo, em carta ao cardeal Parocchi. Do Crato, Alexandrino objetava que o padre parecia estar bem mudado e chegou a propor ao bispo que permitisse ao colega ficar mesmo no Juazeiro, pois era visível o seu acabrunhamento, o que denotaria um suposto sentimento final de derrota. Dom Joaquim rechaçou de imediato tal hipótese, que lhe soou absurda, e cobrou maior vigilância do vigário do Crato. O bispo tinha ciência de que Cícero animava os fiéis dizendo que tivessem paciência e esperança na força de Deus. Alexandrino viu-se obrigado a pedir desculpas ao superior. Prometeu que fecharia o cerco: "Farei ver a este sacerdote que ele não poderá mais permanecer no Juazeiro sob pena de Vossa Excelência declará-lo incurso em excomunhão".

Não era só Alexandrino que considerava Cícero Romão Batista

um homem acabado. O padre Quintino Rodrigues também escreveria ao bispo para dizer que, no seu entender, a ruína do padre Cícero não era apenas moral, mas também física. O peso da desonra de ser um sacerdote expulso do próprio lugar se juntava ao peso da idade. Aos 55 anos, quase um sexagenário, o padre e sua rigidez sertaneja definhavam a olhos vistos. Naquele ano de 1899, quando o século XIX já ia se encaminhando para o final, o velho taumaturgo do Juazeiro parecia compartilhar do mesmo ocaso. Não seria de admirar, dizia-se, se ele não encontrasse forças para assistir à virada do calendário, para testemunhar a chegada do novo século. "Parece que o estado de saúde do padre Cícero vai se tornando, de dia para dia, mais melindroso. É bem para desconfiar de um desfecho final inopinado", apostou Quintino.

Padre Quintino Rodrigues, assim como monsenhor Alexandrino, não podia imaginar que estava solenemente errado. Era fato que, ao longo dos próximos anos, uma série de incômodos intestinais passaria a atormentar Cícero com cada vez maior frequência. Era verdade também que uma escoliose crescente provocaria nele dores intensas e lhe deformaria a postura, deixando-o progressivamente com o pescoço torto, de modo que a cabeça ficasse sempre pendida para o lado. Mas Cícero ainda iria viver tempo suficiente para desfiar as contas de seu rosário sobre o túmulo de cada um de seus mais ferrenhos adversários. Muitos dos que o renegavam até ali ainda iriam se curvar ante o poder de seu nome. Se não fosse pela cruz, seria pela espada.

Ao contrário do que se profetizava, assim como o tormentoso século XX, a história de Cícero Romão Batista estava apenas começando.

Jagunços defendem o Juazeiro protegidos atrás da trincheira construída pela população da cidade

LIVRO
SEGUNDO

A ESPADA

1

Sacerdotes juntam os cobres: com quantos contos de réis se compra um bispado?

1900-1908

Cícero mandou um portador correr imediatamente ao posto de telégrafos do Crato. Fosse voando. Levasse aquela mensagem urgente para ser remetida ao presidente do estado, o doutor Pedro Borges, em Fortaleza. Com ela, o padre quebrava um voto de silêncio que fizera a si próprio. Até então, jamais se intrometera na disputa entre os grupos liderados pelos dois principais chefes políticos do Crato. De um lado combatiam os "maxixes", como eram chamados os partidários do coronel Antônio Luiz Alves Pequeno, fazendeiro, filho e homônimo do padrinho de crisma de Cícero. Do outro, os "malabares", correligionários do coronel José Belém de Figueiredo, comerciante e intendente municipal, cuja principal iniciativa desde a chegada ao poder fora a criação de uma guarda local, formada pelos sujeitos mais truculentos do lugar e que fazia valer a autoridade nas ruas da cidade com a pistola na cintura e o rifle na mão.

O coronel Belém, líder dos malabares, era um ferrabrás. Chegou a mandar dar uma surra de facão em um professor que escreveu um artigo contra ele em um jornal de Fortaleza. De outra feita, ordenou que se derrubasse a coronhadas de espingarda a porta da viúva de um desafeto, para depois mandar açoitá-la na própria cama em que dormia. O rival mais poderoso de Belém, o coronel maxixe Antônio Luiz, sabia que não era com comícios e discursos que se costumava fazer a alternância de poder na política do Cariri. Por isso, contrabandeou um carregamento de armas e munição pesada, repassado às mãos de um exército particular formado por cem jagunços, arregimentados a dedo em Serra Talhada, em Pernambuco.

Havia precedentes históricos que recomendavam a Cícero não se envolver na contenda. Em 1903, monsenhor Alexandrino de Alencar cometera a imprudência de receber a visita de um adversário político do coronel Belém. As consequências foram desastrosas.

Quando soube que um inimigo recebera guarida do monsenhor, o furioso Belém mandou o delegado de polícia tomar providências. O delegado avisou a Alexandrino que quem protegia opositores do coronel, independentemente de ser padre, bispo ou papa, era considerado um maxixe. Por isso, poderia vir a ser alvo de possíveis represálias. A batina, soubesse o senhor vigário, não servia de escudo contra faca ou tiro. Enquanto o representante da lei fazia ameaças, um grupo de malabares cercava a casa de Alexandrino, sob as vistas grossas do chefe de polícia. Bateram latas, soltaram bombas e gritaram palavrões em direção à porta de entrada. Por pilhéria, o garboso cavalo que pertencia ao visitante e estava amarrado no portão foi levado embora debaixo de vaias. Em troca, deixaram ali um jumento magricela, empesteado de bicheiras.

Alexandrino quase sofreu uma síncope. Depois disso, a situação dele na cidade tornou-se insustentável. Pediu exoneração ao bispo e escapuliu para fora das fronteiras do Ceará. Pôs seus mais de cem quilos em uma carroça debaixo do mormaço do sertão e foi suando em bicas até se fixar em Picos, no Piauí, onde viveria os últimos anos de vida. Antes de partir, deixou uma carta ao bispo dom Joaquim, na qual definia o coronel Belém como "o chefe boçal e estúpido desta terra infeliz".

Monsenhor Alexandrino não teve oportunidade de assistir aos últimos lances da barafunda entre maxixes e malabares. Uma serenata promovida pelos simpatizantes de Antônio Luiz seria desmanchada a tiros por quinze homens da guarda de Belém. Um rapaz morreu e outro ficou gravemente ferido, com duas punhaladas profundas e cinco balas espalhadas pelo corpo. A partir de então, os maxixes tinham um cadáver para justificar a explosão da revolta armada. Em junho de 1904, os jagunços do coronel Antônio Luiz entrincheiraram Belém em sua própria casa. Seguiram-se três dias e três noites de feroz tiroteio, até que o intendente foi obrigado a içar a bandeira branca, implorando pelo humilhante cessar-fogo.

Cícero decidiu remeter aquele telegrama urgente para Fortaleza quando recebeu a informação de que estava vindo um destacamento para tentar restituir a ordem no Crato. O comando das operações fora confiado ao capitão João Fonteles Linhares, amigo do deposto Belém desde longas datas. A situação, até onde a vista alcançava, prometia pegar fogo: o vitorioso coronel Antônio Luiz mandara avisar que o capitão Linhares e os soldados do governo podiam vir, mas seriam recebidos a tiros. Na mensagem, Cícero procurava evitar o confronto:

Excelentíssimo presidente Pedro Borges

População Crato exaltada recusa receber capitão Fonteles. Em nome da paz peço portanto a Vossa Excelência para evitar conflagração substitua dito oficial medida prudência. Não tenho cores políticas. Sou amigo de todos e somente por bem de todos resolvi fazer este pedido. Para acalmar ânimos peço resposta urgente.

Padre Cícero

O presidente Pedro Borges respondeu a Cícero também por telegrama. Disse que mandara o batalhão para o Cariri, mas com instruções de que os soldados não interferissem nas divergências políticas locais. O envio de uma força de segurança era apenas uma garantia para que se mantivessem a paz e a ordem pública. O presidente afirmava não ter nenhum interesse em questionar o direito do coronel Antônio Luiz de assumir o poder municipal, pois o governo estadual já considerava a deposição do coronel Belém um fato consumado. Assim, as tropas ficariam estacionadas em Barbalha, cidade vizinha ao Crato, por mera precaução. "Confio que pelo merecido prestígio que gozais e principalmente pelo respeito que inspira vosso caráter sacerdotal auxiliareis eficazmente o governo nesta obra de paz regeneradora e salutar", escreveu o presidente a Cícero.

Toda aquela prosopopeia estava sendo gasta à toa. Pedro Borges era apenas uma peça decorativa do poder em Fortaleza. O presidente mandava ali tanto quanto a estátua do general Tibúrcio, o militar da Guerra do Paraguai eternizado em bronze na praça ao lado do Palácio da Luz, a sede do governo cearense. Vivendo os últimos dias do mandato à frente do Executivo, Borges cumpria o papel que lhe cabia no espetáculo de ventriloquia política encenado no Ceará. Tudo que ele falava ou escrevia era ditado pelo verdadeiro dono da situação, o comendador Antonio Pinto Nogueira Accioly, o oligarca que por duas décadas vinha dando as ordens na política cearense, ora ocupando o lugar de presidente estadual (o que faria ao todo em seis oportunidades), ora manipulando adestrados testas de ferro. "Eu aqui sou apenas o vaqueiro, o verdadeiro dono da fazenda é o Accioly", reconheciam os que esquentavam a cadeira de presidente enquanto Nogueira Accioly eventualmente cumpria mandatos na Câmara Federal ou no Senado.

Conhecido por "Donatário do Ceará", Accioly era primo de Antônio Luiz, pormenor que incentivava o coronel cratense a falar ainda mais grosso. No ocaso de seu governo de fachada, o presidente Pedro Borges jamais enviaria soldados para atacar, de verdade, um parente tão próximo do poderoso oligarca. Pelos mesmos motivos, Belém jamais seria reconduzido ao cargo de que fora apeado. Aquilo já virara rotina. Em todo o Cariri, as tradicionais pendengas por limites de terra e as disputas por currais eleitorais haviam desandado em carnificina geral. Na primeira década do século XX, uma dezena de conflitos políticos ocorrera na zona, a maioria resultando em deposições violentas nos comandos dos poderes municipais de várias cidades. No Ceará meridional, passara a vigorar a lei do bacamarte. Até mesmo o voto de cabresto fora substituído pelo escrutínio da bala.

Ninguém precisava mais de eleição — ainda que viciada — para ocupar a cadeira de intendente. Bastava destronar o eventual ocupante do cargo com o auxílio de um bando armado de trabuco. No calor da hora, o oligarca Accioly sempre permanecia omisso em relação às disputas no sertão, para depois, uma vez contados mortos e feridos, apoiar e receber o coronel vencedor. Antagonistas entre si, os mandões municipais comiam todos na mão de Accioly, o líder cearense do Partido Republicano Conservador (PRC), mantido na situação, em Fortaleza, à custa do empastelamento de jornais oposicionistas e de bordoadas que mandava aplicar nos adversários políticos.

Cícero voltou a escrever em tom de preocupação ao presidente Borges, embora soubesse que a mensagem seria mais bem dirigida,

Acima, o coronel Luiz Alves Pequeno (à esquerda), chefe político do Crato, e Nogueira Accioly (à direita), o "Donatário do Ceará". Ao lado, Cícero Romão Batista no final das contas, se fosse enviada diretamente a Accioly. O padre alegava que a simples chegada dos soldados a Barbalha manteria a população do Crato em estado de excitação, o que dificultaria a montagem do novo poder municipal. Dias depois, em movimento previamente orquestrado, a tropa deu meia-volta e marchou de retorno para Fortaleza, sem disparar um único tiro em combate, a não ser um ou outro, desfechado por pura diversão, contra cascavéis, juritis e calangos que encontraram pelo caminho. Menos de um mês depois, em julho de 1904, Borges passou a faixa governamental a seu dono real, o então senador Nogueira Accioly, eleito novamente para o cargo de presidente do estado ao custo de um pleito em que não faltaram denúncias de fraude.

Os dois telegramas de Cícero a Pedro Borges haviam lançado o padre, pela primeira vez, no cenário da política partidária. Ele dizia ter atuado, como sempre, em nome da conciliação geral, assumindo o papel de pacificador que competia à sua condição de sacerdote. Contudo, ao se colocar a favor da não agressão ao Crato, Cícero prestou solidariedade indireta ao coronel Antônio Luiz Alves Pequeno, o novo dono do poder municipal. O antigo débito de gratidão com a família que financiara parte de seus estudos no seminário estava pago, sem que com isso Cícero tenha precisado macular sua imagem de neutralidade. O coronel Antônio Luiz ficaria grato pelo gesto. Pelo menos até o dia em que ele e Cícero viessem a ficar em campos frontalmente opostos.

Isso não demoraria muito a acontecer. Rejeitado pela Igreja, Cícero estava prestes a fazer da política seu novo sacerdócio.

"Não morrerei tão cedo. Ainda tenho muita coisa para fazer. Só posso deixar este mundo quando completar 150 anos", anunciava o sexagenário Cícero.

Proibido de celebrar no Juazeiro, ele se deslocava de cidade em cidade, de arraial em arraial, fazendo-se acompanhar nessas andanças em estradas de poeira por multidões de seguidores. Os males da idade ajudavam a lhe atribuir a imagem de um mártir injustiçado, conferindo a sua figura encurvada e apoiada no cajado os contornos de uma presumida santidade. O médico particular do sacerdote, doutor Antônio Marques da Silva Mariz, ao lhe diagnosticar os primeiros sintomas de uma crise de gota, prescreveu-lhe "repouso, regime leve e tranquilidade de espírito". Cícero deu de ombros. Não podia repousar enquanto vivesse, argumentava. Não teria tranquilidade de espírito enquanto não levasse a palavra de Deus a todos os sertanejos, afirmava. Por isso, era visto como uma espécie de ancião do Velho Testamento em pleno agreste, um Abraão da caatinga, patriarca da nação dos romeiros.

Dom Joaquim, que aguardava a notícia da morte do padre a qualquer momento, finalmente admitira que ele ficasse morando no Juazeiro. Mas permanecia de pé a proibição a Cícero de rezar missa no povoado – o que deixava o lugar oficialmente sem vigário. Por continuar sendo objeto das censuras do bispo mesmo depois de ter beijado o anel do papa, o sacerdote atraiu ainda maior solidariedade. Ao longo dos primeiros anos do novo século, o palácio episcopal voltaria a receber insistentes abaixo-assinados, das mais diferentes cidades da região, todos pedindo a reintegração das ordens sacerdotais de Cícero. Dom Joaquim respondia a todos sempre com a mesma sentença: "Não posso satisfazer tal desejo porque a questão está afeta ao Santo Ofício, que, por três vezes, já se pronunciou sobre ela".

Enquanto monsenhor Alexandrino caíra em desgraça no Cariri, a palavra de Cícero passara a ser venerada como a de um santo. "No Juazeiro de hoje, cada pessoa tem a religião como pensa, sendo Cícero o seu ministro, seu centro, seu Deus", escreveu em relatório secreto ao bispo o substituto de Alexandrino, padre Quintino Rodrigues, um dos arrependidos defensores do milagre, então recompensado com o cargo de vigário do Crato.

Nos vastos arquivos deixados por Cícero, existem milhares de cartas que lhe foram endereçadas, nessa época, pelo povo mais simples do sertão nordestino. Em todas, o padre é tratado como verdadeira divindade. Uma divindade, porém, que não era inacessível ao mundo terreno dos homens. A exemplo dos pajés das antigas nações cariris, cujo sangue lhe corria nas veias misturado aos dos ancestrais portugueses, Cícero passara a acumular as funções de conselheiro, benzedor e curandeiro.

Além de distribuir mandamentos de ordem moral, começara a receitar remédios caseiros, as chamadas *meizinhas*, para os desesperados que o procuravam, pessoalmente ou por escrito, em busca de

Cícero em meio a um
grupo de meninas
do Juazeiro, vestidas
para a cerimônia
da primeira comunhão

conforto para os males da alma e do corpo. "Sinto assim como um caroço e uma falta nos *nervo* de entre as pernas que não posso fazer nada há seis meses", escreveu-lhe, entre tantos outros, Filomena Pereira de Barros, do município de Correntes, no agreste de Pernambuco. "Eu quero que me mande uma imagem e umas *meizinhas* para uma dor de cabeça que faz três anos que me acompanha", pedia Caetano Jorge dos Santos, da paraibana São José de Piranhas. "Meu padrinho, eu mando perguntar: eu tinha uma filha que casou. O marido disse que ela não era moça. Mande-me dizer se era certo", recorria Francisca Maria da Conceição, que aproveitava para fazer outro pedido ao final da carta: "Padre Cícero, dê um jeito no meu marido, para ele deixar de ir para as *noite* de festa e passe a ir *pra* novena".

Até de Macapá chegavam rogos ao padre. "Me aconselhe um remédio para minha mulher que tem estado enferma há oito anos", implorava José Gomes da Rocha, um dos muitos migrantes nordestinos a tentar a sorte na Amazônia atraídos pelo ciclo da borracha. "Ela sofre com dor de cabeça alguns tempos, depois um estalo, dor nas goelas e um grande fogo no corpo, a não suportar", descreveu o homem. De Maceió, uma prostituta que se assinava Ana Maria de Souza confiou a Cícero seu ato de contrição: "Meu padrinho, sou uma mulher da vida e tenho sofrido *bastante* injúrias e sofrimentos para viver", escreveu ela. "Por isso peço perdão pelo que tenho cometido. Tenho escapado de morrer de faca e revólver com o seu sagrado nome. Peço que me *deis* boa sorte, abrande meu coração e mude-me o meu gênio."

Cícero abria os papéis, lia o conteúdo e constatava: eram cartas humildes, grafadas em mau português, às vezes repletas de um comovente humor involuntário. "Meu padrinho, me dê um jeito para a minha mãe deixar o vício da *embriaguês*", solicitava uma desesperada Rozalina de Jesus, de Carangueja, Alagoas. Por vezes, Cícero tinha que pedir licença a santo Antônio para se desdobrar até mesmo em casamenteiro: "Peço que me dê um jeito de eu me casar com o Luís e que seja de gosto da minha família", rogava Matildes Maria da Conceição, "mais conhecida como Anjinha". Do povoado cearense de Mucambo, Maria dos Prazeres da Silva estava agoniada com o filho que sofria de distúrbios mentais. "Não sei se é doença ou se é a sombra do demônio por causa das pragas da avó", conjecturava a mulher.

Cícero não deixava uma única carta daquelas sem retorno. Para tanto, contava com a ajuda de José Lobo, o fundador da Legião da Cruz, encarregado de redigir a maior parte das respostas. Quando necessário, consultava compêndios de medicina e almanaques farmacêuticos para prescrever, além das *meizinhas* à base de ervas encontráveis em qualquer touceira de mato verde, também certas beberagens disponíveis nas prateleiras de toda botica de interior. Não era preciso ser um especialista para diagnosticar que a maioria dos males físicos descritos nas cartas decorria de uma única causa: a desnutrição crônica do povo sertanejo. Por isso, uma das principais recomendações do padre era a ingestão de tônicos contra anemia à base de sulfato ferroso. Padre Quintino, atento àquela farmacopeia improvisada, comunicava ao bispo que, além de milagreiro, Cícero começara a se arvorar em médico: "Para todos os males, ele dá consultas e receitas para a plebe".

No entanto, o mesmo Quintino escreveria ao bispo pouco tempo depois para reconhecer que desde a divulgação dos decretos do Santo Ofício quase ninguém mais falava do "milagre do Juazeiro". O assunto virara tabu. Maria de Araújo se recolhera em progressivo silêncio após as condenações do Vaticano. Não havia notícias de que os fenômenos ainda ocorressem.

As romarias continuavam em massa, é fato, até bem maiores do que antes. As esmolas, idem. Segundo cálculos feitos pelo padre Quintino, os donativos recebidos por Cícero da parte de romeiros e moradores chegavam naquele momento à casa dos 80 mil-réis por dia, o que daria algo em torno de dois contos e meio de réis mensais, quantia superior à verba anual destinada pelo governo do estado ao projetado asilo de mendicidade de Fortaleza.

"Está rico", denunciou o vigário em outra carta ao bispo.

Apesar das muitas esmolas, Cícero não modificou seu padrão de vida. Andava com a mesma batina rota e morava em uma casa totalmente desprovida de confortos. Casa sertaneja, sem adornos, sem nenhum tapete, nenhuma cortina, nenhuma poltrona almofadada.

Uma história contada tanto por apologistas quanto por detratores serviria para se ter uma ideia da quantidade de dinheiro que circulava pelas mãos do padre. Os apologistas narrariam o caso para comprovar a generosidade de Cícero; os detratores, para confirmar-

-lhe a opulência. Certa vez, ele havia recebido de um fazendeiro um pacotinho de moedas, envolvidas em papel de embrulho. Sem conferir a quantia, enfiou-o no bolso da batina junto com outros cobres de pequeno valor, aqueles que até o mais pobre dos romeiros sempre lhe deixava como donativo a Nossa Senhora das Dores. Mais tarde, quando uma mendiga lhe pediu uma esmola, ele puxou do bolso o mesmo pacote e, novamente sem reparar quanto ali havia, depositou-o de bom grado na mão estendida da mulher.

Joana Tertuliana de Jesus, a beata Mocinha, governanta e tesoureira do padre, deu conta que a distração custaria caro. Sem o notar, Cícero oferecera à pedinte um punhado de libras esterlinas.

"Meu padrinho, olha só o que o senhor deu para esta velha!", exclamou a beata, retendo a mulher pela mão.

Cícero olhou para as moedas reluzentes e só então compreendeu o engano. Mas não exigiu a esmola de volta:

"Basta, Joana! Já dei. Está dado."

Quintino ficava inconformado com aquela situação. "Já se tem dito que a fortuna dele é uma das maiores do Cariri", avisou a dom Joaquim, sublinhando que tamanha riqueza seria incompatível com o exercício do sacerdócio: "Isso vai provocando, daqui e dali, comentários desfavoráveis a respeito dos seus sentimentos e de seu espírito religioso".

Em compensação, ponderava padre Quintino, os peregrinos não mais procuravam a beata Maria de Araújo. A multidão ia ao Juazeiro para pagar promessas apenas à padroeira Nossa Senhora das Dores e, também, para receber as devidas bênçãos do padre Cícero. Para Quintino, isso constituía um mal menor, perante a constatação de que os romeiros não insistiam na história de hóstias que se transformavam em sangue. "Eles já se mostram dóceis, procuram a confissão, e vê-se que se esforçam para corrigir suas faltas", expôs. "É preciso ter sempre em conta a ignorância deles, que é crassa demais", ressalvava. Cícero, segundo Quintino, também evitava tratar dos assuntos censurados por Roma. "Ele nada mais disse sobre os tais milagres; protesta sempre sua submissão a todas as leis da Igreja, diz que condena, como é seu dever, tudo o que for contrário à fé."

Naquele instante em que os acontecimentos o lançariam em breve à política, Cícero parecia mesmo querer manter sob precavido controle determinados excessos religiosos cometidos à sua revelia.

Quando soube que uma beata de nome Luzia andava perambulando em cidades vizinhas com uma imagem do Menino Jesus ao colo e pedindo esmolas "em nome do *Padim Ciço*", ele escreveu imediatamente uma carta à dita mulher para cobrar explicações: "Não admito desculpas, venha e traga a imagem, que você bem pode considerar que isto não está correto e nem convém", ralhou.

Por idêntico motivo, Cícero ficou preocupado quando recebeu a notícia de que na cidade de Ipu, encravada no sopé da serra da Ibiapaba, norte do Ceará, os dois fundadores da sucursal da Legião da Cruz naquele município haviam sido presos sob a acusação de tentativa de assassinato. De acordo com o inquérito policial, a dupla prometera dar cabo de um coronel da cidade. Tudo porque haviam tomado conhecimento de que o homem ordenara a seus agregados que não se filiassem à Legião da Cruz, classificada por ele como "um antro de fanáticos". Antes que pusessem o suposto plano criminoso em ação, os dois sujeitos foram presos pela polícia. Em meio ao material apreendido na casa deles, estavam extensas listas com o nome de doadores da irmandade e diplomas de sócios honorários assinados pelo padre Cícero Romão Batista. Para alívio de Cícero, no tribunal do júri, os dois acusados acabaram inocentados da denúncia.

Nem sempre era possível, contudo, conter as extremadas demonstrações de devoção, ou mesmo os muitos desequilibrados que costumavam chegar a Juazeiro em meio às levas de romeiros. Certo dia, um homem subira no cruzeiro diante do patamar da capela e se encarapitara lá em cima, sem que ninguém conseguisse convencê-lo a descer. Diante dos gritos para que retornasse ao chão, o sujeito baixou as calças à altura dos joelhos e passou a responder aos apupos com jorros de urina, disparados em direção aos que estavam embaixo. Quando soube do ocorrido, Cícero mandou providenciar uma corda para que o indivíduo fosse derrubado no laço. Mas nem foi preciso pôr em prática o expediente. A simples visão ameaçadora da corda — e do padre — foi suficiente para que ele descesse mansamente do cruzeiro e em seguida fosse entregue à família.

Uma das últimas aparições públicas de Maria de Araújo também provocaria constrangimentos a Cícero. O relatório secreto do padre Quintino ao bispo informava que a morte do pai da beata dera ensejo a que o Juazeiro assistisse a uma cena no mínimo extravagante. Durante dois dias seguidos, Maria de Araújo e outras mulheres vestidas de negro carpiram o corpo do homem, posto em uma cama rodeada de flores e velas, na esperança de que ele ressuscitasse feito o Lázaro do Evangelho. Quando o cadáver já apresentava os primeiros sinais de putrefação, desistiram do intento e trataram de encomendar o enterro.

Um incidente em outro funeral também dera motivo a falatórios e atiçara a imaginação popular. Em fevereiro de 1902, Cícero precisou galopar até Missão Velha, em plena madrugada, para fazer uma visita de emergência ao padre Félix Aurélio, um dos que apoiaram a sobrenaturalidade dos fenômenos do Juazeiro para depois se desmentir publicamente. Cícero havia recebido a notícia de que o padre Félix estava à beira da morte e, por isso, cavalgou o mais rápido que pôde para conceder-lhe o sacramento da extrema-unção. Contudo, por causa de uma ponte quebrada no meio do caminho, não conseguiu chegar a tempo de encontrá-lo com vida. Ao adentrar Missão Velha, já era dia claro, o sol ia alto e Félix havia exalado o derradeiro suspiro. Diante do leito em que jazia o colega, Cícero se ajoelhou e balbuciou-lhe o nome. Conforme contaria depois o povo de Missão Velha, o finado Félix teria aberto os olhos, deixado rolar uma última lágrima de remorso, para depois fechá-los para sempre. A história correu o Cariri inteiro e desde então seria recontada em prosa e verso como uma prova extraordinária dos poderes do *Padim Ciço*.

Ainda mais impressionantes aos ouvidos dos devotos eram os relatos a respeito da maldição que supostamente se abatera sobre monsenhor Monteiro, o ex-reitor do seminário do Crato que organizara a primeira romaria a Juazeiro do Norte e, também, depois se vira obrigado a negar os alegados prodígios. Dizia-se que, quando ainda professava sua crença no milagre da hóstia, Monteiro proferira no altar, para quem o quisesse ouvir:

"Se eu negar o que vi, ceguem meus olhos."

Pois naqueles primeiros anos do século XX, quando já não mais defendia o milagre e até se reconciliara com dom Joaquim, monsenhor Monteiro passou a sofrer de uma doença degenerativa que lhe turvou a visão. Um dia, acordou e percebeu que estava completamente cego.

Castigo dos céus, deduziram os romeiros.

* * *

Se havia um milagre indiscutível a ser louvado, este era o crescimento vertiginoso do lugar. Em vinte anos, com a fixação de milhares de pessoas atraídas pelos apelos da Meca sertaneja, o local crescera tanto que não podia continuar a ser tratado como um simples povoado. O Juazeiro, embora continuasse sendo um distrito do Crato, já era maior do que muitas cidades do sertão cearense. Sozinho, ultrapassava em número de habitantes os municípios caririenses de Aurora, Araripe e Brejo Santo reunidos. O centro urbano possuía dezoito ruas alinhadas e mais quatro travessas, abrigando ao todo 15 mil moradores fixos. Se incluídos os arredores, o número subiria para 25 mil habitantes. Um dos orgulhos de Cícero eram as duas praças públicas arborizadas, onde os transeuntes podiam prosear à noite sentados nos bancos iluminados por lampiões de querosene, iguais aos que se viam nos cartões-postais de Fortaleza e do Rio de Janeiro.

Já existiam vinte lojas funcionando em Juazeiro, além de outras vinte bodegas, dez armazéns, duas escolas públicas, duas padarias, duas farmácias e uma tipografia. Mas o que realmente chamava atenção na paisagem e no burburinho econômico do Juazeiro eram as 138 oficinas dos mais diversos tipos de artes e ofícios. Havia de alfaiates a fogueteiros, de marceneiros a modistas, de ourives a ferreiros, de funileiros a pintores, de fundidores a sapateiros. Juazeiro, além do comércio religioso de imagens de santos, medalhinhas e fitinhas coloridas, descobrira a vocação para a manufatura. Cícero incentivava ao máximo a abertura desses pequenos negócios que traziam novas perspectivas de vida para os sertanejos, antes limitados ao trabalho como meeiros nas terras dos tradicionais coronéis. "Em cada casa um santuário, em cada quintal uma oficina", pregava o padre.

Para absorver também a mão de obra menos qualificada atraída em grande escala, reservou as encostas inexploradas da serra do Araripe. Para isso, fechou um acordo com o governo estadual e com os municípios vizinhos. Arrendou dezenas de léguas de terras devolutas e férteis e para lá enviava as caravanas de "afilhados", todos munidos de foices e enxadas ao ombro. Dizia-se que eram tantos os braços disponíveis que Cícero chegou a formar frentes de trabalho organizadas pelo prenome dos trabalhadores:

"Levante a mão quem se chama João!"

Centenas deles então se apresentavam, com as mãos erguidas, em tão grande número que seria impossível contá-los.

"Pois vocês vão trabalhar amanhã naquele alto da serra, onde tem muito mato pra desbastar antes de preparar a terra. Agora levante a mão quem se chama Antônio e, depois, os que são de nome José."

Dessa forma, Cícero ia distribuindo as tarefas, ofertando sementes e instrumentos agrícolas de acordo com os nomes que aqueles homens haviam recebido na pia batismal. Há quem diga que tal história não passa de mais umas das tantas lendas que se criaram ao redor do padre. Anedota ou não, o fato é que se por acaso ele resolvesse indagar quantos em meio à multidão se chamavam Cícero poucas mãos se ergueriam, particularmente entre os mais jovens. Uma circular oficial do então bispo de Olinda, dom Luís de Brito — seguida por várias paróquias do Ceará e de outros estados nordestinos —, fizera com que os vigários dissuadissem os pais de batizar crianças com tal nome. "Recomendamos que não aceite para batismo o nome de Cícero, que é sinal de arraigado fanatismo", decretara o bispo pernambucano.

O padre mandava então a infinidade de joões, josés, antônios, severinos, pedros e joaquins plantar em especial a mandioca e a cana-de-açúcar, das quais produziam a farinha e a rapadura, a dupla inseparável do cardápio sertanejo. Ficariam célebres, particularmente, os conselhos que o padre costumava dar aos agricultores, mais tarde reconhecidos como um verdadeiro catecismo ecológico:

> Não toquem fogo no roçado nem na caatinga; não cacem mais e deixem os bichos viverem; não criem o boi nem o bode soltos; façam cercados e deixem o pasto descansar para se refazer; não plantem em serra acima, nem façam roçado em ladeira muito em pé: deixem o mato protegendo a terra para que a água não a arraste e não se perca a sua riqueza; façam uma cisterna no oitão de sua casa para guardar água da chuva; represem os riachos de cem em cem metros, ainda que seja com pedra solta; plantem cada dia pelo menos um pé de algaroba, de caju, de sabiá ou outra árvore qualquer, até que o sertão todo seja uma mata só; aprendam a tirar proveito das plantas da caatinga, como a maniçoba, a favela e a jurema; elas podem ajudar vocês a con-

viverem com a seca. Se o sertanejo obedecer a estes preceitos, a seca vai aos poucos se acabando, o gado melhorando e o povo terá sempre o que comer; mas, se não obedecer, dentro de pouco tempo o sertão vai virar um deserto só.

O sacerdote acalentava uma predileção especial pelo cultivo da maniçoba, arbusto natural da caatinga e que representava considerável fonte de renda. Da maniçoba se extraía uma espécie de látex, semelhante ao da seringueira, utilizado para a produção de borracha natural. O produto constava da pauta de exportações do Brasil e era negociado no estrangeiro, embora em menor escala e com preço mais baixo do que o da borracha amazônica, com o nome de *Ceara rubber*. Assim, quando um cidadão norte-americano acelerava seu automóvel em Nova York, podia-se arriscar uma aposta: os pneus que rodavam sobre a Quinta Avenida poderiam ter sido produzidos com a matéria-prima cultivada bem longe, na serra do Araripe, pelos devotos de Cícero.

A despeito do crescimento decorrente da pastoral assistencialista de Cícero, os opositores do padre continuavam a descrever o lugar com adjetivos nada lisonjeiros. Um dos pioneiros do socialismo no Brasil, o sociólogo e jurista Joaquim Pimenta, que visitou Juazeiro naquele começo de século, registraria em suas memórias a impressão que levou do local: "Sombrio e sórdido formigueiro humano que um tufão de loucura para ali arremessou, faminto, maltrapilho, embrutecido de superstição e cachaça".

Cícero tomou para si a missão de provar que o Juazeiro não era uma "lôbrega aldeia de casebres infectos" — conforme a definição do mesmo Joaquim Pimenta. Ao contrário, o antigo arrabalde se transformara em uma promissora aglomeração urbana. Foi baseado em tal premissa que o padre se lançou à cruzada que logo o colocaria em rota de colisão com o coronel cratense Antônio Luiz: estava decidido a liderar uma campanha pública pela emancipação do lugar. A convicção de que era preciso separar o Juazeiro do Crato, para elevá-lo à condição de vila autônoma, virou para Cícero uma obsessão. Até ali, as motivações para o padre desfraldar tal bandeira ainda não eram de ordem estritamente políticas, embora as contingências o fossem empurrando inevitavelmente para isso. Os verdadeiros propósitos de Cícero eram outros.

Naquele início do século XX, dezenas de novos bispados estavam sendo criados no país, dentro de um projeto de reorganização administrativa da Igreja brasileira. As cidades interioranas mais prósperas nos respectivos estados tinham a prioridade na escolha das futuras sedes. Entre tantas outras, cogitava-se a possibilidade de criação de uma segunda diocese no Ceará, para dividir com o bispado de Fortaleza o atendimento aos cristãos do interior do estado. Na condição de maior e mais rica região cearense, o Cariri era o grande candidato a merecer tal honraria. Por consequência, como a maior e mais tradicional cidade caririense, o Crato seria o pretendente natural a recebê-la. Era exatamente isso o que Cícero mais temia:

"Se, com um bispo distante, já amargo o pão que o diabo amassou, quanto mais com um trepado na minha garupa", concluiu.

Só com a possível elevação a município o Juazeiro teria alguma chance de entrar na disputa com Crato pela sede de uma diocese, o que no entender de Cícero representaria um reconhecimento oficial do lugar como solo sagrado. A seu favor, o Juazeiro teria a oferecer a privilegiada localização geográfica: "Queiram ou não queiram, por obra da Providência de Deus ou coincidência do acaso, o ponto equidistante da circunferência que terá o futuro bispado do Cariri é justamente o Juazeiro", alegava Cícero. Havia ainda as romarias, que já faziam do lugar a capital da fé de todo o Nordeste: "A Providência, que deu Loreto à Itália e Lourdes à França, também teve seus desígnios dando Juazeiro ao Brasil", raciocinava o padre.

Quando soube dos planos de Cícero, dom Joaquim achou que o caso era mais para rir do que para lamentar:

"A criação de um bispado no Juazeiro é um despautério tão grande que não vale a pena nem se falar nisso", desdenhou.

Cícero, porém, maquinava apoios. O primeiro passo era viabilizar financeiramente a empreitada. Segundo os procedimentos ditados pela Igreja, a aprovação de uma nova diocese deveria passar por questões bem pragmáticas. Entre elas, a comprovação de um patrimônio suficientemente polpudo para manter a burocracia do futuro bispado. A título de exemplo, a diocese de Florianópolis, em Santa Catarina, fora criada naquele ano com base em um patrimônio de cem contos de réis. Um valor nada desprezível. Equivalia, à época, a tirar a sorte grande: era exatamente esse o valor que a

Companhia de Loterias Nacionais do Brasil, no Rio de Janeiro, pagava ao felizardo comprador de um bilhete premiado. Mesmo que Cícero aplicasse todos os vinténs recebidos dos romeiros no projeto, demoraria alguns bons anos até juntar tamanha quantia.

Para levantar o dinheiro com a urgência que o assunto demandava, Cícero resolveu recorrer à decantada religiosidade da viúva do coronel Joaquim da Cunha Freire, o barão da Ibiapaba, um dos mais abastados comerciantes de Fortaleza, que morrera no ano anterior, na capital da República. Por carta, Cícero pediu à baronesa Maria Eugênia dos Santos a doação de 150 contos de réis para a causa. "Confio que a baronesa, a quem a Providência deu tanto e para quem esta quantia é uma pequena parcela, concederá o patrimônio necessário ao bispado do Cariri", escreveu. Em troca de oferta tão generosa, explicou Cícero, a viúva receberia um benefício que não tinha preço neste mundo: "a firmada esperança de ganhar o Céu".

O valor do passaporte celeste era tão alto que até mesmo a milionária baronesa se espantou. Mandou dizer a Cícero que lamentava, mas com a morte do marido os negócios da família andavam um tanto quanto embaraçados. Era impossível assumir compromisso de tal vulto.

Enquanto isso, no Crato, o padre Quintino Rodrigues também planejava amealhar dinheiro para fazer frente às articulações do colega em Juazeiro. A contabilidade de Quintino, porém, era mais modesta. Colocados os números no papel, ele previu que com o auxílio da alta sociedade cratense conseguiria arrecadar, em médio prazo, a importância de sessenta contos de réis. Considerava esse valor mais do que suficiente para convencer o Vaticano a sediar a nova diocese na cidade. Só que, enquanto Quintino fazia contas e tirava os noves fora, Cícero agia.

Diante da recusa da baronesa, o padre não esmoreceu. Encarregou o amigo José Marrocos de fazer uma lista de adesão, na qual cada participante doaria uma quantia espontânea em dinheiro. Cícero sugeriu que Marrocos elaborasse 150 listas, cada uma delas totalizando um conto de réis. A equação era simples: "Cento e cinquenta listas de um conto fazem os 150 contos", calculou. Se Cristo multiplicara pães e peixes, Cícero esperava multiplicar contos de réis sem a necessidade de obrar nenhum milagre, utilizando-se apenas de sua influência.

Cícero estava nisso, mergulhado em cálculos estratosféricos, quando em meados de maio de 1908 dois senhores desconhecidos lhe bateram à porta. As beatas foram ver quem era e voltaram para avisar ao padre que, pelas roupas com que estavam vestidos, não eram simples romeiros. Parecia gente rica. Um deles tinha uma fala enviesada, de estrangeiro. Queriam falar com o padrinho. Diziam que era urgente.

Bigodão cofiado, cabelo à escovinha e voz meio fanhosa, um dos visitantes puxou o cartão do bolso do paletó e o entregou a Cícero. Era o doutor Floro Bartolomeu, formado por uma das mais tradicionais instituições de ensino superior do país, a Faculdade de Medicina da Bahia, em Salvador. Nos últimos tempos, além de clinicar pelos sertões afora, o doutor se dedicava a um ofício bem mais rendoso: o garimpo.

O outro forasteiro, rosto magro, pele alva queimada de sol e sotaque francês arrastado, também se apresentou. Era engenheiro especializado em minério, nascido em Paris, herdeiro de um título familiar de nobreza, como o padre bem podia ler no cartão:

Adolphe Achille van den Brule
Conde

Haviam chegado juntos ao Juazeiro, provenientes dos cafundós da Bahia, onde trabalharam na extração de diamantes. Eram sócios. Queriam tratar de um assunto que por certo seria de grande interesse do padre.

Um negócio da China, prometeram.

2

Padre endiabrado convoca povo para a guerra: "Rifle, mais rifle e muito rifle!"

1908-1910

Era pegar ou largar. O doutor Floro tinha informações de que o padre Cícero havia comprado, anos antes, uma légua e meia de terreno na fronteira dos municípios de Milagres e Aurora. As terras do Sítio Coxá, alvo de litígio com vizinhos de cerca, potencialmente valiam muito dinheiro. Por baixo do mandiocal que brotava na superfície existiria uma fortuna incalculável. Com base em amostras retiradas do lugar, acreditava-se que a fazenda estivesse encravada sobre uma imensa jazida de cobre.

Floro Bartolomeu e Adolphe van den Brule se ofereceram a Cícero para intermediar a pendenga que se arrastava na Justiça — um emaranhado de ações que envolviam desde contestações a respeito dos limites legais da terra até duplicidade de títulos de propriedade. Ninguém nunca se entendera sobre quem eram os verdadeiros donos de cada metro quadrado do Coxá. Na ausência de acordo, as terras permaneciam sem demarcação. A proposta de Floro, portanto, era simples. Advogaria a favor de Cícero. Uma vez vitoriosa a causa, receberia em troca o direito de extrair o minério do solo com a ajuda de Adolphe. Os lucros seriam divididos com o sacerdote.

Além de médico e garimpeiro, Floro também já fora tabelião e, como rábula, advogara no interior da Bahia e Pernambuco. Prometia esmiuçar os desvãos da burocracia cartorial com a mesma desenvoltura com que dissecara cadáveres como estudante de anatomia da Faculdade de Medicina da Bahia. Se de fato existissem, localizaria os documentos que lhes garantissem a demarcação da terra, nem que para isso fosse preciso desencavar escrituras dos tempos das capitanias hereditárias.

A ideia de explorar uma mina de cobre vinha a calhar naquele instante em que Cícero se desdobrava para obter o patrimônio necessário à criação da nova diocese. Garimpo não era negócio para amadores — e a dupla de visitantes dizia ter experiência de sobra com o assunto. Talvez, quem sabe, os céus houvessem ouvido as súplicas de Cícero. A solução de todos os seus problemas parecia estar ali, sorrindo diante dele, na figura daquele doutor atarracado e barrigudo, que trazia em contraste um esguio conde francês a tiracolo.

Ninguém sabia ao certo quem eram e de onde vinham aqueles dois forasteiros. Mas uma informação eliminou qualquer resquício de resistência por parte do padre. Adolphe van den Brule garantiu que antes de chegar ao Brasil fora camareiro do papa Leão XIII. Com sua fala enrolada, contou uma história rocambolesca, para explicar que o título nobiliárquico de conde estaria com a família desde quando um antepassado marchara à frente das tropas que libertaram Viena do cerco dos grão-vizires turcos, em 1683.

Verdade ou não, Cícero ficou impressionado. Poucos dias após aquele encontro, em maio de 1908, passou às mãos do doutor Floro uma procuração assinada e autenticada em cartório, dando-lhe a autoridade legal para representá-lo no litígio que envolvia as terras do Coxá. Ao mesmo tempo, autorizou Adolphe a ir preparando os papéis necessários à negociação internacional do minério, por meio de uma firma aberta pelo conde em Paris, a Société Anonyme d'Exploitation des Mines de Cuivre d'Aurora (Brésil). Soava faustoso e convincente. O negócio parecia promissor.

Não precisou de muito tempo para o expansivo doutor Floro conquistar a confiança do padre. Além de procurador, tornou-se o médico particular de Cícero. Comprou uma fazenda em Missão Velha e abriu uma farmácia no centro do Juazeiro. De início, mostrou-se homem cortês, dado a prazeres sofisticados. Promovia banquetes e organizava animados saraus, durante os quais recepcionava as famílias mais distintas do lugar ao som de modinhas de violão conduzidas por músicos mandados vir de fora. Chamava a atenção pela prosa fluente, pelas tiradas de espírito, pela camaradagem que soube construir entre os juazeirenses. Sobre o passado do doutor, porém, pairava a nuvem de incertezas. O pouco que se sabia da vida pregressa de Floro é que ele colara grau em medicina na Bahia com uma dissertação sobre o cancro duro. Diante do vazio de informações, surgiram as mais variadas suspeitas. Inclusive a mais grave — jamais comprovada —, de que era um foragido da polícia baiana.

O sócio de Floro não era menos enigmático. Muitos não puseram fé na origem nobre daquele sujeito franzino, de nariz adunco e sobrancelhas arqueadas como as de um vilão de romance de capa e espada. Houve até quem duvidasse de sua naturalidade francesa. Numa terra em que os cabras ostentavam a peixeira na cintura como sinal de distinção, um francês bem-vestido e perfumado, cheio de *bonjours* para cá e *merci beaucoups* para lá, era visto com natural reserva pelos nativos. Além disso, Adolphe van den Brule vivia com os olhos miúdos e muito azuis enrabichados para os lados da jovem Maria Custódia — uma das órfãs que moravam na casa de Cícero, criada como filha pela beata Mocinha. Assim como no caso de Floro, quase nada se conhecia da vida anterior do tal conde de nome difícil de pronunciar. Sabia-se apenas que fora casado em Pernambuco com uma senhora chamada Albertina. A mulher morrera misteriosamente e ele ficara viúvo. Só isso. Nada mais dissera.

Ao passo que a curiosidade do povo fabricava hipóteses, o doutor baiano ofereceu ao padre uma prova de fidelidade e audácia. Floro espanava a poeira dos arquivos dos cartórios do Cariri quando soube que uma amiga de Cícero andava bastante contrariada. Dona Hermínia Marques Gouveia era uma das frequentadoras mais assíduas da casa do sacerdote e uma das devotas mais dedicadas. Hermínia revelou a Floro que estava muito doente e, prevendo a morte a qualquer momento, lamentava não poder ver concluída a capela que cerca de dois anos antes, por iniciativa dela, começara a ser construída ao lado do cemitério do Juazeiro. Assim como a igreja do Horto, as obras haviam sido paralisadas por ordem de dom Joaquim, sob a justificativa de que a capela seria apenas mais um ponto de encontro de fanáticos ignorantes. Floro — que se dizia católico, embora não fizesse tanto gosto assim em ir à missa — considerou um absurdo o fato de um bispo proibir a edificação de uma igreja.

O doutor ficou ainda mais desconcertado quando soube que a capela interditada começara a ser erguida em cumprimento de uma promessa, uma tocante manifestação de fé. Um dia, Cícero caíra de cama, vitimado por uma sucessão de febres altas e calafrios, acompanhada de dores de cabeça, náuseas e vômitos. Sobrevieram edemas nas pernas, com formação de bolhas e ferimentos. Não havia dúvidas. Foi diagnosticada a erisipela, uma grave infecção provocada por estreptococos. Dona Hermínia prometera então a Nossa Senhora do Perpétuo Socorro que, se o padre ficasse bom, seria construída uma capela em louvor à Virgem. Tão logo Cícero se recuperou e conseguiu sair de debaixo dos lençóis, as obras tiveram início, mas em seguida foram embargadas por padre Quintino. Em Fortaleza, dom Joaquim se negara a dar a devida autorização eclesiástica para o funcionamento de um novo templo em Juazeiro construído sob as bênçãos de Cícero.

Floro ouviu a história com redobrado interesse. Viu ali a primeira grande oportunidade de mostrar ao padre que ele não era bom apenas de conversa. Também era homem de ação. Prometeu tomar conta do caso pessoalmente. Dona Hermínia não se incomodasse. A capela seria terminada. Ou ele não se chamava Floro Bartolomeu da Costa.

Mal disse isso, Floro cavalgou até o Crato e foi ter com o padre Quintino. Apresentou-se como médico, minerador e causídico. Comunicou que estava disposto a financiar a conclusão das obras da capela com dinheiro do próprio bolso, sem que o padre Cícero tomasse mais qualquer parte no assunto. Nenhum vintém de romeiro seria empregado para assentar um único tijolo que fosse no término da construção, assegurou. Floro alegou ser um desperdício de recursos — além de um contrassenso religioso — deixar o templo inacabado, exposto ao sol e à chuva, negando-se assim um altar a Nossa Senhora. Aquilo seria, no mínimo, um desrespeito à mãe de Deus, argumentou. Diante da lábia e da filantropia do doutor, Quintino viu-se compelido a ceder. Desde que Cícero não participasse realmente de nada, a construção poderia ser reiniciada. Daria comunicação ao bispo sobre o assunto.

Poucas semanas depois, como ela própria previra, dona Hermínia sucumbiu à doença. Morreu quando faltavam apenas poucas telhas para completar a cobertura da capela, uma construção simples, com três portas e três janelas frontais, além de passagens laterais para o cemitério. Cícero considerou que o corpo da amiga merecia ser sepultado no interior do templo pelo qual ela tanto tra-

O baiano
Floro Bartolomeu,
médico, rábula
e garimpeiro

balhara. Padre Quintino, porém, dessa vez bateu o pé. Depois de ser advertido por dom Joaquim, voltou à carga. O túmulo evocaria para sempre a ligação de Hermínia com a construção e, por consequência, a promessa feita por ela em nome de Cícero. Impossível permitir que a mulher fosse enterrada ali, mandou avisar Quintino a Floro. Como ingrediente mais picante a temperar a história, correriam no Crato suspeições sobre o comportamento e a moral da falecida. Ainda que sem provas convincentes, insinuou-se que dona Hermínia traía o marido, João Canário, que nunca conseguira lhe dar filhos, bem debaixo das barbas dele. Quem sabe, diziam os mais maledicentes, até com o próprio padre Cícero.

Indignado, Cícero sempre refutou tais insinuações. Com exceção daquela antiga charge no jornal satírico pernambucano, nunca sua castidade havia sido posta em suspeição por nenhum de seus adversários. Foi quando Floro decidiu tomar a frente do caso e as dores do amigo. Providenciou ele mesmo o sepultamento de Hermínia dentro da capela e, por sua conta e risco, mandou os pedreiros colocarem as últimas telhas que faltavam para inaugurá-la. Para preservar Cícero da ira de dom Joaquim, anunciou que o padre não tinha nenhuma responsabilidade sobre o fato.

"Considerando tudo aquilo mera palhaçada, tomei a peito terminar a obra, sem ouvir mais ponderações de ninguém, nem do padre Cícero", contaria Floro.

A capela estava pronta e Hermínia estava enterrada lá dentro. Pronto. Caso encerrado. O bispo que se danasse. Esse era o doutor Floro Bartolomeu. E aquele era só seu cartão de visitas.

Uma viagem repentina de Cícero ao Rio de Janeiro pegou muita gente de surpresa. Mas não ao sempre bem informado dom Joaquim, que havia sido advertido a respeito disso, a tempo, por padre Quintino. No dia 23 de abril de 1909, Cícero partiu do Cariri e, via Porto de Fortaleza, seguiu em direção à capital da República. O destino final era Petrópolis, onde defenderia junto ao internúncio a candidatura do Juazeiro à sede de um novo bispado. Como de costume, toda a documentação por escrito que levara consigo saíra da pena de José Marrocos. Dom Joaquim, contudo, já se encontrava naquela cidade serrana fluminense e se antecipou em marcar audiência com o internúncio para desmontar todos os possíveis argumentos de Cícero — inclusive os de natureza monetária.

"Ainda que o padre Cícero arranjasse um patrimônio de mil contos de réis eu jamais concorreria para a criação da diocese no Juazeiro, que é habitado por exploradores e explorados", comentou o bispo em carta a Quintino.

Para dom Joaquim, podia parecer insensato que Cícero, um sacerdote então recentemente envolvido em um inquérito no Santo Ofício, aspirasse à criação de um bispado no controvertido Juazeiro. Mas as esperanças de Cícero a esse respeito se baseavam em um papel que trazia dobrado e guardado no bolso da batina como um tesouro: um telegrama que recebera do Vaticano e que interpretara como uma espécie de indulto celeste. Cinco anos antes, em 1903, Leão XIII havia falecido em Roma e dado lugar ao pontificado de Pio X. Na ocasião, Cícero enviara ao novo papa uma mensagem de saudação em nome de todo o Juazeiro, desejando ao sumo pontífice as graças de Deus à frente da Igreja. Uma resposta protocolar — abençoando de forma genérica os cristãos da aldeia — foi lida por Cícero como uma absolvição definitiva de suas penas.

"Tem havido muita alegria no Juazeiro nestes últimos dias por causa de um telegrama recebido de Roma", avisara na época padre Quintino a dom Joaquim.

Nada mais ilusório. Sempre abastecido pelas cartas e relatórios de dom Joaquim, o Santo Ofício continuava a emitir pareceres negativos sobre o caso. Uma das inúmeras petições de cidadãos caririenses em prol da reabilitação de Cícero, após ser ignorada pelo bispo do Ceará, acabou remetida ao Vaticano. O documento foi recebido pelo novo secretário da Inquisição, o influente Serafino Vannutelli, um dos quatro cardeais votados no conclave que havia elegido Pio X como o novo papa em Roma. "Esta Sagrada Congregação julga que devem ser inteiramente rejeitadas as súplicas a ela apresentadas em favor da reabilitação do referido sacerdote", sentenciou Vannutelli.

Idêntico juízo de Cícero fazia o então representante do Vaticano no Brasil, o internúncio dom Alessandro Bovona. Envolvido no projeto de reorganização da Igreja no país — o que de fato incluía a criação de novas dioceses —, Bovona era interlocutor constante de dom Arcoverde, nesse momento já elevado à condição de primeiro cardeal de toda a América Latina. Durante um almoço em Petrópolis com dom Joaquim, o cardeal Arcoverde tranquilizou o colega: não haveria a menor possibilidade de Juazeiro receber o privilégio de uma jurisdição eclesiástica. O internúncio estava prevenido. Cícero retornaria a Juazeiro com as mãos abanando.

"Nunca tive duas opiniões sobre aquilo", diria Arcoverde a dom Joaquim, referindo-se aos fenômenos de Juazeiro. "Havia ali apenas malícia de uns e medo de revelar a verdade de outros", avaliava. "Fora isso, apenas a ignorância de quem via o sobrenatural onde só havia esperteza e velhacaria."

Na volta ao Juazeiro, no dia 8 de julho de 1909, Cícero foi saudado com banda de música. Perdera mais uma batalha, é verdade. Porém, a recepção festiva tinha outro sentido. A campanha pela emancipação já estava nas ruas. Em pouco tempo, Juazeiro e Crato estariam em declarado pé de guerra. O próprio Cícero já telegrafara ao intendente do Crato, o coronel Antônio Luiz, e ao presidente estadual, Nogueira Accioly, oficializando o assunto.

"Excelentíssimo senhor Antônio Luiz Alves Pequeno. Chegou o tempo de pedir-lhe como amigo e sem perturbação de sua política que proponha e faça passar a vila o nosso Juazeiro", telegrafara Cícero para um. "Confio que não haverá dificuldade e desde já me confesso agradecido", telegrafou para o outro.

A causa da emancipação ganhou uma tribuna incendiária: um jornal semanal, o primeiro a ser impresso no Juazeiro. A ligação do periódico com o sacerdote ficava explícita desde o endereço escolhido para sediar a redação e as oficinas: o número 343 da rua Padre Cícero — como fora rebatizada a antiga rua Grande. Com seis páginas e uma foto gigante de Cícero estampada bem no centro da primeira página, a edição de estreia circulou exatos dez dias após o retorno dele do Rio de Janeiro. Impressa em máquinas tipográficas devidamente benzidas pelo padre, trazia um editorial vibrante. O texto valia por um tiro de mosquetão disparado obliquamente às autoridades do Crato: "*O Rebate*, ei-lo aí. Desassombrado e sem temer os homens da sombra, soterradas toupeiras".

No comando da redação estava outro sacerdote, amigo de Cícero, desafeto declarado do coronel Antônio Luiz: o polêmico padre Joaquim Marques de Alencar Peixoto, homem culto, poliglota, com

CEARÁ—BRAZIL | DOMINGO, 18 DE JULHO DE 1909 | ANNO I—NUM.1

EXPEDIENTE

O «REBATE» publica-se semanalmente.

REDACTOR-CHEFE—Padre Joaquim de Alencar Peixóto.

GERENTE—Fellismino de Alencar Peixóto.

ASIGNATURAS

Anno . . . . 5$000
Semestre . . . . 3$500

PAGAMENTOS ADIANTADOS

As publicações de interesse particular, os annuncios dependem de contractos, sendo o pagamento adiantado.
A redacção não é responsavel pelas publicações «inedectorias».

Acceitam-se artigos de religião, sciencia, litteratura etc. prehenchendo certas condições.
Redação, gerencia e typographia—Rua Padre Cicero—nº. 343.

JOASEIRO DO CARIRY

NOSSA MISSÃO

Terrivel, a feição que apresenta a epocha que atravessamos.

Terrivel, e muito.

Ninguem haverá que de emoções, não sinta aroscarem-se-lhe a alma e o coração.

Todos o sentem.

O sentimento, porém, que nos emociona magoados pelas desgraças que se desdobram como uma avalanche por sobre o pantheon da patria, tem um gosto sabor bem differente segundo a estructura moral que nos caracteriza: assim o desespero que tem lagrimas de fel, empallidece e morre em face da resignação que protege, que consola, que fortalece.

Tal a que nos acompanha ante essa cadeia de desastres e descalabros, de desordens e crimes; cadeia esta que retrata em pinha na derradeira scena da comedia estupenda. Comedia da velha concepção dantesca como o topo no sublime e o fundo no odioso, no disforme, no abjecto.

Collocados nas situações mais graves, como todas as desgraças se commettem todos os crimes se praticam, todas as infamias se perpetram, toda a luz se obrumbra, toda a verdade se denega e todos os horisontes se fecham, nós, quando se nos deparam os abysmes onde se multiplicam as voragens do perigo e os perigos da voragem; quando o ceu se tapisa de nuvens que desatam os horrores da tempestade, n'esses momentos em que o trovão ruge medonho e o vendaval toma um fremito de pavor que estonteia, nós, oppremidos pela fatalidade que acastela desditas e na solidão d'alma que golpha terrores, não é com a insensibilidade, filha d'um falso estoicismo, que temos de encarar a dor que nos subjuga, a dor que nos avassala, mas com a resignação que fortalece e dá coragem.

Succumbir ao peso da desventura e cerrar os olhos á toda a luz é abysmar-se n'essa anti-camara do suicidio que se chama desespero.

Encarar, pois, os grandes soffrimentos, as grandes oppressões, as calamidades grandes com a resignação que levanta a fibra da coragem e que a fé iberaliza, é buscar na adversidade um ensinamento e nas difficuldades d'um combate as armas que tornam mais glorioso o triumpho, mais gloriosa, mais brilhante a victoria.

A constancia, que anima os apostolos é irmã da dedicação que illustra os martyres; ambas são filhas d'essa crença que irrompe das cellulas do coração humano e levanta-se em espiral luminosa para o insondavel Alem dos limites da vida.

Ante as desgraças omnimodas que nos pungem a alma e nos ferem o coração, não nos abatemos.

É, a prova disto, vamos dal-a...

A resignação, que nos vem de longe, nos fortaleceu e, mais que nunca nos fortalece, nos dá coragem de sobra para, em meio d'esse immenso cahos em que todas as miserias acachoam, todas as paixões crepitam, todos os odios fermem, todos os rancores estuam, atiramos essa valvula por onde respirar possa um povo são, essa alavanca que vae levantar o nivel social de toda uma população.

O «REBATE,» eil-o ahi!

Desassombrado, e sem temer os fantasmas da sombra, horriveis morcegos, soterradas toupeiras, almas frias de ophybio que, evocando o passado, pretendem arvorar, sobre a base do futuro, farrapos d'uma bandeira maculada de iniquidades e torpezas, de sangue e de lagrimas, eil-o, ainda o repetimos cheios de ufania, eil-o ahi.

Levar luz e calor á consciencia do povo, adelgaçar as cerrações do espirito humano, cantar como uma musa todas as glorias, sentir como um coração todas as miserias, comprehender como um genio todas as harmonias da naturesa, todos os commettimentos dos povos, todos os ais que a humanidade geme em seus luctuosos momentos, eis a missão da imprensa. Menos complexa, que a da imprensa, é a missão do jornal. Assim que, trabalhar pelo Ideal das letras, da religião, da patria, e da humanidade, sem se envolver com a politicagem que tudo avilta e rebaixa, eis, em poucas palavras, o programma d'O «REBATE,» eis a nossa missão. Cumpril-a-emos.

O «REBATE»

O Joazeiro do Cariry tambem já deu o seu «grito de alarma» na senda progressiva, que se agita, creando um jornal, que tomou no baptismo da imprensa o sympathico e significativo nome de «Rebate,» e que hoje sabe á publicidade, refulgente e audaz!

É seu principal redactor-chefe o illustrado Pe. Joaquim de Alencar Peixoto, pesonalidade que muito se distingue pela profusão de conhecimentos litterarios e virtudes peregrinas, que possue, quer se o encare como sacerdote, quer como homem civil.

Tal director, por si só inspira á sociedade inteira do cariry, que dá «bôas vindas» ao «Rebate,» a mais segura convicção de que terá vida longa e ininterrupto acolhimento da parte dos homens de lettras de todo mundo civilisado.

O «Rebate,» conforme sua propria declaração, no seu artigo de fundo ou de apresentação, não é politico, e por isto mesmo deve-se tornar mais digno da apreciação dos espiritos educados, reflectidos, que vêem, sem duvida, na politica, um estorvo á ordem, senão tambem á todo o evoluir do nosso adiantamento.

Embora esta minha asserção offenda a muitas convicções contrarias, parecendo-lhes excentricas, continúo a pensar que a politica actual, como em todo o tempo, põe impenetravel dique ao nosso progresso, a paz á que temos direito, pela nossa indole essencialmente ordeira e tolerante.

Antes, de especialisar qualquer observação sobre o assumpto, passo á caracterisar o ponto de vista exclusivo e ante-patriotico da imprensa politica.

É possivel avaliar-se a civilisações de uma nação pela solidez de suas instituição politicas e pelas conquistas do seu governo, que é, não ha duvida, uma das funcções mais importantes do seu organismo social.

Mas confundir a politica, que é uma facção coexistente, como muitas outras, com a sociedade, que é um organismo; reduzir a historia a uma série de *biographias*, de *engrossamentos* ou *descomposturas*; desconhecer a acção persistente e invencivel das idéas, de que os factos historicos são apénas uma revelação e um indicios; com todas as suas energias, em uma massa plastica, que toma qualquer forma, á capricho de alguns individuos, eis o vicio dos historiadores politicos, com muito raras excepções.

Eu vos saúdo, «Rebate,» acatando o vosso luminoso programma de vida jornalistica.

Milagres 15 de Julho de 1909

P. Nogueira

O REBATE

Deve sahir nesses dias á luz da publicidade, o primeiro numero deste hebdomadario.

Tendo como director uma das figuras mais salientes do Cariry, o Rmo. Padre Joaquim de Alencar Peixoto, homem de talento e energia, e pertencendo á uma das familias mais distinctas da sociedade cratense é de esperar que novos horizontes se possam abrir á fucturosa povoação do Joazeiro.

Na página ao lado, a edição inaugural do panfletário *O Rebate*, que circulou em 18 de julho de 1909 com a foto de Cícero na primeira página. Acima, os editores incendiários: padre Alencar Peixoto e Floro Bartolomeu pendor para as letras e autor de poemas em latim. Padre de versos é padre de netos, dizia a língua do povo. Cabeleira na altura dos ombros, Peixoto era objeto de queixas recorrentes de padre Quintino, que não cansava de delatar certos hábitos do colega que o vigário do Crato julgava inadequados. "Padre Peixoto conduziu às dez horas da noite uma moça que se achava em sua própria casa, sem mais outra companhia", denunciou Quintino certa vez ao bispo. "Depois mandou-a para a freguesia de Exu, bispado de Pernambuco, e lá a visitou duas ou três vezes, sendo que as últimas vezes em traje secular."

Junto ao padre Alencar Peixoto no comando da redação de *O Rebate* estava Floro Bartolomeu. Aqueles dois editores, juntos, iriam conferir à publicação um alto teor explosivo. As primeiras edições até foram relativamente pacíficas, com inofensivos artigos de fundo escritos por Peixoto sobre temas bem próprios ao que se podia esperar de uma publicação dirigida por um clérigo ilustrado. Eram textos eruditos, um tanto quanto empolados, sempre recheados de referências literárias e citações filosóficas. Discorriam, por exemplo, sobre as virtudes da escola cristã ou o valor purificador das lágrimas para um bom católico. Entretanto, um fato político logo iria virar pelo avesso a pauta do jornal do Juazeiro.

Em resposta ao telegrama de Cícero, o presidente Nogueira Accioly dissera que aquele assunto de emancipação não era com ele:

> Padre Cícero
>
> Pedido do respeitável amigo tem para mim todo valor. Entretanto para deliberar sobre assunto acho conveniente entender-se primeiro com coronel Antônio Luiz combinando com ele melhor meio de resolver questão.
>
> Nogueira Accioly

Cícero que se desgastasse sozinho com o coronel do Crato. Antônio Luiz que administrasse as aspirações do padre. Ele mesmo, Accioly, não iria mover uma palha na direção de qualquer um dos dois lados naquela melindrosa celeuma. Ciente disso, Cícero achou que talvez fosse o caso de atender à risca o conselho do presidente. Assim, tratou de expor ao coronel Antônio Luiz, em pessoa, os detalhes técnicos que fundamentavam a pretendida emancipação. Em audiência oficial, informou que os chefes políticos de outras cidades vizinhas, como Missão Velha e Barbalha, já haviam concordado em ceder pequenas porções dos respectivos territórios para compor a futura vila de Juazeiro. Faltava apenas o Crato, a quem de fato e de direito estava subordinada a aldeia, também concordar com o fim da tutela.

Para ilustrar o que dizia, Cícero pôs um mapa sobre a mesa e apontou os limites que teria a nova vila. Como não podia deixar de ser, a maior parte das terras envolvidas no perímetro que o padre delineou com o dedo indicador eram pertencentes ao Crato. Antônio Luiz interrompeu a exposição. Cícero não gastasse tempo e saliva à toa. O coronel não era "doido" a ponto de deixar que se fundasse mais um município autônomo no Cariri:

"Se eu consentisse em tal coisa, só iria ajudar a criar mais uma cidade inimiga do Crato", avaliou.

Além do mais, o coronel Antônio Luiz acreditava que os chefes políticos das cidades vizinhas estavam querendo fazer cortesia com o chapéu alheio. O Crato seria o principal prejudicado com a emancipação do Juazeiro. Perderia muitas terras e uma boa fonte de impostos:

"Não vou dar esse gosto aos chefes de Missão Velha e de Barbalha. Aqueles lá são uns bandidos."

Ante a frustração de Cícero, Antônio Luiz encurtou a conversa:

"Quem sabe, no ano que vem, a gente volta a falar disso."

O padre enrolou o mapa, colocou-o debaixo do braço e voltou para casa. Desconsolado, tornou a telegrafar a Nogueira Accioly, para contar o ocorrido e lastimar a recusa de Antônio Luiz. O presidente, mais uma vez, fez-se de morto. Lamentou, mas não podia ajudar em nada. Como a Assembleia Legislativa só se reunia uma vez por ano, apenas no exercício seguinte o assunto poderia ser recolocado em discussão. Até lá, era o caso de dar tempo ao tempo. Cícero tivesse paciência.

A rispidez do intendente do Crato, combinada com a omissão de Accioly, provocou um mal-estar generalizado no Juazeiro. O incômodo foi devidamente repercutido nas colunas de *O Rebate*, que tornou pública a troca de telegramas entre Cícero e o presidente estadual. O combustível estava pronto. Só precisava de alguém para providenciar a primeira fagulha. Ironicamente, uma visita pastoral ao Cariri do bispo auxiliar do Ceará, dom Manoel Antônio de Oliveira Lopes, entrou como o estopim que faltava à história. No dia 26 de agosto de 1909, na solenidade para recepcionar dom Manuel diante da matriz cratense, um dos oradores convidados proferiu a frase histórica que foi considerada a declaração oficial de guerra.

A praça estava lotada. Milhares de pessoas de todo o Cariri prestigiavam o evento. O padre Antônio Tabosa Braga, vigário da cidade serrana de Pacoti e integrante da comitiva oficial, abriu o discurso com o seguinte brado:

"Povo nobre e altivo do Crato, peço permissão para falar sobre o povo imundo do Juazeiro, que vive guiado por Satanás."

Os cratenses aplaudiram. Os juazeirenses ficaram ensandecidos. Estava semeada a discórdia.

Para evitar confrontos, Cícero sugeriu que os romeiros e os juazeirenses evitassem ir ao Crato por aqueles dias. Ora, o conselho do padre significava uma ordem. Assim sendo, muitos dos que moravam na aldeia e trabalhavam na cidade simplesmente abandonaram o emprego, deixando os patrões sem nenhuma satisfação. A feira livre cratense, pulmão econômico do lugar, ficou vazia de uma hora para outra, sem a presença dos compradores habituais, vindos do distrito mais populoso. Cícero foi acusado de incentivar o boicote ao comércio local e passou a ser considerado *persona non grata* pelas autoridades do Crato. Choveram impropérios contra ele. Acusaram-no, como sempre, de manipular de forma capciosa a fé e a ingenuidade do povo. Sob o pseudônimo de Manoel Ferreira de Figueiredo, Floro Bartolomeu partiu em defesa do padre na edição de 29 de agosto de *O Rebate*:

> Se o padre Cícero fosse um sacerdote caviloso, embusteiro, hipócrita, usurário, maluco conforme dizem os inimigos da verdade, em tempos de grande agitação política, quando as localidades desta zona se estremecem ao peso das ameaças, a sua presença não seria a bandeira da paz, nem a sua palavra seria acatada e respeitada pelos vultos mais proeminentes.

Floro falava de paz, mas advertia com a possibilidade da guerra. Na edição da semana seguinte, voltou ao tema, em um longo artigo intitulado "Olho por olho, dente por dente". Bateu sem piedade no padre Tabosa, o autor da frase que provocara toda a agitação. Previu que a referência a um "povo imundo" acenderia uma insurreição no Juazeiro: "E o que fará Sua Reverendíssima em tal ocasião, assim acontecendo? Porventura julgará que, distante, poderá sentir as doçuras da irresponsabilidade, em face de tamanha hecatombe, de uma calamidade de tal ordem?".

Se o Juazeiro estava em estado de motim, os artigos inflamados de Floro incitavam ainda mais o povo à revolta. O endiabrado padre Alencar Peixoto não ficou atrás. Logo que correu a informação de que o coronel Antônio Luiz solicitara um batalhão da polícia para a cidade, *O Rebate* estampou um editorial de primeira página em tom alarmista. A assinatura era de Peixoto: "Meu espírito geme de aflição como o povo do Juazeiro, angustiado pela dolorosa expectativa da hipótese, que mais e mais se acentua, de ser agredido, espingardeado e riflado".

No Crato, padre Quintino levava as mãos à cabeça. Escreveu a dom Joaquim para se dizer horrorizado com tudo aquilo. Segundo ele, os interesses contrariados de Cícero estavam na raiz de todo o alvoroço. A ideia de emancipação do Juazeiro teria levado o Cariri inteiro a um estado de beligerância e anarquia: "Os espíritos se acham sobressaltados, com a possibilidade de uma luta armada", avisou. "Se estivesse em mim, obstaria a criação da vila, enquanto o padre Cícero teimasse em dar ganho de causa a seu orgulho. Penso que favorecer suas ideias e desejos será alimentar o fanatismo a afirmá-lo ainda mais na sua obstinação."

Para agravar as desavenças, em um lance que deixaria as manchetes de *O Rebate* em estado de fúria, Floro Bartolomeu foi vítima de uma emboscada. A Justiça estabelecera o 17 de dezembro de 1909 como data de uma das primeiras audiências relativas à questão do Coxá, no município de Milagres. Como representante legal do padre, Floro pôs o melhor terno de casimira, a melhor gravata de seda, depois seguiu para lá com um cartapácio de documentos na mala. Por sorte sua, um atraso do conde Adolphe van den Brule obrigou-o a adiar a partida para o sítio em que ficaria hospedado. A demora de Adolphe salvou Floro. Quando o doutor se preparava para completar a viagem junto ao sócio, foi informado de que o local estava sob fogo cerrado. As cercas haviam sido derrubadas e as casas dos moradores estavam em chamas.

"Morreste, peste!", haviam gritado os agressores, enquanto as balas transformavam em peneira as paredes de barro da casa onde imaginavam estar Floro.

Não foi difícil buscar um culpado. Atribuiu-se a autoria intelectual do atentado ao coronel Alves Teixeira, da cidade de Aurora, um dos querelantes na ação relativa às terras do Coxá. Mas, como Teixeira era aliado e parente do coronel Antônio Luiz, também não foi preciso muito malabarismo para logo se acusar o intendente do Crato de ser o verdadeiro mandante da emboscada contra Floro.

Nos editoriais cada vez mais impetuosos de *O Rebate*, padre Peixoto denunciava que o ataque contra o colega de redação fora apenas um ensaio. O Crato estaria preparando uma grande investida armada não só contra o Juazeiro, mas contra vários municípios ao mesmo tempo, para que assim Antônio Luiz estendesse seus domínios por toda a extensão do sertão sul cearense: "Qual a sua obra infernal? Quais as suas intenções, os seus planos sinistros e diabólicos? Eis a resposta a todas essas perguntas: mudar a feição política de todo o Cariri e apoderar-se depois das célebres minas de cobre do Coxá", acusou padre Peixoto.

Nos meses seguintes, a rixa entre cratenses e juazeirenses converteu-se em ódio recíproco. O anunciado ataque da polícia não veio, mas um grupo de soldados estava mesmo de prontidão na cidade, apenas esperando a ordem para agir. No Crato, exemplares do jornal do Juazeiro passaram a ser rasgados e queimados em praça pública. Do lado oposto, o *Correio do Cariri*, órgão cuja linha editorial era traçada por Antônio Luiz, dava o troco às virulências disparadas por Floro e Peixoto. Para os redatores do *Correio*, a terra na qual reinava o padre Cícero era uma "tapera", "um lugarejo retrógrado", uma aldeia que abrigava "corjas de bandidos, assassinos e desordeiros", uma "espécie de Sodoma ou Gomorra", a "terra clássica dos preguiçosos", que ameaçava de "extermínio, destruição, saques e roubos" a "risonha cidade do Crato".

Próximo a completar seu primeiro ano de circulação, *O Rebate* passou a revidar tal palavrório de forma ainda mais agressiva. Em meados de abril de 1910, o jornal começou a incitar abertamente os juazeirenses às armas. A motivação fora o ataque desfechado por dezenas de jagunços contra as cidades de Lavras e São Pedro, sem que tal agressão houvesse merecido qualquer resposta por parte do batalhão oficial. O fato levou padre Peixoto a considerar que sua profecia sobre o suposto plano do Crato de tomar o Cariri estava sendo cumprida. "Alerta!", convocou Peixoto:

> Alerta!, povo do Cariri! Alerta!, povo do Juazeiro! Os que ainda não estão armados, armemo-nos!
>
> Os últimos acontecimentos nos forçam, obrigam-nos a isso!
>
> [...]
>
> Armemo-nos!, que não há mais lei, não há mais justiça. Não há mais direito que nos valha, que nos garanta.
>
> Armemo-nos para repelirmos com energia o inimigo que nos espreita a todo momento e a todo instante está a tramar, a urdir, a arquitetar a nossa ruína.
>
> Armemo-nos!
>
> [...]
>
> Se temos trezentos ou mais rifles, dupliquemo-los, tripliquemo-los, quadrupliquemo-los!
>
> Perguntando-se a Gambetta o que era preciso para salvar a França, este respondeu sem hesitação: audácia, mais audácia e muita audácia. Assim caririenses, para salvarmos a nossa vida, a nossa propriedade, a honra e a dignidade de nossas filhas, de nossas mulheres e de nossas famílias ameaçadas e, agora, mais que nunca, pelos horrores de Lavras e de São Pedro, respondamos: rifle, mais rifle e muito rifle.

Ainda que todos no Crato responsabilizassem Cícero pelos arroubos revolucionários do jornal, o padre mantinha cuidadosa distância do centro da cena e do próprio calor da redação. O nome dele era citado várias vezes pelos editoriais, mas ele próprio nunca assinara um único artigo. Assim mesmo, com a radicalização do discurso de *O Rebate*, alguns dos velhos amigos tentaram adverti-lo: à proporção que a política o atraía perigosamente para sua órbita, Cícero afastava-se de suas causas originais.

Foi o que tentou lhe dizer o padre Francisco Antero, o comissário do primeiro inquérito eclesiástico sobre o Juazeiro. Mesmo tendo se retratado por força do decreto do Vaticano, Antero continuava a manter uma relação amistosa com o colega. Por isso estava preocupado com a aproximação progressiva de Cícero com homens de personalidade tão intempestiva como Floro e padre Peixoto. Temia que os novos amigos estivessem usando o sacerdote em proveito de uma causa que não era propriamente a dele, para depois colocá-lo de lado, no ostracismo. "Pelo que estou vendo, até seus amigos da política lhe estão abandonando, parece que não precisam mais de você. Só querem guerra", escreveu a Cícero. "Note que não falam mais nas suas virtudes, no seu prestígio; mas só nos seus haveres, na sua fortuna. O que significa isto?", indagou Antero, chamando-o à consciência

José Marrocos era outro que tinha algumas mágoas a destilar em relação ao amigo Cícero. Nem sequer fora convidado para a festa de inauguração de *O Rebate*. Mesmo tendo sido o propagandista pioneiro dos fenômenos do Juazeiro na imprensa nacional, não o chamaram para a festa que marcara a fundação do primeiro jornal do lugar. "Esperei em vão e desapontado, se não muito contrariado", confessou a Cícero, por carta.

Consciente de que o velho amigo fora objeto, no mínimo, de uma indelicadeza, Cícero se entendeu com Peixoto para que José Marrocos se tornasse, desde a segunda edição, um dos articuladores permanentes de *O Rebate*. Contudo, os textos de Marrocos, ao insistirem em defender a causa dos milagres, passaram a destoar do restante da publicação, marcada de forma hegemônica pela acirrada polêmica contra o Crato. Era uma atrapalhação. Enquanto Marrocos falava do Céu, Peixoto falava de multiplicar o número de rifles para responder ao inimigo.

A exemplo de Antero, o professor José Marrocos receava que a ascendência crescente de Floro Bartolomeu alterasse para sempre o foco de Cícero da questão religiosa para o território escorregadio da política. Como último recurso para tentar equilibrar as circunstâncias, Marrocos mudou-se do Crato para o Juazeiro e passou a se engajar pessoalmente, mas a seu modo, na campanha pela emancipação. Bem no auge da polêmica entre *O Rebate* e o *Correio do Cariri*, ele marcou uma reunião com a nata da sociedade juazeirense para discutir os rumos e reavaliar os métodos do movimento emancipacionista. A data escolhida foi o 15 de agosto, dia que os católicos consagram à Assunção de Nossa Senhora. Era a forma de o professor reafirmar seu estilo e seu prestígio junto a Cícero. Mas ele não reparou que já era tarde demais para isso.

Na antevéspera da reunião, dia 13, Marrocos chegou a ser visto por várias pessoas, enquanto ultimava os preparativos para o evento. Parecia bem-disposto e absolutamente saudável. No dia seguinte, porém, acordou se sentindo mal. Como fazia todas as manhãs, vestiu-se para ir à missa. Logo após, seguiu para ornamentar com fitas e imagens a sala do colégio em que seria realizada a reunião do dia seguinte. Ao saber que o amigo não estava bem, Cícero pediu que dona Isabel da Luz, professora e também proprietária de uma escola em Juazeiro, ajudasse no trabalho de decoração do local. No mesmo instante, o padre mandou chamar o doutor Floro Bartolomeu para examinar o professor.

À tarde, deitado em uma rede em um dos aposentos do colégio, Marrocos tomou café e conversou demoradamente com Cícero. Parecia novamente bem, mas o diagnóstico era de pneumonia dupla. Floro lhe receitara alguns comprimidos e depois, aparentando despreocupação, rumara para a fazenda em Missão Velha, deixando o paciente sob os cuidados do padre. De forma inesperada, Marrocos sofreu um colapso e entrou em agonia. Para espanto de todos, em poucas horas, parou de respirar. O coração não batia mais. O homem estava morto.

Aquele fim tão repentino levantaria suspeitas contra Floro Bartolomeu. Acreditou-se que, para tirar Marrocos do caminho do padre, o doutor não lhe ministrara remédios, mas sim uma dose letal de veneno. Tal hipótese jamais foi confirmada, embora a ida imediata de Floro a Missão Velha tenha sido entendida por muitos como um álibi estratégico. O fato é que, quando Marrocos expirou, Floro já estava a quilômetros de distância dali.

Nunca se provou nada contra ele.

Minutos antes de morrer, José Marrocos estendeu a mão e entregou a Cícero uma chave. Era a da porta da frente do sobrado onde residira no Crato. Quando passou a morar no Juazeiro, a casa ficou fechada, com os móveis cobertos por lençóis brancos para protegê-los da poeira. Lá, junto aos livros, alfarrábios e outros pertences da biblioteca particular do professor, havia algo que precisava ser mandado buscar com urgência, antes que caísse em mãos estranhas.

Cícero não esperou nem o corpo do amigo esfriar para enviar, no começo da noite, três portadores de confiança ao local: os comerciantes Manuel Vitorino e Cincinato Silva, moradores do Juazeiro, e o gerente comercial de *O Rebate*, Felismino de Alencar Peixoto, irmão de padre Peixoto. Enquanto o corpo de Marrocos era velado, Cícero orientou-os a trazer tudo o que encontrassem no escritório privado do falecido. Tudo mesmo. Levassem as malas e os caixotes que fossem necessários para transportar a carga. Tinham de se apressar. Feito o trabalho, antes de voltar ao Juazeiro, tivessem certeza de que não haviam esquecido nada. Assim que os três homens saíram em disparada pela estrada para cumprir o mandado, Cícero voltou a rezar pela alma do amigo.

No Crato, a movimentação noturna na velha casa de Marrocos chamou a atenção dos vizinhos. Quando soube que eram emissários de Cícero que estavam encaixotando objetos sem autorização legal no sobrado de um morto, o juiz da comarca, Raul de Sousa Carvalho, determinou uma batida imediata no lugar. Acompanhado do delegado da cidade, surpreendeu os três homens e comunicou que a casa estava interditada pela Justiça até que fosse providenciado o devido inventário, seguindo-se os trâmites jurídicos necessários. Até lá, nenhuma agulha poderia ser tirada ali de dentro. Largassem tudo naquele exato momento.

Um dos representantes de Cícero, o comerciante Cincinato Silva, tentou ponderar: como Marrocos não deixara filhos e não tinha pais vivos, pouco antes de morrer, no fundo da rede, nomeara informalmente o sacerdote como seu único herdeiro. Portanto, o padre Cícero apenas mandara buscar o que era seu.

Ao ouvir a explicação, o juiz irritou-se:

"Olhem bem, isto aqui é o Crato! Não é um arrabalde sujo como o Juazeiro! Aqui tem lei, aqui tem Justiça!", esbravejou o doutor Carvalho, dando ordem de prisão ao grupo. Determinou ao delegado que conduzisse aqueles homens debaixo de escolta policial e os deixasse passar a noite na cadeia.

Informado do entrevero, Cícero decidiu ele mesmo ir ao Crato tomar satisfações com o desabusado doutor Carvalho, que além de juiz era editorialista político do *Correio do Cariri*. Aquela seria uma conversa áspera. O padre insistiu que tinha o direito de levar para o Juazeiro todo o espólio do finado Marrocos. O juiz contra-argumentou que as formalidades previstas em lei teriam de ser rigorosamente obedecidas. Era necessário apresentar-se documento legal, com firma reconhecida do defunto, passando o direito de herança a Cícero, para que só então os objetos fossem liberados. A confiar na narrativa que o próprio juiz faria mais tarde do episódio, Cícero estava tão aflito que perdeu a calma e ameaçou Carvalho com o dedo em riste:

"Doutor, ou esse espólio vem para minhas mãos, como eu quero, ou o mundo racha!"

O juiz devolveu o gesto e levantou o dedo contra o rosto de Cícero. Pagava para ver o mundo rachar:

"Seu padre, eu lhe asseguro que esse espólio só irá para o seu poder quando o senhor comparecer no meu juízo, cumprindo direitinho o que diz a lei."

Cícero girou sobre os próprios calcanhares e saiu da sala sem se dar ao trabalho de se despedir. Dias depois, mandou ao juiz um telegrama assinado por um irmão de Marrocos que lhe passava o direito de posse dos objetos. Carvalho não se deu por convencido. Disse que aquele mero pedaço de papel não valia coisa alguma. Não era uma procuração formal, com firma reconhecida pelo tabelião, como previa a lei. Podia muito bem ser um documento falso. Nada garantia que a mensagem telegráfica houvesse sido enviada pelo presumível remetente. Impaciente, Cícero levou mais alguns dias até conseguir providenciar a papelada exatamente como exigia o juiz. Foram dias de aflição e expectativa. Quando enfim recebeu os pertences de Marrocos, o padre ficou alarmado. Depois de revirar tudo de baixo para cima, notou justamente a ausência daquilo que tanto queria. Veio-lhe então a sombra do desespero.

O que Cícero esperava encontrar não estava mesmo lá. Ao arrolar os bens do professor, um a um, o juiz tivera sua atenção despertada para dois objetos em particular. O primeiro era um livro escrito em francês, cheio de gravuras coloridas e impresso em papel cetim. O segundo, escondido sob uma pilha de papéis amarelecidos pelo tempo, uma caixinha quadrada de madeira fechada por um gancho. Sobre o livro, muito ainda iria se especular. Insinuou-se que ele seria um compêndio de química, que entre outras fórmulas ensinaria um método para produzir uma substância parecida com o sangue humano. Teria sido nele que José Marrocos se baseara para simular os milagres da beata Maria de Araújo. O juiz, o primeiro a levantar tal suspeita, não se preocupou em anotar o nome do autor ou mesmo o título da obra, fazendo com que tal acusação caísse no rol das muitas teorias conspiratórias que envolvem a história de Cícero.

Porém, aquilo do qual realmente o padre sentiu falta não foi o hipotético manual francês de química. A caixinha de madeira era o verdadeiro objeto de preocupação do padre, item que Carvalho deixara propositalmente fora da entrega do espólio. De início, pareceu-lhe um objeto sem importância, mas quando o juiz puxou o gancho e abriu o estojo, compreendeu a razão pela qual Cícero travara uma batalha tão grande para tomar posse de uma herança tão modesta como a de Marrocos. Dentro da caixinha, estavam as toalhas e os paninhos manchados de sangue que, duas décadas antes, haviam sido roubados do sacrário da matriz do Crato. O autor do furto havia sido José Marrocos. Ali estavam, entre seus pertences, as provas do milagre — ou do embuste.

"O que poderiam valer uns molambos sujos e apodrecidos, por 21 anos, dentro de um pequeno e insignificante receptáculo de madeira ordinária?", indagaria o juiz Raul de Souza Carvalho. "Eu poderia até, se entendesse, mandar jogar no lixo da casa toda essa sujeira, por medida de profilaxia", afirmaria depois, para justificar o motivo pelo qual não enviou a caixinha a Cícero, junto com os outros objetos de Marrocos. "Bastava que encarasse o caso pelo lado da imundície que apresentavam esses panos velhos, impregnados de saliva e sangue podres", alegou.

A explicação dada pelo juiz não conseguia encobrir o fato de que, ao contrário do que alegava, ele tinha a exata noção da importância do conteúdo daquela caixa. Tanto que em vez de atirar o estojo ao lixo de casa fez questão de repassá-lo às mãos de uma terceira pessoa. Alguém que naquela altura dos acontecimentos estava furioso com Cícero, por ter sua autoridade desafiada sistematicamente nas páginas de *O Rebate*: o coronel Antônio Luiz, o caudilho do Crato.

Cícero tremeu. Nem mesmo 100 mil editoriais poderiam fazer frente a uma arma tão poderosa como aquela na mão do inimigo.

3

Aldeia proclama independência. Paninhos manchados de sangue viram objeto de barganha

1910-1911

Pelo barulho que crescia lá fora, Cícero percebeu que os manifestantes se aproximavam. O rumor de vozes, o som da banda de música e o estampido dos fogos de artifício ficavam cada vez mais perto. O povo estava vindo, subindo a rua. Quando a passeata chegasse, o padre teria de abrir a janela de casa, esconder os próprios temores e falar à multidão. Diante da nova circunstância, angustiado com o destino dos paninhos manchados de sangue, o que diria àquela gente?

Os tormentos de Cícero contrastavam com o júbilo coletivo. Desde as primeiras horas da manhã, o Juazeiro fervilhava. No meio da tarde, 15 mil pessoas haviam se acotovelado no comício da praça Grande, a partir de então praça da Liberdade. Padre Peixoto subira numa cadeira e, com gestos teatrais, agitara no ar a flâmula de *O Rebate*:

"Se por acaso eu vier a ser morto pela bala de um cangaceiro na defesa da liberdade do Juazeiro, este pedaço de pano será minha mortalha!"

Depois fora a vez de Floro Bartolomeu discursar. O doutor afirmou que o Juazeiro não devia mais nenhuma obediência ao Crato. A emancipação estava proclamada ali mesmo, na marra, quer o coronel Antônio Luiz achasse bom, quer achasse ruim. Ninguém precisava mais ter medo de ameaças. Todos guardassem aquela data na memória: sábado, 30 de julho de 1910. Era o dia da libertação.

A massa explodiu em palmas, gritos e assovios.

Ao término do comício, a multidão não se dispersou. Desceu de forma compacta para os lados da capela de Nossa Senhora das Dores. Hinos cívicos se misturaram aos refrões religiosos. Por cerca de quinze minutos, todos rezaram de mãos dadas, de olhos fechados, pedindo a proteção da Virgem Maria. Depois, a aglomeração encaminhou-se à sede de *O Rebate* e, de lá, após nova série de discursos ruidosos de Peixoto e de Floro, decidiu-se rumar para a casa do padre Cícero. Eufóricos, os manifestantes de braços entrelaçados queriam pedir a bênção do padrinho, ouvir sua palavra. Muitos traziam nas mãos um panfleto rodado na tipografia do jornal, em que se liam os termos da declaração de independência:

ATITUDE DO POVO DO JUAZEIRO,
QUALQUER QUE SEJA A SOLUÇÃO!

1. Não mais reconhecer o coronel Antônio Luiz como seu chefe.
2. Não pagar impostos municipais à Câmara do Crato, nem a nenhum procurador ou representante dela.
3. Pagar somente os impostos estaduais e federais.
4. Submeter-se à direção política do Excelentíssimo Senhor doutor Accioly.
5. Não atacar nem agredir ninguém, procedendo com toda a calma.
6. Unirem-se todos para juntos trabalharem pela liberdade do Juazeiro.
7. Se o coronel Antônio Luiz entender que deve mandar cobrar os impostos municipais à custa das armas, reagir também pelas armas, com todo o heroísmo, desde o maior ao menor, sacrificando a vida, o dinheiro e tudo que possa ter.
8. Morrer ou vencer pela liberdade do Juazeiro!

O motivo da manifestação foi a quebra de um compromisso do coronel Antônio Luiz firmado com o padre Cícero. Todos lembravam que no ano anterior ele dissera que a emancipação poderia voltar a ser discutida no exercício seguinte. Mas Antônio Luiz não honrou a palavra. Tão logo chegou o tempo da reunião anual da Assembleia Legislativa, Cícero encaminhou-lhe longa carta, na qual rememorava o assunto: "Como amigo, me animo a ponderar-lhe mais uma vez que a elevação do Juazeiro a vila não trará à marcha política do Crato nenhuma perturbação". O coronel fez ouvidos moucos. Alegou que os limites do novo município precisavam ser definidos com melhor critério. Necessitava de ainda mais tempo para refletir sobre o assunto. A discussão teria de ser adiada, de novo, pelo menos por mais outra temporada: "Para o ano, correndo as coisas sem alterações, será possível satisfazer o pedido", protelou novamente o coronel.

Cícero achou que Antônio Luiz talvez estivesse tentando fazê-lo de bobo. Enviou-lhe um telegrama ressentido, que seria publicado, na íntegra, por *O Rebate*: "Lamento que você, pela segunda vez, não queira me ajudar em obra tão meritória, que traria definitivamente a paz geral". A mensagem foi analisada pelo jornal como a senha para mobilizar a população. Os editoriais e os panfletos se encarregaram de conclamar o povo à praça pública. Justo no momento em que Cícero percebia que iria encontrar dificuldades para rever a caixa de madeira, o movimento ganhara as ruas. Ninguém mais deteria o povo.

Já era começo de noite quando a multidão começou a se apinhar diante da casa do padre. Era tanta gente que todas as ruas contíguas ficaram tomadas. Muitos subiram em árvores e escalaram os telhados dos vizinhos de frente, para ter uma visão melhor da cena quando Cícero aparecesse. A banda de música começou a tocar hinos e dobrados, mas logo alguém fez o gesto pedindo silêncio. A um sinal da batuta do maestro Pelúsio de Macedo, a fanfarra parou de repente. As duas metades da janela pintada de azul se abriram e Cícero surgiu com a batina negra de sempre, o braço direito levantado, saudando a multidão. O delírio tomou conta do povo:

"Viva o *Padim Ciço*!", gritou-se.

"Viva!", milhares responderam, em uníssono.

Cícero estava acostumado a grandes plateias. Mas nem mesmo durante a maior de todas as romarias ele já deparara com tamanha aglomeração. Nunca tantas pessoas tinham estado ali diante de sua janela, todas ao mesmo tempo, para ouvi-lo. O povo, ansioso, aguardava o que ele tinha a falar. A questão, repetida de boca em boca durante a passeata, era uma só: e se por acaso os jagunços do coronel Antônio Luiz viessem atacá-los, como deveriam reagir? Responderiam ao ataque com rezas ou com rifles?

Da janela, um preocupado padre Cícero proferiu poucas palavras:

"Tenho fé em Deus e na Virgem Maria que ninguém vai querer mandar matar um povo que está apenas defendendo seu direito à liberdade."

Até mesmo pela cabeça do mais devoto dos romeiros deve ter passado o demônio da dúvida. E se dessa vez o padrinho estivesse enganado?

Ao saber do comício gigante e das declarações de independência, o coronel Antônio Luiz ordenou que o batalhão estacionado no Crato marchasse a passo acelerado para o Juazeiro.

O Rebate pregou o aviso:

> Povo! Chegou notícia que o senhor Antônio Luiz está preparando para amanhã mandar uma força armada vos espingardear, vos matar, porque não quereis pagar impostos municipais. Cada juazeirense deve estar prevenido com suas armas de prontidão para morrer ou matar na defesa de seus direitos. Às armas, povo! Quem não é por vós é contra vós!

Enquanto as notícias alimentavam a revolta, Cícero remeteu uma carta ao presidente Accioly. Dizia que o envio do batalhão sepultara todas as esperanças de uma solução pacífica. Por esse motivo, afirmou que iria se retirar da região, para não servir de testemunha a um massacre. "Não quero assistir às terríveis cenas de sangue", informou Cícero. "Minha retirada será um protesto, perante a Nação e o clero, contra tamanha barbaridade."

Ao atingirem as imediações do Juazeiro, os soldados ficaram à espera da ordem de ataque. A orientação era a de que, uma vez recebido o sinal, sentassem o pé na porta de todos os devedores de impostos e cobrassem deles a importância devida ao tesouro do Crato. Aos recalcitrantes seriam reservados os rigores da lei. Quem insistisse em reagir levaria chumbo. Mas o batalhão, posto em posição de assalto, não se mexeu. Diante do cenário que os aguardava, os soldados engoliram em seco. Estavam em flagrante desvantagem numérica. Em um confronto direto, não seriam páreo para a multidão que os receberia de cacete, punhal e espingardas em punho. Se ousassem entrar em combate, seriam trucidados pela cabroeira em fúria.

Desde o primeiro grande comício, o Juazeiro se encontrava em estado de vigília política permanente, situação sustentada pelos boletins que não paravam de ser rodados, dia e noite, na tipografia de *O Rebate*. A linguagem continuava a ser a da mais absoluta insurreição:

> O povo do Juazeiro, já por demais farto dos amargores da desgraça e das longas angústias de muitos martírios, compreendendo agora nitidamente a sua força, o seu valor moral e vendo o abismo de humilhação a que tiranicamente o propelia o senhor Antônio Luiz, não mais se sujeitará à dominação despótica deste homem. Não! Mil vezes não! Absolutamente não!

No domingo, 31 de agosto, os soldados assistiram ainda paralisados a outro comício assombroso, igualmente seguido de enorme passeata. Na quarta-feira, 3 de setembro, o povo continuava nas ruas. Realizaram-se novos comícios, novas passeatas, sempre com a presença maciça de milhares de pessoas. Para dar ainda mais fôlego ao movimento, os coronéis de Barbalha, Milagres e Missão Velha declararam apoio ao Juazeiro e iniciaram uma série de visitas de solidariedade à aldeia conflagrada. Montados a cavalo, escoltados por jagunços fortemente armados, foram recepcionados com honrarias de chefe de Estado. Enquanto os coronéis participavam de banquetes oferecidos por Floro Bartolomeu em nome do padre Cícero, os panfletos continuavam a inundar as ruas do Juazeiro:

> É mais fácil derrotar um exército por mais formidável que ele seja do que escravizar um povo que não quer ser escravo e que por isso se debate corajosamente pelo ideal santo de sua liberdade. E debater-se-á heroicamente até a morte! Viva a liberdade do Juazeiro! Viva o benemérito e virtuosíssimo padre Cícero Romão Batista!

O calendário oferecia uma data oportuna para manter a agitação popular por mais uma semana nas ruas. No Sete de Setembro, dia da Independência do Brasil, aproveitou-se para comemorar também a independência do Juazeiro. Na praça da Liberdade, um longo tronco de carnaúba serviu de mastro para se hastear o retângulo de tecido azul atravessado por uma faixa branca na diagonal, no centro da qual se lia a seguinte frase: "Viva a Independência do Juazeiro!". Era o protótipo da bandeira do futuro município. Tinha as cores do manto sagrado da Virgem Maria.

Ao lado da notícia em que descrevia os detalhes daquela festa cívica, *O Rebate* publicou novo aviso aos leitores. O tom alarmista fora substituído pelo otimismo. "Percam o receio", dizia o título. "O boato que circula de que o senhor Antônio Luiz e os seus poucos amigos garantem que hão de acabar com o Juazeiro, reduzindo-o a um outro Canudos com auxílio da força federal, não tem fundamento. Ninguém se assuste", tranquilizava o texto. "O caso não permite intervenção de força federal, nem o governo tem o seu exército à disposição dos caprichos do senhor Antônio Luiz, que é um simples chefe de município — e dos mais fracos, pois dos demais chefes vive isolado."

Onze dias depois, a 18 de setembro, a situação já se mostrava tão favorável que Cícero esqueceu completamente a ideia de se afastar do Juazeiro. Considerou também que chegara o momento propício para remeter um novo despacho telegráfico ao presidente Accioly. Seria uma mensagem ousada, mas totalmente em sintonia com o clamor das ruas. No telegrama, o padre reafirmava a disposição de o Juazeiro não pagar os impostos municipais atrasados enquanto a lei da emancipação não fosse carimbada pelo governo do estado. Cícero também solicitava a retirada imediata do batalhão de polícia que fora enviado para a aldeia. Em caso contrário, se os soldados permanecessem em posição de alerta, o padre não responderia pela sorte deles: "O presidente é quem deve assumir a inteira responsabilidade das consequências funestas do capricho e da desorientação política do senhor Antônio Luiz", advertiu.

Cícero, que dias antes parecia acuado, esforçava-se então para passar uma imagem de estudada altivez. Talvez temesse continuar demonstrando cautela excessiva e, por consequência, sua atitude passar a ser confundida pelo adversário com uma espécie de capitulação antecipada. A postura mais firme do padre incentivou *O Rebate* a redobrar a campanha. Embora a emancipação ainda não houvesse sido oficializada, o jornal passou a considerar que o Juazeiro, para todos os efeitos, não pertencia mais ao Crato.

Logo no início de 1911, com os editoriais de *O Rebate* disparando munição pesada contra o coronel, Cícero recebeu um telegrama

Floro Bartolomeu e
padre Cícero: política
e fé começam a andar
juntas no Juazeiro

anônimo. A mensagem, curta e grossa, embutia uma ameaça, embora acenasse também com a esperança de um possível acordo:

"Acabe discussão inútil na imprensa. O que você procura está em mão segura."

Cícero entendeu o recado. Os paninhos ensanguentados iriam virar objeto de barganha.

Os três cavalheiros cratenses, solenemente engravatados, chegaram ao Juazeiro naquele 18 de fevereiro de 1911 para propor o acordo de paz. Os homens dispensavam apresentações. O primeiro era o coronel Abdon Franca de Alencar, presidente da Câmara do Crato e irmão do coronel Nelson Franca de Alencar, tido e havido como o fazendeiro mais rico da cidade. Abdon se fazia acompanhar do comerciante Diógenes Frazão e do doutor Pedro Gomes de Matos, este último ligado por laços familiares ao presidente Nogueira Accioly. O trio — que representava em si a coesão das elites agrárias, urbanas e políticas do Crato — foi recebido por uma comissão também formada por três representantes do Juazeiro: Cícero, padre Peixoto e o comerciante José André de Figueiredo, um dos negociantes mais prósperos da aldeia, considerado potencial candidato a assumir a prefeitura do município quando ele fosse criado em caráter oficial.

Depois de trocarem ideias a respeito do caso, aqueles seis homens se deram as mãos e por fim anunciaram que o acordo se basearia em três pontos básicos. Em primeiro lugar, o Crato não mais se oporia à elevação do Juazeiro a município, desde que os limites da nova cidade fossem traçados de comum acerto entre os chefes políticos das duas localidades. O segundo ponto previa que o Juazeiro honrasse o pagamento de todos os impostos atrasados, além daqueles relativos ao exercício de 1911, pois o valor já fora incluído no orçamento municipal e o Crato não poderia abrir mão de tão elevada quantia assim de uma hora para outra. O terceiro e último item dizia respeito à guerra editorial travada entre *O Rebate* e o *Correio do Cariri*. As duas redações teriam de cessar as hostilidades mútuas e encerrariam todas as polêmicas em vigor. O jornal juazeirense não escreveria mais contra os figurões do Crato, assim como o jornal cratense deixaria de insultar o povo do Juazeiro.

Não se falou em nenhum momento, pelo menos oficialmente, sobre a caixa que durante duas décadas ficara escondida em poder de Marrocos e agora estava nas mãos de Antônio Luiz. Para todos os efeitos, ela não fizera parte da negociação. Mesmo assim, Cícero declarou de público que saía do encontro satisfeito. Os representantes do Crato, idem. O acordo, além de hastear a bandeira branca entre povos vizinhos, tinha o aval do presidente Nogueira Accioly. Afinal, a trombada entre o coronel Antônio Luiz Alves Pequeno e os chefes dos municípios que haviam declarado apoio ao Juazeiro tenderia a provocar dissensões inoportunas quando faltava apenas um ano para as próximas eleições estaduais. Em nome da serenidade nos quadros do Partido Republicano Conservador — e da manutenção de todos eles no poder por mais um quadriênio —, era mais prudente que seguissem unidos a caminho das urnas. Consciente das marchas e contramarchas da política, até mesmo o virulento Floro Bartolomeu ensarilhou as armas. "Congratulo-me com estes dois povos pela felicidade do acontecimento", escreveu Floro, inaugurando a comedida linha editorial que iria assumir a redação de *O Rebate* após o acordo.

Poucos dias depois daquele ajuste de cúpula, o coronel Antônio Luiz marcou um encontro particular — e secreto — com Cícero. Os dois decidiram evitar testemunhas indesejáveis. O único relato que se tem do episódio foi feito, tempos mais tarde, pelo juiz de direito do Crato, o doutor Raul de Carvalho, que por sua vez dissera tê-lo ouvido, à época, da boca do próprio Antônio Luiz. "O local escolhido foi a casinha de uma velha ex-escrava da família Alves Pequeno, de nome Ana, que ficava à margem da estrada que vai de Crato a Juazeiro, um pouco além do antigo cemitério dos coléricos", contaria Carvalho.

De acordo com tal relato, no casebre de taipa, frente a frente, Cícero e Antônio Luiz trocaram cumprimentos secos. O coronel teria trazido à lembrança os favores que haviam sido prestados ao padre pelo pai, o velho coronel Alves Pequeno, padrinho de crisma do então jovem aspirante a seminarista. Cícero ouvira tudo, sem esboçar nenhuma reação. Teria querido encerrar logo aquela conversa e ir direto ao ponto que os levara ali. Ao final da rápida palestra, Antônio Luiz entregara-lhe a caixa intacta, com todos os paninhos lá dentro.

Após isso, cada um teria seguido para o seu lado. Um rumara para o Crato. Outro, para o Juazeiro.

Um novo visitante inesperado quase colocou o acordo a perder. Em meados de junho, os juazeirenses assistiram à chegada de um tropel de jagunços a pé. Vinham cobertos de poeira e armados de carabinas. Muitos imaginaram que eram homens mandados do Crato pelo coronel Antônio Luiz, que supostamente teria se arrependido do acerto então recente. Mas o grupo procedia de muito mais longe — e vinha em paz. À frente deles estava o advogado Augusto da Santa Cruz Oliveira, ex-promotor público do município de Alagoa do Monteiro, no Cariri paraibano, a cerca de 250 quilômetros em linha reta do Juazeiro. Santa Cruz queria a proteção de Cícero. Ele e seus homens estavam sendo perseguidos pela polícia da Paraíba e buscavam abrigo. O padre costumava abençoar até cangaceiros que chegavam para pedir perdão pela vida de crime. Por saber disso, acreditavam que também seriam bem-vindos.

Os líderes juazeirenses que haviam acabado de costurar o acordo com o Crato ficaram atemorizados. A presença daquele bando de jagunços poderia ser entendida como uma provocação contra Antônio Luiz. Se já falavam que o Juazeiro era um reduto de malfeitores, o que diriam se soubessem que estavam acolhendo de braços abertos uma caravana de foragidos de um estado vizinho?

Ninguém desconhecia que a história recente do doutor Santa Cruz fora escrita a sangue. Filho de uma tradicional família paraibana, depusera em maio o prefeito de Alagoa do Monteiro, o doutor Pedro Bezerra, que ele próprio havia ajudado a eleger, mas de quem havia se tornado inimigo político. Na ocasião, Santa Cruz mandara derrubar as grades da cadeia, soltara os criminosos que estavam presos, armara todos eles com o próprio arsenal tomado da delegacia e depois fizera de reféns as principais autoridades da cidade. Entre os que foram levados para o cativeiro em uma fazenda estava inclusive o prefeito deposto. O presidente da Paraíba, João Machado, não quis saber de negociações. Ordenou o envio imediato de tropas para o local e a fazenda foi atacada. Durante o tiroteio que perdurou por horas seguidas, Santa Cruz conseguiu escapar, levando os reféns consigo. Foi soltando-os aos poucos, pelo caminho, enquanto se dirigia para a fronteira com o Ceará, até dar com os costados no Juazeiro.

Exatamente quando Santa Cruz confabulava com Cícero para tentar explicar as razões do golpe frustrado que patrocinara, uma comitiva de cidadãos juazeirenses chegou à casa do sacerdote. Como sempre, além do visitante paraibano, o padre recebia vários romeiros. A comissão, que não distinguiu Santa Cruz do restante dos peregrinos, vinha com o propósito de alertar Cícero para que não aceitasse a presença na aldeia dos foras da lei chegados da Paraíba:

"Padre, acoitar bandidos fugitivos da polícia paraibana pode dar ao coronel Antônio Luiz o pretexto de voltar atrás, prejudicando o acordo de nossa emancipação do Crato", ponderou-se.

"Os senhores estão enganados", rebateu Cícero. "O doutor Augusto não é um bandido. Vem sofrendo uma série de perseguições políticas na Paraíba, mas é um homem inteligente. Para provar isso, vou apresentar a vocês ele agora mesmo. O doutor Augusto é este senhor aqui do meu lado", apontou.

Houve um inevitável constrangimento. Aquele homem desgrenhado, que acabara de percorrer a pé vários quilômetros desde a Paraíba, nem de longe parecia um advogado formado na seleta Faculdade de Direito do Recife. Para tentar desfazer o embaraço, o forasteiro contou-lhes sua versão da história. Disse que tinha o apoio do presidente cearense Nogueira Accioly, com quem trocara cartas e telegramas. Entrara em choque com o presidente da Paraíba, mas pretendia voltar para se defender das acusações e retomar o poder que um dia pertencera à família Santa Cruz. Em suma, seu caso não seria diferente do de todos os outros chefes políticos do Cariri cearense, que sempre defenderam seus domínios recorrendo à força das armas. Coisas da política sertaneja.

A presença de Augusto Santa Cruz em Juazeiro provocou a indignação das autoridades da Paraíba. O presidente paraibano, João Machado, chegou a telegrafar para o presidente da República, Hermes da Fonseca, para denunciar que o padre Cícero estava acobertando os terríveis bandoleiros de Santa Cruz, dando-lhes armas e munição para que depois provavelmente efetuassem saques em cidades da fronteira. Já o prefeito de Alagoa do Monteiro, Pedro Bezerra, reempossado no cargo, preferiu escrever diretamente ao padre. Avisou que aquele homem abrigado em sua casa estava indiciado por vários crimes, que incluíam o sequestro e a invasão de propriedades particulares.

Quando se certificou de que eram reais os vínculos políticos entre Santa Cruz e o presidente Accioly, Cícero determinou que o advogado paraibano e seus homens poderiam permanecer no Juazeiro. Mas decidiu responder à carta do prefeito de Alagoa de Monteiro sem meias palavras: "Se o doutor Augusto é um tresloucado e fraco de senso como o senhor afirmou, e se é culpado de tudo isto, nós por aqui não o sabemos, somente o senhor e outros daí podem saber".

Cícero impôs uma condição para aceitar o exílio de Santa Cruz e sua belicosa tropa de choque. Todos os jagunços teriam de se ajoelhar diante dele e depor as armas a seus pés. Teriam de se arrepender de tudo de ruim que já haviam feito até aquela data e dali por diante mudar de vida. Os que fossem considerados mais perigosos, aqueles que tivessem mais crimes nas costas, Cícero os mandaria para a serra do Araripe, onde passariam a viver da agricultura, trabalhando no plantio e na colheita da maniçoba. Como a própria pele estava em jogo, Santa Cruz disse que achava bem razoáveis os termos da oferta. Os jagunços, vendo ali a oportunidade de se livrarem para sempre das perseguições da polícia paraibana, também concordaram.

Fez-se uma fila indiana e, um a um, como se caminhassem em direção a um confessionário, os homens se prostraram aos pés de Cícero. O padre pedia que fizessem o sinal da cruz, punha-lhes a mão sobre a cabeça e perguntava se estavam dispostos a largar o rifle para abraçar a Deus. Ao ouvir a resposta afirmativa, mandava então que depositassem as armas no chão. Deixassem tudo ali. Espingardas, pistolas, punhais. Depois fossem rezar o pai-nosso e a ave-maria. Ao final, quando o último dos capangas de Santa Cruz havia passado pela penitência, Cícero lançou um olhar severo para todos eles e, indistintamente, sem se dirigir a ninguém de modo específico, repreendeu:

"Está faltando uma arma. Entregue logo, cabra."

Horácio Patriota, um dos homens de Santa Cruz, deu um passo à frente. De cabeça baixa, puxou uma pistola que trazia escondida na cintura e, amedrontado, a depôs aos pés de Cícero.

Todos ficaram certos de que estavam mesmo diante de um santo. O padre, acreditaram, tinha poder de ler os pensamentos e de ver tudo o que estava oculto.

* * *

"Juazeiro nunca será uma vila, mas sempre uma vileza", torpedeou em Fortaleza o jornal *Unitário*, em artigo assinado pelo polemista João Brígido, uma das penas mais ácidas da imprensa cearense de todos os tempos. De nada adiantou o protesto. Dois dias depois, pela Lei 1028, de 22 de julho de 1911, votada e aprovada pela Assembleia Legislativa do Ceará, estava oficialmente criada a vila autônoma do Juazeiro. Ao norte, o riacho dos Carneiros fazia a divisa do novo município com São Pedro. Ao sul, a lagoa Seca marcava o limite com Barbalha. A oeste, o rio Carás servia de fronteira com Missão Velha. Ao leste, o riacho São José representava a linha que separava o Juazeiro do Crato. Era um dos menores municípios do sertão cearense, com apenas 224 quilômetros quadrados, território cinco vezes menor do que o do tradicional vizinho de quem acabara de se emancipar. Mas havia pelo menos quatro pretendentes ao cargo de primeiro prefeito.

Como ocorre em todo movimento vitorioso, a questão que se impunha era definir quem tomaria posse dos despojos do conflito. A guerra não era mais contra o coronel Antônio Luiz Alves Pequeno. A batalha passara a ser interna, na qual cada um dos concorrentes procurava se mostrar mais digno da função do que o outro, por mérito ou por direito adquirido. Caberia a Cícero mediar uma saída para o caso, munido de um telegrama de Accioly que o nomeava oficialmente chefe do PRC no novo município. Ao assinar a ficha de filiação partidária, o sacerdote acabara de transpor o último umbral em direção à política.

Floro Bartolomeu e padre Peixoto, que no calor da hora haviam transformado em trincheira a redação de *O Rebate*, estavam na lista dos candidatos naturais a prefeito, pelos relevantes serviços prestados à causa. Os outros dois contendores, um comerciante, outro fazendeiro, não à toa disputavam também entre si o título de o homem mais endinheirado do Juazeiro. Um era José André — aquele que participara do encontro que selou o acordo político com o Crato. O outro era o major Joaquim Bezerra, adepto da emancipação desde a primeira hora, descendente em linha direta do brigadeiro Leandro Bezerra Monteiro, o antigo proprietário da fazenda Tabuleiro Grande, em cujas terras um dia nascera o então pequeno povoado. A disputa animou os moradores e promoveu apostas pelas esquinas e praças públicas. A maioria punha suas fichas em José André, mas Bezerra também tinha seus partidários. Floro e Peixoto corriam por fora.

Porém, a candidatura do padre Alencar Peixoto desmoronou no exato momento em que Cícero se negou a apoiá-la. Parecia arriscado demais entregar a prefeitura a um homem tão impetuoso como o redator-chefe de *O Rebate*. No entender de Cícero, o colega de pavio curto talvez não possuísse o equilíbrio necessário para conciliar interesses antagônicos quando a conjuntura assim o exigisse. Com sua língua ferina e ardor retórico, era provável que Peixoto entrasse em nova quizumba com o eterno desafeto Antônio Luiz, reabrindo feridas ainda não de todo cicatrizadas. Isso não interessava a ninguém naquela situação de paz armada. Assim, Cícero riscou o nome do colega da lista. Em reforço, Accioly já mandara avisar de Fortaleza:

"Digam ao padre Cícero que ele merece tudo, porém, estando com o padre Peixoto, eu não poderei dar um passo a seu favor."

Peixoto saiu atirando para todo lado. No dia 21 de agosto de 1911, escreveu um artigo histórico, no qual afirmou se sentir vítima da deslealdade: "O padre Cícero me garantiu, por mais de uma vez, que eu seria o chefe político deste município". Dias antes vazara a notícia de que, uma vez preterido, iria romper relações com Cícero, o que de antemão sepultava suas pretensões ao cargo. A informação, cavilosamente, partira de Floro Bartolomeu. Como resposta, Peixoto recorreu à tática do abraço de afogado: se ele não seria o prefeito, Floro também não iria ser. Por isso, classificou o colega de redação de "garimpeiro político" e prometeu, "com a mesma facilidade com que espatifo um bandido, tirar o couro de mais este adversário, depois de tirar o pelo — e as carnes depois do couro".

Contrariado, Peixoto decidiu pelo fechamento do jornal e foi embora do Juazeiro. Seguiria para Fortaleza e depois se fixaria por vários anos no distante Acre e escreveria um dos livros mais agressivos que já se publicaram contra Cícero: *Juazeiro do Cariri*. Na obra que seria queimada em praça pública pelos devotos do *Padim*, Peixoto traçaria o retrato do ex-amigo comparando-o a uma espécie de faraó do agreste: rico, poderoso, com pretensões a deus, explorador do povo e, como uma múmia egípcia, semeador de maldições:

> O padre Cícero, se como sacerdote, como cidadão e como político é um homem funesto, como amigo íntimo e particular não o é menos. [...] É a reencarnação viva de Amon-Ra, a exercer sobre quantos o cercam uma influência fatal.
>
> Senão, vejamos:
>
> José Marrocos, seu amigo desde a infância, viveu uma vida de verdadeiro martírio e morreu envenenado [...]; monsenhor Monteiro cegou e acabou seus dias na maior indigência; padre Joaquim Sother acantonou-se lá para as bandas do Quixará onde vive a sós, chuchado das bruxas e desprezado; padre João Carlos já teria morrido à fome; [...] padre Clycério arrasta-se paupérrimo lá pelo Tabuleiro d'Areia e como se não mais pertencesse ao clero; padre doutor Francisco Ferreira Antero renova os sete palmos de sua paixão; doutor Marcos Rodrigues Madeira abandonou a família que tanto estremecia, falecendo pouco depois; doutor Ildefonso Lima foi desapeado da alta posição que ocupava junto ao governo do estado, e morreu quase arrenegado de seus antigos correligionários políticos; coronel Joaquim Secundo Chaves atrasou-se em seus negócios de farmacêutico e morreu de repente; tenente-coronel Joaquim de Maria Lobo acha-se quase cego e com a telhice de ser um sábio como Rui Barbosa...

Antes de partir para longe, Peixoto afirmou não acreditar que Cícero pudesse apoiar a candidatura de Floro Bartolomeu, um recém-chegado, um indivíduo de passado obscuro, sem nenhuma ligação histórica com o Cariri ou mesmo com o Ceará. "Para que o padre Cícero assim procedesse, era preciso que ele se medisse pela mesma bitola desse mentiroso e infame." O estratagema do desgostoso padre Peixoto funcionou. Diante da lavagem pública de roupa suja, ficava difícil para Cícero endossar a candidatura do doutor baiano.

Com Floro e Peixoto fora da raia, a disputa parecia restrita então ao comerciante José André e ao fazendeiro Joaquim Bezerra. Cícero apresentava reservas tanto ao nome de um quanto ao de outro. Havia um estranhamento recíproco entre as duas facções que compunham a população do Juazeiro. De um lado, os que tinham nascido no lugar consideravam que os moradores mais novos, aqueles atraídos pelo potencial mercantil das romarias, haviam tomado conta de tudo e se convertido em senhores do local. Por isso, eram tratados com desprezo pelos naturais e apelidados de "rabos-de-burro", o que na linguagem popular equivalia a um grave insulto. Do outro lado, os que eram forasteiros devolviam a afronta, tratando os nativos com o mesmo desdém, chamando-os pela alcunha pejorativa de "cacaritos".

Tanto José André quanto Joaquim Bezerra eram cacaritos.

Cícero optou por uma saída salomônica. Nem José nem Joaquim. Nenhum dos dois receberia seu apoio na corrida à prefeitura. Se pendesse a balança para o lado dos cacaritos, provocaria a discórdia entre os rabos-de-burro, que eram, de longe, a maioria no Juazeiro. Como padrinho daquele povo, sentia-se responsável por manter intacto o equilíbrio natural de forças. Afinal, ele próprio, Cícero, não era um cacarito, pois não nascera no Juazeiro, mas sim no Crato. Mas também não podia ser chamado de rabo-de-burro, pois sua chegada ali e os episódios que cercaram o decantado milagre é que promoveram o desenvolvimento do lugar. Estava numa posição privilegiada, acima das rivalidades:

"Sou filho do Crato, mas o Juazeiro é meu filho", definia.

Sendo assim, não havia mais o que discutir.

Com a justificativa de que agia em nome da pacificação geral, o próprio Cícero resolveu sentar na cadeira mais cobiçada do novo município. Com o apoio de Accioly, investiu a si mesmo no cargo de primeiro prefeito do Juazeiro.

4

“Quem bebeu não beba mais, quem roubou não roube mais, quem matou não mate mais”

1911-1913

O receio era o de que a reunião acabasse em tiro. Nunca se viram — nem jamais se voltaria a ver — tantos coronéis sertanejos assim reunidos em um mesmo lugar, como naquele 4 de outubro de 1911, em Juazeiro, o dia da posse de Cícero na prefeitura. Lá fora, as ruas estavam enfeitadas de bandeirinhas de papel e a banda do mestre Pelúsio de Macedo fazia a festa. No interior da casa que sediou a solenidade oficial, os dezesseis homens vestidos em roupa de domingo foram recebidos com chuvas de flores e papel picado. Mas não escondiam de ninguém que ruminavam uma coleção de rancores mútuos.

O primeiro a se adiantar e tomar a palavra foi o coronel Antônio Joaquim de Santana, conhecido em todo o Cariri por manejar as cordas da viola tão bem quanto o gatilho da garrucha. Célebre também por proteger cangaceiros no sítio Serra do Mato e por cerca de noventa bastardos que pusera no mundo, o coronel Santana saudara o novo século, em 1901, tomando à bala o comando político da cidade de Missão Velha. Com a autoridade de quem chefiava um exército de jagunços recrutados entre os bandoleiros mais sanguinários dos sertões do Ceará e Pernambuco, fez os cumprimentos de praxe, decretou aberta aquela assembleia e tratou de ceder a cabeceira da mesa a alguém ainda mais respeitado do que ele: o reverendo Cícero Romão Batista. O padre, além de anfitrião, era o único capaz de presidir uma sessão como aquela. Ante qualquer desentendimento entre as partes, poderia brotar a faísca de uma conflagração armada.

Praticamente todos os chefes políticos do Cariri — incluindo o coronel cratense Antônio Luiz — haviam acatado o chamado do sacerdote para tão insólito conclave, que marcaria seu primeiro dia como prefeito. Estavam representadas por seus respectivos caudilhos dezesseis localidades que, quando vistas no mapa, desenhavam um extenso círculo de terra em torno do Juazeiro: Araripe, Assaré, Aurora, Barbalha, Brejo Santo, Campos Sales, Crato, Jardim, Lavras, Milagres, Missão Velha, Porteiras, Quixará (mais tarde Farias Brito), Santana do Cariri, São Pedro (depois Caririaçu) e Várzea Alegre. Cada um dos senhores rurais ali presentes carregava nas costas um punhado de crimes desfechados em plena luz do dia, a seu mando ou debaixo de sua complacência. Aos meeiros e agregados, ofereciam a proteção patriarcal, em troca da obediência e da prestação de serviços em seus latifúndios. Aos opositores, reservavam apenas a fúria do rifle, o argumento do cacete, a sanha da peixeira. No infindável repertório de crueldades, não faltava a recorrência de tocaias, assassinatos, estupros, mutilações, castrações e degolas sumárias.

Com a característica batina negra, Cícero agradeceu a deferência do coronel Santana, assumiu a presidência da mesa e deu início aos trabalhos. Antes, evocou a proteção de Deus e os "sentimentos altamente patrióticos" do comendador Antonio Pinto Nogueira Accioly. Na condição de líder regional do hegemônico Partido Republicano Conservador, o doutor Nogueira Accioly, o "Donatário do Ceará", seria devidamente cientificado, em Fortaleza, das decisões tomadas naquele encontro em Juazeiro.

Cícero queria chamar todos à razão. Ou paravam de se trucidar ou não sobraria mais nenhum deles para contar a história. O padre, é claro, tinha consciência de que não seria com pai-nossos e ave-marias que se decidiria questão tão espinhosa. Mas também não era caso de bater na mesa com o cabo do cajado. Estavam sentadas ali, diante dele, pessoas de espírito sanguíneo como o coronel Pedro Silvino de Alencar, que em 1909, depois de duas horas de acirrado tiroteio, batera no peito em sinal de vitória, após expulsar do município de Araripe o chefe político do lugar.

Quem não compareceu à reunião cuidou de mandar representante. Caso do coronel Gustavo Lima, que em 1907 invadira a sede do município de Lavras com quatrocentos bandoleiros para escorraçar da prefeitura o próprio irmão mais velho, Honório Lima

— também conhecido como Torto, por causa do estrabismo que sempre fora motivo de troça por parte dos inimigos. O coronel Gustavo botara o irmão zarolho para correr da cidade com a devida cumplicidade da mãe, a legendária dona Fideralina Augusto Lima, matriarca que marcou época na história do Ceará pela truculência com que enfrentava os adversários e, anos mais tarde, inspiraria a escritora Rachel de Queiroz a escrever o romance *Memorial de Maria Moura*. Ao patrocinar a dissensão familiar, dona Fideralina deixara uma única recomendação aos cabras encarregados de depor o primogênito: "Quem atirar no Torto morre". De uma cadeira de balanço instalada no alpendre de casa, no sítio Tatu, entre goles de genebra e cheiradas de rapé, a matrona aguardava o resultado da reunião presidida pelo padre.

Havia chegado a hora, conclamou Cícero, de sossegarem os ímpetos. Como mediador daquela reunião, sugeriu que fosse lavrado um documento comum, impondo regras de convivência entre os potentados sertanejos dali por diante. Seria um pacto de não agressão, uma trégua nos ódios e nos sentimentos de vingança. Muitos duvidavam que fosse possível se dissiparem querelas tão brutais. Parecia algo comparável à pregação do bíblico Simão no deserto. Os primeiros cinco itens postos em discussão por Cícero para serem votados e aprovados na assembleia ousavam formular o seguinte armistício:

> Artigo 1º: Nenhum chefe dispensará proteção a criminosos do seu município nem dará apoio aos dos municípios vizinhos; devendo, pelo contrário, ajudar na captura destes, de acordo com a moral e o direito.
>
> Artigo 2º: Nenhum chefe procurará depor outro chefe, seja qual for a hipótese.
>
> Artigo 3º: Havendo em qualquer dos municípios reações ou mesmo tentativas contra o chefe oficialmente reconhecido com o fim de depô-lo, ou de desprestigiá-lo, nenhum dos chefes dos outros municípios intervirá nem consentirá que os seus munícipes intervenham ajudando direta ou indiretamente os autores da reação.

> Artigo 4º: Em casos tais, só poderá intervir por ordem do governo para manter o chefe e nunca para depor.

> Artigo 5º: Toda e qualquer contrariedade ou desinteligência entre os chefes será resolvida amigavelmente por um acordo, mas nunca por um acordo de tal ordem cujo resultado seja a deposição, a perda de autoridade ou de autonomia de um deles.

O representante do coronel Domingos Leite Furtado, mandachuva do município de Milagres, sabia muito bem do que Cícero estava falando. O coronel Domingos não só mantinha submetida a ferro e fogo a população de seu município, como contribuíra de forma efetiva nas deposições políticas ocorridas em pelo menos outras duas cidades do Cariri. Primeiro, oferecera homens e farta munição a dona Fideralina para garantir o êxito do ataque que resultou, em Lavras, na destituição do desafortunado Torto. No ano seguinte, em 1908, o coronel Domingos emprestara homens para nutrir também uma das batalhas mais ferozes de que se tem notícia no sertão. Depois de atacada e invadida, a promissora vila de Aurora foi saqueada, depredada e incendiada. Residências, casas comerciais e fazendas inteiras arderam em chamas, enquanto as mulheres do lugar eram violentadas no meio da rua, sob a gargalhada da jagunçada ensandecida pelo pipocar de tiros e pelo efeito da cachaça.

Depois de ouvirem o sacerdote, os coronéis confabularam rapidamente entre si e decidiram apoiar, na íntegra, os cinco primeiros artigos. O padre Cícero, reconheceram, tinha absoluta razão. O caldeirão chegara a tal ponto de fervura que, a partir dali, todos só teriam a perder. A desgraça de uns não podia mais significar o bem-estar de outros. Era a vez, admitiam, de estabelecer o cessar-fogo. Comprometiam-se a encerrar o ciclo de animosidades e, sob as bênçãos do sacerdote, trabalhariam pela instauração de uma paz provisória no Cariri.

Cícero, satisfeito, seguiu adiante. Havia outro item capital a acordar entre eles:

> Artigo 6º: Quando não puderem resolver pelo fato de igualdade de votos de duas opiniões, ouvir-se-á o governo [estadual], cuja ordem e decisão será respeitada e restritamente obedecida.

A rigor, transferia-se para o presidente do estado, o comendador Nogueira Accioly, o juízo sobre futuras contendas entre os coronéis do Cariri. Mais uma vez, Cícero punha em ação uma engenhosa costura política, ao contrário de se mostrar um místico desvairado e caricato, como queriam alguns. Como fizera antes no exílio na cidade pernambucana de Salgueiro, não demonstrou pudores de firmar alianças com o poder instituído, ainda que este não tivesse lastro algum de legitimidade popular, como era o caso da oligarquia de Accioly. Cícero, agindo assim, mostrava-se um homem de seu tempo. Amparava-se nas estruturas do coronelismo para acomodar interesses rivais. Fazia o papel de algodão entre vidros, conciliando as autocracias rurais em nome da pacificação sertaneja.

Em última análise, era o governo federal que realmente estava no topo daquela cadeia de desmandos bem típica da República Velha, levada à condição de política de estado pela administração do presidente Campos Sales e seguida no mesmo diapasão pelos sucessores Rodrigues Alves, Afonso Pena e Nilo Peçanha: o jagunço dava cobertura ao coronel, os coronéis apoiavam o oligarca estadual, os oligarcas estaduais davam esteio ao presidente da República.

Para Cícero, não interessava provocar uma ruptura dessa lógica institucionalizada que assegurou a longevidade das oligarquias no país. Matreiro, o padre revelava-se um conservador em política, não um revolucionário. Manifestar qualquer espécie de hostilidade a Accioly significaria passar recibo de insurgente ao governo federal. Isso, temia-se, tenderia a desencadear uma intervenção armada em Juazeiro, talvez nos mesmos moldes da que ocorrera em Canudos, sob o pretexto de se dar combate ao fanatismo religioso. No entender de Cícero, já bastavam as muitas desavenças com o poder eclesiástico. Promovera aquele encontro entre os coronéis justamente para pregar o oposto, o desarmamento geral. Era esse o teor do artigo seguinte posto em discussão pelo padre:

> Artigo 7º: Cada chefe, a bem da ordem e da moral pública, terminará por completo a proteção de cangaceiros, não podendo protegê-los e nem consentir que os seus munícipes, seja sob que pretexto for, os proteja dando-lhes guarida e apoio.

Não havia um único coronel ali que não mantivesse em suas

Cícero, suspenso das ordens sacerdotais, passa a promover reuniões políticas com coronéis e figurões da sociedade caririense

terras um batalhão de bandidos sob seu soldo. O cangaceirismo, fenômeno endêmico da sociedade sertaneja da época, fixara no Cariri um de seus principais redutos. Fortemente armados, de chapéu de couro e alpercatas de rabicho, obedeciam a leis próprias, ditadas pelos caudilhos. Valeria dizer que o sétimo item proposto por Cícero citava os cangaceiros de modo genérico, mas no universo bandoleiro nordestino havia uma sutil gradação de funções que separava o cabra do jagunço, o jagunço do cangaceiro.

Em seu já clássico *Guerreiros do Sol*, Frederico Pernambucano de Mello estabeleceria a distinção de modo didático. O cabra era o sertanejo que, em tempos de paz, como todos os outros agregados que viviam à sombra dos coronéis, cavava a terra seca, iniciava uma plantação e depois orava para o céu pedindo chuva. Quando convocado pelo protetor, não hesitava: pegava o bacamarte, ia para a luta e, se preciso, entregava a vida pelo coronel. O jagunço era uma espécie de profissional autônomo, um mercenário a serviço da morte e de quem o contratasse pela melhor oferta. Hoje podia servir a um senhor, amanhã a outro. O cangaceiro, por fim, não aceitava a tutela de nenhum patrão, ainda que ocasional. Agia por conta própria, em proveito de si mesmo. Mas costumava celebrar consórcios estratégicos com os coronéis, baseados numa relação de barganha e compadrismo. Por um lado, o cangaceiro recebia abrigo e livre trânsito nos domínios do senhor de terras que o acoitava. Por outro, preservava aquela propriedade de arruaças e dos ataques de terceiros, inclusive de outros salteadores.

Cícero, em mais de uma ocasião, conclamara jagunços e cangaceiros a depor as armas, como fizera com os homens do paraibano Santa Cruz. Tinha motivos de sobra para isso. Uma de suas grandes preocupações à época era combater a tese de que o Juazeiro se tornara uma espécie de território livre da bandidagem. Os críticos contumazes do sacerdote acusavam as romarias de promover a chegada crescente não só de fanáticos e beatos, mas também de celerados da pior espécie — assassinos, valentões, proxenetas, desordeiros, ladrões de cavalo —, atraídos pela certeza de que, onde havia tanto afluxo de gente, haveria também muito dinheiro para ser pilhado. Uma das prédicas mais famosas de Cícero aos peregrinos dizia respeito ao assunto. Inúmeras vezes, da janela de casa, ele pregara de braços erguidos à multidão:

Quem bebeu não beba mais,
Quem roubou não roube mais,
Quem matou não mate mais.

Mais uma vez, nenhum dos coronéis presentes ousou rebater as palavras de Cícero. Decidiram que, em nome da própria sobrevivência, subscreveriam também de forma unânime o sétimo artigo. Cícero, contudo, ainda tinha dois últimos pontos a destacar. O oitavo e o nono artigo, que fechariam aquele pacto, sintetizavam e reforçavam os tópicos anteriores:

> Artigo 8º: Manterão todos os chefes aqui presentes inquebrantável solidariedade não só pessoal como política, de modo que haja harmonia de vistas entre todos, sendo em qualquer emergência "um por todos e todos por um" [...].

> Artigo 9º: Manterão todos os chefes incondicional solidariedade com o excelentíssimo doutor Antônio Pinto Nogueira Accioly, nosso honrado chefe, e como políticos disciplinados obedecerão incondicionalmente às suas ordens e determinações.

Um por todos, todos por um. O lema, tomado emprestado aos três mosqueteiros imortalizados pelo escritor francês Alexandre Dumas, resumia o teor do documento que passaria à história como o "Pacto dos Coronéis". A redundância na declaração de apoio a Accioly decorria de uma constatação: a oligarquia cearense começava a mostrar sinais de fadiga, especialmente em Fortaleza, onde profissionais liberais da classe média se uniam aos grandes comerciantes para tentar forçar a renúncia do presidente estadual. De "Donatário do Ceará", Accioly passara a ser chamado de "Babaquara", regionalismo para definir o sujeito apalermado, bronco e roceiro. Para fazerem frente à onda oposicionista que se erguia no litoral, os coronéis sertanejos precisavam mostrar que estavam firmes e coesos. Unidos, imaginavam, jamais seriam vencidos.

Para Cícero, havia um significado particular naquele acordo: erguera-se um providencial campo de força a favor do Juazeiro, que dali por diante ficaria rodeado, de norte a sul, de leste a oeste, da farta proteção armada garantida pelos coronéis aliados. Em caso de uma possível ofensiva como a desfechada contra Canudos, os invasores teriam de vencer primeiro a jagunçada, antes de chegar aos calcanhares do padre. O Juazeiro, epicentro da fé, tornara-se também ponto de convergência entre as aristocracias rurais do Ceará.

Quando Cícero levantou da mesa ao final daquela histórica reunião e passou a colher a assinatura de todos, os coronéis do Cariri já tinham tomado consciência de que, diante da nova situação, precisavam eleger um chefe imediato entre eles. Esse chefe não seria, necessariamente, Accioly. Carecia ser alguém que estivesse mais perto deles e que, a despeito das diferenças e dos ódios pessoais que os separavam, fosse um homem cuja palavra seria acatada sem ressalvas. Os coronéis precisavam de um líder político no Cariri. Naquela tarde, esse líder se revelara naturalmente — e já tinha nome.

O nome dele, ninguém se atreveria a discordar, era Cícero.

Floro havia caprichado nos detalhes. O banquete e o baile que se seguiram à cerimônia de posse ficariam guardados na memória dos moradores como a maior de todas as festas da história do Juazeiro. A mesma casa que horas antes abrigou a reunião dos coronéis encheu-se de gente para comer e dançar em homenagem ao prefeito e padre Cícero Romão Batista. O próprio Floro cuidou de preparar o cenário, forrando o chão de areia batida com um longo tecido de algodão, esticado no assoalho com muitos pregos e alisado à base de cera de velas, para evitar que se levantasse poeira enquanto os casais davam passos de valsa e de tango ao som de uma orquestra de pau e corda. Afinal, a festa não podia ser confundida com um mero arrasta-pé, desses que se faziam a todo instante no sertão. Durante dias, as moças do Juazeiro haviam se preparado para o baile, ensaiando e se acostumando com os sapatos de salto alto que o doutor Floro havia recomendado que calçassem durante o evento.

Para o banquete, Floro Bartolomeu mandara trazer do Rio de Janeiro toda a louça e toda a prataria que seria usada pelos convidados. Na porcelana decorada com flores e bordas douradas, lia-se a inscrição, em letras a ouro: "P. Cícero". Um grupo de moças da sociedade juazeirense foi treinado especialmente por Floro para servir de garçonetes durante o jantar. Ele ensinou-lhes a posição correta dos talheres sobre a mesa, a disposição dos copos de acordo com os vários tipos de bebida e a forma como deveriam trazer as bandejas vindas da cozinha. Era como se Floro quisesse simbolizar, com aquela recepção, que o Juazeiro inaugurava realmente uma nova fase de sua história. O município recém-criado precisava se apresentar ao mundo como um lugar civilizado: as melhores famílias podiam frequentar ambientes sociais tão refinados quanto os das grandes cidades do país.

Floro estava sinceramente dedicado à tarefa de "modernizar" o Juazeiro. O esforço que fazia para retirar do lugar o estigma de "aldeia de fanáticos" era parte de um cuidadoso projeto político, que logo alçaria voos cada vez mais altos. Enquanto a demanda judicial relativa às terras do Coxá permanecia cercada de impasses, Floro percebeu que em vez da exploração de uma simples mina de cobre talvez a amizade com Cícero viesse a propiciar, para ele, o acesso a uma verdadeira mina de ouro.

A prefeitura seria apenas um primeiro passo. Cícero fez sua estreia na política estadual em grande estilo. No início de 1912, os cearenses iriam às urnas. Depois de dois mandatos consecutivos, Nogueira Accioly teria de passar a faixa de presidente do Ceará a um sucessor. Previa-se mais uma modorrenta eleição de fachada. Como sempre, Accioly escolheu um preposto para tomar conta de seu lugar no Palácio da Luz. A chapa apresentada pelo Partido Republicano Conservador era encabeçada pelo octogenário desembargador José Domingos Carneiro, a essa altura um homem quase senil, que andava com a ajuda de uma bengala e estava fadado a ser apenas mais uma marionete dos interesses da oligarquia. Carneiro parecia não ter aquele sobrenome à toa. Anunciava-se um cordeirinho de candura para os interesses de Accioly.

Além do cabeça de chapa, cada partido tinha o direito de indicar três vice-presidentes, o que abria o leque de possibilidades para amplos conchavos com os caciques políticos do interior. Como novo líder inconteste do Cariri, Cícero foi aclamado pela convenção do PRC como o candidato do partido à terceira vice-presidência do Ceará. O padre aceitou de bom grado. Pela legislação então em vigor, não precisaria largar a prefeitura para assumir o cargo. Em tal posição, içaria a influência política do Juazeiro para além das fronteiras sertanejas.

As eleições estavam marcadas para abril. Porém, uma série de incidentes iria abreviar os dias de Accioly à frente do poder. No Juazeiro, Cícero recebia as notícias que chegavam de Fortaleza com justificada apreensão. A rejeição ao Babaquara estava cada vez mais forte na capital. Haviam sido organizadas várias passeatas a favor da candidatura oposicionista do coronel Marcos Franco Rabelo, um militar de carreira, que encarnava a repulsa das classes médias urbanas contra os desmandos da oligarquia aciolina. Os fortalezenses abraçaram a candidatura de Rabelo e adotaram as cores verde e amarela como símbolo. No mercado da cidade, até as abóboras pareciam ter aderido à causa: os partidários de Rabelo expunham parte do fruto ao sol e enterravam outra parte no solo, o que depois gerava abóboras bicolores, metade verdes, metade amarelas, transformadas em inaudito material de campanha.

Uma tragédia antecipou os fatos. Em janeiro de 1912, sob ordens de Accioly, a cavalaria passou a dissolver as manifestações públicas pró-Rabelo com extremada violência. Quando se organizou uma simbólica passeata de crianças a favor do candidato oposicionista, os rabelistas imaginaram que o oligarca não teria a audácia de mandar dissipá-la também a patadas de cavalo. Pois foi exatamente o que aconteceu. A polícia montada investiu contra os pequenos manifestantes, atropelou mulheres e crianças, fez dezenas de feridos e deixou um menino morto no meio da confusão.

Depois disso, foi impossível reprimir a fúria popular. Fortaleza inteira se amotinou. A população se armou como pôde e saiu às ruas pedindo vingança. Bondes foram virados, praças destruídas, lampiões de iluminação pública quebrados, trilhos arrancados. Foram construídas barricadas com os canos da tubulação de esgoto e, durante três dias, Accioly foi sitiado no palácio, debaixo de fogo pesado. Sem água e sem comida, o Babaquara foi obrigado a renunciar. Mandou estender uma toalha de rosto na janela à guisa de bandeira branca. Embarcaria, de pincenê, fraque e cartola, debaixo de vaias, para fora do Ceará. Na ocasião, seria escoltado até o cais por dom Joaquim, que atravessou as barricadas para dar proteção simbólica ao presidente deposto.

Embora contrariado, Cícero não estranhou o fato de o Palácio do Catete — sede do governo federal, no Rio de Janeiro — assistir a tudo sem se envolver. As guarnições do Exército sediadas em Fortaleza, que paradas estavam, paradas ficaram. Sabia-se que, no fundo, a base militar do então presidente da República, marechal Hermes da Fonseca, apoiara a revolta. Os quartéis consideravam as oligarquias estaduais um entrave ao desenvolvimento do país e, como fariam ainda várias vezes ao longo da história republicana brasileira, os militares passaram a atuar como árbitros e "salvadores" da política nacional. Em vários estados, exatamente por meio da chamada "Política das Salvações", patrocinaram a deposição dos oligarcas locais e a sua substituição por homens de farda — a exemplo de Franco Rabelo, no Ceará —, em nome da moralização pública.

A candidatura oficial do velho desembargador Domingos Carneiro, em cuja chapa figurava o nome de Cícero, esfarelou-se no ar junto com o governo Accioly. Mesmo assim, por uma dessas circunstâncias que somente a política é capaz de explicar, um acordo de bastidores terminou por garantir a manutenção do nome de Cícero na terceira vice-presidência estadual. Foi um acerto de cúpula, firmado no Rio de Janeiro, com a bênção do chefe nacional do PRC, o senador gaúcho Pinheiro Machado, considerado à época o homem mais poderoso da República e candidato declarado à sucessão de Hermes da Fonseca.

Machado, que mantinha sua influência nacional à custa do apoio das oligarquias estaduais, providenciou em seu laboratório político o antídoto contra a derrocada de Accioly. Fundou um novo partido conservador no Ceará, apelidado de "Marreta", e lançou a candidatura de outro militar, o general Bizerril Fontenele, para fazer frente ao "salvador" Rabelo. Nas eleições, o candidato marreta sofreu uma derrota acachapante. O oposicionista Franco Rabelo acabou se elegendo presidente do Ceará com 90% dos votos. Mas, pelas regras eleitorais de então, caberia à Assembleia Legislativa homologar ou não o nome do candidato vitorioso, independentemente do resultado das urnas. Como a Assembleia era majoritariamente composta de aciolinos e de deputados que haviam aderido aos marretas, Rabelo viu-se em minoria parlamentar. Foi compelido a aceitar um acordo de conveniência em troca do ingresso no Palácio da Luz. Entre os termos do ajuste, estava a concessão de duas das três vagas de vice-presidente para o grupo ainda controlado por Nogueira Accioly. Selada a combinação, o nome de Cícero Romão Batista voltou à baila. Rabelo foi obrigado a engoli-lo.

Em 1912, a população
de Fortaleza se revolta
contra o governo
oligárquico e usa os canos
da tubulação de esgoto
como barricada

No dia 12 de julho de 1912, a Assembleia homologou a chapa vitoriosa, embora o quórum legal de dezesseis deputados não tenha sido alcançado — apenas doze dos trinta parlamentares compareceram à sessão. Atropelou-se o texto da lei e, dois dias depois, Marcos Franco Rabelo tomou posse em Fortaleza, como novo presidente do Ceará. Trazia um incômodo adversário político junto com ele. Aos 68 anos, Cícero passara a ser, oficialmente, o terceiro vice-presidente do estado.

Rabelo cedeu ao acordo para chegar ao poder, mas recusou-se a ficar refém de um conchavo. Cícero logo iria sentir isso nos botões da própria batina. Cerca de um mês depois da posse no governo estadual, uma das primeiras providências de Rabelo foi assinar a exoneração do padre do cargo de prefeito do Juazeiro. Em seu lugar, nomeou José André, o comerciante cacarito que havia sido um dos primeiros pretendentes à prefeitura e que no início do ano se filiara à corrente rabelista.

Desde janeiro, quando anunciara sua nova coloração partidária, José André vinha sendo atazanado por panfletos apócrifos distribuídos aos milhares pelas ruas da cidade: "Alerta, juazeirenses! Apresenta-se, tirando de todo a máscara, como inimigo do padre Cícero e dos romeiros, o Zé André do sobrado. Diz ele querer expulsar desta terra o vosso venerando chefe, amigo e pai espiritual, com toda a 'canalha' dos romeiros". Os panfletos recomendavam que ninguém mais fizesse compras na loja do conhecido comerciante: "Fujam dele como um contágio! Está em vossa dignidade não mais fazer negócio algum com um inimigo do padre Cícero!".

Ao alijar Cícero da prefeitura de Juazeiro, Franco Rabelo achava que desfechara um golpe mortal contra as pretensões políticas de seu terceiro vice-presidente, um opositor situado perigosamente na linha sucessória estadual. Mas o citadino Rabelo talvez ainda não conhecesse o reverendo Cícero Romão Batista o suficiente. O padre sertanejo já fora vítima de inimigos mais enérgicos dentro do seio da própria Igreja — e continuava, ali, de pé, distribuindo conselhos e ditames. Não seria agora que iriam neutralizá-lo de modo tão simples. Na realidade, a exoneração de Cícero da prefeitura apenas concorreu para que Floro começasse a mexer as peças de um astucioso xadrez partidário, escudado na influência pessoal do sacerdote junto ao povo do Juazeiro.

Todos sabiam — talvez exceto o próprio Franco Rabelo — que nem o rabelista mais roxo entre os juazeirenses seria capaz de contrariar padre Cícero, sob pena de atrair contra si a zanga da comunidade local. Tanto era assim que José André declinou da prefeitura, em presença da pressão popular a que foi submetido. Logo em seguida, por baixo dos panos, Floro Bartolomeu, que havia se filiado à corrente marreta de Pinheiro Machado, incentivou maquiavelicamente a fundação de um diretório rabelista na cidade. Na verdade, oferecia a corda para o adversário se enforcar.

O nome que o diretório rabelista em Juazeiro acabou indicando para o cargo, sob a velada ajuda de Floro e o não tão dissimulado aval de Cícero, foi o do agropecuarista João Bezerra de Menezes, um natural da terra que não teve pulso para impor a devida autoridade. Para todos os efeitos legais, o novo prefeito era o rabelista João Bezerra, oficializado pelo governo estadual em fins de agosto de 1912. Mas quem guardava as chaves do cofre e do arquivo público da cidade era Floro Bartolomeu. Quando Franco Rabelo pediu a Bezerra que providenciasse um relatório completo sobre a saúde financeira do município, o prefeito respondeu constrangido. Não tinha como atender à solicitação do presidente. O doutor Floro se negava a passar-lhe as chaves do arquivo.

Só então Rabelo compreendeu que qualquer um que indicasse para o cargo de prefeito do Juazeiro estaria de mãos atadas, sem forças para se opor a Cícero e a seu braço direito político, o ardiloso Floro Bartolomeu. Assim sendo, decidiu usar de outra estratégia. Em vez de substituir o inerte João Bezerra, Rabelo nomeou um novo delegado para a cidade, o capitão de polícia José Ferreira do Vale, que tinha fama de valentão e de não ter medo de cara feia. Mal o capitão chegou ao Juazeiro, foi tratar pessoalmente com Floro, exigindo-lhe que entregasse as tais chaves. Ameaçou prendê-lo caso continuasse a reter em seu poder um bem que era público. Pressionado, o doutor baiano resolveu proteger seus bigodes na casa de Cícero.

O padre mandou pregar aviso ao delegado: ninguém entrava ali sem permissão. O lar de um cidadão — ainda mais um serviçal de Deus — era inviolável.

Ferreira do Vale saiu espumando, mas advertiu que voltaria no dia seguinte com reforços policiais. Em vez disso, encontrou sobre sua mesa na delegacia a própria exoneração, assinada por Franco Rabelo. Cícero agira mais rápido. Nesse meio-tempo, o padre havia telegrafado para o Palácio da Luz, dizendo que sua autoridade de terceiro vice-presidente do estado estava sendo ameaçada por um mero capitão de polícia. Para preservar a hierarquia, Rabelo viu-se na contingência de destituir João Bezerra, também por telegrama.

Contudo, se o caso era jogar xadrez, Franco Rabelo igualmente sabia movimentar as peças no tabuleiro. No jogo da política, sempre era preciso ceder alguns peões ao inimigo, para depois armar contra ele o inesperado xeque-mate.

Foi um escarcéu. O governo do estado anunciou que iria fazer um "saneamento moral" no Cariri. Depois de exonerar cada um dos chefes políticos que haviam vivido à sombra da oligarquia Accioly, Franco Rabelo enviou um destacamento de duzentos praças para o Crato, com ordens para que prendessem todo e qualquer jagunço que encontrassem pela frente. Tinham autoridade para passar o pente-fino em propriedades particulares, incluindo as dos coronéis da região, em busca de munição e armamentos. Comandados pelo capitão Ladislau Lourenço de Souza, os policiais efetuaram centenas de prisões. O prédio da cadeia pública do Crato ficou lotado de detentos. Calculava-se que cerca de quinhentas pessoas foram encarceradas em todo o Cariri por ordens de Rabelo.

O governo não poupou ninguém. A deposição do coronel Antônio Luiz à frente do poder cratense teve direito a lances espalhafatosos, que incluíram o assalto ao prédio da prefeitura pelo substituto rabelista, o coronel Francisco José de Brito, mais conhecido pela alcunha de Chico de Brito. Antes mesmo da assinatura da portaria governamental que oficializava a troca, Chico de Brito invadiu o gabinete de Antônio Luiz de arma em punho e esbravejou:

"Desocupe o cargo, que de hoje em diante quem manda aqui sou eu!"

O coronel Antônio Luiz tentou argumentar:

"Baseado em que lei?"

"Nesta lei aqui, ó!", disse o rabelista, apontando o revólver em direção ao peito do adversário.

Antônio Luiz pôs as mãos para cima e saiu sem esvaziar as gavetas. A partir daquela data, para se referir a qualquer espécie de atitude violenta da parte de alguém, viraria voz corrente no Ceará a alusão a uma famigerada "Lei de Chico de Brito".

Cícero intuiu que era apenas uma questão de dias para que os praças do capitão Ladislau chegassem ao Juazeiro. Os representantes dos quatro estados fronteiriços — Ceará, Paraíba, Pernambuco e Rio Grande do Norte — haviam unido esforços para tentar extirpar a praga de jagunços e cangaceiros que pululava em seus respectivos territórios. Um acordo interestadual, selado no Recife em dezembro de 1912, decretara guerra geral ao banditismo. A fama de valhacouto de malfeitores que recaía sobre Juazeiro fazia da cidade recém-fundada um alvo inexorável da operação.

Todavia, Franco Rabelo decidiu agir com cautela. O governo estadual suspeitava que Cícero talvez pudesse esconder um verdadeiro arsenal bélico em casa. Desde que os homens de Augusto Santa Cruz haviam deposto armas aos pés do padre, especulava-se sobre o destino que fora dado a elas. Após passar algum tempo no Juazeiro, Santa Cruz retornara à Paraíba, arregimentara novos capangas, comandara com eles uma revolução e, naquele mesmo ano, invadira várias cidades paraibanas, com a intenção de tomar o poder da capital do estado. Fora contido e aprisionado à última hora pelas tropas legalistas, mas ficaria para sempre a desconfiança de que agira em conluio com Cícero Romão Batista, de quem não escondia que se tornara amigo.

Rabelo não podia saber, mas uma carta de Cícero endereçada pouco antes a Santa Cruz atestava que o padre estava inocente daquela acusação. "Digo com franqueza, não acho razoável fazer a revolução na Paraíba", escreveu Cícero, que sugeriu a Santa Cruz comprar uma fazenda para as bandas do Piauí e se retirar de uma vez por todas da arena política. "Eu não combino com revolução, e muito menos sendo você um amigo a quem desejo o bem. Deus lhe dirija e abençoe", concluiu.

Não obstante aquela carta, Cícero continuava a ser encarado como um rebelde em potencial aos olhos de Franco Rabelo. Acusado de acoitar cangaceiros, líder político em ascensão no Cariri e legatário declarado da oligarquia aciolina, o padre era a mais perfeita tradução do inimigo a ser preferencialmente abatido.

Ao ser cientificado de que as tropas estaduais estavam se preparando para levantar acampamento no Crato e seguir em direção ao Juazeiro, Cícero telegrafou a Rabelo: "Chegam-me avisos de diversos amigos que vosso governo pretende concentrar forças aqui com o fim de atacar-me para tomar o armamento que possuo, como se eu fosse um revolucionário, possuísse armamento e pretendesse fazer alguma revolta", protestou. "Sou um sacerdote católico, sou um cidadão brasileiro e além disso sou o terceiro vice-presidente do estado e, como tal, sou incapaz de concorrer direta ou indiretamente para a perturbação da ordem."

Franco Rabelo se apressou em desmentir o presumido ataque, mas àquela altura das circunstâncias ninguém mais tinha dúvidas de que, depois de neutralizados todos os coronéis do sul do estado, a ofensiva contra o Juazeiro eram favas contadas. Os soldados chegados de Pernambuco, da Paraíba e do Rio Grande do Norte juntaram-se ao destacamento cearense e intensificaram a investida contra os partidários do decaído Partido Conservador no Cariri. Como último refúgio, muitos dos que se sentiam perseguidos partiram em direção ao Juazeiro, para pedir a proteção de Cícero. Mas era fato que ninguém mais estava tão seguro ali. O escudo de força estabelecido pelo Pacto dos Coronéis se dissolvera no ar.

Nas páginas do jornal *Unitário*, de Fortaleza, o jornalista João Brígido chamava Juazeiro de "Cicerópolis" e desatava o verbo contra o padre e seu aliado Floro Bartolomeu:

> Para serem pegados os criminosos do Juazeiro, basta cercá-lo de uma forte muralha, porque todos que dentro ficarem serão dignos de cadeia, visto como o que não for ladrão é assassino, inclusive o padre Cícero, que não mais podendo agir eficientemente mandou vir da Bahia um negro charlatão.

Pelo agreste afora, os avisos de que a terra do *Padim Ciço* ia ser arrasada promoviam migrações espontâneas de sertanejos, que acorreram ao Juazeiro com a intenção de defender o seu patriarca. Entre aquela gente toda, chegavam tanto beatos quanto cangaceiros. Os primeiros traziam rosários. Os outros, rifles e parabéluns. Sob o pretexto de não dar trégua ao cangaço, a polícia interestadual apertou o cerco nas estradas, efetuou novas prisões e disparou contra uns e outros, beatos e cangaceiros, à vista de qualquer reação.

Entre os juazeirenses o clima era de absoluto sobressalto. Até mesmo romeiros estavam sendo mortos ao longo dos caminhos e trilhas que levavam à cidade. Os soldados encontravam-se excitados, diante do prenúncio da guerra final. Os oficiais militares faziam apostas entre si. Qual deles teria a honra de decepar a cabeça do padre Cícero Romão Batista para depois levá-la fincada na lâmina de uma baioneta até Fortaleza?

5

Mil homens armados iniciam o assalto ao Juazeiro: "É hora de tocar fogo neste covil!"

1913

No Palácio do Catete, o presidente da República, marechal Hermes da Fonseca, recebeu telegrama enviado por Cícero Romão Batista. Era um pedido de socorro: "População do Juazeiro alarmada". A mensagem informava que o governo estadual do Ceará desfecharia o ataque à cidade a qualquer momento. Havia chegado ao Crato mais um carregamento de armas e munição pesada. Quinhentos soldados estavam prontos para o combate. Eleitor do marechal — o padre havia apoiado a candidatura presidencial de Hermes em 1910, quando o oposicionista Rui Barbosa saíra derrotado nas urnas —, Cícero pedia a interferência federal para conter a desgraça.

Porém, até as águias de bronze que adornavam a fachada do palácio presidencial sabiam que desde a morte da primeira-dama, Orsina da Fonseca, em novembro de 1912, o marechal Hermes se mostrava alheio a questões políticas e administrativas. Passara as atribuições do cargo a auxiliares diretos. O expediente burocrático vinha sendo tocado pelo mordomo oficial, Oscar Pires, cognominado de "O Sogra" por causa de sua postura autoritária e pouco simpática às demandas de todos os que procuravam o Catete. Já os destinos da política nacional haviam migrado de vez para as mãos do senador gaúcho Pinheiro Machado, o líder nacional do PRC. Uma frase atribuída a Hermes nessa época patenteava a influência exercida pelo senador sobre o presidente da República:

"O Pinheiro é tão bom amigo que até governa pela gente", teria dito o marechal Hermes da Fonseca ao futuro presidente Venceslau Brás.

O senador, esse sim, estava bem preocupado com os últimos acontecimentos no Cariri. Em sua casa, no palacete do morro da Graça, situado no bairro carioca das Laranjeiras, Pinheiro Machado abriu as portas e estendeu o tapete vermelho para um representante direto dos interesses do Juazeiro: o doutor Floro Bartolomeu. No início de agosto, Floro viajara ao Rio de Janeiro, sob a desculpa de realizar um tratamento médico para as frequentes dores de cabeça que vinham lhe roubando o humor havia vários meses. As enxaquecas eram reais. O motivo da viagem não.

Na verdade, Floro partira com uma missão específica: fazer contatos com deputados e senadores cearenses que militavam na oposição ao presidente cearense Franco Rabelo para traçar um plano de desestabilização do governo estadual. O doutor baiano comprovou que sabia fazer política como ninguém. A sagacidade e a determinação de Floro entusiasmaram seus interlocutores no Rio de Janeiro, que logo trataram de apresentá-lo a Pinheiro Machado. O senador estava abespinhado com Rabelo, que declarara publicamente ser contrário à sua candidatura presidencial à sucessão de Hermes da Fonseca. Desde o primeiro encontro, o ardiloso Floro e o astuto Pinheiro entenderam-se perfeitamente bem. Falavam a mesma língua. A articulação de bastidores logo passou à categoria de conspiração.

Enquanto Cícero disparava telegramas apreensivos para o Catete, Floro Bartolomeu bebericava licores em taças de cristal e planejava com Pinheiro Machado a melhor forma de enxotar Rabelo do poder. O golpe teria de ser certeiro, sem deixar espaço para desforras. Duas tentativas anteriores de deposição — uma civil, outra militar — haviam naufragado em Fortaleza. Em novembro do ano anterior, a Assembleia Legislativa do Ceará, de maioria marreta e aciolista, tentara se reunir em período extraordinário para cassar o mandato de Rabelo, mas os fortalezenses saíram às ruas para evitar o casuísmo. A ira popular provocou novos incidentes na cidade, o que incluiu atentados a dinamite e incêndios contra as residências da família Accioly e seus confrades. Manifestantes invadiram as casas, pilharam tudo o que encontraram pela frente e depois atearam fogo aos imóveis. "Contra ratos, nada melhor

O presidente Hermes da Fonseca e o senador Pinheiro Machado (líder nacional do Partido Republicano Conservador): articulação na cúpula da República selou a sorte do governante cearense, Franco Rabelo (ao lado)

do que fósforo e querosene" — essa foi a divisa que mobilizou os partidários de Rabelo.

Em agosto daquele ano, pouco depois da partida de Floro para o Rio de Janeiro, preparou-se o segundo ensaio de golpe, dessa vez gestado no interior da caserna. Pinheiro Machado transferiu para Fortaleza um partidário confesso, o capitão Polidoro Rodrigues Coelho, confiando-lhe a tarefa de sublevar alguns sargentos e desfechar um atentado direto a Rabelo. Mas a quartelada foi descoberta a tempo e o movimento acabou sufocado pelas forças legalistas. A população ameaçou outra vez tomar as ruas e iniciar novas represálias contra os aliados de Accioly. Desde então, a capital cearense ficou em estado de alerta contra os incorrigíveis golpistas.

Portanto, Floro e Pinheiro precisavam evitar o confronto direto com os exaltados rabelistas de Fortaleza. Não havia alternativa viável a não ser deflagrar o movimento no interior, para só depois estendê-lo à capital. A imensa popularidade de Cícero, como líder religioso e chefe político, tornava o Juazeiro o local propício para concentrar a frente de oposição a Rabelo. Afinal, podia-se dar como certo que nenhum sertanejo hesitaria em pegar em armas, se preciso fosse, para preservar o pescoço do padre.

Pelo que ficou acertado, Floro Bartolomeu voltaria para casa e anunciaria a instalação de uma Assembleia Legislativa dissidente em pleno Juazeiro, em contraposição à oficial, em Fortaleza, sob a alegação de que Rabelo fora proclamado sem o quórum exigido por lei. Os deputados marretas e aciolistas deveriam aderir a ela e eleger um presidente estadual paralelo, caracterizando uma duplicidade de poderes e um impasse institucional no Ceará. Em face do barulho que se iria fazer em torno do assunto, o Catete não teria escolha senão decretar a intervenção federal e a consequente exoneração de Rabelo, entregando-se em seguida o poder aos amigos e aliados do senador Pinheiro Machado.

Tudo parecia perfeito, mas antes tornava-se imprescindível convencer Cícero a endossar o plano. Sem o apoio do padre, nenhuma maquinação política iria poder contar com a necessária adesão do povo do Juazeiro. Floro assegurou a Pinheiro Machado que se encarregaria pessoalmente do assunto. Sabia como obter a anuência do sacerdote. Cícero encontrava-se pressionado pelos soldados que espreitavam a cidade. O doutor não tinha dúvidas de que o angustiado sacerdote aceitaria qualquer negócio para tentar proteger seu rebanho de romeiros.

Além da presença ameaçadora das tropas interestaduais nas imediações do Juazeiro, alguns percalços haviam feito o padre reconhecer que Franco Rabelo apertara definitivamente o torniquete contra ele. Em janeiro, um amigo íntimo do sacerdote, o polivalente Pelúsio Macedo — relojoeiro, sineiro e maestro da banda de música local — havia sido exonerado do cargo de telegrafista do Juazeiro por meio de uma portaria do governo estadual. A substituição de Pelúsio representava uma preocupação adicional para Cícero, já que a partir dali nada mais assegurava que o conteúdo de suas mensagens fosse preservado da bisbilhotice oficial. Naquela guerra pelo controle da informação, a saída encontrada por Cícero foi providenciar um inusitado código secreto, uma linguagem cifrada, cujas chaves de decodificação eram do conhecimento apenas do padre e de seus auxiliares mais diretos.

Durante quatro meses, Floro permaneceu na capital federal articulando de forma meticulosa o golpe ao lado de Pinheiro Machado. Até que, em fins de outubro, chegaram ao Rio de Janeiro boatos de que Cícero estudava uma composição com Franco Rabelo, numa última tentativa de alinhavar uma saída pacífica para o caso. Quando tais rumores bateram nos ouvidos de Floro, o doutor decidiu apressar seu retorno ao Ceará. Antes, telegrafou para o padre para cobrar esclarecimentos: "Dê-me explicações", exigiu, mandando o código secreto às favas. "Houve reconciliação de Vossa Reverendíssima com partido adversário?" Cícero negou. "Qualquer notícia indigna sobre minha pessoa não é verdade", respondeu.

Pelo sim, pelo não, Pinheiro Machado concordou que Floro Bartolomeu devia regressar o mais rápido possível ao Ceará. Como garantia de defesa contra o propalado ataque cratense, o governo federal autorizou a criação de um destacamento da Guarda Nacional em Juazeiro, com elementos a serem recrutados e armados por Floro.

Pinheiro Machado acabara de dar um golpe de mestre. Se o plano de estabelecer uma Assembleia Legislativa dissidente no Ceará fosse executado a contento por Floro Bartolomeu, com a devida ajuda do padre Cícero, a intervenção federal estaria plenamente justificada, o que daria ao senador o ensejo de colocar depois disso quem bem entendesse no comando da política cearense. Se o projeto fizesse água e a Assembleia paralela fosse dissolvida a tiros por Rabelo, a responsabilidade pelo fracasso recairia inteiramente sobre as costas da dupla Floro e Cícero. Pinheiro Machado continuaria, impávido, a planejar novas deposições em seu gabinete no morro da Graça.

Floro levou 22 dias para chegar ao Ceará. Depois de zarpar em um vapor no Rio de Janeiro e desembarcar no porto paraibano de Cabedelo, decidiu que era mais seguro seguir por terra em direção ao Cariri, evitando assim o porto de Fortaleza. Contornou serras, atravessou rios, embrenhou-se no meio do mato. Alertado por informantes sobre a aproximação de Floro Bartolomeu, Franco Rabelo ordenou que a polícia guarnecesse as fronteiras estaduais. A determinação era para atirar antes e perguntar depois.

Cícero partiu em defesa imediata do amigo. Telegrafou ao Palácio da Luz para protestar contra a caçada que se anunciava contra Floro. O padre recebeu como troco um seco despacho do governo estadual. Rabelo afirmou que enviara patrulhas para as fronteiras com o propósito de dar combates a cangaceiros e evitar a entrada de qualquer outro indivíduo que quisesse subverter a ordem no Ceará: "Se o doutor Floro não tem tais intenções, nada tem a recear, podendo transitar livremente", ironizou Franco Rabelo.

Precavido, Cícero providenciou guias experimentados na região para conduzir Floro por meio de veredas abertas a facão no meio da caatinga. As estradas, vigiadas noite e dia por piquetes da polícia, foram evitadas. No dia 22 de novembro, um Floro Bartolomeu coberto de poeira da cabeça aos pés finalmente chegou ao Juazeiro, escoltado pelo bacharel paraibano José de Borba Vasconcelos, que o hospedara em sua propriedade e o acompanhara nos últimos momentos da travessia. Uma carta amarfanhada, trazida pelo doutor baiano no bolso do colete desde o Rio de Janeiro, foi entregue nas mãos de Cícero. Assinada pelo senador cearense Francisco Sá, ex-ministro da Viação e Obras Públicas do governo Nilo Peçanha e genro de Nogueira Accioly, a carta esmiuçava todo o plano e informava que já estava decidido quem seria o presidente estadual aclamado pela Assembleia Legislativa dissidente: "Para este cargo deve ser eleito quem mais se esforçou pelas medidas que estão sendo tomadas em favor da nossa política. Esse deve ser o próprio doutor Floro, cujo nome encontrará o mais decidido apoio federal".

Cícero ainda fez menção de recuar. Por alguns instantes, acreditou que pudessem estar cavando a própria sepultura. Floro procurou convencer o padre de que era aquilo ou a morte nas mãos do inimigo. Não restava mais tempo para hesitações. Os soldados de Rabelo arranchados no Crato ainda não haviam se decidido a atacar, mas as hostilidades eram cada vez mais ostensivas. Além do mais, não havia o que temer. Eles é que estariam do lado do poder e da ordem. Não eram subversivos, sustentou Floro. O governo da República garantiria a necessária retaguarda à ação. A intervenção federal viria logo a seguir, para dar proteção total ao Juazeiro e a sua gente.

O Céu também haveria de lhes dar razão, argumentou o doutor. Quantos romeiros ainda iriam morrer nas mãos dos soldados de Rabelo?

Cícero, enfim, concordou.

Deixava tudo nas mãos de Deus — e de Floro.

Franco Rabelo não gostou nada de saber que Floro, o atrevido comissário do padre Cícero, havia cruzado a fronteira incólume e retornado ao Juazeiro. "Chegam notícias de preparo levantamento sedicioso aí", telegrafou o presidente estadual ao sacerdote. "Apesar de aparelhado para sufocar qualquer tentativa dessa natureza, governo espera que Vossa Reverendíssima empregará esforços em bem da paz", apelou Rabelo.

A mensagem foi recebida por Cícero, mas quem cuidou de escrever a resposta foi Floro. Daquele dia em diante, o padre delegava ao doutor a responsabilidade total por sua correspondência política. De comum acordo entre os dois, seria Floro quem redigiria os telegramas referentes ao movimento, enviando-os com a assinatura do sacerdote. "Aqui não há preparo movimento sedicioso", negou Floro Bartolomeu, assinando-se Cícero Romão Batista.

Ao mesmo tempo, Floro redigiu uma carta sigilosa aos principais líderes marretas e aciolistas de Fortaleza, para combinar os detalhes da formação da Assembleia Legislativa dissidente. A carta, que continha todas as minúcias do plano idealizado no Rio de Janeiro, foi remetida por um mensageiro de absoluta confiança — um "positivo", como se dizia à época. Na correspondência, Floro orientava para que os parlamentares que faziam oposição a Rabelo em Fortaleza rumassem o mais rápido possível ao Juazeiro, para dar início à ação conforme ajustado no Rio com o senador Pinheiro Machado.

Em resposta ao aliado Floro Bartolomeu, os líderes oposicionistas da capital fizeram uma ponderação: era prudente esperarem pelo encerramento dos trabalhos legislativos do Congresso Nacional, dali a pouco menos de um mês, no dia 30 de dezembro, para só então colocarem o plano em prática. Com o parlamento em recesso, a conflagração no Ceará não chamaria tanto a atenção da opinião pública. Pelo menos o episódio não seria repercutido na tribuna por congressistas que, a exemplo de Rui Barbosa, viviam a apontar o dedo contra Pinheiro Machado.

A cautelosa sugestão dos líderes oposicionistas fortalezenses foi enviada pelo mesmo positivo, o comerciante Manuel Cardoso da Mota, vulgo Lolô, residente em Juazeiro. Mas Cícero e Floro jamais receberiam tal mensagem. Apesar do empenho em cumprir a missão que lhe fora confiada, o "positivo" não se deu conta de que um oficial de polícia o espreitava no caminho de volta. Lolô tomou o trem em Fortaleza e seguiu em direção à cidade de Iguatu, a cerca de quatrocentos quilômetros da capital cearense, onde terminavam os trilhos da estrada de ferro. De Iguatu ele completaria a viagem em montaria alugada até o Cariri. Contudo, numa das estações ferroviárias ao longo do primeiro trecho do caminho, Lolô distraiu-se e teve sua bagagem vasculhada pelo oficial, que encontrou a correspondência secreta na qual constavam todos os pormenores da conjuração.

Na tarde de 8 de dezembro, quando Lolô chegou ao Juazeiro e entregou dois envelopes, um a Cícero, outro a Floro, não havia nada escrito dentro deles para se ler. As cartas verdadeiras, trocadas pelo esperto oficial de polícia por folhas de papel em branco, já estavam em poder de Franco Rabelo. A trama fora inteiramente descoberta. O governo estadual possuía as provas condenatórias para finalmente ordenar o ataque ao Juazeiro do padre Cícero.

A cidade de Juazeiro amanheceu no dia 9 de dezembro debaixo de chuva torrencial. Dentro de casa, ilhados pela borrasca que caía lá fora, a maioria dos moradores nem desconfiava do que havia ocorrido durante a madrugada. Floro decidira antecipar-se à repressão. Com a ajuda de um grupo de jagunços armados e de um capitão da seção da Guarda Nacional recém-fundada em Juazeiro, invadiu o destacamento policial do município, recolheu todos os rifles que estavam no depósito oficial de armas e trancafiou os soldados sonolentos atrás das grades. A revolução havia rebentado.

"Pode deixar que eu assumo a responsabilidade e o comando das forças revolucionárias", disse Floro a Cícero. "Não me crie embaraços. Fique em casa rezando e mandando o povo rezar. É esse o seu papel nesta revolução."

Nas primeiras horas da manhã, assim que souberam do ocorrido, os líderes rabelistas de Juazeiro bateram em retirada debaixo da tempestade. Preferiram enfrentar o aguaceiro, os raios e as trovoadas a esperar para ver o que estaria reservado a eles depois que a polícia local fora desarticulada pelo imprevisível Floro Bartolomeu. O prefeito João Bezerra e o comerciante José André foram os primeiros a partir. Juntaram as famílias, colocaram poucos objetos em malas de mão e tomaram o rumo da estrada. Enquanto fugiam para o Crato, outros galopavam no sentido exatamente oposto. Caso do coronel Antônio Luiz Alves Pequeno, que resolveu se juntar aos revoltosos do Juazeiro, selando uma aliança estratégica com Cícero e Floro, seus ex-adversários à época da emancipação. O antirrabelismo falara mais alto do que as velhas rixas municipais.

O consórcio de Antônio Luiz com o movimento juazeirense vinha sendo acertado em surdina já havia algum tempo. Semanas antes, ele encaminhara para a cidade um carregamento de sessenta rifles, desmontados e enrolados em esteiras, como se fossem embrulhos de rapaduras, para ludibriar a vigilância policial. Junto a quinhentos cartuchos igualmente fornecidos pelo coronel cratense, as armas ficaram escondidas na casa que Cícero mantinha na serra do Catolé e no armazém onde funcionava uma máquina de beneficiamento de algodão, também de propriedade do padre.

A notícia do levante se espalhou rapidamente. Franco Rabelo telegrafou a Cícero responsabilizando-o pela agitação. Prometeu punir com severidade aquele desplante. Exigiu que o padre restaurasse as autoridades que haviam sido escorraçadas da cidade e que entregasse todos os implicados à ação da Justiça. A resposta oficial de Cícero — redigida por Floro Bartolomeu — recorreu à dissimulação: a força policial não teria sido agredida, os soldados é que haviam desertado espontaneamente. Além disso, ninguém expulsara João Bezerra e José André do Juazeiro. Eles teriam ido embora por escolha própria, "tão somente forçados pela consciência das culpas". Por fim, vinha a frase que reverberou nos candelabros do Palácio da Luz como um desacato: "Senhor Franco Rabelo, os representantes de seu governo são os únicos perturbadores da ordem pública".

Em reunião extraordinária, a influente Associação Comercial de Fortaleza decidiu fazer uma moção de protesto contra Cícero e remeteu-lhe um telegrama formalizando o desacordo da entidade classista, acusando o padre de dar abrigo na própria casa a "inimigos rancorosos do governo" e de comandar uma "plebe fanática". Mais uma vez, a réplica assinada com o nome de Cícero Romão Batista não economizou o verbo. "Recebi vosso insultuoso telegrama... Já estou acostumado com elogios e insultos, filhos de interesses pouco recomendáveis."

Para seguir as etapas do roteiro previamente traçado, Floro Bartolomeu enviou mensagem ao presidente Hermes da Fonseca no dia 11 de dezembro, mais uma vez fazendo constar o nome de Cícero como o presumido remetente. O objetivo do despacho telegráfico era abrir caminho para a intervenção federal no Ceará:

> Marechal Hermes, presidente da República.
>
> Respeitosamente me dirijo a Vossa Excelência para cientificá-lo do estado de anarquia que se encontra o interior do estado, promovido pelo governo arbitrário do coronel Franco Rabelo. Em todas as localidades desta zona desordeiros fardados sob comando de oficiais policiais agridem, desacatam cidadãos inermes, invadindo casas, desrespeitando famílias. Os viajantes interrompem suas viagens nas estradas pelos soldados que os espancam barbaramente, prendem, matam, violam correspondência, fazem enfim as maiores violências que se podem conceber.
>
> [...]
>
> Como brasileiro, republicano, sacerdote católico, amigo da paz e da ordem, confio que Vossa Excelência, em cuja vida honrada militar e tirocínio providencial tem sido intemerato defensor das instituições e da segurança no país, não consentirá que continue a ser massacrado

o povo cearense por um governo arbitrário e violento, que zombando da autonomia do Estado não respeita os direitos dos cidadãos garantidos pela Constituição nacional.

Respeitosas saudações,
Padre Cícero Romão Batista

No dia seguinte, com apenas cinco deputados presentes — a maioria deles não teve tempo de viajar ou não quis se arriscar em território conflagrado —, Floro Bartolomeu declarou aberta a Assembleia Legislativa dissidente. Apesar do quórum escasso, tudo parecia seguir o rumo preestabelecido, não fosse por um detalhe que deixou Floro preocupado com os destinos do movimento. Até ali Pinheiro Machado não se animara a apoiar publicamente a insurreição, embora tenha sido notificado por telegrama de que a revolta já estava nas ruas do Juazeiro. Uma escorregadia e lacônica mensagem do senador gaúcho deixava entender que ele assistiria a tudo de camarote, sem se comprometer na celeuma além do que já fizera:

Padre Cícero

Governo tem procurado evitar lamentáveis sucessos que estão afligindo população dessa região conflagrada por violências inomináveis.

Cordiais saudações,
Pinheiro Machado

A rigor, aquele telegrama não era garantia de absolutamente nada. Ao contrário do que Floro afiançou a Cícero, o governo federal os havia abandonado tão logo o conflito estourara. Porém, a esse ponto, não havia mais o que fazer. Mesmo sem o apoio estratégico do Catete era preciso seguir adiante e ver até onde tudo aquilo iria dar. Depois de desafiar as autoridades estaduais com tanta veemência, render-se significaria servir a própria cabeça numa bandeja a Franco Rabelo. Assim sendo, em 15 de dezembro, na mesma casa que servira de cenário para o Pacto dos Coronéis dois anos antes, Floro Bartolomeu fez-se nomear presidente paralelo do Ceará pela

Assembleia dissidente. A primeira vice-presidência ficou com José de Borba Vasconcelos, o paraibano que acompanhara Floro na viagem de volta ao Juazeiro. A segunda vice-presidência coube ao coronel Antônio Luiz.

No mesmo dia, o presidente da República foi oficialmente comunicado que havia uma dualidade de poderes no estado. Mas Hermes da Fonseca tinha mais com o que se preocupar: estava deleitando-se em uma romântica e tardia lua de mel. O marechal acabara de abandonar a vida de viúvo solitário. Aos 58 anos, casara uma semana antes com a caricaturista Nair de Teffé, trinta anos mais nova do que ele e mulher de ideias avançadas, que viria a promover saraus de maxixes com a compositora Chiquinha Gonzaga em pleno Palácio do Catete.

Enquanto o marechal se entregava aos braços da nova primeira-dama, Floro Bartolomeu apertava o rifle junto ao peito. Às nove horas da noite daquele 15 de dezembro em que se declarou presidente do Ceará, Floro recebeu uma mensagem vinda do Crato. O capitão Ladislau, chefe de polícia nomeado por Franco Rabelo, mandava dizer que estava a caminho. O recado, por escrito, vinha apimentado com um chiste ameaçador: "Doutor Floro, estou com seiscentos homens em armas. Prepare-se, meu velho, que hoje ou amanhã vou comer o capão que me ofereceu daí. Não sofra do coração, que o negócio está feito".

Em vez de ficar em casa apenas rezando como lhe recomendara Floro Bartolomeu, Cícero precisou agir. No dia anterior, durante a habitual bênção vespertina aos fiéis na janela de casa, ele conclamou o povo a defender o Juazeiro. Explicou que o governo estadual estava enviando armas modernas e centenas de soldados para trucidá-los. Quando chegassem, iriam querer destruir a casa deles, a igreja, quem sabe até quebrar a imagem de Nossa Senhora das Dores que estava no altar. Iam pôr fogo nos roçados, derrubar portas, violar suas mulheres, profanar a terra santa. Para evitar aquela injúria dos infernos, Cícero afirmou que todos teriam de dar sua cota de colaboração na resistência que o doutor Floro estava preparando. Nenhum amiguinho podia fugir à responsabilidade perante tamanha afronta ao povo simples de Deus.

Uma testemunha ocular da cena, o historiador cratense Irineu Pinheiro, descreveria os detalhes daquela preleção histórica. Cícero, com a mão esquerda entre os botões superiores da batina e a direita apoiada no peitoril da janela, falava com voz firme, mas pausada, como se sublinhasse cada frase, para que elas fossem retidas na memória e no coração daquela gente. De súbito, Cícero levantava a mão direita, fazia um gesto vigoroso, para dar mais ênfase à homilia.

Os devotos ouviam-no com lágrimas nos olhos, beijavam medalhinhas, empunhavam o rosário, espalmavam as mãos em direção ao padre e juravam não permitir tamanho sacrilégio. O padrinho exortava-os a se engajarem em uma guerra santa. Como fazia questão de lhes dizer, não iriam atacar ninguém, mas apenas defender o Juazeiro das balas do governo de Satanás.

Enquadrado no retângulo da janela, Cícero detalhou o plano. Na manhã seguinte, justamente na hora em que o sol aparecesse, todos deveriam levantar da cama e se reunir na praça defronte à igreja. Trouxessem todas as ferramentas que tivessem em casa e que servissem para cavar a terra: enxadas, pás, alavancas, picaretas. Trouxessem também baldes. Muitos baldes. Panelas também. Avisassem os vizinhos — e os vizinhos dos vizinhos. Na hora certa, na manhãzinha seguinte, ele explicaria o que deveriam fazer com todo aquele apetrecho.

Tal ideia havia sido dada por um tarimbado guerreiro. Dias antes, Floro Bartolomeu mandara chamar no município caririense de Assaré um famoso sobrevivente de Canudos. Antônio Vilanova, que fora um dos homens mais próximos a Antônio Conselheiro, viu-se convocado pelo doutor para ajudar a proteger a terra do *Padim Ciço*. Na guerra de Canudos, Vilanova foi um dos últimos a abandonar o arraial, já durante os derradeiros ataques do Exército. Saíra durante a noite, montado em um jumento que o conduziu até o Ceará, onde passara a morar desde então. Ao receber o convite de Floro para participar de uma nova guerra, Vilanova recusou-se a tomar parte no campo de batalha. Jurara a si mesmo nunca mais se meter em outra luta como aquela dos tempos de mocidade. Mas, pela devoção ao padre Cícero, sentia-se obrigado a dar sua contribuição. Desenhou então um plano mirabolante: a construção de um gigantesco fosso em torno do Juazeiro. Deveria ser aberta uma vala larga e profunda, contornando toda a cidade, para impedir o avanço dos soldados.

Parecia maluquice de um guerrilheiro aposentado. Mas Floro e Cícero concluíram que a ideia, por mais esdrúxula que pudesse ser à primeira vista, podia funcionar. Aos primeiros raios do sol do dia 15 de dezembro, conforme prescrevera o padre, a multidão de juazeirenses estava a postos com as ferramentas diante da igreja. Durante seis dias ininterruptos, debaixo de sol e chuva, pelas manhãs, tardes, noites e madrugadas, rezando ave-marias, pai-nossos e cantando benditos, a população inteira da cidade se entregou à tarefa. Os homens cavavam a terra. Mulheres e crianças transportavam a areia em baldes e panelas, para depois empilhá-la em montes de dois metros de altura, bem contíguos às valas que iam sendo abertas, formando uma inexpugnável trincheira. Naqueles morros gigantescos de areia fresca, eram introduzidos tubos de metal, por onde se poderia enfiar o cano de rifles em direção ao inimigo. Na falta de pás e enxadas para todos os braços, muitos ajudavam a revolver o solo com o que estava mais à mão, como machados e facões. As crianças menores e algumas beatas acudiam raspando o chão até mesmo com garfos e colheres trazidas da cozinha de casa.

O grande fosso, de nove quilômetros de extensão, com oito metros de largura e em alguns locais com até cinco metros de profundidade, ficou praticamente pronto ao fim do sexto dia de trabalho. A malha central do Juazeiro estava protegida pela trincheira, que serpenteava terreno adentro até alcançar a serra do Catolé. Em volta da casa do padre, no alto da colina, erguia-se uma poderosa muralha de pedra. Era, sem dúvida, uma obra engenhosa, extraordinária do ponto de vista da engenharia militar, principalmente se levados em conta o tempo exíguo e as ferramentas precárias com que foi construída.

Cícero abençoou o grande valado e resolveu batizá-lo com um nome que fizesse jus à fé com que fora edificado. Aquele não era apenas um fosso descomunal e uma imensa trincheira, que passara a envolver defensivamente o Juazeiro.

Era, nomeou Cícero, o "Círculo da Mãe de Deus".

Franco Rabelo sentia-se tão seguro com o apoio popular em Fortaleza que resolveu mandar todo o efetivo policial de que o Ceará dispunha para o Cariri. Não ficou um só soldado na capital. O total das forças policiais do estado seria concentrado no combate à cidadela do padre Cícero. Na falta de militares, o palácio do governo foi protegido por patrulhas de voluntários formadas por empregados do comércio, operários, pescadores, carroceiros e trabalhadores de rua.

Rabelo não queria correr o risco de ver a resistência de Canudos reeditada. A ordem era arrasar Juazeiro de um único golpe. Comandados pelo coronel do Exército Alípio Lopes de Lima Barros, mais quinhentos praças foram enviados nos vagões da companhia ferroviária até Iguatu. Depois, marcharam por 180 quilômetros de estrada, por cinco dias sob o sol cearense, conduzindo armamentos e bagagens, até finalmente entrar no Crato na manhã de 18 de dezembro, uma quinta-feira. A população cratense aglomerada nas calçadas aplaudiu efusivamente a chegada dos soldados, que se juntaram às tropas que já estavam ali sediadas sob o comando do capitão Ladislau. Eram ao todo, a partir de então, mais de mil homens em armas.

Apesar da extensa marcha a pé que aqueles novos praças haviam feito desde Iguatu, não havia tempo para descanso. Na sexta-feira, um dia após a chegada, o coronel Alípio telegrafou a Cícero, intimando-o a se render. Não recebeu nenhuma resposta. No dia seguinte, sábado, 20 de dezembro, mandou perfilar a tropa. A ofensiva iria ter início às dez da manhã, hora em que partiriam do Crato para o Juazeiro. Os soldados foram divididos em quatro companhias e, pontualmente, dirigiram-se em formação para a estrada. O coronel Alípio não tinha conhecimentos topográficos do terreno nem possuía um plano de guerra específico. Mas estava confiante. Dava a vitória como líquida e certa. Diante de tamanho contingente, imaginou que bastaria disparar uma saraivada de tiros para a jagunçada que estava do lado oposto correr assustada.

"Esse Juazeiro não vale nada. Logo na primeira investida, ficará estabelecida a confusão entre os jagunços. Na segunda, a debandada será geral. Depois, é só tocar fogo naquele covil", declarou o fiscal do batalhão, coronel Francisco Batista Torres de Melo.

Enquanto os soldados se aproximavam na estrada, Cícero falava ao povo na frente de casa. Mandava que todos fossem para suas residências ou para a igreja, a fim de rezar o rosário e pedir proteção a Nossa Senhora das Dores. Recomendou aos pais de família que protegessem a honra de seu lar com a própria vida. Não permitissem que durante a possível invasão à cidade os soldados satisfizessem seus instintos com suas esposas e filhas. As mulheres, especialmente as donzelas e beatas, deveriam fazer de tudo para impedir que seus corpos fossem profanados. Tivessem à mão fósforos e querosene. Se algum combatente inimigo quisesse violentá-las, não hesitassem em atear fogo às próprias vestes. Morreriam como mártires de Deus, padeceriam como santas, ganhariam a glória do Céu pela defesa de sua castidade.

Cícero explicou que a cidade estava bem guarnecida pelo Círculo da Mãe de Deus e pelos homens que o doutor Floro arregimentara pela região, com a ajuda do coronel Antônio Luiz. Mas não seria fácil para cerca de quatro centenas de cabras impedirem o avanço do milheiro de soldados que o governo estava mandando para atacá-los. Orassem então em voz alta 33 mil pai-nossos, cantassem o hino de Maria e recitassem a reza forte ao Sagrado Coração:

"Chagas abertas, coração ferido, sangue de Jesus se ponha entre nós e o perigo."

Ao ouvirem alocuções como aquela, muitos beatos e romeiros decidiram trocar o rosário pelo rifle. Um deles, o beato Vicente, que residia no alto da serra do Catolé, pegou um bacamarte boca de sino e seguiu para a trincheira. O beato Ricardo, que se vestia de frade com o cordão de são Francisco amarrado à cintura, despiu o hábito, travestiu-se de jagunço, pôs um chapéu de cangaceiro, beijou o bentinho pendurado no pescoço e saiu para se juntar à linha de frente.

"Quem for pra guerra confesse os pecados a Deus. Mas bem confessados mesmo. Porque assim, se morrer debaixo da bala de soldado, pode ter certeza que vai pro Céu", prometia Cícero.

Por volta do meio-dia, os juazeirenses ouviram os primeiros estampidos na entrada da cidade. As tropas do governo haviam chegado. Era muita gente e muito rifle, constataram os juazeirenses. Soldados a perder de vista, de fazer o chão tremer. Vinham cuspindo fogo.

6

Moedas de bronze são derretidas para fabricar a arma mortal: é o canhão da Besta-Fera

1913-1914

Às duas da tarde, começou a guerra. Ao chegarem ao Juazeiro, os homens do coronel Alípio de Lima Barros foram surpreendidos pela existência do enorme valado, do qual até então não tinham nenhuma notícia. Protegidos pelas trincheiras de até dois metros de altura, os comandados de Floro Bartolomeu mandaram bala contra os soldados, que logo amargaram as primeiras baixas.

"Não atirem à toa! Economizem munição! Só disparem para acertar!", recomendava Floro, que havia deixado o paletó no guarda-roupa e se vestia como jagunço, o chapéu quebrado na testa, o lenço vermelho em volta do pescoço e o rifle enfeitado de fitas. Montado em uma mula marrom, ele inspecionava a linha de frente e se certificava de que o Círculo da Mãe de Deus permanecia intacto.

Dentro de casa, ajoelhado diante do crucifixo, Cícero jejuava e ouvia o ribombar dos tiros. A toda hora chegavam informações sobre o conflito. Diziam-lhe que o beato Vicente, mesmo sendo cego de um olho, se revelara exímio atirador. Cada disparo de bacamarte que dava, espalhando chumbo para todo lado, era um soldado que tombava no chão. Ao invés de ficar abrigado atrás das trincheiras como os demais, o beato Vicente subia nelas, plantava o joelho na areia fofa e puxava o gatilho. Toda vez que fazia isso, já se podia encomendar a alma de mais um desgraçado para o Céu. O beato Vicente não estava errando nenhum tiro.

Outra arma eficaz contra a soldadesca eram as granadas de mão, improvisadas com garrafas de vidro preenchidas metade com pólvora e metade com pregos ou pedaços pontiagudos de ferro. Ateava-se fogo em um pavio de pano e jogava-se o artefato por cima do valado o mais longe possível. Seguia-se o estrondo e os estilhaços se espalhavam no ar, perfurando a carne dos inimigos. Os soldados, sangrando, buscavam proteção como podiam, atrás de árvores e arbustos.

O coronel Alípio não contara com tal reação. Muito menos com aquele surpreendente fosso. Como não conseguia enxergar o adversário, sua tropa estava atirando a esmo, sem oferecer ameaça alguma ao Juazeiro. Sentindo-se perdidos, muitos soldados haviam simplesmente debandado para dentro do matagal, recusando-se a servir de alvo fácil para a mira do rifle inimigo.

Às três da tarde, Alípio mandou distribuir mais cartuchos entre seus homens. A primeira bateria de balas, com a qual imaginara dobrar a resistência do Juazeiro, já estava no fim. Do outro lado da trincheira, os cartuchos vazios, já disparados, eram recolhidos pelos jagunços e beatos para serem recarregados prontamente. O coronel Antônio Luiz, com a experiência de quem já havia comandado no Crato um exército particular de pistoleiros, improvisou uma fábrica de munição em uma mesa de jantar numa das casas da cidade e ali montou uma linha de produção permanente.

As horas avançavam e o coronel Alípio esperava em vão pela chegada do capitão Ladislau. Estava combinado que Ladislau deveria seguir até Missão Velha para, de lá, arregimentar cerca de cem cabras, com os quais atacaria o Juazeiro pela retaguarda. Mas o capitão fracassara naquela missão, pois não conseguira reunir a tempo um número suficiente de homens dispostos a agredir os devotos do padre Cícero. Como escolhera combater o adversário de frente, exatamente onde ele estava mais fortificado pela presença do valado, Alípio cometera um erro estratégico. A confiança demasiada foi seu erro capital. Não mandara patrulhas avançadas para estudar o terreno, não prospectara as forças do inimigo, não previra um combate tão acirrado. Para completar o desastre, não dera a alimentação e o descanso necessários a seus homens após a marcha da estação ferroviária de Iguatu até o Crato. Os soldados estavam estropiados e famintos.

Às cinco da tarde, sem ter conseguido avançar um único centímetro em sua posição original, Alípio resolveu reunir os auxiliares imediatos para uma análise da situação. O quadro era desolador. Estavam sem poder de fogo. Os caixotes com cerca de 25 mil cartuchos que haviam levado para o campo de batalha estavam quase vazios. Já se contavam 82 baixas, entre mortos e feridos. Perto de escurecer, só restava uma opção: ordenar que o corneteiro fizesse soar o toque de retirada para evitar uma hecatombe.

Às nove da noite, a população do Crato não acreditou quando viu aqueles homens voltarem à cidade derrotados, maltrapilhos, com cara de espanto, como se acabassem de retornar do Inferno. Havia registros de inúmeras deserções, inclusive as de alguns soldados que simplesmente largaram a farda e passaram a combater ao lado do *Padim Ciço*. Outros vagavam pelo mato, perdidos ou apavorados, sem querer voltar. Quando tentou reunir os soldados para contabilizar o total de perdas, o coronel Alípio percebeu que não tinha mais uma tropa nas mãos, mas sim um amontoado de homens de moral esfrangalhado. Muitos nem sequer obedeceriam, naquela noite, ao toque de recolher. Teriam de ser caçados à base de ameaças, um a um, trôpegos de medo e de cachaça, na zona do meretrício do Crato.

Quando levaram a Cícero a notícia de que as tropas estaduais haviam dado meia-volta sem que fosse registrada nenhuma morte entre os combatentes do Juazeiro, o padre levantou as mãos para o céu em sinal de agradecimento. Nosso Senhor Jesus Cristo olhara por eles, expôs. O Círculo da Mãe de Deus resguardara os bons dos ímpios, os fracos dos fortes, os oprimidos dos opressores, concluiu.

Com a concordância de Cícero, Floro enviou dois telegramas ao Rio de Janeiro ainda naquela noite. O primeiro era para Pinheiro Machado. O segundo, para o presidente da República, Hermes da Fonseca. Comunicava-se a ambos sobre o ataque ao Juazeiro e pedia-se ajuda para evitar novas agressões. Enquanto a mensagem seguia para a capital federal, os juazeirenses comemoravam. Era certo que viria um segundo ataque. Mas estavam plenamente convencidos de que o poder de padre Cícero os livraria de todo o mal.

Um boato que corria entre a jagunçada, saído não se sabe ao certo de onde, passou a ser repetido pelas ruas da cidade: Nossa Senhora das Dores teria aparecido em uma visão ao padre Cícero. Ela dissera que dali por diante daria proteção total ao povo contra as balas de Franco Rabelo. Ninguém tivesse receio de morrer. Quem fosse alvejado de modo fatal em combate não devia ser enterrado, pois no terceiro dia iria ressuscitar, mais forte ainda, para pegar de novo no rifle em defesa do Juazeiro.

No primeiro dia de 1914, menos de duas semanas após o ataque, Cícero consentiu que um oficial do Exército tivesse acesso ao Juazeiro, na condição de observador neutro. Vindo de Fortaleza, o tenente José Armando Perdigão de Oliveira se apresentou como enviado da inspetoria da Região Militar sediada no Recife. Tinha como incumbência remeter ao Rio de Janeiro um relatório detalhado a respeito das reais circunstâncias em que se dera a conflagração. Na capital federal, as notícias publicadas pela grande imprensa acusavam Cícero de ter liderado uma chacina.

"No flagelado sertão cearense, terrível como a seca, explode uma guerra civil dirigida por um sacerdote", repudiava a revista *Careta*, uma das mais críticas e mais lidas à época, em sua edição especial de Natal.

> Enquanto em todas as outras terras cristãs ondulam incensos e soam bênçãos e preces, num pedaço do Ceará filhos de Cristo em luta contra filhos de Cristo mancham de sangue a terra brasileira, porque um padre, trocando as promessas do céu pelas coisas da terra, transviou para as baixezas da política os homens que deveria ter encaminhado para os esplendores da religião.

Cícero estava preocupado com a repercussão negativa do episódio. Em sinal de cortesia e boa vontade, recebeu o tenente Perdigão de Oliveira em casa, durante um jantar, quando argumentou que o Juazeiro apenas se defendera de um ataque criminoso desfechado pela polícia militar estadual. Cícero aproveitou o ensejo para reafirmar a fidelidade política ao Palácio do Catete e disse que bastava um gesto explícito de reprovação do presidente Hermes da Fonseca — ou a intervenção federal no Ceará, com o consequente afastamento de Franco Rabelo — para depor imediatamente as armas.

Desconfiado das verdadeiras intenções do visitante, Floro se intrometeu na conversa e achou que era conveniente dar uma demonstração de força ao oficial, que bem poderia se tratar de um espião inimigo. O doutor, que mandara telegramas de congratulações de Ano-Novo a Hermes da Fonseca assinando "Floro Bartolomeu da Costa, presidente do Ceará", interrompeu o jantar e avisou que organizara um desfile para mostrar ao tenente Perdigão o poderio militar do Juazeiro. Floro explicou que no meio-tempo entre o ataque da polícia e aquela data, 1º de janeiro, a cidade recebera ainda mais voluntários e alistara novos homens de toda a região para reforçar as trincheiras. Perdigão de Oliveira teve então a oportunidade de passar em revista a tropa mais singular na qual já pusera seus olhos de oficial do Exército brasileiro.

A "parada militar" preparada por Floro era desconcertante para os padrões de um soldado profissional. Compunha-se de cerca de 3 mil cabras, jagunços e cangaceiros, armados de rifles, fuzis, pistolas e bacamartes, mas também de cacetes e longos punhais que mais se assemelhavam a espadas. Muitos traziam costurados na aba do chapéu de couro, como enfeites, espelhinhos redondos e fitas vermelhas, além de medalhinhas com a efígie de Cícero pregadas na blusa à altura do peito para garantir proteção. Em vez de uniforme, vestiam desgrenhadas roupas civis. No lugar de rosto escanhoado e cabelo militar à escovinha, traziam barba malfeita, bigode espesso e cabelo em desalinho. Em vez de coturnos, usavam botas de vaqueiro ou simples alpercatas. Gritavam vivas ao *Padim Ciço* e xingamentos contra os "macacos", o apelido com o qual jagunços e cangaceiros se referiam aos policiais.

O tenente Perdigão, ciente do estrago que uma horda como aquela poderia fazer em um campo de batalha, explicou a Cícero que sua visita se devia a uma tentativa governamental de selar a paz entre o Juazeiro e Franco Rabelo. Floro meteu-se mais uma vez na palestra. Expressou abertamente seu estranhamento ao tenente Perdigão: não havia recebido nenhum aviso dos correligionários do Rio de Janeiro a respeito da chegada de um emissário de paz. Também não via nenhum sentido em selar um armistício àquela altura dos fatos. O governo federal sabia como evitar novos confrontos: bastava decretar a intervenção no Ceará. Do contrário só restava mesmo aguardar a polícia de Rabelo com a espingarda na mão.

"Esta paz de que o senhor está falando, tenente, não nos interessa. Ela ia significar apenas o nosso desarmamento e a continuação

O "exército" sertanejo, formado por jagunços, romeiros e cangaceiros, pronto para defender a terra do *Padim Ciço*. Abaixo, Floro (sentado no muro, o terceiro da esquerda para a direita) posa para a foto com alguns de seus liderados

de Franco Rabelo no poder. Nada feito", rejeitou Floro, convidando o tenente a deixar a cidade.

Horas depois, o mesmo Perdigão reunia-se no Crato com o comandante Alípio de Lima Barros. Contou com detalhes o que vira no Juazeiro e desaconselhou que, em tais condições, fosse feito um segundo ataque. Se com ampla superioridade numérica as tropas da polícia haviam se submetido a uma vexatória derrota, com os novos reforços obtidos por Floro a tarefa de invadir a cidade do padre Cícero se tornara simplesmente impossível. Seriam necessários, pelo menos, uns 4 mil soldados bem armados para desalojar a jagunçada por trás dos valados, calculou Perdigão.

Alípio repassou as informações para o Palácio da Luz, em Fortaleza. Franco Rabelo, porém, não as levou em maior consideração. Chamou Alípio à capital, destituiu-o do comando das tropas e avisou que acabara de promover o capitão Ladislau Lourenço a major. A ofensiva contra Juazeiro iria continuar. Mas, a partir daquela data, com novo chefe. O major Ladislau não iria tremer dentro das calças. Esmagaria os inimigos como piolhos. Ofendido, Alípio lançou fora as insígnias do boné, arrancou os galões da farda de coronel da polícia cearense e zarpou para a capital federal.

"O Ceará está anarquizado", definiu Alípio em entrevista ao jornal *O Imparcial*, do Rio de Janeiro.

Enquanto isso, no Crato, os soldados recebiam litros de cachaça como estímulo, após Ladislau reuni-los e anunciar que em breve iriam desferir um segundo ataque. Não desanimassem. Para ajudá-los, estava chegando da capital uma arma poderosa, que definiria a guerra a seu favor, prometeu.

A população de Fortaleza foi convocada a participar da campanha pela solução final. O comerciante Emílio Sá, dono de uma padaria na praça do Ferreira, no centro da cidade, foi o idealizador do plano. Ele solicitou que cada cidadão vasculhasse os próprios bolsos e depositasse as moedinhas que existissem em seu poder nas urnas espalhadas por estabelecimentos comerciais da capital cearense. Não interessava dinheiro em papel, apenas moedas de bronze, independentemente do valor de face que tivessem. A campanha surtiu o efeito esperado. Os fortalezenses se engajaram à causa com entusiasmo. Não se sabe exatamente o montante financeiro dos donativos — e isso era o que menos importava. O objetivo era mandar todas as moedinhas imediatamente para o forno de uma fundição. Com elas, foi moldada a arma fatal: um canhão de bronze, de cerca de meio metro de altura, com o qual se planejava explodir as trincheiras do Juazeiro e, em ato simbólico, bombardear as duas torres da capela de Nossa Senhora das Dores.

Na estação ferroviária de Iguatu, a população assistiu curiosa ao desembarque do canhão e de 150 homens provenientes de Fortaleza. Era a chamada "Guarda Cívica", um grupo voluntário de civis que Franco Rabelo enviara para reforçar o depauperado contingente policial que se encontrava no Cariri. Vinham sob o comando do ajudante de ordens do próprio Rabelo, tenente Mario Gomes, com a supervisão direta do secretário estadual de Justiça e Segurança Pública do Ceará, doutor José Martins de Freitas. Em caixotes com o brasão do Exército, levavam ainda 100 mil cartuchos, doados pela guarnição federal em Fortaleza, cujo comandante resolvera desobedecer à ordem do Catete de não se envolver no conflito.

Porém, a Guarda Cívica passou por maus bocados para conduzir ao Cariri o pesado canhão, mesmo com a ajuda de uma carroça puxada por uma parelha de bois. As fortes chuvas que caíam no Ceará naqueles meses haviam deixado as estradas enlameadas e quase intransitáveis, o que fazia a carroça atolar até o eixo a cada quilômetro do percurso. À proporção que os reforços lentamente se aproximavam, o major Ladislau tentava semear o medo na outra margem do valado, mandando imprimir um boletim ameaçador, embora um tanto quanto exagerado: "O Juazeiro vai ser bombardeado a dinamite por poderosos canhões vindos de Fortaleza com extraordinários reforços de soldados e de munição. Rendei-vos, ainda é tempo".

Sentindo-se desafiado em seus brios, Floro Bartolomeu decidiu escrever uma resposta à altura: "Lemos o imundo boletim que vocês, acovardados, fizeram circular. Fiquem sabendo que aqui ninguém tem medo dos seus canhões, nem das suas 100 mil balas, nem das suas dinamites", desdenhou. "Deixem de ser pulhas e venham, se têm coragem, para correrem pela segunda e última vez. Porque agora não daremos mais tréguas, podem ficar certos. Venham, venham, venham", desafiou.

Logo viria a tréplica. Ladislau dirigiu telegramas diretamente a Floro, remetidos com codinomes sonoros, a exemplo de "Antônio Facínora" ou "Manuel Caçador". Em uma dessas mensagens, Ladislau lançava a promessa macabra: "Floro, seu bandido. Nestes dias te mostrarei como se zomba de um governo. Tua cabeça irá para Fortaleza servir de exemplo aos outros miseráveis teus companheiros". Em outra, lia-se o aviso: "Floro, ladrão. Não terás a honra de morrer a tiros, mas sim sangrando no coração, miserável".

Naquela guerra de nervos, Franco Rabelo lançara uma ordem estratégica ao major Ladislau: antes de providenciar o segundo ataque e bombardear as trincheiras com tiros de canhão, ele deveria sitiar o Juazeiro durante algumas semanas, policiando todas as estradas de ligação do município. Não permitisse a chegada ali de novos jagunços e, em especial, não admitisse que o lugar fosse reabastecido de víveres por meio algum. Mais dia, menos dia, com quase 30 mil moradores, a cidade sitiada logo passaria a sofrer o assédio de um inimigo implacável: a fome. Depois de extenuar os juazeirenses pela falta de comida, a ofensiva teria muito mais chances de sucesso.

Feito o bloqueio das principais vias de acesso ao Juazeiro, travaram-se inúmeras escaramuças entre os homens de Floro Bartolomeu e os soldados do major Ladislau. Para obter mantimentos, Floro ordenou uma série de ataques-relâmpago ao paiol de sítios adjacentes, muitos deles abandonados pelos moradores desde o estopim do conflito. As investidas, típicas de uma ação de guerrilha, eram rechaçadas com violência pela polícia, mas surtiam resultado: enquanto uma frente mantinha aceso o tiroteio, outra entupia sacos e mais sacos de legumes, verduras e grãos. Em contrapartida, as forças juazeirenses começaram a contar as primeiras baixas. Em um assalto à localidade de Buriti, entre o Juazeiro e o Crato, tombaram seis jagunços, além do beato Ricardo, que morreu crivado de balas, agarrado ao rifle. Junto ao corpo, encontrou-se um chocalho, do tipo que se pendura no pescoço do gado. O beato tentara se fazer passar por um boi extraviado em pleno *front*, para se aproximar dos soldados e acertá-los a pequena distância. Foi descoberto e fuzilado antes que pudesse reagir.

A tática de saques a propriedades alheias provocou uma primeira grave altercação entre Floro Bartolomeu e Cícero Romão

Batista. O padre considerava que a pilhagem a terras particulares constituía furto e, por esse motivo, representaria uma infração ao sétimo mandamento da lei sagrada: "Não roubarás". Quando Cícero tentou argumentar que teriam de encontrar outra forma de abastecer a cidade naqueles tempos difíceis de guerra, Floro Bartolomeu perdeu o recato:

"Padre, você sabe que um movimento dessa ordem não se faz com conversas e encenações", gritou Floro. "Deixe de escrúpulos e me dê carta branca para resolver essa parada, se não quiser ser degolado pelos soldados da polícia."

Cícero baixou a cabeça e silenciou.

Um abismo chama outro. Além das severas repreensões públicas de Floro, Cícero tinha mais motivos para se mostrar abatido. Enquanto romeiros, cabras e jagunços se organizavam para defender o Juazeiro, a saúde da beata Maria de Araújo se achava por um fio. Crises frequentes de dispneia indicavam a progressão de alguma enfermidade de natureza cardíaca ou pulmonar. Deitada na rede, sem fôlego, a beata agonizava. Desde a volta de Cícero da viagem a Roma, dezesseis anos antes, Maria de Araújo continuava em completo ostracismo. Resguardada da curiosidade pública, a beata submetera-se ao silêncio obsequioso ordenado pelo Vaticano.

Os detalhes de sua existência cotidiana a partir de então se tornaram um completo mistério. Sabe-se apenas que ela continuava a comungar regularmente, mas não há nenhum registro documental de novos êxtases, de sinais de estigmatização, de transformações de hóstias em sangue. Maria de Araújo também deixara de morar na casa de Cícero e passara a residir em outra habitação modesta, distante um quarteirão e meio da capela de Nossa Senhora das Dores, na companhia de três beatas mais novas. Voltara às suas atribuições de cozinheira, doceira e lavadeira, com as quais tirava o sustento para comer e vestir. Cícero oferecia-lhe ajuda financeira, mas evitava trazer à tona as histórias dos proclamados milagres.

"Desde que o santo papa assim me exigiu, ninguém fala mais disso", desconversava o padre, sempre que alguém lhe indagava sobre o assunto.

No dia 17 de janeiro daquele ano de 1914, um sábado, em plena conflagração armada no Juazeiro, vieram dar a notícia a Cícero. Maria de Araújo soltara um gemido gutural, pusera a mão no peito e tombara o corpo na rede pela última vez. Estava morta, aos cinquenta anos de idade.

Cícero decidiu fazer-lhe a última homenagem, ordenando que seu caixão de cedro fosse sepultado em um jazigo dentro da capela de Nossa Senhora do Perpétuo Socorro, o pequeno templo que fora concluído com a intervenção de Floro e que continuava sem licença eclesiástica para funcionar. Apesar da vida discreta que a beata levara nos últimos anos, o féretro reuniu uma multidão, incluindo Cícero e figuras políticas do Crato que, a exemplo do coronel Antônio Luiz, estavam refugiadas no Juazeiro. Muitos jagunços e cangaceiros com o rifle no ombro também foram se ajoelhar, chorar e rezar ante o túmulo da finada Maria de Araújo.

Nos valados, comentava-se que poucas horas antes de morrer a beata se oferecera a Deus em sacrifício. Dera sua vida, de bom grado, pela salvação do povo do Juazeiro. Ninguém duvidava que naquele instante Maria de Araújo estaria no Céu, sentada em um trono de luz ao lado de Jesus Cristo e de Nossa Senhora das Dores. Com certeza, ela também ajudaria a proteger a todos do fogo, da bala de rifle e do tiro de canhão. Naquela noite, até os mais perversos dos jagunços entoaram os chamados cantos de sentinela, os hinos religiosos com os quais os beatos encomendavam a alma dos moribundos à Virgem:

Oh! Mãe Gloriosa,
Oh! Mãe do Juazeiro,
Oh! Mãe virtuosa,
Oh! Mãe dos romeiros!

Tem uma beata santa,
Na matriz do Juazeiro,
Meu Padim Ciço Romão
É rei do mundo inteiro!

Parecia o ronco de um trovão. Só que não vinha do céu, mas do fundo da terra. O estrondo foi tão forte que sacudiu as folhas das árvores. Imediatamente depois, ouviram-se o chiado e o longo assobio no ar. Quando o projétil passou chispando sobre a trincheira, os juazeirenses entenderam o que se passava. O canhão de Franco Rabelo estava atirando contra eles. Uma, duas, três, quatro, cinco vezes. Era ensurdecedor, de perder o juízo.

A despeito de tão assombroso barulho, o alcance dos arremessos mostrou-se bem menor do que se imaginava. Um ou outro disparo alcançava certa altura e a bola de chumbo quente passava zunindo por sobre o telhado das casas localizadas mais próximas ao valado. Não ia muito além disso. O efeito era mais de ordem moral do que bélico — e só logrou sucesso após os primeiros rugidos. Em poucos minutos, percebendo que a anunciada arma mortífera fazia mais zoada do que estragos, os jagunços começaram a se divertir com a balbúrdia.

"Xô, maldita!", gritavam eles, entre gargalhadas, a cada novo disparo que voava sobre a cabeça deles.

O canhão de Emílio Sá se revelara um espalhafatoso malogro. Dias antes, logo que a Guarda Cívica chegou ao Cariri, fora feito o primeiro disparo de teste, com pólvora seca, ainda nas ruas do Crato. O resultado havia sido o mais desastroso possível. O coice provocado pelo disparo fez o canhão praticamente desintegrar a carroça de madeira no qual estava assentado. Ao mesmo tempo, subira uma imensa fumaceira. Quando a fumaça baixou, constatou-se que a força do baque havia feito o canhão virar ao contrário. A boca de bronze estava apontando para o lado oposto. Muitos soldados interpretaram aquilo como um sinal: Deus talvez quisesse mostrar que quem atacava o *Padim Ciço* acabava sendo vítima do próprio veneno.

O canhão foi tirado de sobre os destroços da carroça e providenciou-se para ele um estrado com rodas de ferro, antes de ser mandado para a frente de combate. O major Ladislau estava consciente de que, com aquela geringonça, não iria conseguir atingir as torres da capela do Juazeiro. No máximo, a barulheira infernal iria assombrar a jagunçada do padre Cícero. Portanto, era exatamente essa a intenção dos disparos que estavam sendo feitos contra as trincheiras, naquela investida a partir do sítio Macacos, a poucos metros de distância do valado. Em 21 de janeiro de 1914, uma quarta-feira, após pouco mais de uma semana de cerco, Ladislau resolvera contrariar a resolução oficial de prolongar o bloqueio e ordenou o ataque com uma coluna avançada. Seu contingente estava reforçado pela Guarda Cívica, por dezenas de cabras cedidos por coronéis rabelistas e por cerca de vinte sentenciados da Justiça, que se encontravam presos na cadeia do Crato mas foram postos em liberdade em troca do engajamento no conflito.

Do outro lado da trincheira, Floro ordenou que ninguém revidasse. Fizessem silêncio. Deixassem os soldados esgotarem ao máximo a munição. Os policiais estranharam a ausência de revide e começaram a desfechar pesadas cargas de fuzil contra o valado. Novamente, ninguém respondeu. Ao anoitecer, Ladislau deu ordem de cessar fogo. Estava intrigado pela completa falta de reação. Mandou erguer acampamento e foi se regalar com uma garrafa de cachaça que havia trazido no alforje. Dormiriam ali mesmo, em pleno teatro de guerra, para fazerem uma investida no terreno inimigo na manhã seguinte.

Mas não houve manhã seguinte. Na madrugada, os jagunços de Floro Bartolomeu escalaram a trincheira, ultrapassaram o fosso, esgueiraram-se pelo solo e, protegidos por trás de pedras e de um espesso bambuzal, deram bom-dia aos homens de Ladislau em 22 de janeiro, quinta-feira, com tiros quase à queima-roupa. A debandada foi geral. A tropa recuou como pôde, trocando tiros e arrastando o canhão que passara a ser um fardo inútil, mas cujo simbolismo recomendava não deixá-lo cair na mão do inimigo.

De quando em vez, ouvia-se o brado:

"Viva Franco Rabelo!"

Os soldados se aproximavam desordenadamente, julgando que reforços estavam chegando. Mas eram novamente surpreendidos pelos jagunços e romeiros, que na verdade os atraíam para ciladas e depois urravam o verdadeiro grito de guerra:

"Viva o *Padim Ciço*!"

Seguia-se a saraivada de balas. Nem mesmo quando conseguiam livrar-se temporariamente do contra-ataque e se acantonavam em algum lugar próximo, os homens de Ladislau tinham algum instante de sossego. Encurralados, assistiam terrificados às chuvas de objetos estranhos que caíam sobre o acampamento improvisado. Eram contas de rosário, pedaços de chifres de animais e lascas de vela derretida lançados em disparos de bacamarte sobre eles.

"Segura isso, soldado do Cão!", gritavam os jagunços.

"Toma, macaco do Rabelo!", ouvia-se.

Aquilo assustava mais do que o barulho do tiro. Os soldados ficavam apavorados com a mandinga e fugiam para o fundo do mato.

Às 11 da manhã, um ainda ressacado major Ladislau conseguiu reunir a tropa — ou o que restara dela — e logo depois ordenou a retirada em direção à cidade de Barbalha. Os oficiais quiseram saber se ele não se enganara, se a ordem não seria dirigir a coluna de volta para o Crato. Ladislau gritava que não, com os olhos vermelhos e esbugalhados. O destino era mesmo Barbalha. Não iriam prosseguir o cerco. Estavam batendo em retirada definitiva. Era chegada a hora do salve-se quem puder.

Em Barbalha, o major subiu numa calçada mais elevada e falou aos homens que o haviam acompanhado:

"Camaradas, é triste confessar; mas o padre Cícero ganhou a guerra."

Ao ouvirem aquelas palavras da boca do comandante, os soldados começaram a despir as fardas e as empilharam no chão.

Ladislau deu-lhes um último conselho:

"Deus é grande, o padre Cícero é maior. Mas o mato é maior ainda do que os dois juntos. Cada um cuide de si e ganhe o matagal."

Um dia depois, 23 de janeiro, sexta-feira, Floro Bartolomeu pegou Cícero pelo braço e o conduziu até a janela. Lá fora, os jagunços, beatos, cabras e cangaceiros vitoriosos se ajoelharam em reverência ao sacerdote. Vinham pedir-lhe a bênção, antes de partir para a missão que o doutor encomendara. Floro decidira que não ficariam mais na defensiva, esperando que o governo estadual arranjasse meios de enviar uma terceira expedição de guerra. Não cometeriam o mesmo erro de Antônio Conselheiro. Não se deixariam sitiar novamente, não mais sofreriam com a falta de comida. O Juazeiro partiria para a ofensiva. Estava decidido. Iriam atacar o Crato.

Cícero fez o sinal da cruz:

"O Crato é minha terra, meu torrão natal. Só permito um combate como esse para tanger de lá os meus inimigos, de uma vez por todas. Eles querem cortar minha cabeça, acabar com os romeiros e destruir o Juazeiro, esta terra santa de Nossa Senhora das Dores."

Bem à frente dos homens que escutavam Cícero, destacava-se um negro retinto, cigarro de palha à boca. Era Zé Pedro, o comandante nomeado por Floro para liderar a primeira das três colunas no planejado assalto ao Crato, composta de 250 jagunços. O padre conhecia bem a fama daquele indivíduo, tido como um dos cangaceiros mais atrevidos de todo o Cariri. Certa vez, em meio a uma arruaça, um policial ousou dar-lhe voz de prisão. Ao ouvir o clássico "*teje* preso", Zé Pedro desferiu um bofetão no militar e se viu cercado de outros quinze praças. Não se rendeu. Puxou o punhal de três palmos da cintura e, com ele, riscou uma circunferência no chão, em torno de si. "Quem pisar nesta risca morre!", avisou. Todos recuaram.

Mas, naquele exato momento, ajoelhado que estava à janela do padre, Zé Pedro parecia um beato. Pusera o rifle e o punhal do lado para beijar o rosário.

Cícero também reconheceu no grupo o caboclo Manoel de Chiquinha, um homenzarrão alto e corpulento, vestido até com certo aprumo, o chapéu à Napoleão Bonaparte, enfeitado no alto com uma rosa vermelha. Era um dos capangas do antigo bando do paraibano Augusto Santa Cruz que passara a morar no Juazeiro. Trazia a tiracolo um bornal cheio de balas, enquanto na cintura a pistola da marca Colt fazia companhia ao punhal com cabo de prata e ouro. Floro nomeara Manoel de Chiquinha também como um dos comandantes do ataque ao Crato. Era ele quem ficaria responsável pela segunda coluna, à frente de outros 250 homens.

A terceira coluna, enfim, seria liderada por Zé Terto, jagunço célebre, um dos mais destemidos durante a refrega contra as tropas do major Ladislau. Terto lideraria também 250 combatentes. Juntas, portanto, as três colunas somariam 750 homens. Era o suficiente, explicou Floro a Cícero. O restante ia ficar na retaguarda, protegendo o Juazeiro. Zé Pedro seguiria na frente com seu pessoal, para disparar alguns tiros iniciais e medir o poder de fogo do adversário. Previa-se alguma resistência, pois as informações davam conta de que cerca de cem cabras fiéis aos líderes rabelistas ainda faziam a guarda da cidade, após o completo desarranjo das forças estaduais. Para completar a ofensiva de Zé Pedro, se fosse preciso, Manoel de Chiquinha e Zé Terto atacariam pelos flancos, aniquilando o inimigo.

Estavam prontos para partir. Só faltava a bênção do padre. Cícero fez novamente o sinal da cruz, rezou uma ave-maria e recomendou:

> Vão. Não bebam cachaça, para não fazerem besteira. Não atirem à toa, pois todos sabem que não dispomos de muita munição. Chegando na entrada da rua do Crato, não queiram penetrar logo na cidade, demorem um pouco, dando tempo para as famílias se retirarem. Deixem fugir também os soldados que não quiserem guerrear. Não persigam, de maneira nenhuma, os fugitivos. Deixem livres os caminhos do seminário e da casa de caridade. Não importunem quem quiser se refugiar lá dentro.

Os jagunços balançavam a cabeça em sinal de afirmação, para dizer que estavam entendendo o recado. Mas ergueram os rifles, para serem abençoados. Para eles, aquela era uma guerra santa. Cícero prosseguiu:

> Respeitem a casa do vigário Quintino e qualquer pessoa que vá se esconder nela. Não destruam as residências e muito menos matem pessoas que não estejam em combate. Não tirem o alheio. Deixem em paz aquilo que não é de vocês. Se *tiverem* com fome e encontrarem comida, podem comer. Mas não roubem. Quem rouba não se salva.

Floro considerava ridícula aquela última sugestão. Estavam em uma guerra, repetia. Quem o inimigo poupa nas mãos lhe morre, acreditava o doutor. Mas, afinal, deixou Cícero concluir o sermão:

"Sigam meus conselhos. Vão com Deus, confiantes nas orações dos que ficarão aqui rezando pelo nosso êxito e pela nossa vitória. Podem ir. Vão. Mas vão com Deus e a Virgem Maria!"

Sob o comando de Zé Pedro, Zé Terto e Manoel de Chiquinha, aqueles 750 homens seguiram em fileiras para a estrada, com armas ao ombro. Quando todos já haviam partido, Cícero fechou as janelas de casa e, em seguida, trancou-se no quarto. Queria ficar sozinho, avisou.

O padre parecia transtornado. A beata Mocinha contaria depois que olhou pelo buraco da fechadura para se certificar de que o "padrinho" estava bem. Viu então a cena que jamais esqueceria. Cícero, desassossegado, empunhava o crucifixo em direção ao Crato, traçando com ele largos gestos, como se desenhasse várias cruzes no ar.

7

Uma guerra santa tinge de sangue o chão sertanejo: "Por meu *Padim*, vou *inté pro* Inferno"

1914

"O Zé Pedro é doido!", grunhiu Floro Bartolomeu, enquanto andava de um lado para o outro na sala de Cícero. O líder cangaceiro desobedecera às ordens do doutor. Em vez de medir primeiro as forças do adversário e fazê-lo gastar munição sozinho, Zé Pedro já chegara ao Crato atirando. Invadiu as ruas do subúrbio e seguiu em direção ao centro da cidade, abrindo caminho à bala. Poucas horas depois, o afoito Zé Pedro já estava pedindo reforços. Era preciso que as colunas auxiliares comandadas por Manoel de Chiquinha e Zé Terto entrassem em ação antes do momento previsto.

"Agora é melhor rezar, padre", dizia Floro a Cícero, quando os primeiros baleados começaram a chegar, deitados em redes de dormir, suspensas por varas, nos ombros de carregadores.

A resistência mostrou-se renhida. O Crato estava guarnecido por apenas sessenta homens, contados os poucos soldados que não haviam desertado com o major Ladislau e a cabroeira emprestada pelos coronéis locais. Mas todos estavam bem protegidos, empoleirados nas janelas superiores dos sobrados da cidade. Do alto, tinham uma visão privilegiada dos invasores. Atiravam também do meio da rua, por trás de sacas de algodão que lhes serviam de barricada.

Enquanto o apoio não chegava, Zé Pedro tentava avançar pouco a pouco. Arrombava casas, esgueirava-se de uma residência para outra, conquistava cada palmo de território na unha, esquina após esquina, rua após rua. Os moradores, ao som dos primeiros tiros, haviam deixado tudo para trás, de forma atabalhoada. Ninguém atirou neles, conforme recomendara o padre.

O maior desafio para Zé Pedro era reabastecer a cartucheira de seus comandados para seguir na investida. Quando já estavam quase sem poder de fogo, receberam a ajuda providencial de um morador do Crato, simpatizante de Cícero e amigo do coronel Antônio Luiz. O comerciante Américo de Oliveira havia adquirido ilegalmente um carregamento de 5 mil balas junto aos soldados do major Ladislau, em troca de vários litros de cachaça. Em pleno ataque, Américo colocou toda aquela provisão em poder dos homens de Zé Pedro, que ganharam fôlego novo na batalha.

Seguiu-se então um dia inteiro de fogo cruzado. Somente ao anoitecer daquela sexta-feira, 23 de janeiro, houve um cessar-fogo temporário, interrompido de quando em vez pelo estampido de algum tiro perdido no meio da noite ou pelo resfolegar de uma insolente sanfona, levada para a linha de frente por um dos guerreiros de Zé Pedro. Na crônica oral da guerra, há várias menções ao anônimo sanfoneiro que abraçava o fole e arriscava alguns versos para assustar o inimigo e, ao mesmo tempo, para manter elevado o moral dos camaradas:

O Juazeiro todo o ano
bota sombra pros amigos,
mas bota também espinhos
pra ferir os inimigos...

Quando amanheceu o sábado, já com os reforços de Zé Terto e Manoel de Chiquinha a postos para a luta, Zé Pedro constatou que parcela considerável dos adversários havia abandonado a posição e deixado desprotegida a zona central do Crato. Com o sinal de um tiro para o alto, o cangaceiro ordenou o ataque. Um dos primeiros prédios a serem invadidos foi o da cadeia pública. As grades foram quebradas e os prisioneiros libertados. Um dos encarcerados, barba fechada, cabeleira suja crescida até o ombro e cheia de piolhos, exigiu:

"Me dê um rifle!"

Diante da negativa de Zé Pedro, o homem repetiu, rangendo os dentes:

"Com todos os diabos, me dê um rifle, senão eu tomo um de vocês."

Só então Zé Pedro reconheceu o interlocutor. Era o cangaceiro Zé Pinheiro, um facínora que se jactava de ser o "cabra mais ruim do mundo", a Besta-Fera em carne e osso:

"Eu, me danando, troco tiro até com Nosso Senhor", blasfemava Zé Pinheiro.

Quando Zé Pedro enfim reconheceu o velho camarada por trás da barba desgrenhada de prisioneiro, deu-lhe um abraço apertado e entregou-lhe o rifle que pedia. Tinha certeza de que Zé Pinheiro faria "bom uso" da arma, juntando-se a eles em nome do *Padim Ciço*. Nem precisou falar duas vezes. Naquele instante, o exército sertanejo de Floro Bartolomeu ganhava mais um intrépido comandante.

Por volta das dez da manhã, a última trincheira cratense sucumbiu ao ataque simultâneo de Zé Pedro, Manoel de Chiquinha, Zé Terto e — a partir de então — Zé Pinheiro. Excitados pela vitória, os cangaceiros romperam as portas das principais lojas da cidade e iniciaram um saque generalizado ao comércio. De início, a pilhagem resumiu-se aos gêneros alimentícios — feijão, farinha, arroz, milho, carne, rapadura —, itens que escasseavam na mesa dos juazeirenses desde o cerco feito pelas tropas do major Ladislau. Mas o fato de o Crato se encontrar entregue ao deus-dará, sem policiamento e sem autoridades, abriu espaço para a tática da terra arrasada. Milhares de sacas de grãos, além de centenas de cabeças de gado, foram transportados de uma cidade para outra. Residências particulares também foram invadidas e inteiramente depredadas. Uma multidão de aproveitadores ocasionais invadiu a cidade. Pelas ruas, viam-se populares carregando vestidos finos, prataria, porcelana importada e até mesmo móveis de luxo e objetos de decoração. Lojas de tecidos e armarinhos foram igualmente roubados. Os cratenses assistiam a tudo estarrecidos.

Apesar dos inúteis protestos de Cícero, a divisão do butim era feita com a aquiescência de Floro Bartolomeu, que dizia ser absolutamente natural que os despojos de uma guerra passassem às mãos do vencedor.

"Vou mandar tocar fogo em tudo aquilo que não conseguirem levar para o Juazeiro", avisou.

Se Cícero não aprovava os saques, também não conseguia evitá-los. Segundo o testemunho histórico do mestre Pelúsio Macedo, reconduzido por Floro ao cargo de telegrafista do Juazeiro, o sacerdote ficou constrangido ao receber mensagens de congratulações de vários aliados políticos pelo triunfo arrasador contra o Crato. Exilado no Rio de Janeiro, o ex-presidente Nogueira Accioly foi um dos primeiros a cumprimentar Cícero pelo sucesso e pelo "esforço patriótico" de "começar a libertar o Ceará". Enquanto isso, os atos de vandalismo continuavam. Muito do que não foi furtado seria destruído. Utensílios domésticos eram queimados ou estraçalhados a pauladas. Apenas imagens de santos e oratórios particulares foram poupados.

Uma das poucas casas do Crato a serem preservadas foi o sobrado do coronel Antônio Luiz Alves Pequeno. O próprio coronel consentiu que Zé Pedro entrasse lá, com a devida orientação para que pusesse abaixo a parede de um dos quartos do andar térreo. Havia ali, revelou o coronel, um compartimento secreto. Por trás dos tijolos, ocultava-se um depósito de armas, que Antônio Luiz conservava emparedadas desde os tempos de suas contendas políticas com o coronel Belém de Figueiredo, a quem dez anos antes derrubara do poder na cidade. A parede falsa foi demolida e, com isso, cerca de mais duzentos rifles e outros 20 mil cartuchos foram incorporados às forças do Juazeiro.

Depois de quase reduzir o Crato a ruínas, Floro ordenou que Zé Pedro, Zé Terto, Zé Pinheiro e Manoel de Chiquinha seguissem com seus homens para Barbalha, para onde haviam recuado as tropas de Ladislau após a segunda ofensiva frustrada contra o Juazeiro. Era preciso garantir que a polícia não se reorganizasse com vistas a um possível terceiro ataque. Todavia, quando a jagunçada chegou àquele município, no dia 27 de janeiro, terça-feira, encontrou um cenário de cidade-fantasma. Após a debandada dos soldados de Ladislau, a população havia fugido, levando consigo apenas a roupa do corpo. Longe dali, milhares de barbalhenses perambulavam em grupos pela estrada, rumo ao Iguatu. Mães apavoradas levavam os filhos menores ao colo. Os homens, sem meios de reagir, seguiram o mesmo caminho. Nenhuma viva alma ficara para enfrentar os invasores.

Barbalha foi devastada. Os saques que ocorreram no Crato se repetiram ali com idêntica ferocidade. Lojas e residências foram arrombadas a machadadas e novos comboios de gêneros alimentícios

O canhão de bronze confeccionado em Fortaleza para combater o Juazeiro cai nas mãos das tropas organizadas por Floro Bartolomeu. Abaixo, a mesma peça de artilharia, como se encontra no Memorial Padre Cícero, em Juazeiro do Norte

— mas também de móveis, roupas e tecidos — seguiram em direção ao Juazeiro. Na delegacia da cidade, havia ficado apenas uma testemunha solitária e silenciosa da fuga: o canhão de bronze, deixado pelos soldados enterrado na areia, na vã esperança de que não fosse descoberto. A camuflagem improvisada não funcionou. A terra revolvida denunciou o artifício.

O canhão logo foi desenterrado e levado em festa para o Juazeiro. Entregue a Floro Bartolomeu, a peça de artilharia foi parar no fundo do quintal da casa de Cícero, como troféu particular de guerra.

"Eu sou neutro, a favor do padre Cícero."

A frase, atribuída pela imprensa carioca ao presidente da República, Hermes da Fonseca, ilustrava bem a situação. O Exército brasileiro dispunha de 1500 soldados na guarnição federal de Fortaleza, mas todo esse contingente permanecia imóvel, em eterno estado de prontidão, enquanto uma violenta guerra civil campeava no sul do estado. Por mais de uma vez, Franco Rabelo solicitara apoio aos "calças vermelhas" — como eram chamados os soldados do Exército, por causa do característico fardamento da época. Mas os requerimentos do governo estadual iam parar na cesta de lixo do então ministro do Interior, Herculano de Freitas, que alegava a impossibilidade constitucional de o Exército ficar submetido às ordens de um governo estadual. "O Ceará ainda vai ficar conhecido como as ruínas de Herculano", tripudiou a revista *Careta*.

Se já ficara subentendido que o Palácio do Catete havia tomado o partido do Juazeiro, logo viria a confirmação explícita de que Franco Rabelo era considerado carta fora do baralho pelas autoridades federais. Sob pretextos burocráticos, todo e qualquer armamento que chegava pelo Porto de Fortaleza com destino à polícia local era confiscado pela alfândega, por ordens expressas do ministro da Fazenda, Rivadávia Correia. Depois disso, a única alternativa que restava a Rabelo para garantir alguma sobrevida no poder era recorrer ao contrabando de armas, utilizando rotas clandestinas nas fronteiras com o Rio Grande do Norte e Pernambuco.

Ao mesmo tempo, Rabelo colocou suas últimas esperanças nas mãos do capitão José da Penha Alves de Sousa, um calça vermelha

Num. 297 Sabbado 7 de Fevereiro de 1914 Anno VII

GRANDE PREMIO NA EXPOSIÇÃO NACIONAL DE 1908

— Você completou a obra mandando prender na Alfandega as armas do Franco Rabello. Eu sou neutro a favor do Padre Cicero.

Na charge da revista carioca *Careta*, o presidente da República, Hermes da Fonseca (de óculos, ao centro), elogia o ministro da Fazenda, Rivadávia Correia (à frente, de bigode), que impediu o governo cearense de reagir ao avanço das tropas que haviam partido do Juazeiro que ousou não se submeter à ordem federal de permanecer alheio ao conflito. Jota da Penha, como era mais conhecido, fora um dos propagandistas mais entusiasmados da candidatura militarista do marechal Hermes da Fonseca ao Catete. Por esse motivo, estava revoltado com a inércia do governo federal em relação ao levante do Juazeiro. Sem demora, o capitão respondeu ao apelo de Franco Rabelo para alistar voluntários em Fortaleza e com eles comandar uma nova Guarda Cívica. Uma centena de cidadãos, incluindo inspetores de quarteirão e guardas civis, atenderam ao chamado. O pequeno e despreparado contingente foi enviado em uma missão quase suicida pela estrada de ferro com destino à estação terminal de Iguatu. Era exatamente para lá que também se dirigiam os homens dispostos a matar e morrer em nome do padre Cícero.

Floro Bartolomeu não havia se contentado com o saque ao Crato e a Barbalha. Mandou invadir também os municípios caririenses de Jardim e Missão Velha. Depois de seus homens dominarem o Cariri praticamente inteiro, ordenou que seguissem adiante. Com a polícia estadual inteiramente desarticulada, Floro arquitetou um plano ousado: enviar os jagunços, cabras e cangaceiros para Iguatu, a fim de que tomassem a estação ferroviária local e, de lá, seguissem a todo o vapor em composições de passageiros e vagões de carga até a capital estadual. A meta passara a ser conquistar Fortaleza. Floro Bartolomeu dizia que o Juazeiro iria enfrentar Franco Rabelo em pleno Palácio da Luz, à base de mosquetão.

Viajando pelos trilhos, o capitão Jota da Penha e seus homens conseguiram chegar primeiro a Iguatu. Ganharam a corrida contra o relógio, mas logo desconfiaram que talvez houvessem caído em uma arapuca armada pelo governo federal. Por uma repentina resolução do Ministério da Viação e Obras Públicas, a estação terminal de Iguatu foi provisoriamente desativada. Jota da Penha supôs que a medida tinha como único objetivo deixar a Guarda Cívica ilhada, sem transporte por mais de cinquenta quilômetros, em caso de precisar de apoio ou de bater em retirada pela via férrea.

Naquela situação de emergência, era preciso agir rápido. Previdente, o militar apoderou-se de um trem pagador estacionado em Iguatu e transferiu seus comandados alguns quilômetros para o norte, à altura da localidade de Miguel Calmon (mais tarde a cidade de Piquet Carneiro). Ali, além de contar com uma estação ferroviária em plena atividade, Jota da Penha considerou que as condições topográficas do terreno lhe dariam maior garantia para o combate aos rebeldes. Eles estavam a caminho, vindo a pé desde o Cariri, deixando atrás de si um rastro de terror e destruição.

Não tardariam a chegar — e estavam muito mais bem organizados do que no assalto ao Crato. Floro Bartolomeu evitou daquela vez deixar o comando sob a responsabilidade dos arrebatados chefes cangaceiros, embora Zé Terto, Zé Pedro, Zé Pinheiro e Manoel de Chiquinha ainda compusessem a vanguarda da expedição e encabeçassem batalhões próprios. Foram estabelecidas duas grandes colunas. A primeira era comandada pelo doutor paraibano José de Borba, que se tornara homem da mais irrestrita confiança de Floro. A segunda, por Pedro Silvino de Alencar, chefe político do município de Araripe e um dos signatários do Pacto dos Coronéis, em 1911. A dupla Borba e Silvino passou a compor o estado-maior da sedição junto a Floro Bartolomeu, que ficou no Juazeiro para cuidar da retaguarda.

Uma a uma, as principais cidades com que os rebeldes depararam pelo caminho foram sendo tomadas e saqueadas. Não houve dificuldades para invadir Lavras e São Mateus (futura Jucás), antes de se apoderarem da própria Iguatu, em 14 de fevereiro, onde o saque a um único armazém rendeu a pilhagem de 300 mil rapaduras, suprimento considerado fundamental na ração de guerra dos jagunços. Entupiram-se os bornais com a iguaria sertaneja, mas José de Borba e Pedro Silvino ficaram decepcionados ao saber do recuo tático que a Guarda Cívica fizera para Miguel Calmon, pois pretendiam liquidar a fatura o mais rápido possível.

Em cada uma das localidades dominadas, os invasores prendiam as autoridades constituídas, soltavam os prisioneiros das delegacias e se reabasteciam de armas e víveres. As arruaças e os quebra-quebras eram inevitáveis. Em comemoração à conquista de Iguatu, um grupo de cangaceiros obrigou o oficial comissionado do local a dar vivas ao *Padim Ciço*. Caso o homem se recusasse, seria fuzilado, advertiram.

"Viva o padre Cícero!", esgoelou-se o sujeito, suando frio, debaixo da mira dos fuzis.

A alguns quilômetros dali, no Juazeiro, o anúncio de cada nova vitória na "guerra santa" fazia o povo entoar hinos em louvor à Virgem Maria. Cícero passara a fazer duas pregações diárias, uma pela manhã, outra no finalzinho da tarde, sempre rogando a proteção de Nossa Senhora das Dores para os muitos filhos e inúmeros pais de família que haviam partido para o campo de batalha. Que a Mãe de Deus olhasse por eles, pedia o padre. Entretanto, quando vieram informações da ocorrência de brutalidades semelhantes às registradas no Crato e em Barbalha, Cícero resolveu intervir. Chamou mestre Pelúsio e ditou-lhe o seguinte telegrama:

> José Terto e mais chefes de turmas
>
> Informado atos insubordinação e desordens em Iguatu. Peço não façam isso absolutamente. Obedeçam coronel Silvino e doutor Borba, que os saberão guiar para o bem. Não pratiquem ações que Deus reprova.
>
> Minha bênção a todos.
> Padre Cícero

O sacerdote pedia disciplina, mas ao mesmo tempo sabia que precisava incentivar os sediciosos a seguir em frente. Na véspera do confronto final com o coronel Jota da Penha, ao receber avisos de que alguns jagunços estavam abandonando a ação por dar o triunfo como garantido, Cícero tornou a recorrer aos serviços do telegrafista Pelúsio:

> José Terto
>
> Animem e tratem bem a todos, de modo que cada um se persuada agir causa própria. Lembrem que o quanto fizerem nesta boa intenção de trabalharem para Deus e a Santíssima Virgem serão por eles recompensados. Ainda está em perigo questão que vocês defendem. Porém, se não enfraquecerem, a vitória é certa. Concordem sempre com Pedro Silvino.
>
> Abençoo a todos.
> Padre Cícero

* * *

O capitão Jota da Penha esperava que os comandados de José de Borba e Pedro Silvino chegassem pelo leito da estrada de ferro, o caminho mais óbvio para atingir Miguel Calmon a partir do sul do estado. Por isso, mandou perfilar duas patrulhas a distância, uma de cada lado da via férrea, para deixar o inimigo espremido entre o fogo duplo. Mas, no alvorecer de 21 de fevereiro, um sábado, Jota da Penha foi surpreendido com um ataque em enxurrada pela retaguarda, desferido pelo bando avançado de Zé Terto. A Guarda Cívica resistiu. Estava fortalecida por alguns soldados que abandonaram a farda em Barbalha, mas que haviam decidido retornar à luta pelo respeito que inspirava o novo comandante.

"Estamos sendo atacados e oferecendo toda a resistência, viva a República!", mandara informar Jota da Penha a Franco Rabelo, em mensagem expedida de seu quartel-general improvisado na cidade, a alguns poucos quilômetros das posições de combate.

Minutos depois de expedir o comunicado oficial a Fortaleza, Jota da Penha seguiu a cavalo, acompanhado apenas do ordenança, para examinar as trincheiras e informar-se melhor sobre o estado geral da tropa. Porém, ao cair da noite, ainda não retornara daquela visita de inspeção. No dia seguinte, continuava desaparecido. Imaginou-se que talvez estivesse perdido no meio da caatinga. Durante toda a manhã de domingo, ele não respondeu ao toque de comandante em chefe, repetido várias vezes pelo oficial corneteiro. Um grupo de buscas foi enviado então à sua procura, mas no caminho a patrulha só encontrou vários jagunços baleados, que agonizavam no campo de batalha. Eram os feridos dos embates da véspera. Moribundos, sem poder de reação, todos foram executados com disparos de fuzil na base do crânio pelos batedores da Guarda Cívica, a pretexto de tiro de misericórdia.

Somente horas mais tarde o corpo de Jota da Penha foi descoberto em uma vala natural do terreno, próximo aos trilhos da estrada de ferro. Estava de barriga para baixo, alvejado com dois balaços, um na cabeça e outro à altura do ventre, ambos aparentemente disparados a pequena distância. O cadáver fora despojado da aliança e do crucifixo de ouro que o capitão sempre levava pendurado ao pescoço. Atribuiu-se a morte de Jota da Penha a Zé Pinheiro, o cangaceiro que Zé Pedro libertara da prisão quando da invasão ao Crato. Era ele quem exibia vaidosamente aos companheiros a carteira de identidade militar do capitão, para atestar que os adversários estavam a partir de então sem voz de comando.

Naquele mesmo dia, a bancada cearense no Senado e na Câmara Federal receberia um telegrama de Floro Bartolomeu, informando a morte de Jota da Penha: "É para lamentar que um oficial do Exército tenha perdido a vida ingloriamente a serviço de uma causa infeliz, dirigida por um grupo de bandidos que infelicitam o Ceará", escreveu Floro aos parlamentares. Era 22 de fevereiro de 1914, domingo de Carnaval. A notícia do falecimento de Jota da Penha provocou o cancelamento de todos os bailes e entrudos em Fortaleza. Os cinemas foram fechados e a cidade inteira trocou as máscaras carnavalescas pelo luto. Todos sabiam que nada mais deteria a marcha das colunas comandadas por José de Borba e Pedro Silvino até a capital do estado.

De fato, derrotada a última resistência legalista em Miguel Calmon, assaltada a estação ferroviária local, os jagunços e beatos do Juazeiro passaram a contar com caminho livre até Fortaleza. Borba e Silvino abarrotaram dezenas de vagões com seus combatentes e seguiram rumo ao litoral. As autoridades dos municípios que estavam na rota dos rebeldes telegrafavam pedidos desesperados de socorro ao governo do estado, que nada mais podia fazer diante da insuficiência de armas e homens. Espalhou-se imediatamente o pânico por todo o território do Ceará. A ofensiva final foi avassaladora. A cidade de Senador Pompeu, a 275 quilômetros de Fortaleza, caiu em 25 de fevereiro. Quixeramobim, distante 206 quilômetros da capital, foi invadida em 27 de fevereiro. Quixadá, a 158 quilômetros, em 1º de março. Baturité, a apenas 93 quilômetros, seis dias depois. Todas foram obrigadas a pagar o que Floro chamava, com eufemismo, de "imposto de guerra".

"Não atirem à toa e de festejo, como alguns gostam de fazer", recomendaria Cícero aos líderes, por telegrama.

"Eu, por meu *Padim*, vou *inté pro* Inferno, quanto mais *pro sumitério*, que é *lugá* sagrado." A frase foi ouvida pelo jornalista, historiador e folclorista cearense Leonardo Mota, o Leota, saída da boca de um jagunço durante a invasão a Quixadá. Movido pela oportunidade rara de entrevistar um daqueles homens de quem se contavam histórias terríveis, Leota resolveu se aproximar. O jornalista criou coragem e sacou do bolso o lápis e o bloquinho de anotações. A conversa que se seguiu seria reproduzida em um dos muitos livros de Leonardo Mota, *Cantadores*, publicado no Rio de Janeiro pela antiga Livraria Castilho, em 1921. O repórter fez questão de respeitar a característica prosódia do entrevistado:

— Você lembra como e por que começou esta guerra?
— Meu Deus! Isto não começou isturdia? Cumo é que eu não havia de me alembrá? Vamincê não sabe que o Rabelo inticava com meu Padim Pade Ciço e só vivia de puxá arenga com nós no Juazeiro, querendo prendê, fazê e acontecê? Nós é que fumo agredido no princípio.
[...]

— Quantos homens estão em armas?
— E eu sei!? É gente como quizé! Ninguém conta não. Anda tudo de magote... Já vi dizê que mais seu Curunéo (Pedro Silvino) e seu Doutô (José de Borba) tamos aqui mais de dois mil. Mas bastava a metade. Muita gente aqui só veio pro via de roubações. Aqui hai romeiro e hai rombeiro... Eu, quando me alembro o que meu Padim recomendou e vejo certo desprepósito, só me reina na natureza é me largá pro Juazeiro...

— Então o padre Cícero lhes deu conselho e pediu que não saqueassem?
— E antão?! Deu, nhô sim. Cansei de ver ele dizê que quem bebe cachaça é raposa doida, que se respeitasse famía e não se bulisse no alêio. Mas aqui tem gente que só qué mesmo é disgraçá os possuído dos rabelista.

— Mas o doutor Borba e o coronel Silvino não podem conter esses que assim procedem desatendendo às recomendações do padre Cícero?
— Lá o quê! Pra essa gente só mermo o doutô Fuloro, que é homem de pouco consêio. Cabra pro lado dele ou procede ou leva o diabo. Aquilo sim é que é home resolvido!

— E como foi que o padre Cícero juntou tanta gente?

— E foi ele que ajuntou o quê! Tudo isso foi se oferecê, dizendo que queria dá com o Rabelo dentro da água do má... Ê, seu moço, meu Padim, pra defendê ele, tem gente que só pomba em bando!

[...]

No dia 5 de março de 1914, o senador Rui Barbosa subiu à tribuna para pronunciar um dos discursos mais indignados de sua carreira parlamentar. Rui, um homenzinho minúsculo e raquítico, tinha o poder de elevar-se diante de seus pares sempre que pedia a palavra em plenário. Naquela sessão, entre outros assuntos urgentes, ele queria se solidarizar com os 28 oficiais da guarnição do Exército no Ceará, que haviam remetido ao Rio de Janeiro um telegrama de protesto contra as ordens federais de não saírem dos quartéis para dar combate "à horda assassina de jagunços" que estava às portas de Fortaleza.

A mensagem dos oficiais cearenses havia sido enviada originalmente ao Clube Militar, instituição tradicional, porta-voz do pensamento das mais altas patentes das Forças Armadas brasileiras. O Clube marcara uma reunião extraordinária na noite do dia anterior para deliberar sobre o assunto, mas ela simplesmente não pudera acontecer. Alguns membros da entidade, partidários de Pinheiro Machado, tumultuaram o ambiente e a sessão foi cancelada. Os pinheiristas temiam que um voto de repúdio da instituição ao Catete provocasse uma crise institucional e militar, especialmente quando o presidente Hermes da Fonseca estava sendo alvo de farpas diárias da imprensa carioca, que denunciava o apelo velado do governo federal e de Machado aos "malfeitores sertanejos capitaneados pelo padre Cícero".

Naquela mesma noite, o marechal Hermes reuniu o ministério e resolveu decretar o estado de sítio no Rio de Janeiro. Submeteu os jornais à censura e ordenou o toque de recolher nas ruas. Qualquer reunião com mais de duas pessoas passava a ser considerada subversão. Os que insistissem seriam recolhidos à prisão. Rui Barbosa, na tribuna, definiu o decreto presidencial como um "verdadeiro latrocínio noturno, mais covarde, insidioso e malfazejo do que os da crônica policial". Nove dias depois, com a opinião pública subjugada, vários jornalistas presos e oficiais reclusos à carceragem dos

Floro Bartolomeu, montado
em sua mula, coordena
as ações da chamada "Sedição
do Juazeiro". Na foto inferior,
José de Borba aparece
ao centro, com Floro à direita

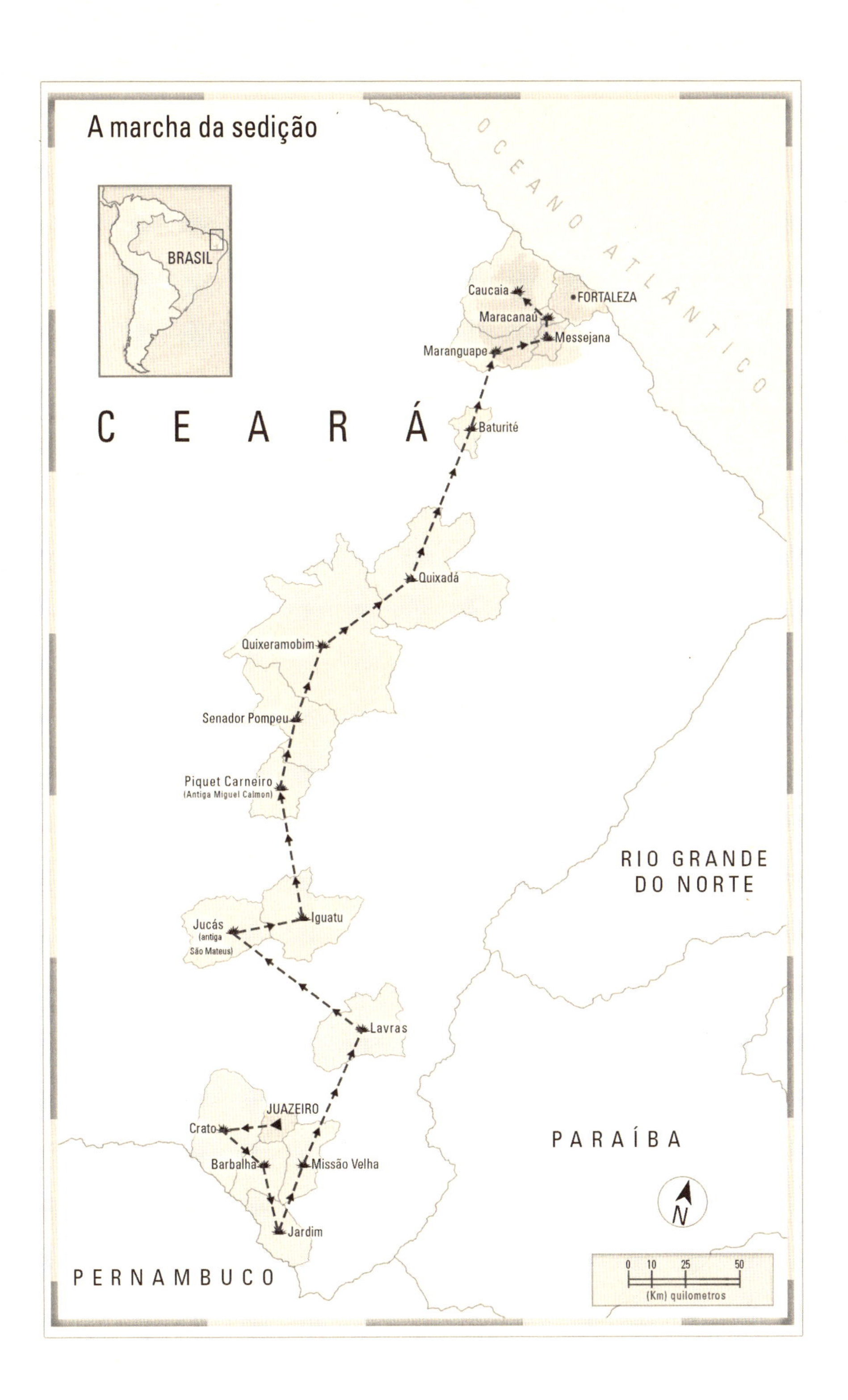
A marcha da sedição
BRASIL
OCEANO ATLÂNTICO
Caucaia
FORTALEZA
Maracanaú
Messejana
Maranguape
CEARÁ
Baturité
Quixadá
Quixeramobim
Senador Pompeu
Piquet Carneiro
(Antiga Miguel Calmon)
RIO GRANDE
DO NORTE
Jucás
(antiga
São Mateus)
Iguatu
Lavras
JUAZEIRO
Crato
Barbalha
Missão Velha
PARAÍBA
N
Jardim
PERNAMBUCO
0 10 25 50
(Km) quilometros

quartéis fluminenses, Hermes estendeu o estado de sítio ao Ceará. Era o primeiro passo para a deposição de Franco Rabelo e a oficialização da vitória dos rebeldes do Juazeiro.

Enquanto isso, as entradas e saídas de Fortaleza já estavam integralmente tomadas pelos homens de José de Borba e Pedro Silvino, que haviam invadido as localidades de Maranguape, Messejana, Maracanaú e Caucaia, todas vizinhas à capital cearense, submetendo a cidade a um completo bloqueio por terra. Em caso de fuga, portanto, só restava aos partidários de Franco Rabelo a saída pelo mar. Mas até essa alternativa logo também seria inviabilizada por ordens do governo federal, que enviou dois navios da Marinha de Guerra — os torpedeiros *Barroso* e *Tupi* — para patrulhar as praias cearenses. Fortaleza estava cercada. De um lado, por jagunços e cangaceiros. De outro, por canhões navais.

Com o intuito de enquadrar a guarnição do Exército sediada no estado, Hermes da Fonseca despachou também para o Ceará um novo comandante, o coronel Fernando Setembrino de Carvalho, gaúcho como Pinheiro Machado e chefe de gabinete do ministro da Guerra, Vespasiano Gonçalves de Albuquerque e Silva. Apreensivos com aquela escalada de tensões, os diretores da Associação Comercial de Fortaleza dirigiram um ofício ao coronel Setembrino, indagando se ele daria garantias de segurança à cidade no caso de um ataque dos "jagunços do padre Cícero". A resposta de Setembrino só serviu para aumentar ainda mais a aflição coletiva:

> Se vier a travar-se alguma ação nas ruas desta capital entre as forças beligerantes, muito difícil será — se não quase impossível — tornar efetivas quaisquer garantias, pois a ação federal neste momento crítico a faria assumir o papel de um terceiro combatente, envolvendo-se em uma luta à qual ela deve ser estranha.

Setembrino assumira o papel de Pôncio Pilatos. Lavara as mãos.

Não foi preciso que Floro ordenasse a invasão de Fortaleza. Cícero recebeu a notícia como um lenitivo: no dia 14 de março, finalmente o governo federal decretou a intervenção no Ceará e determinou a exoneração de Franco Rabelo. O coronel Setembrino de

Carvalho foi nomeado interventor e logo em seguida seria promovido a general. Já de posse das prerrogativas do cargo, quatro dias depois enviou um telegrama ao Juazeiro, endereçado nominalmente ao padre. Setembrino colocava um trem expresso à disposição de Cícero, com escolta de honra do Exército, para que o sacerdote viajasse até Fortaleza, a fim de ser recebido no Palácio da Luz na condição de líder da "revolução vitoriosa".

Cícero, a pouco mais de uma semana de seu aniversário de setenta anos, considerou o convite uma deferência e um presente antecipado. Mas alegou os incômodos da idade para declinar do chamamento. Setembrino afirmou compreender as razões do padre, mas lhe pediu um favor: ordenasse a retirada e o desarmamento imediato de todos os homens que haviam sido enviados pelo Juazeiro ao campo de batalha. "Conto com o alto prestígio de Vossa Excelência para levar a cabo essa obra sem grandes dificuldades", mandou dizer o interventor. "Auxiliarei facilitando transporte na estrada de ferro, pois qualquer demora nesse mister poderá trazer grandes dificuldades à ação do governo federal para a pacificação do Ceará", completou.

Na verdade, tais dificuldades já estavam postas. Sob a alegação de que queriam ver o mar pela primeira vez, grupos de jagunços e cangaceiros haviam penetrado em Fortaleza e protagonizado distúrbios em vários bairros da cidade.

"Fortaleza parece com o Crato. Mas o povo é mais medroso", diria Zé Pinheiro, ao relatar mais tarde suas impressões sobre a capital cearense.

Havia motivos concretos a justificar o medo. Armados de revólveres e punhais, os jagunços ameaçavam assaltar as casas dos partidários de Franco Rabelo, o governante deposto, que após a intervenção foi embarcado em um dos torpedeiros da Marinha ancorados na cidade. Para acalmar os ânimos daqueles homens que não aceitavam a ideia de chegar a Fortaleza sem poder repetir os saques anteriores ocorridos no sertão, costurou-se um acordo de conveniência entre o coronel Setembrino e o estado-maior das forças juazeirenses. A "solução" escandalizou os fortalezenses: acertou-se que um contingente de 450 jagunços, escolhidos a dedo por Floro Bartolomeu, passaria a fazer parte oficialmente da Força Pública do Ceará. O coronel Pedro Silvino, líder de uma das duas colunas rebeldes, foi nomeado comandante do Segundo Batalhão da polícia estadual, formado exclusivamente pelos sediciosos incorporados à Força Pública.

A ideia era discipliná-los. Porém, fardados e investidos do poder de polícia, os jagunços se tornaram ainda mais destemidos. Desfilavam pela capital em grupos armados, vestidos com o uniforme de brim azul, no qual pregavam medalhas com a efígie de Cícero à altura do peito. Fizeram do mercado público da cidade o seu parque de diversões. Comiam e bebiam sem pagar, cantavam, davam tiros para cima e distribuíam bordoadas aos civis, sendo registradas pela imprensa da época inclusive agressões físicas a mulheres e crianças. À noite, promoviam algazarras também no quartel, gritando seguidos vivas ao padre Cícero e a Floro Bartolomeu. De modo algum admitiam submeter-se à hierarquia inerente a qualquer corporação policial. Os choques entre os novos "soldados" e a guarnição do Exército tornaram-se igualmente sistemáticos:

"Só obedecemos a Deus e ao *Padim Ciço*", diziam em coro, quando advertidos pelos calças vermelhas ou repreendidos por oficiais superiores.

Comunicado do pandemônio que sucedia em Fortaleza, Cícero enviou um telegrama a Pedro Silvino: "Peço-vos que em meu nome chameis os homens à ordem e obediência, fazendo-lhes ver que devem obedecer aos seus superiores, cumprir suas ordens e confiar neles, bem como é preciso evitar desgostos e atritos com as forças do Exército, o qual é nosso bom amigo e não inimigo", ponderou o padre. "Este telegrama que deveis ler perante o pessoal é uma ordem que exijo seja cumprida sem nenhuma observação", determinou Cícero.

Das janelas do palácio episcopal, dom Joaquim José Vieira se horrorizava ao ver a cidade de Fortaleza "policiada" pelos jagunços enviados do Juazeiro. Meses antes, dom Joaquim havia renunciado compulsoriamente ao bispado, por atingir a idade de 75 anos, passando então o comando da diocese ao bispo auxiliar, dom Manoel da Silva Gomes. Mesmo aposentado das funções, Joaquim decidira permanecer em Fortaleza, onde pretendia viver os últimos anos de vida. Mas a vitória da sedição o fez mudar de opinião. No dia 19 de abril, conduzido ao cais por dom Manoel e pelo general Setembrino, o ex-bispo estava tão desgostoso que nem ao menos se voltou para acenar aos fiéis que foram assistir-lhe a partida.

Após a vitória, o estado-maior dos rebeldes troca os trajes de jagunço pelo paletó e pela farda militar: José de Borba, Floro Bartolomeu (sentados) e Pedro Silvino de Alencar (em pé)

O *Correio Eclesiástico*, jornal oficial da diocese, registrou a cena: "Ao divisar a multidão que o aguardava, dom Joaquim desprendeu-se de dom Manuel e do general Setembrino de Carvalho, que lhe amparavam os passos trôpegos e, levando as mãos aos olhos, repetia entre soluços: 'Não quero ver ninguém...'".

Foi a última vez que pisou em Fortaleza. Morreria três anos depois, em Campinas, São Paulo.

Dom Joaquim não estava mais no Ceará para testemunhar, cinco dias após seu embarque, a recondução de Cícero ao cargo de prefeito de Juazeiro, nomeado pelo interventor Setembrino de Carvalho. Dali a cerca de um mês, o estado de sítio seria suspenso. Em 13 de maio, realizaram-se eleições estaduais e, sob a grita geral dos rabelistas, que denunciaram uma série de fraudes nas urnas, o general Setembrino passou o governo do Ceará ao candidato eleito, Benjamin Liberato Barroso, coronel do Exército, nome imposto pelo Palácio do Catete e que assumia com a tarefa expressa de dividir os despojos da guerra. De início, a partilha se anunciava bastante favorável ao Juazeiro. Floro Bartolomeu, que havia se autoproclamado líder da Assembleia dissidente, foi confirmado presidente do Legislativo estadual e viajou até Fortaleza para receber o diploma de deputado. Cícero, sem precisar arredar o pé do Cariri, foi eleito para o cargo de primeiro vice-presidente do Ceará.

Contudo, o presidente da República, Hermes da Fonseca, assim como sua eminência parda, Pinheiro Machado, havia decidido não entregar o Ceará de mão beijada a Cícero e Floro. O Catete não se mostrava disposto a admitir qualquer espécie de dívida de gratidão para com eles. Os jagunços, romeiros e cangaceiros haviam sido úteis para derrubar Franco Rabelo, mas o governo federal entendia que a nova ordem precisava ser estabelecida com elementos mais "confiáveis" e "civilizados". A própria nomeação de um oficial do Exército como Benjamim Barroso funcionara como um antídoto contra o ressentimento dos quartéis e, ao mesmo tempo, como um afago nas camadas médias urbanas de Fortaleza. Assim, as lideranças marretas da cidade, compostas de profissionais liberais e comerciantes antirrabelistas, abocanharam o melhor quinhão no reparte de cargos. Quando as primeiras nomeações começaram a ser assinadas pela caneta célere de Benjamim Barroso, Cícero não conseguiu impor nenhum nome de peso para a máquina administrativa do novo governo. Floro, cabreiro, farejou o cheiro de traição no ar:

"Os meus amigos, galgando o poder, atiraram-me às urtigas", lamentaria.

Como se não bastasse, uma das primeiras medidas de Benjamim Barroso foi a dissolução do corpo de polícia formado pelos ex-combatentes do Juazeiro. Surpreendido pela decisão, o coronel Pedro Silvino não teve tempo sequer para espernear: foi demitido do cargo de comandante da Força Pública por meio de um simples telefonema do Palácio da Luz. Por trás do ato, havia o temor de que a jagunçada, devidamente orientada por Floro Bartolomeu, articulasse um movimento para depor Barroso e, por conseguinte, conduzisse o primeiro vice, Cícero Romão Batista, à presidência do Ceará. Para demarcar posição e demonstrar de uma vez por todas quem realmente mandava na nova situação, Benjamim Barroso decidiu vetar um projeto de lei aprovado na Assembleia Legislativa, de autoria do deputado Floro Bartolomeu, que previa a indenização de quatrocentos contos de réis a serem pagos ao próprio Floro, a título de ressarcimento das despesas pessoais feitas por ele na luta armada contra Franco Rabelo.

"Fiz tudo sozinho. Não recebi do governo federal um real sequer, um cartucho, uma espingarda, um caroço de chumbo", queixou-se Floro em discurso na Assembleia.

Além de se contentar com as migalhas que caíam do banquete oficial, Cícero logo precisou deparar com um problema de ainda mais difícil solução. Com a autoestima nas alturas e julgando-se invencíveis, as levas de ex-combatentes retornaram ao agreste exibindo redobrada selvageria. As armas que haviam servido à sedição passaram a ser utilizadas para a prática dos crimes mais atrozes. As patrulhas revolucionárias haviam se esfacelado, desandado em bandos de salteadores, que passaram a fazer novamente do cangaço o seu ofício. O banditismo tornara-se irrefreável.

Cícero, o primeiro vice-presidente do Ceará, estava sendo acusado de entregar o sertão inteiro à sanha dos cangaceiros. Ao longo da sedição, o novo bispo cearense, dom Manoel da Silva Gomes, sentira-se na obrigação de deixar a Nunciatura, em Petrópolis, a par de todos os acontecimentos. "Permita Vossa Excelência que venha expor-lhe, como representante da Santa Sé, os fatos gravíssimos que se têm dado no Ceará, tendo como protagonista o padre Cícero Romão Batista, fatos que, embora políticos, têm ligação imediata com a religião, pois são efeitos do fanatismo", escreveu dom Manuel ao núncio apostólico no Brasil, dom Giuseppe Aversa. "O fanatismo foi empregado pelo padre Cícero para fazer uma revolução política que tem devastado o Ceará, causando males incalculáveis", prosseguiu.

> Lisonjeado pelo poderio que lhe tem dado o fanatismo, ligou-se a políticos ambiciosos da oposição ao governo do estado, e deu ordem a seus romeiros para que fizessem a revolução. Sem ele, sem sua nefasta influência sobre a grande multidão de fanáticos, nada disso que agora lastimamos teria sucedido, porque os outros chefes da revolta não poderiam levantar senão pouca gente, e nunca teriam ousado o que têm feito.

Quando a carta de dom Manuel chegou a Petrópolis, a sedição já era vitoriosa. O núncio, ao ler as notícias a respeito do Ceará nos jornais cariocas, apressou-se em enviar uma correspondência oficial à Santa Sé, endereçada diretamente ao então secretário de Estado do Vaticano, o cardeal Rafael María José Pedro Francisco Borja Domingo Gerardo de la Santísima Trinidad Merry del Val y Zulueta, um jesuíta de origem anglo-espanhola, filho de família nobre e cuja influência sob o papa era tão dilatada quanto seu próprio nome. Braço direito de Pio X, o cardeal Merry del Val foi notificado de que a revolução sertaneja havia terminado e que Cícero Romão Batista havia chegado oficialmente ao poder. "O padre Cícero conseguiu eleger-se primeiro vice-presidente do estado. Este fato aumenta sua influência em meio às turbas ignorantes, supersticiosas e fanáticas", leu o secretário de Estado do Vaticano na carta enviada pelo núncio no Brasil.

A recomendação da Nunciatura para o caso era uma só: "Meu parecer é que o Santo Ofício deveria voltar a ocupar-se de novo do padre Cícero e precisamente da segunda fase de sua conduta", sugeria dom Giuseppe ao Vaticano.

Em outras palavras, já que Cícero continuava suspenso das ordens, restava-lhe a ameaça concreta de uma punição ainda mais radical e definitiva: a excomunhão.

8

Cangaceiro tempera cachaça com os beiços do inimigo morto. O que falta para o fim do mundo?

1914-1916

Cícero chegou correndo, mas não a tempo de impedir a tragédia. Ao se aproximar, já avistou o corpo de Chico Pinheiro, vulgo Sinhozinho, irmão do cangaceiro Zé Pinheiro, estatelado no chão. Debaixo da sombra de um cajueiro, o homem gemia e sangrava aos borbotões, o buraco de bala aberto no peito. Sinhozinho levara a pior na trombada com Quintino Feitosa, um dos combatentes que defenderam o valado durante o primeiro ataque a Juazeiro. Pela bravura que demonstrara na retaguarda da sedição, Feitosa fora nomeado delegado da cidade pelo prefeito Cícero Romão Batista, o que provocara a ciumeira dos irmãos Pinheiro, de quem era desafeto. Naquele dia, após entornar goela abaixo um litro inteiro de cachaça, Sinhozinho seguira trocando as pernas até a casa do delegado Feitosa, na intenção de desacatá-lo, o rifle na mão.

"Sinhozinho, vá-se embora. Você ou está bêbado ou está doido", advertiu Feitosa, ao dizer que não queria briga com alguém naquele grau de carraspana. "Vá chamar seu irmão e seus amigos e venha com eles", desafiou.

"Eu nasci foi só!", retrucou Sinhozinho, dando uma tragada no cachimbo e puxando o gatilho ao mesmo tempo. Estava tão bêbado que errou o alvo, apesar da encurtada distância. Não teve tempo de puxar a alavanca do rifle e rearmá-lo para o segundo tiro. Feitosa foi mais rápido. Deu um pulo de banda, sacou também do rifle e desfechou uma carga fatal contra o adversário, que caiu para trás, atingido à queima-roupa.

Cícero chegara logo depois disso. Amparado no longo cajado, ajoelhou-se aos pés do moribundo, na intenção de encomendar-lhe a alma:

"Francisco, arrependa-se dos seus pecados e perdoe os seus inimigos", disse o padre, tratando Sinhozinho pelo nome de batismo, enquanto o homem agonizava, o sangue saindo pela boca, pintando de vermelho os dentes muito amarelos.

Também avisado do incidente, Zé Pinheiro chegara ali quase ao mesmo instante. Comovido, correu para abraçar o irmão, que acabara de fechar os olhos pela última vez. Quando viu que Sinhozinho estava morto, o cangaceiro soltou um grito de cólera, levou a mão ao punhal e partiu alucinado na direção de outro sujeito que se encontrava ali perto. Foi contido pelo grito desafiador de Feitosa:

"Quem matou seu irmão não foi ele; fui eu", disse o delegado, batendo a mão no peito, o cano do rifle ainda quente.

Cícero previu nova desgraça.

"Cala a boca, Feitosa!", berrou o padre, enquanto segurava o braço de Zé Pinheiro, que chorava de raiva e desespero pela morte do mano.

Só mesmo a intervenção de Cícero conseguiu barrar os passos do cangaceiro, que saiu dali aos gritos, jurando vingança. Não liquidava o delegado naquela mesma hora por respeito ao *Padim Ciço*, advertiu. Mas jurou, beijando os dedos em cruz, que aquilo não ficaria assim, daquele modo, de graça. Feitosa não perdia por esperar, ameaçou.

Enquanto o sacerdote tentava arrastar Zé Pinheiro para longe da cena, o restante do bando tomava posição de ataque, cercando a casa de Feitosa, apenas à espera de que Cícero desse as costas para começar a agir. Pressentindo a desforra que se anunciava imediata, o padre deu meia-volta. Caminhou sobre os próprios passos e logo encontrou um dos comparsas de Pinheiro escondido em uma depressão do terreno, o rifle nas mãos, fazendo pontaria para a porta da casa do delegado.

"Mas o que é isso?", indagou Cícero, com ar severo.

"Ai, meu *Padim, vosmincê* sabe, o Feitosa matou o Sinhozinho...", desculpou-se o cangaceiro, meio encabulado, pego em flagrante pelo padre.

"Vá para casa, homem de Deus. Vá rezar o rosário, vá se entregar a Nossa Senhora, não obedeça a Satanás", repreendeu Cícero.

Um pouco mais adiante, estava outro cangaceiro recarregando a arma, a carantonha meio encoberta pelo tronco de uma árvore. Cícero foi até lá e repetiu a dose:

"Vá-se embora, cabra atrevido, senão eu mesmo lhe quebro a cabeça com este cacete", disse ele, brandindo o cajado.

Não muito distante, via-se mais um.

"Zé Pedro, até você?", reprovou o padre, enxotando aquele que fora um dos mais temidos comandantes da sedição, ameaçando dar-lhe uma boa bordoada de cajado no lombo. Em vista daquilo, de cabeça baixa, todos os outros capangas de Zé Pinheiro se afastaram, partindo em direção ao centro da cidade.

"Quem mata o seu próximo não vê nunca a face de Deus", avisou Cícero, para depois sair sozinho no rumo de casa, fazendo o sinal da cruz, rezando a ave-maria.

Cícero Romão Batista sabia que, naquele sertão onde nascera, crescera e fizera a sua fama de conselheiro e taumaturgo, a vingança era quase um código sagrado. Para os sertanejos, deixar a morte de um parente impune, especialmente a de um irmão, era algo comparável à pior espécie de infâmia. Denotava covardia, pusilanimidade, frouxidão de caráter. Numa terra em que prevalecia o culto à coragem e a louvação à honra pessoal, o sangue familiar se lavava obrigatoriamente com sangue. Por isso, Cícero já esperava pelo pior — e o pior, com efeito, não demorou a vir.

Apenas uma hora depois de o corpo de Sinhozinho baixar à sepultura, mandaram avisar ao padre que Zé Pinheiro voltara ao local do confronto e cercara a casa de Feitosa, dessa vez com um número bem maior de homens, entre os quais se encontravam dois dos guerrilheiros que mais haviam se distinguido nas trincheiras da sedição: Zé Terto e Zé Pedro. O tiroteio começara feio e Feitosa resistia bravamente, auxiliado por cerca de dezoito cabras armados até os dentes. Antes do ataque à residência do delegado, Zé Pinheiro ordenara também o assalto ao prédio da coletoria do Juazeiro, cujo chefe de expediente era cunhado de Feitosa. Lá, haviam deixado tudo aos pandarecos. Queimaram os livros oficiais, destruíram as prateleiras, rasgaram as páginas dos arquivos e arrombaram o cofre a marteladas, levando embora o dinheiro dos impostos.

O saque a uma repartição pública representava uma afronta ao poder municipal, que tinha em Cícero, prefeito do Juazeiro, o maior representante. Mas, naquela tarde, nem mesmo o padre arriscou colocar sua autoridade de político e de sacerdote à prova. Durante as treze horas seguintes de fogo cruzado entre o grupo de Zé Pinheiro e os defensores de Feitosa, Cícero conservou-se a uma cautelosa distância do conflito. Não havia como dialogar com cangaceiros no calor de plena refrega, sem se expor ao risco de uma traiçoeira bala perdida. No entanto, o padre se mantinha informado de cada passo do episódio, sendo inclusive avisado de que a mulher de Feitosa, com um bebê de apenas um mês de idade ao colo, também estava dentro da casa que era atacada sem piedade por Pinheiro.

Os cangaceiros, por seu turno, estavam impressionados com a resistência de Feitosa. Comentou-se entre eles que, para aguentar assim tantas horas de fogo cerrado sem ser atingido, só mesmo aquele homem tendo o corpo fechado. Talvez fosse mesmo verdade, imaginaram eles, a história que tanto se contava a respeito do delegado: a de que um dia ele havia aberto a carne do próprio peito a navalha e, depois, inserido dentro do corpo uma hóstia consagrada. Se aquilo fosse fato, deduziram os agressores, só havia uma forma de quebrar o encanto e conseguir acertar Feitosa, de acordo com o que ensinava a mandinga cangaceira: atirar nele de cima da torre de uma igreja.

Havia uma minúscula ermida ali ao lado, erguida por um dos beatos seguidores do padre Cícero. Era pequenininha, nem capela era, mas bem que podia servir para tal expediente. Foi no telhado dela que Zé Terto subiu e de lá fez a mira, exatamente na hora em que o delegado tentava fugir em direção ao terreiro pela porta dos fundos, acompanhado da esposa, que levava o filho pequeno nos braços. O balaço disparado por Zé Terto atingiu Feitosa bem no meio das costas, abrindo um rombo de sangue por baixo da camisa. O homem, de braços abertos, já caiu morto no chão. A esposa, para salvar o filho inocente, correu para o meio do mato, enquanto os companheiros do delegado davam cobertura para a fuga, esgotando os últimos cartuchos que lhes restavam.

Minutos depois, Cícero ouviu um barulho no quintal. Era a mulher de Feitosa, que pulava o muro da casa do padre, agarrada desesperadamente ao filho, em busca de proteção. O padre naturalmente a acolheu, enquanto deplorava a morte do delegado e mandava as beatas acenderem velas, para clarear o caminho da alma do infeliz até o Paraíso. Sabedor do espírito sanguinário de Zé Pinheiro, logo depois Cícero saiu para a rua em passo atropelado, com o objetivo de impedir que o cadáver fosse profanado pelos cangaceiros.

Ao chegar ao local da contenda, Cícero não conteve o asco. Encontrou Pinheiro sentado sobre a barriga do defunto, rasgando-lhe o peito a punhaladas, como quem se prepara para desossar a carcaça de um boi abatido no matadouro. O corpo fora arrastado por uma das pernas, de dentro da casa, até a sombra do mesmo cajueiro onde morrera Sinhozinho. Lá, estava sendo reduzido a frangalhos. A visão era repugnante: Zé Pinheiro cortara com o punhal o lábio superior de Feitosa para arrancar-lhe o bigode, que depois mergulhou numa garrafa de cachaça.

"É para temperar a bebida", justificou, em meio a uma gargalhada sinistra.

Na face do cadáver, havia uma ferida sanguinolenta. O cangaceiro arrancara pouco antes uma das bochechas de Feitosa a dentadas. Cícero ficou ainda mais escandalizado quando viu Zé Pinheiro tentar abrir com uma peixeira a boca do falecido, com a intenção de arrancar-lhe a língua fora. Segundo dizia, para comê-la mais tarde como tira-gosto. Foi impedido à última hora pelo padre, que amaldiçoou tamanha selvageria.

"O mundo está mesmo para se acabar", diria Cícero, ao relembrar o fato, dias depois, ao amigo Xavier de Oliveira, que se encarregaria de reconstituir todos os detalhes daquela história funesta em seu *Beatos e cangaceiros*, publicado em 1920. "Imagine só, um antropófago em pleno século XX, um Satanás vivo, em carne e osso, andar aqui na terra, entre os homens...", horrorizava-se o sacerdote. Para Cícero, Zé Pinheiro não era apenas o "cabra mais ruim do mundo", como até modestamente apregoava:

"Ele é o demônio mais ruim de todo o Inferno", definia o padre.

O fato de Zé Pinheiro continuar solto mesmo após aquele bárbaro crime deu margem para que os adversários contumazes do Juazeiro redobrassem as críticas. De fato, a única providência tomada pela polícia local foi recolher o corpo esfrangalhado de Feitosa à delegacia. No Juazeiro do padre Cícero era assim, acusaram os inimigos do sacerdote. Um cidadão era cruelmente assassinado e quem ia preso era o defunto, acusaram.

* * *

As muitas violências no sertão repercutiam no plenário da Assembleia Legislativa, em Fortaleza. Na sessão de 24 de julho de 1914, o deputado Floro Bartolomeu subiu à tribuna para defender o Juazeiro das acusações generalizadas de ter se convertido em um viveiro de facínoras. Aproveitou a ocasião para defender a alegada lisura de seu projeto de lei, vetado por Benjamim Barroso, que previa o ressarcimento dos quatrocentos contos de réis, para si mesmo, em nome das despesas de guerra:

"Saí da sedição como entrei, de mãos limpas e unhas aparadas", alegou Floro.

Foi uma sessão tumultuada. O PRC local rachara-se ao meio. A Assembleia, composta de trinta cadeiras, estava literalmente dividida. Os líderes fortalezenses que davam apoio parlamentar a Benjamim Barroso — e que haviam loteado entre si os melhores cargos do novo governo — contavam com quinze representantes na Casa. Os aliados de Floro, entre os quais despontavam alguns aciolistas históricos e outros representantes das velhas oligarquias rurais, estavam em idêntico número: somavam quinze deputados. Tal circunstância gerava impasses incontornáveis. Nada mais se aprovava na Assembleia, pois nenhuma das facções conseguia obter a maioria absoluta para fazer valer seus pleitos. Os atritos se sucediam diariamente, a cada sessão legislativa. Mas nada igual, nem de longe, ao que ocorreu naquela manhã, quando a voz de Floro Bartolomeu foi cortada por tiros vindos das galerias.

"Atirem mesmo nessa canalha!", gritou um deputado rival, apontando para os partidários de Floro.

De súbito, um dos populares pulou para dentro do plenário e tentou acertar o doutor com um disparo de revólver. Milagrosamente, a bala não atingiu o alvo. Ninguém mais se entendeu dali por diante. Cadeiras foram quebradas para que os braços servissem de arma e os encostos de escudo. Bengaladas foram desferidas no ar, enquanto o taquigrafista tentava tomar nota do que Floro, de forma surpreendente, continuava a bradar na tribuna:

"Eu só temo a desgraça antes de vê-la! Diante dela, é como se ela não existisse! Tenho por hábito não procurá-la, mas não costumo recuar quando ela me surpreende!", gritava, desafiando os oponentes, ainda em plena pancadaria. Uma hora depois, quando a guarda da Casa enfim conseguiu recompor a ordem em plenário e evacuar as galerias, Floro prosseguiu com a palavra: "Senhores, eu poderei cair agora mesmo neste recinto, vítima das muitas balas dos meus adversários covardes, mas o público há de dizer que aqui morreu um homem de honra!", exclamou. "Continuarei com a mesma dignidade, a mesma energia a escalpelar os cadáveres morais que vejo aqui, diante de mim!"

Floro Bartolomeu estava indignado com o rumo dos acontecimentos políticos após a vitória da sedição. Era cada vez mais evidente que a parcela urbana do PRC havia orquestrado um movimento para alijar o doutor baiano de qualquer participação na vida administrativa estadual. Duas semanas após o incidente em plenário, Floro decidiu recorrer a uma instância partidária superior. Sugeriu que Cícero telegrafasse um ofício confidencial a Pinheiro Machado. O padre, preocupado, concordou:

> Forçado pelas circunstâncias, resolvi levar a seu conhecimento a expressão de meu profundo desgosto pelo que ocorre no seio de nosso partido. Após os ingentes sacrifícios feitos pelo restabelecimento da ordem no estado, jamais supus haver quem tão depressa pretendesse destruir tudo o quanto construímos,

lastimou Cícero na mensagem, provavelmente ditada por Floro, letra por letra.

No Rio de Janeiro, ao receber a correspondência, Pinheiro Machado sentiu-se no direito de ler nela apenas o que bem quis. Ignorou completamente o apelo que o padre fazia em nome de Floro e passou a considerar a hipótese de empregar o discurso pacificador de Cícero a favor de seus propósitos políticos. Se conseguisse consolidar a figura do sacerdote como principal interlocutor regional do partido, Pinheiro Machado neutralizaria as ações de Floro Bartolomeu e Nogueira Accioly, nomes que não interessavam mais ao morro da Graça manter como aliados privilegiados após a derrocada de Franco Rabelo. Com um único lance de mão, Pinheiro Machado pretendia ficar de bem com o sacerdote, dono de inegável capital eleitoral na região, e reduzir as ambições de Floro e Accioly a seu devido lugar: lugar nenhum.

Foi exatamente com tal intenção que o presidente nacional do PRC enviou telegrama a Cícero, entoando um canto de sereia que falava de paz e harmonia partidária. O estilo era repolhudo: "Padre Cícero, continuo apreensivo com os fatos que vão ocorrendo nesse estado, conducentes a nulificarem nossos esforços a bem do apaziguamento das paixões de ordem pessoal, que visam inutilizar os ingentes sacrifícios feitos para o restabelecimento da ordem no Ceará". Depois de alguns prolegômenos do gênero, Pinheiro Machado foi ao ponto que, de fato, lhe interessava: criticou duramente a atitude de Floro Bartolomeu, que, pouco antes, com a autoridade de presidente da Assembleia, anulara a eleição de um par de suplentes convocados a ocupar duas vagas abertas, uma pela morte de um parlamentar, outra pela nomeação de um deputado para um cargo no Executivo estadual. Como ambos os suplentes eram ligados à facção rival — que com tal reforço numérico alcançaria automaticamente a maioria na Casa —, Floro simplesmente mandou rasgar as atas eleitorais. Pinheiro Machado protestou, na mensagem a Cícero: "Este lamentável procedimento, abrupta e inesperadamente praticado, torna ainda mais difícil o êxito da nossa intervenção para chamarmos à razão aqueles que tão asperamente se hostilizam, esquecidos dos seus deveres para com o Ceará e a República".

Cícero, pelo visto, mordeu a isca. Telegrafou no mesmo dia para a pensão Bitu, onde o deputado Floro se hospedava em Fortaleza, e replicou candidamente os argumentos de Pinheiro Machado: "Doutor Floro. Telegramas urgentes do excelentíssimo general Pinheiro Machado informam-me do que ocorre aí. É inútil dizer ainda mais uma vez que lastimo essas divergências, quais põem em iminente risco o quanto fizemos com sacrifícios ingentíssimos", arremedou o padre.

> Apelo para seu reconhecido patriotismo e me ponho a seu dispor para em harmonia com o general Pinheiro Machado procurarmos uma solução honrosa que concilie os interesses divergentes e liguem os elementos dispersos. Aguardo sua resposta. Saudações, Padre Cícero.

Floro Bartolomeu soltou fumaça pelas orelhas. Em estilo seco, que mal escondia sua cólera, endereçou a Cícero um despacho telegráfico: "Padre, aceite minha opinião e faça como eu acho melhor.

Cícero Romão Batista
em uma de suas poses
prediletas para a câmera:
os dedos da mão esquerda
entre os botões da batina

Convença-se que daí, do Juazeiro, Vossa Reverendíssima nada poderá conseguir, além do risco de mais agravar a situação", contrapôs Floro. A seguir, vinha uma ameaça:

> Peço não apartar-se de minha orientação e caso queira ou entenda se apartar dela, por motivo de qualquer outra ordem, seja-me franco para que eu me desprenda desta questão, tomando atitude que me convier, não mais me preocupando que nossos adversários façam o que desejam fazer, especialmente aí no Juazeiro.

Ao final, vociferava: "Creio que Vossa Reverendíssima, estando bem avisado como está, só cometerá erros políticos se quiser".

Aquele telegrama provocou graves temores em Cícero. A possibilidade de vir a perder a amizade de Floro Bartolomeu, conforme o doutor deixara implícito na mensagem, não fazia parte nem mesmo do pior de seus pesadelos. Afinal, Floro e Cícero haviam se tornado o oposto complementar um do outro. Não era à toa que muitos ainda viriam a classificar o doutor como uma espécie de alter ego do sacerdote. O futuro vigário do Juazeiro, padre Manuel Macedo, seria um dos que procurariam definir a simbiose que passara a unir, desde o início, aqueles dois homens de naturezas aparentemente tão distintas:

> O povo, vencido pela adoração ao padre, jazia inconsciente aos pés do doutor. Se o padre queria uma coisa que não lhe ficava bem, passava a imputabilidade ao doutor, menos escrupuloso, e o povo, sem saber distinguir mais um do outro, obedecia a este, como se fosse àquele.

Cícero recuou. Escreveu para Floro uma carta que era, sobretudo, um cuidadoso pedido de desculpas: "Você é quem sabe o que faz, porque está no meio dos acontecimentos", admitiu o padre. "Seja bem prudente e sagaz, vencendo as tempestades do gênio. Peça a Deus que lhe guie e me represente, fazendo as coisas com sabedoria, dignidade e boa razão. A amizade me faz ter plena confiança em você", ressaltou Cícero, para depois sugerir: "Tenha cautela contra venenos, dinamites, tiro, qualquer maldade contra sua vida, que tem gente para tudo".

Entre os adversários, havia até quem insinuasse uma ligação

quase platônica, inconfessada, entre Cícero e Floro. A vida de celibatário do doutor mulherengo, que pelo menos de público jamais mantivera um relacionamento afetivo mais duradouro com ninguém, atiçava ainda mais a língua alheia. Maledicências à parte, além da amizade extremada, o fato é que Cícero não podia mais prescindir da voz tonitruante de Floro para defendê-lo nas tribunas parlamentares e, também, jornalísticas. Principalmente naquele momento em que as denúncias contra o banditismo no Cariri estavam ecoando na imprensa carioca, cedendo novamente espaço para os incansáveis defensores de uma solução final, nos mesmos termos de Canudos.

Para dar satisfações à opinião pública, não demorou muito para Benjamim Barroso requisitar tropas ao Exército para o Juazeiro, com o objetivo de reprimir as perturbações da ordem naquela zona. O Ministério da Guerra indeferiu o pedido, mas a sempre irrequieta *Careta* chegou a estampar um epitáfio prematuro de Cícero, escrito em versos e em tom de galhofa:

Epitáfio clerical

Aqui repousa um padre arreliado
Que tinha um nome de orador romano
E que fora ordenado
Indubitavelmente por engano,
Tal era o ardor guerreiro
Que demonstrava em luta no sertão,
Arvorando em soldado o cangaceiro
Boçal e valentão.
Morreu sem receber os sacramentos
(um balázio na pele lhe deu cabo)
E a seu lado, nos últimos momentos,
Houve quem visse o diabo.

O que mal começa, ruim acaba. As notícias pouco alvissareiras apanharam Cícero de roldão. A mãe, dona Quinô, que enfrentara os últimos anos de vida cega e paralítica, morreu prostrada em uma cama no dia 4 de agosto de 1914, seis meses após o falecimento de Maria de Araújo. Menos de três meses decorridos da morte de dona

Quinô, em 20 de outubro, um novo golpe iria fazer o padre permanecer imerso em profunda depressão. Por intercessão da Nunciatura no Brasil, o papa Bento XV, que iniciara seu pontificado em setembro daquele ano, assinou o documento que autorizava a fundação de uma diocese do Crato. Desse modo, o Vaticano jogava por terra, em definitivo, as pretensões de Cícero de ver o Juazeiro servir de sede a um bispado. Documentos enviados pela Nunciatura no Brasil à Santa Sé advertiam que a nova circunscrição eclesiástica deveria começar a funcionar o mais urgente possível, para evitar que os fatos decorrentes da sedição aprofundassem o potencial de rebeldia representado pelo padre Cícero Romão Batista.

O vigário do Crato, Quintino Rodrigues, brindado pouco antes com o título de monsenhor, seria o escolhido para o cargo de bispo titular da nova prelazia. Aos 52 anos, quase três décadas depois de professar o chamado "milagre de Juazeiro" nos tempos de juventude, o experimentado Quintino passava a ser o guardião oficial da doutrina católica no Cariri. Com o objetivo de receber instruções para o pleno exercício da função, seguiu para Petrópolis, onde foi recebido em audiência pelo núncio apostólico, Giuseppe Aversa. Além das recomendações de caráter genérico, foram-lhe passadas indicações específicas de como tratar o caso do padre Cícero: Quintino deveria chamar Cícero em sua presença, no Crato, para tentar conscientizá-lo dos "enormes danos" que já causara à Igreja, lembrando-lhe que a idade avançada deixava pouco tempo para que viesse a se arrepender dos muitos erros que supostamente havia cometido até ali.

"Faça-lhe ver a conveniência, a oportunidade e a necessidade de obedecer à Santa Sé e de não pôr embaraços ao governo e à administração diocesana", detalhou o núncio a Quintino. "Insinue-lhe que ele está velho e que deve prover a sua própria situação para o dia, talvez não tão longínquo, em que deverá comparecer diante do Juiz Supremo."

Cícero arriscou uma última cartada para tentar impedir o que já era fato consumado. Escreveu aos parlamentares da bancada cearense no Senado e na Câmara Federal, pedindo-lhes encarecidamente que fossem em comissão até a Nunciatura em Petrópolis.

"Apresentem em meu nome a tese de transferência da sede do bispado para aqui", apelou, referindo-se ao Juazeiro. "Ofereço duas propriedades, uma em Coxá, de valor suficiente para o patrimônio, e um terreno para um seminário, facilitando a construção."

Na esperança de que o núncio se sensibilizasse com a oferta, Cícero mandou rodear o terreno reservado ao seminário com uma cerca de arame farpado. Pura perda de tempo. O donativo não foi sequer levado em conta por dom Giuseppe Aversa. Cícero, desconsolado, ordenou que fosse aberto um roçado de milho e feijão no local. Quanto às terras do Coxá incluídas na mesma oferta à Nunciatura, o caso era ainda mais melindroso. As querelas judiciais relativas ao lugar permaneciam tramitando a passo de cágado pelos fóruns e tribunais cearenses. Nada ainda fora definido a respeito da posse integral da terra. Depois de tanto tempo, a única mudança significativa no processo era a alteração no estado civil de um dos representantes legais de Cícero, o conde Adolphe van der Brule. Adolphe enfim conquistara o coração da órfã Custódia e pedira a mão da moça a Cícero.

O padre sempre soubera do interesse do francês por Custódia, mas tentara demovê-lo do assunto enquanto pôde. Cícero alegara a enorme disparidade de condição entre os dois. Adolphe era um estrangeiro, culto, educado, formado em Paris. Custódia, uma mocinha simples, de pouca instrução, uma interiorana que nada sabia do mundo. Mas Adolphe fincara pé e dissera que não se importava com tais questões. Sendo assim, manteve o pedido. Cícero convenceu-se de que o caso era sério. O conde francês estava apaixonado de verdade pela desenxabida Custódia.

Pouco antes da sedição, com a devida aprovação de Cícero Romão Batista, o conde encaminhara um requerimento ao padre Quintino Rodrigues, pedindo autorização para casar com Custódia na Igreja. A nebulosa história pessoal de Adolphe sempre intrigara Quintino. "O tal conde é comensal do padre Cícero, que muito o preza. O seu casamento está sendo promovido sob segredo, o que me faz suspeitar da existência de qualquer coisa que o determina", revelara Quintino a dom Joaquim na época. "O encarregado do padre Cícero insistiu comigo para apressar o mais possível este casamento", completou, ressabiado.

Apesar das desconfianças do então vigário do Crato, o casamento foi realizado, sem muito clamor e quase sem festa. O que Quintino e ninguém mais no Cariri sabia era que o conde só contara, para todos, a metade de sua história. De fato, ele era nobre e realmente fora camareiro do papa, como bem assegurara a Cícero desde o primeiro encontro. Só que, antes de vir ao Brasil, Adolphe já tinha família constituída na Europa. Anos antes, casara em Roma com Saleta Cabrero Martinez, uma donzela natural de Toledo, na Espanha, filha do embaixador espanhol na Santa Sé, numa cerimônia oficiada pelo próprio Leão XIII. Adolphe tivera dois filhos com Saleta: José Maria e Alfredo. Por razões que nunca ficaram suficientemente claras, abandonara a mulher e os filhos para se fixar para sempre no Brasil.

O casamento com Custódia daria a Adolphe outros dois herdeiros. Uma menina, batizada com o nome de Joana, em homenagem a Joana Tertuliana de Jesus, a beata Mocinha; e um menino, que receberia o nome de Cícero, por motivos óbvios. Por força do destino, a pequena Joana e o pequeno Cícero van der Brule cresceriam bem distante de seus dois meios-irmãos europeus mais velhos. Um deles, Alfredo van den Brule y Cabrero, viria a ser, pouco mais tarde, o poderoso alcaide de Toledo. Uma única circunstância, além do fato de possuírem o mesmo pai, conectaria indiretamente aquelas histórias de vida. Cícero van der Brule nascera às vésperas de uma revolta armada, a sedição do Juazeiro. O mano Alfredo van der Brule morreria em outra. Monarquista, o futuro alcaide de Toledo seria fuzilado dali a alguns anos, em 1936, durante a Guerra Civil espanhola.

No dia 12 de julho de 1916, os cardeais inquisidores voltaram a se reunir para deliberar sobre o caso de Cícero. O cardeal Merry del Val, que passara a responder pela chefia do Santo Ofício, presidiu a mesa de trabalhos. A pilha de documentos e relatórios enviados pela Nunciatura no Brasil ao Vaticano mantinha bem vívidas as censuras da Santa Sé a respeito do assunto. Prova disso era que os documentos oficias da congregação continuavam a definir Cícero como um "fanático", um "rebelde", um "traficante de falsos milagres".

Havia uma agravante. Ao longo dos dois anos anteriores, oito cartas enviadas do Juazeiro tinham chegado ao tribunal da Inquisição, embora elas tivessem sido endereçadas originalmente ao papa.

Todas eram assinadas pelo mestre Pelúsio Macedo — e todas pediam a reabilitação do sacerdote Cícero Romão Batista. Como os cardeais desejaram saber ao certo quem era o teimoso remetente, e se porventura ele era digno de algum crédito, o núncio no Brasil esboçou o seguinte perfil pessoal do maestro, telegrafista, relojoeiro e sineiro: "É um desequilibrado, ligado a fio duplo com o padre Cícero. A mãe morreu louca. De quando em vez, também exibe sinais de pouca estabilidade de suas faculdades mentais. A redação das cartas que endereçou ao Santo Padre não é dele".

A conclusão a que os cardeais chegavam era a de que o próprio Cícero seria o verdadeiro autor intelectual das petições que estavam, nas palavras do núncio, insistindo em "molestar" o papa. Com base em todos os elementos remetidos diretamente por Petrópolis, os inquisidores não tiveram mais dúvidas acerca da matéria. Decidiram encaminhar um ofício a dom Giuseppe Aversa, com as medidas extremas que deveriam ser aplicadas à situação. "De acordo com as informações dessa Nunciatura Apostólica, o famigerado sacerdote Cícero Romão Batista, do Juazeiro, no estado do Ceará, Brasil, nunca obedeceu, como devia, aos decretos do Santo Ofício a seu respeito" — dizia o preâmbulo do documento assinado pelo cardeal Merry del Val, na função de grande inquisidor.

No último parágrafo, vinha a inevitável sentença. O Santo Ofício considerava que Cícero estava irreversivelmente incurso na pena máxima reservada aos desobedientes, aos apóstatas, aos cismáticos e aos hereges em geral:

> Faça-se claramente saber que a Santa Sé, confirmando tudo o que foi até agora estabelecido, reprova decididamente e condena a conduta de Cícero, declarando-o incorrido na excomunhão, e exorta calorosamente todos os fiéis a não se deixarem enganar por suas falácias e tergiversações.

Cícero era, a partir de então, um excomungado. De acordo com o Tribunal do Santo Ofício, isso significava que ele não estava mais em comunhão com Deus. Era um condenado espiritual. Um desterrado da Igreja, execrado por desobediência e rebeldia. Um proscrito.

9

Devotos não entendem aquele novo estrupício: o *Padim* mandou acabarem as romarias

1916-1920

O decreto de excomunhão demoraria nove meses para chegar à Nunciatura no Brasil e, depois disso, levaria mais algum tempo até ser encaminhado às autoridades do clero no Ceará. As distâncias marítimas explicavam o atraso. Mas o fato de a Europa se encontrar assolada pelos horrores da Primeira Guerra Mundial emperrava ainda mais as comunicações e adiou a expedição do documento. "Tantas nações cheias de vida se destruindo umas às outras, obedecendo a uma força impulsiva, sem quase saberem o que fazem nem o que querem", registraria Cícero, em suas anotações pessoais. Sem que o padre pudesse adivinhar, a guerra postergava a aplicação da pena.

Também desconhecedor do decreto, Quintino Rodrigues fez sua primeira visita oficial ao Juazeiro, como bispo, na antevéspera do Natal daquele ano de 1916. Para surpresa de todos, ele resolvera estabelecer um canal de diálogo efetivo com Cícero. Apesar de cumprir a recomendação do núncio para chamar o padre à razão, dom Quintino entendia como parte de sua missão evangelizadora à frente da nova diocese promover uma política de distensão gradual com o Juazeiro.

Nascido nos grotões de Quixeramobim, o sertanejo Quintino Rodrigues tinha uma compreensão da religiosidade popular um pouco menos severa do que a de seu preceptor, dom Joaquim José Vieira, a quem servira como obediente discípulo. Quintino mantinha inclusive uma conscienciosa interlocução com o então seminarista Manoel Correia de Macedo, o Macedinho, filho de Pelúsio Macedo e aluno do Colégio Pio Latino-Americano em Roma. Em carta ao recém-nomeado bispo do Crato, Macedinho sugeriu:

> Suplico que Vossa Excelência, como bom pastor, não se contente em ouvir o que outros lhe digam e relatem, mas baixando em pessoa ao meio de suas ovelhas, busque-lhes as feridas para curá-las, pois dificilmente por intermédio de outros chegará Vossa Excelência a um conhecimento perfeito.

De forma implícita, o seminarista fazia uma crítica à postura anterior de dom Joaquim, que nunca se dignara a comparecer ao Juazeiro pessoalmente para averiguar de perto os polêmicos acontecimentos envolvendo Maria de Araújo e Cícero.

O argumento central de Macedinho, que coincidentemente passou a ser também o motor das ações subsequentes de dom Quintino Rodrigues, era o de que o povo do Juazeiro não podia continuar a ser deixado à margem da Igreja, sem nenhuma assistência religiosa, sem vigário e sem templo oficial. Isso só aprofundava a distância entre a fé ritualizada e as manifestações espontâneas do chamado fanatismo. O remédio para os desvios espirituais daquela gente, opinava o seminarista, não seria a cega repressão, mas antes o acolhimento pastoral, a orientação criteriosa, a devida instrução da doutrina cristã. "No Juazeiro há fanatismo, há ignorância, mas isso é mais um motivo para que se mandem para lá padres que instruam aquela gente", defendia Macedinho, que dizia ter recorrido à orientação de um professor jesuíta, teólogo em Roma, para analisar a questão com maior propriedade.

Quintino, de fato, passou a adotar um estilo exatamente oposto ao de dom Joaquim. Recebido em cortesia na casa de Cícero, logo acenou com a até então inimaginada reconciliação. Como prova de reconhecimento, sob os costumeiros cuidados de Floro, Cícero retribuiu ofertando ao bispo um suntuoso banquete. O menu, impresso de modo caprichoso em cartões postos à mesa diante de cada lugar reservado aos comensais, deixava claro que não haviam sido poupados esforços para impressionar o convidado de honra. O simples enunciado dos itens do cardápio constituía deleitosa tentação, um apelo quase irrespondível ao pecado capital da gula. Galinha ao molho pardo, carneiro assado, filé com ervilhas, peito de galinha à francesa, leitão com farofa, frigideira de lagosta, fritada de pombos, peru assado, tainha ao molho, lombo à carioca e até uma perdiz recheada foram servidos como pratos principais. De sobremesa, havia ao alcance da mão uma fileira de travessas abarrotadas de frutas frescas fatiadas — especialmente abacaxis, bananas e mangas —, além de irresistíveis doces de pêssego, goiaba e pera. O vinho também correu farto, ao gosto de cada um, nas versões tinto, branco e rosé.

A ocasião merecia um discurso. Cícero havia rabiscado algumas anotações no papel e pediu para lê-las à hora do brinde. Com evidente dificuldade por causa da vista enfraquecida pelos 72 anos de idade, o padre recitou a homenagem a Quintino, que saboreou cada palavra:

> Sinto-me plenamente satisfeito com a visita de Vossa Excelência a esta terra, porque assim, em uma demonstração pública e sincera, por intermédio desta população que me ouve, poderei eu testemunhar a Vossa Excelência que os laços de estima que nos uniam, quando aqui chegou, como simples padre, ainda permanecem em toda sua integridade.

Os aplausos que se seguiram eram para Cícero, mas também para dom Quintino. "Em cada habitante desta cidade, mansa ovelha desse rebanho do qual é o bom pastor, Vossa Excelência tem um amigo, um sincero e dedicado auxiliar", concluiu o padre. Após a rodada de saudações, todos puderam enfim empunhar o garfo e se regalar à vontade naquele ágape histórico.

Mas festança maior ainda — e com certeza bem mais inesquecível para os juazeirenses — viria no dia seguinte. Depois de amargar por 24 anos a proibição de celebrar no Juazeiro, Cícero recebeu autorização formal de dom Quintino para subir ao altar da capela de Nossa Senhora das Dores e rezar ali as missas do Natal. Em sinal de boa vontade, o impedimento que havia sido aplicado por dom Joaquim estava revogado dali por diante pelo bispo do Crato. Assim que foi posta a par da notícia, a cidade inteira saiu para as ruas, em estrondosa comemoração. Durante a celebração litúrgica natalina, enquanto os fogos de artifício iluminavam os céus do Juazeiro, muitos choravam de alegria ao ver um paramentado Cícero Romão

Batista de volta ao alto do púlpito, a cabeça muito branca pelos anos de degredo clerical.

Realmente, dom Quintino estava decidido a provocar surpresas gerais. Logo a seguir, em janeiro, decretaria a criação da freguesia do Juazeiro, elevando a capela de Nossa Senhora das Dores à condição de matriz da cidade, cumprindo uma antiga aspiração dos católicos do lugar. Como ainda estavam mantidas as proibições anteriores de batizar, casar e confessar fiéis, Cícero não pôde assumir o cargo de vigário da nova paróquia. Quintino escolheu para a função um sacerdote que gozava de seu bom conceito, o padre Pedro Esmeraldo da Silva Gonçalves, de quarenta anos, que fora nomeado vigário do Crato logo após a ascensão do mesmo Quintino ao bispado. O propósito do bispo ao transferir Pedro Esmeraldo para o Juazeiro era o de manter Cícero sob atenta vigilância. Evitava-se assim que os votos de confiança que estavam sendo oferecidos a ele servissem de pretexto para novos problemas.

Como não poderia deixar de ser, dom Quintino tinha algo a pedir em troca de tantas benesses. No dia 31 de dezembro, quando todos na cidade ainda só falavam da emoção de ver Cícero restituído ao direito de rezar missa na igreja do Juazeiro, o bispo enviara ao padre um ofício reservado. Nele ia contido um detalhado questionário, que Cícero teria de responder de próprio punho e ao pé do mesmo papel, "com precisão e clareza", devendo fazê-lo debaixo de sagrado juramento.

Não eram questões amenas. Mas Quintino as julgava vitais para prosseguir ou não com sua política de aproximação com Cícero:

1. Mantém Vossa Reverendíssima na íntegra e renova a protestação que fez de inteira obediência e mencionada submissão aos decretos e decisões do Santo Ofício [...], condenando como "pretensos e falsos milagres e ímpio abuso à Sagrada Eucaristia" os fatos ali ocorridos com Maria de Araújo? [...]
2. Teve Vossa Reverendíssima conhecimento de uns artigos de defesa de tais fatos, publicados em *O Rebate*? [...]
3. Condena Vossa Reverendíssima todo o conteúdo daqueles escritos desrespeitosos que envolvem clara maledicência contra o prelado da diocese? [...]
4. Sabe Vossa Reverendíssima o paradeiro dos panos ensanguenta-

dos que foram roubados da matriz do Crato, onde estavam guardados por ordem superior, [...] sendo ulteriormente encontrados na casa do falecido José Marrocos e de novo desapareceram? [...]

5. Está Vossa Reverendíssima disposto a cumprir, como verdadeiro sacerdote católico, todas as leis, decretos e decisões da Santa Igreja, e todas as determinações do bispo diocesano? [...]
6. Está, outrossim, disposto a cooperar positivamente para se combater qualquer manifestação, por atos ou palavras, de pessoas ignorantes e supersticiosas, contrários aos decretos e decisões do Santo Ofício?
7. É voz pública que Vossa Reverendíssima interveio positiva e eficazmente na revolução política que se operou neste estado do Ceará, com o seu conhecido e gravíssimo cotejo de mortos, saques, roubos etc., fornecendo elementos de que dispunha e entretendo ativa correspondência com os que tentavam a deposição do governador do estado, que por fim se realizou. Se assim foi, como explica Vossa Reverendíssima esta sua cooperação (que sendo imensa) é possível de pena canônica?
8. Tem Vossa Reverendíssima em seu poder, como dizem, o armamento todo ou em parte, apreendido pelas forças revolucionárias em todo o estado, e guardado, dizem ainda, para um segundo movimento político que porventura se torne necessário?
9. Está Vossa Reverendíssima disposto a satisfazer os compromissos que assumiu na mencionada revolução, com algumas pessoas a quem autorizou por escrito a entregarem os víveres que tinham em suas casas, garantindo-lhes o pagamento depois da vitória?
10. Finalmente, afirma Vossa Reverendíssima que em nada entravará as determinações diocesanas e a administração paroquial nessa localidade?

Cícero, como exigia o bispo, rabiscou respostas instantâneas no rodapé da página, negando todas as acusações que recaíam contra si. Disse, em primeiro lugar, que mantinha e renovava a inteira obediência aos decretos do Santo Ofício. Alegou, em seguida, que simplesmente não lera nenhum dos artigos publicados pelo extinto *O Rebate* — escritos à época por José Marrocos — em defesa dos alegados milagres. Afirmou condenar e reprovar, como pedia Quintino, o quanto existisse de maledicente em tais artigos. Jurou, com todas as letras, que ignorava completamente o paradeiro dos panos ensanguentados. Garantiu que sempre havia cumprido — e que sempre cumpriria —, por dever de sacerdócio, todas as leis da Igreja. Cooperaria, sim, para combater a superstição e o fanatismo, pelo menos no quanto isso estivesse a seu alcance. Negou ainda que houvesse comandado ou colaborado com a sedição do Juazeiro, embora reconhecesse que de fato orientara os que se julgaram "ameaçados de extermínio" a "defenderem a própria vida". Repeliu, com veemência, a informação de que tinha armas em seu poder — "tenho horror a revolução e desordens", escreveu. Por fim, admitiu que pedira "a duas ou três pessoas" que fornecessem "sustento ao povo" durante a sedição, mas somente porque haviam lhe garantido — sem esclarecer quem lhe dera tal garantia — que o governo federal pagaria tudo após a vitória do movimento.

Dom Quintino leu as respostas e decidiu não pôr em suspeita, pelo menos inicialmente, nenhuma das negativas de Cícero, embora algumas delas contivessem passagens um tanto quanto evasivas ou pudessem mesmo vir a merecer contestações públicas mais tarde, como aquela em que o padre dizia desconhecer completamente o destino dos paninhos ensanguentados. Fosse como fosse, assinadas que estavam sob juramento, dom Quintino não podia se recusar a recebê-las como um documento oficial. Mas, por via das dúvidas, para prosseguir no projeto de distensão sem incorrer em maiores riscos, encaminhou no início de fevereiro ao padre Pedro Esmeraldo uma consulta por escrito, indagando detalhes da conduta pública de Cícero. O bispo do Crato queria saber se Cícero estava se comportando corretamente, o que incluía a total abstenção de abençoar "crédulos e supersticiosos", além da censura verbal à venda no Juazeiro das famosas medalhinhas proibidas com a imagem do padre, que apesar do interdito continuavam a inundar o sertão e a servir de objeto de culto.

Padre Pedro Esmeraldo, ávido por se mostrar prestativo, enviou a resposta no mesmo dia. Disse considerar aquela uma situação embaraçosa, mas denunciou que o colega Cícero continuava a fazer o sinal da cruz na testa de qualquer um que lhe pedia a bênção — e mesmo em quem não lhe pedia também, até nos mais supersticiosos romeiros. Do mesmo modo, delatou que Cícero insistia em fazer gestos de mão sobre objetos variados — santinhos, imagens, rosários, velas e medalhinhas — que passavam a ser considerados relíquias sagradas pelos respectivos portadores. Por último, preveniu Esmeraldo, era óbvio que havia gente lucrando com o trabalho de guiar peregrinos até a presença do padre, tudo à custa, segundo o vigário, da "lamentável ignorância da grande maioria dos pobres fanáticos".

Na avaliação do vigário, portanto, Cícero era um rebelde incorrigível. Dom Quintino ainda matutava sobre quais providências tomar em relação ao caso quando, em maio, recebeu uma carta em papel timbrado da Nunciatura, datada de um mês antes. O núncio dom Giuseppe Aversa finalmente participava ao bispo do Crato o teor do decreto do Santo Ofício de julho do ano anterior, no qual se declarava ter o padre Cícero Romão Batista incorrido em excomunhão. Quintino ficou boquiaberto. Contudo, diante da nova situação, adotou uma atitude ainda mais inesperada do que todas as outras que já havia tomado até ali como bispo: guardou temporariamente a carta em segredo. Não comunicou nada a Cícero. Ainda tinha esperanças de redimi-lo antes de precisar executar tão grave sentença.

O casal de romeiros, vindo do Piauí, implorou a Cícero que lhes batizasse os dois filhos pequenos, adoecidos gravemente durante a viagem. O pai e a mãe, alarmados, tinham medo de que as crianças não resistissem ao impaludismo. Se morressem pagãs, seriam condenados automaticamente ao limbo, o "não lugar" que a religião cristã afirmava ser a morada das almas que não foram remidas do pecado original pelo batismo. Cícero lamentou, mas disse que nada podia fazer a respeito, pois estava proibido de ministrar quaisquer sacramentos. Pediu que Floro examinasse os bebês e lhes receitasse algum remédio. Em seguida, puxou do bolso um rolinho de cédulas e despachou a família para a farmácia. Por último, recomendou que fossem ao encontro do vigário Pedro Esmeraldo, o único na cidade com autorização para batizar crianças.

Dali a alguns dias, outro caso semelhante bateu à porta de Cícero. Mais um casal de romeiros vinha lhe pedir que batizasse o filho.

O bispo do Crato, dom Quintino (sentado ao centro), com um grupo de religiosos da diocese. Cícero está ao lado dele, imediatamente à esquerda

O menino queimava em febre e apresentava convulsões. Como o pior podia se dar a qualquer instante, sem que houvesse tempo suficiente para mandar chamar o vigário ou o médico, Cícero decidiu ele mesmo batizar a criança, impedindo-a assim, à última hora, de morrer pagã. Estava ciente de que infligira uma determinação superior, mas disse ter agido com a consciência tranquila. Não era a primeira vez que procedia daquele modo — e nem seria a última. Não havia muito tempo, dera a uma moribunda a extrema-unção, que lhe fora negada minutos antes por padre Pedro Esmeraldo. O vigário vira que a mulher trazia ao pescoço uma medalhinha com o rosto de Cícero e, por isso, seguira as determinações da diocese de não ministrar sacramentos a quem portasse aquele objeto considerado sacrílego.

A doente, à beira da morte, foi carregada às pressas numa rede até a residência de Cícero, que se apiedou da situação e a absolveu dos pecados, poucos instantes antes de ela vir a falecer. Segundo justificaria Cícero, ao oferecer o sacramento à mulher, retirara-lhe a medalha do pescoço e a guardara no bolso, para que não restassem dúvidas da lisura de seu gesto. "Unicamente por sentimento de caridade cristã, na hora extrema da infeliz criatura, eu a absolvi", deixaria devidamente registrado.

Casos como aqueles iam parar de imediato nos ouvidos de dom Quintino, que se encontrava absolutamente dividido. Deveria relevar tais circunstâncias emergenciais ou aplicar de uma vez por todas a pena de excomunhão a Cícero, como, aliás, seria o seu dever de representante máximo da Igreja na diocese, uma vez que fora oficialmente notificado do decreto do Santo Ofício? Posto entre a cruz e a caldeirinha, o perseverante Quintino resolveu dar mais uma chance ao padre. Mas, em 25 de julho de 1917, escreveu-lhe para recriminar o fato de estar ministrando batismos a crianças e extremas-unções a moribundos, e principalmente para cobrar explicações a respeito de outros assuntos graves que igualmente lhe haviam relatado. Dom Quintino dizia ter sido informado de que Cícero continuava a incentivar as romarias, insistia em receber e abençoar peregrinos em casa, além de prosseguir a benzer as tais medalhinhas proibidas. O mais grave de tudo, segundo Quintino, é que chegara a seu conhecimento, "por via insuspeita", como o bispo fez questão de frisar, que Cícero estava, sim, ao contrário do que dizia, de posse dos panos ensanguentados que a Inquisição mandara expressamente destruir.

Cícero, mais uma vez, negou tudo, por escrito. "Peço permissão a Vossa Excelência para afirmar que absolutamente não tenho fomentado, como nunca fomentei, as romarias ou visitas a este lugar, nem recebo os romeiros e viajantes com atenções proibidas pelos poderes competentes nem com cerimônia de bênção à moda episcopal", afirmou. Como sempre, tinha uma justificativa para as acusações:

> Quanto à vinda dos romeiros aqui, os recebo como simples amigos, dispensando-lhes tão somente atenção e cordialidade. Vossa Excelência, inteligente como é e de espírito superior, poderá compreender a impossibilidade de evitá-los. São fatos que só podem desaparecer com a ação lenta do tempo.

Quanto às medalhas, Cícero afirmava que sempre se opusera à exploração praticada pelos comerciantes que as mandavam cunhar: "Aqui mesmo, quando Vossa Excelência esteve em visita pastoral, concorri com a melhor boa vontade para a apreensão das que existiam expostas à venda e em poder das pessoas que as possuíam". Em relação aos polêmicos paninhos, Cícero foi novamente categórico: "Afirmo absolutamente: não sei do paradeiro dos panos ensanguentados. Se, durante os meus dias de vida, eles chegarem ao meu poder, pode Vossa Excelência ficar certo de que, com muita satisfação, cumprirei as determinações da Suprema Congregação do Santo Ofício".

Os esforços do bispo para enquadrar o padre e, ao mesmo tempo, tentar reduzir o fluxo de romarias não estavam surtindo o mais leve efeito. Muitos devotos simplesmente se recusavam a receber a comunhão de outros sacerdotes, inclusive dos três religiosos lazaristas que haviam chegado naqueles dias ao Juazeiro em missão evangélica, por iniciativa de dom Quintino. Os padres Guilherme Wassem, Luis Wangestel e Jerônimo de Castro ficaram desconcertados ao constatar que os peregrinos e os cristãos do Juazeiro preferiam ficar sem nenhum sacramento a ter de entregar as medalhinhas proibidas ou a negar sua crença na santidade do *Padim Ciço*.

A esse respeito, dona Amália Xavier de Oliveira, pessoa que privava do círculo íntimo da casa do padre e escreveria mais tarde um livro sobre ele, *O padre Cícero que eu conheci*, relataria um curto mas expressivo diálogo ocorrido entre o sacerdote e um de seus muitos visitantes:

"Padre Cícero, por que o senhor permite que se diga que o senhor é santo? Que é Deus?"

Sorrindo, Cícero teria respondido, tranquilamente:

"Meu amiguinho, eu não admito que se diga isso em minha presença; mas fique tranquilo, pois os que por aí afora dizem que eu sou ruim, que eu não presto, são tantos que não dá nem para equilibrar."

Quintino não viu outro jeito, como derradeiro recurso, senão exigir a retratação pública de Cícero. Com a carta do núncio a respeito da excomunhão ainda guardada na gaveta, ordenou que Cícero, durante as celebrações que marcariam a presença da missão lazarista no Juazeiro, fizesse uma declaração aos fiéis, "em linguagem clara e explícita", reprovando o procedimento daqueles que continuavam a se mostrar refratários às determinações da Igreja. A fim de que não houvesse nenhuma oportunidade para Cícero recorrer a subterfúgios, dom Quintino mandou por escrito o texto que ele deveria passar a limpo com a própria letra e depois pronunciar na íntegra, durante o sermão.

Entre os trechos mais contundentes, Cícero teria de afirmar o seguinte:

> Declaro que reprovo e condeno, como as autoridades eclesiásticas reprovam e condenam, as romarias e visitas que continuam a ser feitas a este lugar, em consequência de fatos condenados.
>
> Declaro que reprovo e condeno, como foram reprovados e condenados pelos padres competentes, o uso e a conservação das medalhas de qualquer espécie que têm o meu retrato.
>
> Declaro que reprovo e condeno o absurdo e insensato procedimento daqueles que, por aferro a essa crença e a esse abuso, se privam dos sacramentos da confissão e da comunhão.
>
> Declaro que não quero e não terei relações com aqueles que, contrariando as disposições do Santo Ofício, aqui vêm em romaria, nem

também com aqueles que não querem entregar as medalhas que possuem, e por este motivo, ou pelo fato de crença nos fatos, deixam de confessar-se.

Cícero ainda tentou objetar. Escreveu a dom Quintino com o argumento de que as romarias que se faziam ao Juazeiro eram fruto da adoração a Nossa Senhora das Dores — e não a ele, Cícero Romão Batista. Também dizia estranhar a ordem para que não mais se relacionasse com os romeiros ou com os que professassem crenças tidas como impróprias. "Pelo modo que está redigido o memorando, eu ficaria absolutamente privado de comunicar-me com quem quer que fosse, quase em reclusão, talvez mesmo sem poder sair à rua." Como o bispo reeditava também a exigência para que não mais recebesse esmolas dos romeiros, Cícero arguiu: "Em tais condições, eu ficarei absolutamente privado, como sacerdote, homem público e particular, de receber demonstrações de amizade e gratidão, quer em visitas, quer em donativos, presentes ou ofertas".

Dom Quintino não abriu espaço para concessões. Ou o padre Cícero Romão Batista lia o memorando de público ou, do contrário, ser-lhe-ia novamente retirada a prerrogativa de rezar missa no Juazeiro. Não havia outro jeito. Cumprisse a ordem. Abalado, Cícero viu-se compelido a obedecer. À luz da vela, copiou o texto com sua letra e se preparou para aquele que viria a ser um dos momentos mais angustiantes de sua vida: o de ler a retratação em praça pública.

No dia marcado para a cerimônia, o bispo mandou erguer uma tribuna elevada, com quase oito metros de altura, bem em frente à igreja de Nossa Senhora das Dores, para que o padre pudesse ser visto por todos, mesmo a distância. Na noite de 30 de dezembro de 1917, pé ante pé, Cícero galgou com dificuldade os degraus que conduziam ao alto do palanque. Os passos do sacerdote eram lentos. Levava às mãos, como o mais pesado dos fardos, a folha de papel com o texto do memorando. As testemunhas do episódio contariam depois que os missionários lazaristas não cabiam em si de contentamento: apoiavam integralmente a medida de dom Quintino. Consideravam que o bispo acabara de escrever o último capítulo da história do fanatismo no Juazeiro.

Cícero, com a voz embargada, leu o documento na íntegra. Amontoados na praça diante da igreja, os romeiros não conseguiam acreditar no que ouviam. O *Padim Ciço* estava dizendo que condenava as romarias, que não os receberia mais em casa, que não os abençoaria nunca mais, que não teria mais nenhuma espécie de relação com eles. "Foi uma noite de muita tristeza para todos que compreenderam a grande humilhação que amargou a alma daquele santo sacerdote, que sofrera naquela hora tão grande provação", diria dona Amália Xavier de Oliveira.

O doutor Floro Bartolomeu, que fazia questão de conferir por antecipação o conteúdo de toda a correspondência remetida ao padre, teve a atenção chamada para o envelope com o brasão da diocese do Crato que estava sobre a mesa. A data do carimbo dos correios era de dois dias antes, 29 de abril de 1920. O remetente, lia-se no verso, era dom Quintino. Curioso, Floro abriu a carta e não conteve o espanto. Quintino transcrevia linha por linha o decreto do Santo Ofício, o mesmo que deixara permanecer no mais completo segredo durante todo aquele tempo. Muito provavelmente porque as romarias não haviam cessado após dezesseis meses decorridos desde a data da retratação pública do sacerdote, o bispo do Crato finalmente decidira revelar a verdade: para o Santo Ofício, Cícero era um excomungado.

Floro, nervoso, enfiou a carta no bolso e saiu à procura do padre Pedro Esmeraldo. Fez ver ao vigário a gravidade do assunto. Cícero estava acamado, tinha problemas no coração e outros achaques típicos da velhice. Inclusive chegara a escarrar sangue em pelo menos duas ocasiões nos dias anteriores. Não iria resistir àquela notícia, argumentou. Se Cícero soubesse que estava incurso em excomunhão, iria definhar de uma vez para sempre, sucumbir à tragédia, morrer de desgosto. O organismo e a alma do velho não resistiriam a tamanha contrariedade. O senhor vigário bem podia imaginar o que viria a seguir se tal acontecesse, aludiu Floro. As beatas e os beatos, por certo, entrariam em estado de histeria. Os romeiros iriam acusar a Igreja de ter assassinado um santo. Quem conteria a multidão furiosa, vendo-se órfã de seu fiel conselheiro de uma hora para outra, por razão de um decreto radical como aquele?

Padre Pedro Esmeraldo sentiu-se impotente para dar qualquer encaminhamento ao caso e recorreu imediatamente ao bispo. Floro seguiu-lhe os passos. Em uma audiência com dom Quintino que se estendeu por intermináveis seis horas, o doutor repetiu os mesmos argumentos que enfileirara pouco antes para o vigário do Juazeiro. Cícero não aguentaria o baque. Estava velho, decrépito, a saúde prejudicada. Se viesse a morrer por causa daquela carta, a Igreja se veria em péssima situação. O melhor a fazer era dar tempo ao tempo, recomendou Floro Bartolomeu, puxando a carta do bolso e devolvendo-a às mãos de Quintino. Era melhor que o bispo raciocinasse um pouco mais sobre o assunto, sugeriu o doutor.

Dom Quintino Rodrigues, mais uma vez, trancafiou a carta em uma gaveta do palácio episcopal. Dali a algum tempo, em novembro daquele mesmo ano de 1920, o bispo escreveria diretamente ao papa Bento XV para tratar da questão. No arquivo da Cúria do Crato, seriam encontrados mais tarde vários esboços daquela mensagem de Quintino ao Sumo Pontífice. Os apontamentos mostrariam que ele procurara o tom exato, a frase certa, as palavras mais adequadas. Reescreveu vários trechos, riscou outros, refez diversas vezes o início do texto. Mexeu na ordem dos parágrafos, acrescentou anotações à margem, reforçou as ideias iniciais.

Ao final, quando julgou ter chegado a uma versão definitiva, colocou-a no envelope, anexando o memorando que Cícero copiara com a própria letra à época da retratação. Escreveu dom Quintino:

> Beatíssimo Papa. Venho, prostrado aos pés de Vossa Santidade, humildemente implorar que me seja permitido expor o seguinte: o sacerdote Cícero Romão Batista sofre há tempos de lesão cardíaca, de acordo com atestados médicos, confirmados pelos sintomas que nele se manifestam, donde surge o grande perigo de que ele tenha um desenlace fatal, com a publicação da referida sentença.

O bispo ponderava a Bento XV que Cícero havia se retratado do alto de uma tribuna pública, condenando explicitamente as romarias. Acrescentava que as condições religiosas da paróquia do Juazeiro haviam melhorado consideravelmente após a missão dos lazaristas, contando-se desde então na freguesia mais de mil comunhões mensais, o que seria uma prova cabal de que a autoridade diocesana estava mantendo o controle da situação. Ao final, dom Quintino pedia textualmente que a excomunhão fosse revogada e que Cícero, "pelo bem da paz", fosse absolvido de todas as censuras.

Em 23 de fevereiro de 1921, os cardeais inquisidores incluíram mais uma vez o caso do padre brasileiro Cícero Romão Batista na pauta de sua reunião semanal. Motivados pela carta de dom Quintino ao papa, voltaram a deliberar sobre a questão. Como resultado, enviaram uma carta lacônica ao bispo do Crato, assinada pelo cardeal Merry del Val, com uma única e concisa orientação: "Absolva das censuras o mencionado sacerdote e o admita ao sacramento à maneira dos leigos, permanecendo a irregularidade para exercer os sacramentos ministeriais".

Em outras palavras, a excomunhão fora anulada. Mas, para o Santo Ofício, Cícero estava equiparado a qualquer outro cristão sem batina. Não era mais considerado um padre propriamente dito. Podia rezar, assistir à missa, pagar penitências. Mas todas as suas ordens sacerdotais estavam abolidas para sempre.

Dom Quintino Rodrigues nunca revelaria ao padre o que de fato ocorreu. Cícero Romão Batista jamais saberia que um dia fora excomungado e, posteriormente, absolvido da pena. A única justificativa que recebera de dom Quintino para ter sido suspenso de todas as ordens, conforme a nova determinação do Vaticano, foi a de que não estaria cumprindo integralmente as cláusulas estabelecidas na retratação pública. Assim, em 4 de junho de 1921, foi entregue a ele o ofício diocesano que o proibia de exercer qualquer atividade como sacerdote dali por diante. O documento chegou justamente quando ele acabara de retornar da igreja. Naquela manhã, Cícero havia celebrado sua última missa na vida.

Passaria suspenso o resto da vida, embora nem assim abandonasse a batina. O detalhe era que uma circunstância íntima permaneceria do desconhecimento geral, tanto da parte de amigos quanto dos adversários do padre. Quatro meses depois de ter sido obrigado a fazer sua retratação pública, Cícero mandara chamar o tabelião da cidade para ditar-lhe o testamento. Numa das cláusulas do documento, pedia que após sua morte fossem rezadas doze missas em sufrágio de sua alma e de todas as almas que porventura estivessem no Purgatório. Mas o ponto principal do testamento que fora lavrado no cartório em abril de 1918 era o que dispunha sobre o destino de seus bens:

> Instituo meu único e universal herdeiro a Santa Sé, representada na pessoa de Sua Santidade, o Papa, sendo o meu desejo que Sua Santidade aceite esta minha disposição de última vontade, incorporando a universalidade de minha herança ao patrimônio da mesma Santa Sé.

Cícero Romão Batista deixava tudo o que tinha para a Igreja que o renegara.

10

Em nome do progresso, um boi sagrado é condenado à morte em praça pública

1920-1926

"Sangrem minha goela, mas não matem o Boi Mansinho!", gritou a beata conhecida no Juazeiro como Maria Tubiba.

De nada adiantou. Com o golpe certeiro de marreta desfechado bem no meio dos chifres, o zebu tremeu todo, cambaleou para trás, soltou um urro apavorante, dobrou as pernas e caiu pesado no chão, a língua roxa estendida para fora da boca.

Estava morto. A ordem do doutor Floro Bartolomeu era a de sangrar e esquartejar o bicho ali mesmo, na calçada da cadeia pública, diante dos olhos de todo mundo, para acabar de vez com aquela história de que o animal era milagreiro. Depois, mandassem vender a carne fresca no mercado e distribuíssem os miúdos aos pobres. O destino do Boi Mansinho era o fundo da panela, o espeto do churrasco. Isso iria pôr freio à maluquice do povo, calculava o doutor. O caso já tinha ido longe demais. Havia gente no sertão dizendo até que a urina e as fezes do bicho, quando ingeridas ou esfregadas pelo corpo, curavam todas as doenças do mundo.

O belo animal de raça, quando ainda era simples novilho, pertencera ao industrial Delmiro Gouveia, o homem mais rico do sertão, construtor da primeira usina hidrelétrica no rio São Francisco. Depois, Delmiro o presenteara ao padre Cícero, para que Mansinho cobrisse as vacas e melhorasse o rebanho do sacerdote. O reprodutor crescera forte e garboso, sob os cuidados do beato José Lourenço, um negro retinto que comandava uma pequena comunidade religiosa de agricultores no sítio Baixa Dantas, nas proximidades do Crato. Era para lá que Cícero mandava alguns dos romeiros que chegavam todos os dias ao Cariri em busca de proteção e sustento. No Baixa Dantas, sob a liderança de Lourenço, os novos moradores haviam transformado uma terra até então improdutiva em uma generosa lavoura, na qual as sacas abarrotadas de frutas, hortaliças, feijão e milho eram compartilhadas por todos, de acordo com as necessidades de cada um. Como demonstração de carinho pelo animal que supostamente lhes trouxera bons fados — e que era chamado de Mansinho pela reconhecida docilidade —, os seguidores do beato davam banho e enfeitavam os chifres do zebu com fitas e guirlandas de flores silvestres, transferindo ao bicho um pouco da afeição que nutriam pelo dono, o adorado *Padim Ciço.*

Contudo, a experiência coletivista de José Lourenço e seus discípulos, na qual não existia a mão firme de um coronel a ditar resoluções, provocou estranhamento entre os vizinhos. Tradicionais proprietários de terra logo viram no sítio Baixa Dantas um precedente perigoso, que precisava ser combatido antes que viesse a semear novos exemplos no sertão. Por todo o sul do Ceará, pipocaram denúncias de que o pacífico José Lourenço fomentava a rebelião contra a ordem estabelecida. Os seguidores do beato, diziam, não passavam de uma cambada de lunáticos, uma súcia de idólatras, que faziam do Boi Mansinho uma versão sertaneja e mal-ajambrada do histórico Ápis, o touro sagrado dos antigos egípcios. No parlamento estadual, em Fortaleza, os adversários de Floro se deleitavam com mais aquele trunfo, acusando o doutor de ser não apenas o representante de uma terra de cangaceiros cruentos, mas também de comandar um feudo de loucos e degenerados — uma gente que chegava a beber mijo de boi e a comer bosta de vaca, ajoelhada no chão, aos pés de um quadrúpede.

Floro ficou furioso. Desde algum tempo, desencadeara na cidade uma campanha em nome da "modernidade e da elevação da consciência cívica do Juazeiro". Pouco antes, mandara prender os chamados penitentes, beatos que praticavam rituais de autoflagelação na serra do Catolé reunidos em singulares confrarias, nomeadas por eles próprios de Cortes Celestes. Longos cabelos, barbas de profeta, vestidos em túnicas negras enfeitadas com cruzes brancas de retalhos, os penitentes acreditavam que os lugares sagrados da Bíblia haviam sido transplantados para aquela serra que, aliás, Cícero

O líder do Sítio Baixa Dantas,
beato José Lourenço, preso
sob a acusação de promover
um boi a santo milagreiro

nunca deixara de chamar de Horto. Nas grutas e formações rochosas do Catolé, reconheciam os cenários místicos da velha Palestina. Um buraco circular numa pedra no chão passara a ser reverenciado como o local em que se ajoelhara Nossa Senhora durante a via-sacra de Cristo. Para os penitentes, o formato do joelho da mãe de Jesus teria ficado moldado na rocha como prova de que estavam pisando em plena Terra Santa.

Para obter o necessário apoio de Cícero à repressão das Cortes Celestes, Floro advertiu o padre: muitas das cerimônias nas encostas da serra estavam descambando para a mais completa devassidão. Beatos que diziam ser a reencarnação imaculada de santos do calendário católico — entre eles haveria até um que se intitulava o "Padre Eterno" — estariam pregando um estranho Evangelho, completamente nus, exortando os demais aos caminhos pecaminosos do sexo, convidando as discípulas à honra divina de ter filhos com eles. Naqueles dias, como a confirmar a acusação, um homem fora se queixar a Cícero de que um penitente lhe roubara a esposa, passando a morar com ela, amancebado, em uma gruta no alto do Horto. O padre, depois disso, não se opôs mais aos argumentos de Floro. Apoiou, com pesar, o envio da polícia para dar cabo do que julgava ser um escárnio à religião.

Alguns penitentes resistiram à chegada dos soldados. Armaram-se de paus, pedras e bandas de tijolo, mas acabaram vencidos, recolhidos à cadeia municipal. Floro Bartolomeu mandou raspar a cabeça de todos eles, além de atear fogo nas características túnicas negras. Entre os prisioneiros, estavam os que juravam ser os próprios são Francisco das Chagas, são Miguel, são José e santa Maria Madalena. Havia até mesmo uma que se dizia a padroeira Nossa Senhora das Dores, em carne, osso e espírito.

Para Floro, era preciso usar de pulso forte para conter novos eventos do gênero. No episódio do Boi Mansinho, a reprimenda precisava ficar à altura do alarido produzido pelos adversários. José Lourenço e seus seguidores também foram presos, sob a acusação genérica de que constituíam um bando de desordeiros. Programou-se a morte do touro para a calçada da cadeia, à luz do dia, a fim de que o beato assistisse a tudo pela janela, sem poder fazer nada, debelado atrás das grades. Segundo se disse à época, Floro chegou a exigir que José Lourenço comesse um naco da carne do animal sacrificado no meio da rua. O beato, que virara as costas para não testemunhar o abate, teria se negado.

No cubículo que lhe servia de cela, José Lourenço confortava os companheiros e a si mesmo: se o *Padim Ciço* permitia que passassem pelo vexame da cadeia, aquilo devia ter algum sentido maior, ainda que eles não conseguissem ao certo atinar qual era. A humilhação, sugeria o beato, talvez fosse para que aprendessem como era necessariamente penosa a vida dos homens que se dedicavam à fé.

Floro, que parecia mais irascível do que nunca, não queria saber daquela conversa fiada dentro da prisão. Mandou todos para uma frente de trabalho forçado, dando-lhes a tarefa de quebrar pedras e assentar calçamentos nas vias centrais do município. O calçamento, uma novidade numa cidade de ruas até então de terra batida, era considerado mais um avanço, um sinal de progresso para o Juazeiro. Nada mais simbólico, considerava o doutor, que a pavimentação fosse feita com as mesmas mãos daqueles homens e mulheres que, pouco antes, faziam reverências a um bovino tido como sagrado.

No dia 5 de outubro de 1919, quando o primeiro automóvel circulou pelas esquinas empoeiradas do Juazeiro, muita gente saiu correndo com medo da geringonça que resfolegava como um demônio, andava sem que nenhum cavalo a puxasse e, o maior de todos os assombros, cujos faróis acesos pareciam dois olhos de fogo.

"Cruz, credo! É o piolho da Besta-Fera!", gritara um beato, ao avistar o veículo, de propriedade de um comerciante do Crato em visita à cidade.

Apesar do alvoroço, em pouco tempo os juazeirenses começariam a se familiarizar com as inovações trazidas pelo século XX, o que incluiria até mesmo uma reluzente frota municipal de carros de praça. Não demorou muito para que passassem a contar também com um cinema e uma fábrica de relógios, iniciativas particulares do surpreendente mestre Pelúsio Macedo. Dois dos exemplares saídos das oficinas da relojoaria, em tamanho gigante, foram colocados no alto da torre da igreja de Nossa Senhora das Dores. Cada minuto indicado pelos ponteiros era saudado pelos habitantes como um presente de Deus. Meses depois, o templo receberia um gerador elétrico, o que garantiu a iluminação permanente do santuário, uma das supremas maravilhas para os romeiros que nunca tinham visto a luz elétrica e se deslumbravam com a visão da igreja reluzindo durante as noites de festas e quermesses.

As inovações na paisagem urbana vinham com a devida assinatura política de Cícero Romão Batista, que continuava investido na prefeitura, imune aos solavancos da política estadual e reconduzido ao cargo pelo voto popular a cada novo período. Apesar de ter concluído o seu quadriênio como vice-presidente do estado, permaneceria prefeito durante mais doze anos ininterruptos. Apenas no final de 1919 a hegemonia esteve ligeiramente ameaçada, quando o padre decidiu apoiar o candidato que sairia derrotado nas eleições para presidente do Ceará. Cícero e Floro apoiaram o correligionário Belizário Távora, ungido do governo federal, mas quem ganhou a disputa foi o doutor Justiniano de Serpa, do rival Partido Democrata. Ao que consta, antes do pleito, Cícero havia recomendado aos eleitores do Juazeiro:

"Não votem no Serpa, que ele é maçom. Até o nome já diz o que ele é. Serpa quer dizer serpente."

Quando os principais caciques conservadores estaduais, sem nenhum constrangimento, simplesmente viraram a casaca diante da derrota iminente e se bandearam para os lados do candidato que se anunciava vitorioso, Floro recomendou ao padre que acompanhasse a manada partidária. Do contrário, ficariam isolados, sem poder de barganha na esfera regional. Logo após as eleições, tão logo foram declarados os resultados das urnas, Cícero acatou a sugestão de Floro e aderiu ao bloco dos democratas, sem se desfiliar dos conservadores.

"Meu padrinho não dizia que esse Serpa não prestava?", teria lhe indagado então um confuso juazeirense, sem entender as reviravoltas da política.

"Menino, é porque não me disseram direito; o homem certo é mesmo o Justiniano de Serpa. Justiniano, aliás, quer dizer Justo."

Se tal diálogo ocorreu de verdade ou se era apenas mais uma aleivosia jogada aos quatro ventos contra o padre e que acabou passando à tradição oral, nunca se poderá saber realmente. O que se pode afirmar com certeza é que, desde o incidente em que Floro quase rompera com ele, Cícero nunca mais contestaria as orientações do doutor na seara partidária. A popularidade do padre, é fato, passaria a ser cortejada por políticos de todos os coturnos, teores e matizes. Ao longo dos anos seguintes, ele receberia numerosas comitivas de governantes e candidatos a cargos eletivos não só do Ceará, mas também de muitos estados vizinhos. Não havia campanha eleitoral na região sem que vários postulantes fossem em romaria ao Juazeiro para beijar a mão do sacerdote e pedir-lhe a bênção. Mas, decididamente, era Floro quem rascunhava a lista dos aliados e adversários de ocasião:

"Meus amiguinhos, sobre a política e o governo do município, eu nada sei; quem sabe de tudo é mesmo o doutor", dizia Cícero.

Floro, pragmático, decidira não mais ficar refém das oscilações da vida partidária e, em 1921, candidatou-se à Câmara Federal, de forma avulsa, sem legenda, apresentando-se apenas como o legítimo representante do padre Cícero Romão Batista. Foi o que bastou para ser eleito.

Na capital da República, a imprensa assistiu com desconfiança à ascensão ao Congresso Nacional de um emissário do controvertido sacerdote sertanejo. Choveram críticas contra Floro Bartolomeu, mesmo antes que ele tivesse tempo de encomendar ao alfaiate o paletó para a posse. Por isso, em um dos primeiros discursos como deputado federal, na sessão de 10 de abril daquele ano, já subiu irado à tribuna. O *Diário da Manhã* havia publicado uma foto sua, tirada ainda na época da sedição do Juazeiro, na qual ele aparecia em trajes de jagunço. Floro, que passaria o mandato inteiro tentando libertar-se do estigma de ter sido eleito como um protetor de cangaceiros, não gostou nada de ver sua imagem estampada daquela forma em um grande jornal do Rio de Janeiro. Tomando a palavra, contestou:

"Ora, senhores, eu não poderia dirigir um movimento revolucionário, no qual eu era responsável por milhares de vidas, usando cartola e fraque, ou mesmo a boina e o capelo com que me doutorei em medicina."

A tirada, inesperada, gerou risos até entre os adversários. O estilo sem papas na língua, combinado ao forte sotaque de Floro, continuaria a provocar a hilaridade dos colegas deputados por dois mandatos seguidos. Por várias vezes ele retornaria à tribuna, algumas delas com o propósito de defender Cícero das costumeiras acusações que recaíam sobre o padre. O mais veemente de todos os

Chegada de uma das muitas comitivas políticas que faziam de Juazeiro, além de centro de romarias, também um polo de peregrinação eleitoral. Cícero está ao centro da foto e Floro, um pouco à direita dele, de paletó branco discursos parlamentares de Floro seria proferido na sessão de 23 de setembro de 1923, após uma série de três conferências feitas na Associação dos Empregados do Comércio do Rio de Janeiro pelo doutor Paulo Morais e Barros, integrante da comissão do governo federal enviada no ano anterior ao Ceará em inspeção às obras contra as secas. A comissão, chefiada pelo general Cândido Mariano da Silva Rondon, o célebre sertanista pacificador de índios, passara pelo Juazeiro em novembro de 1922, quando foi recebida para mais um dos lautos jantares oferecidos na casa do sacerdote. Floro considerou que, durante as conferências, Morais e Barros fizera o papel de mal-agradecido. Comera, bebera, fizera fotografias ao lado do padre, até pedira que Cícero escrevesse uma dedicatória para mostrar à família e, ao final, depois de ter se fartado de vinhos e iguarias, saíra falando mal do anfitrião:

> O doutor Paulo Morais e Barros vomitou cobras e lagartos sobre o povo do Juazeiro, pelo qual foi tão carinhosamente recebido —, recriminou Floro. — Imagine, senhor presidente, que ele chamou a localidade de acampamento de casebres e mocambos em promiscuidade sórdida; ao povo, de massa de gente soez; ao padre Cícero, de chefe complacente de cangaceiros; e ao conde Adolphe van den Brule, de refinado canalha.

Floro, que mandaria imprimir aquele discurso em forma de brochura para levar ao Juazeiro como prestação de contas do mandato, aproveitou a ocasião para isentar o padre de todas as responsabilidades sobre a sedição de 1914: "Será possível que não se saiba, ainda hoje, que fui eu o chefe da revolução do Juazeiro e o único responsável por ela?", declarou.

Floro negou ainda que as tropas sediciosas houvessem sido compostas integralmente de jagunços e cangaceiros, embora reconhecesse que não se fazia uma revolução, em nenhum lugar do mundo, entregando armas somente a senhores de boa conduta e moral ilibada:

"Havia, no movimento, um número relativamente pequeno de indivíduos dignos do nome de cangaceiro, elemento, aliás, indispensável nesses períodos de agitação."

Ao abordar tal assunto, Floro Bartolomeu transitava em terreno pantanoso. Aquele era o alvo para o qual a imprensa e os principais oponentes no parlamento faziam questão de apontar o dedo quando queriam fustigá-lo. As histórias a respeito das façanhas de bandidos como Zé Pinheiro haviam ultrapassado as fronteiras do Ceará e ajudavam a consolidar a imagem de que a terra do padre Cícero era mesmo o valhacouto de celerados de que tanto se falava. Floro protestava, altissonante, no plenário da Câmara Federal:

"No Cariri não há um bandido em liberdade, um criminoso solto! Desafio que provem o contrário!", grunhia ele.

Ninguém contestou — e pelo menos no caso do famigerado Zé Pinheiro, Floro tinha razão. O cangaceiro abandonara o Juazeiro para sempre. Meses após tentar protagonizar a cena de canibalismo que Cícero evitara à última hora, ele viajara para Alagoas, onde uma mulher lhe encomendara uma das orelhas da amante do marido. Zé Pinheiro, para fazer bem o serviço, decidiu arrancar logo as duas. Mas, pouco depois, caiu em uma emboscada, quando um grupo de cangaceiros rivais conseguiu aprisioná-lo. Zé Pinheiro foi literalmente esfolado. Teve a pele do corpo inteiro arrancada à faca. Após o deixarem em carne viva, deceparam-lhe os braços e as pernas, para atirá-los, junto com o tronco e a cabeça desfigurada, em uma fogueira. Foi completamente carbonizado. Era a lei do sertão.

Floro Bartolomeu não relatou o bárbaro episódio aos nobres e engravatados colegas de parlamento. Também não lhes deu notícia de que, no Juazeiro, outros bandidos vinham tendo sorte semelhante. Por ordens do doutor Floro, os fora da lei estavam sendo arrancados das cadeias ou mesmo apanhados em seus esconderijos para depois ser remetidos, amarrados, à estrada que ligava o município ao Crato. Ali, nas margens da chamada "rodagem", eram executados sumariamente, com pauladas e tiros na nuca, muitos deles depois degolados. O excelentíssimo senhor deputado federal Floro Bartolomeu da Costa encontrara uma forma peculiar de varrer do Cariri a pecha de paraíso do cangaceirismo: passara a patrocinar violentos grupos de extermínio. Bandido bom era bandido morto.

Pelas contas dos moradores à época, pelo menos setenta pessoas já haviam sido executadas no local. Os corpos eram enterrados em covas rasas ou simplesmente deixados insepultos à beira da estrada, para servir de pasto aos urubus e exemplo aos companheiros. Dos ladrões de galinha aos contumazes arruaceiros, de defloradores de virgens a reconhecidos malfeitores, a rodagem transformou-se no destino final dos que ousavam sair da linha no Juazeiro.

"O banditismo só se extingue com a morte dos bandidos", resumiria Floro, quando incitado pela imprensa a justificar-se.

Na Assembleia Legislativa do Ceará, o deputado estadual e jornalista José Martins Rodrigues daria o troco:

"Só se pode extinguir o banditismo matando o bandido? Nesse caso, o Floro devia suicidar-se."

Duas semanas antes de completar 78 anos, Cícero mandara chamar novamente em casa o tabelião da cidade. Queria tornar sem efeito o primeiro testamento. Desejava redigir uma nova versão. No lugar de nomear a Santa Sé como única legatária de sua herança, mandou constar que, depois de sua morte, os bens que acumulara ao longo da vida, à custa das doações e esmolas de romeiros, deveriam ser distribuídos em várias partes distintas. A revisão do documento passava a fatia mais gorda da herança, que constava de uma lista de casas, prédios, sítios e fazendas, a duas ordens religiosas — a dos monges trapistas e a dos cônegos premonstratenses —, sob a condição de que ambas fundassem representações e estabelecimentos educacionais no Juazeiro. Aos cofres da igreja de Nossa Senhora das Dores e da capela de Nossa Senhora do Perpétuo Socorro (esta última ainda sem autorização eclesiástica para funcionar), também caberia uma parcela de imóveis, embora mais modesta. Ao dar nova redação ao testamento, Cícero resolveu deixar parentes e agregados igualmente amparados. Entre os novos beneficiários, estavam a irmã Angélica, as beatas que moravam com ele e o amigo Adolphe van den Brule, que continuava a tentar explorar — sem sucesso — as já lendárias jazidas de cobre no Coxá. Floro foi nomeado o testamenteiro oficial, a quem competiria administrar o cumprimento do inventário e da partilha.

Ainda não seria aquela a última vez que Cícero mandaria chamar o representante do cartório. Dali a cerca de um ano e meio, em 4 de outubro de 1923, o doutor Luiz Teófilo Machado, tabelião de notas da comarca, ouviu as novas e definitivas disposições do padre em relação ao testamento. Os beneficiários continuariam praticamente os mesmos da segunda versão do documento, à exceção de duas alterações dignas de nota. Na primeira delas, o nome de Angélica não mais constaria como herdeira, já que ela acabara de falecer, aos 75 anos de idade. Mas a segunda alteração era ainda mais significativa. Cícero resolveu modificar também o destino do item correspondente à maior parcela de seus bens.

Em vez dos trapistas e dos premonstratenses, seria dali por diante a Pia Sociedade de São Francisco de Sales, a ordem dos chamados salesianos de Dom Bosco, a sua principal herdeira. Reconhecidos como educadores exemplares no mundo inteiro, os salesianos haviam chegado ao Brasil em 1883, onde fundaram vários estabelecimentos de ensino. O padre, acusado em vida de não apoiar a abertura de escolas no Juazeiro com a suposta intenção de manter o povo subjugado pela ignorância, manteve inalterada a disposição de que o acesso dos salesianos à herança estava condicionado à fundação de instituições educacionais da congregação, no Juazeiro, para crianças de ambos os sexos.

A citação nominal das propriedades abarcadas pelo testamento confirmava tudo o que se dizia a respeito da fortuna pessoal do padre. Cícero era, de fato, um homem rico. Em resumo, a lista de seus herdeiros, com os respectivos quinhões que cabiam a cada um, era impressionante:

Para a ordem dos salesianos:

a) Fazenda Juiz, em Aurora;
b) Fazendas Letras, Caldeirão e Monte Alto;
c) Prédio em construção, junto à casa da beata Mocinha;
d) Prédio onde funciona o açougue público de Juazeiro;
e) Prédio onde funciona o orfanato e terreno contíguo;
f) Prédios contíguos à casa da beata Mocinha;
g) Prédios e capela em construção, no Horto, com todas as benfeitorias;
h) Quarteirão de prédios na rua São Pedro;
i) Sítio Conceição, na serra do Araripe;
j) Sítio Periperi, no pé da serra de São Pedro;
k) Sítio Rangel, em Santana do Cariri;
l) Sítios Faustino, Paul e Baixa Dantas, Fernandes, Santa Rosa e Taboca, no Crato;
m) Sítios Logradouro, Salgadinho, Mochila, Carás e Pau Seco;

n) Terrenos diversos na serra do Araripe, incluindo o sítio Brejinho;
o) Todas as outras propriedades que não constem da lista, bem como todas as cabeças de gado existentes nelas.

Para a igreja de Nossa Senhora das Dores:
a) Prédio onde funciona a cadeia pública e contíguos;
b) Prédio onde funciona o colégio do professor Manuel Diniz;
c) Prédio onde funcionou a redação de *O Rebate*;
d) Prédio onde mora a beata Soledade e o terreno murado contíguo;
e) Prédio onde morou a beata Isabel da Luz;
f) Sítio Palmeira, em Ceará-Mirim, Rio Grande do Norte;
g) Sítios Pititinga e Saco, em Touros, Rio Grande do Norte;
h) Sobrado e prédio na rua Padre Cícero.

Para a capela de Nossa Senhora do Perpétuo Socorro:
Sítio Porteiras.

Para as beatas:
Prédio na rua Padre Cícero;
Sítio Barro Branco.

Para a capela de São Miguel, no cemitério dos variolosos:
Terreno cercado, antes reservado ao seminário do Juazeiro, que não foi construído.

Para Adolfo van den Brule:
Sítio Veados.

Para a capela de Nossa Senhora do Rosário, no cemitério antigo:
Sítio São José.

Para as filhas do amigo Belmiro Maia:
Casa à rua Padre Cícero;
Sítio Carité.

Para o amigo José Inácio Cordeiro:

Sítio Arraial, em Missão Velha.

Para a casa de caridade do Crato:

O sobrado que pertenceu a José Marrocos.

Para pagamento de possíveis dívidas, custos com velório e sepultamento, além de espórtulas para missas e demais despesas eventuais:

Fazenda Coxá.

Para Floro Bartolomeu (testamenteiro legal):

10% do valor monetário líquido de toda a herança.

Cícero Romão Batista tentou por todos os meios convencer o padre Pedro Esmeraldo da Silva Gonçalves a mudar de ideia. Ele, porém, mantinha-se resoluto. Nunca mais poria os pés no Juazeiro, assegurou. Iria pedir transferência ao bispo. Abdicava do cargo de vigário do lugar para sempre. Não ficaria naquela terra nem por mais um minuto sequer. Estava indo embora. Ninguém o persuadiria do contrário. Cícero, porém, ainda insistiu. Falaria com o povo, sossegaria os ânimos, daria a Esmeraldo a segurança e a garantia necessárias para que prosseguisse com seu trabalho à frente da paróquia. Mas não houve perdão. Padre Pedro Esmeraldo arrumou as malas e se retirou para o Crato. Estava irritado com os juazeirenses. Tentara fazer um bem à cidade, mas recebera apenas a incompreensão como resposta, alegou.

Tudo começara em setembro de 1921, quando ele ordenara uma grande reforma na igreja de Nossa Senhora das Dores. Uma das torres do templo estava avariada, com rachaduras, e o mais recomendável era que fosse posta abaixo, para dar lugar a uma nova. Mas os moradores e romeiros protestaram. Cerca de mil pessoas se posicionaram em frente à matriz, para impedir que os pedreiros iniciassem a demolição. Espalhara-se na cidade o boato de que o vigário, por ordens de dom Quintino, havia na verdade mandado derrubar a igreja inteira.

Pedro Esmeraldo tentou argumentar que nada daquilo era ver-

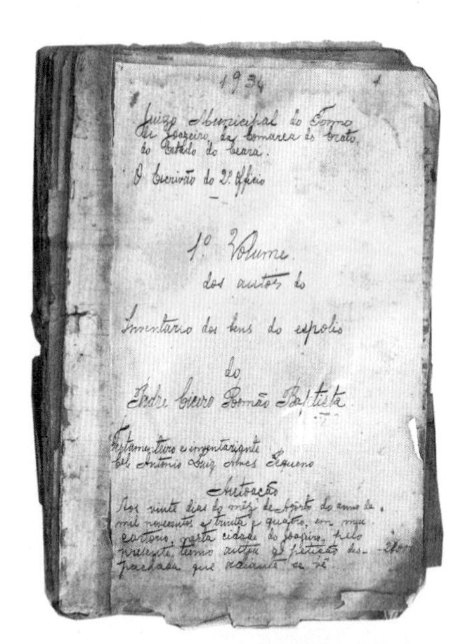
1934

Juizo Municipal do Termo de Joazeiro, da comarca do Crato, do Estado do Ceará.

O Escrivão do 2º Officio

1º Volume dos autos do Inventario dos bens do espolio do Padre Cicero Romão Baptista

Testamenteiro e inventariante Cel. Antonio Luiz Alves Pequeno

Autoação

Aos vinte dias do mez de Abril do anno de mil novecentos e trinta e quatro, em meu cartorio, nesta cidade de Joazeiro, pelo presente termo autuo a petição despachada que adeante se vê.

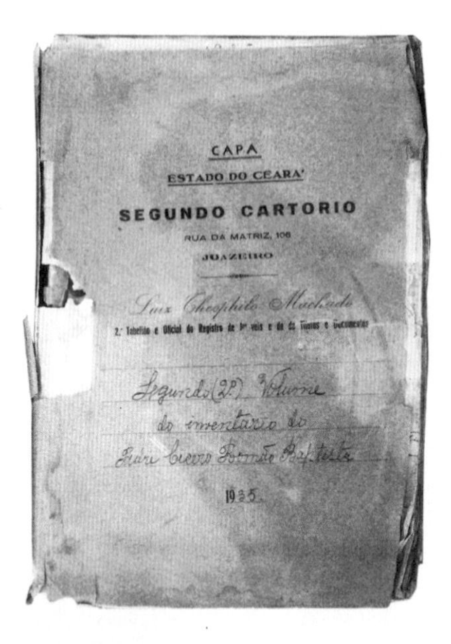
CAPA

ESTADO DO CEARA'

SEGUNDO CARTORIO

RUA DA MATRIZ, 106

JOAZEIRO

Luiz Theophilo Machado

Segundo (2º) Volume do inventario do Padre Cicero Romão Baptista

1935

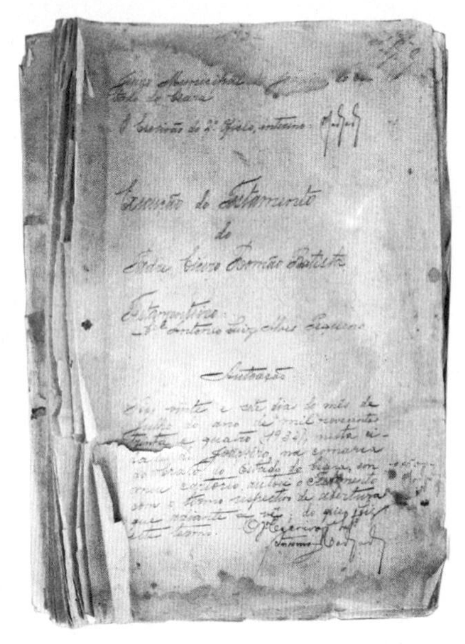
Juizo Municipal ... do Ceará

O Escrivão do 2º Officio, interino

Execução do Testamento do Padre Cicero Romão Baptista

Testamenteiro Cel. Antonio Luiz Alves Pequeno

Autoação

Volumes do inventário do padre, que deixou de herança um grande número de sítios, prédios e fazendas

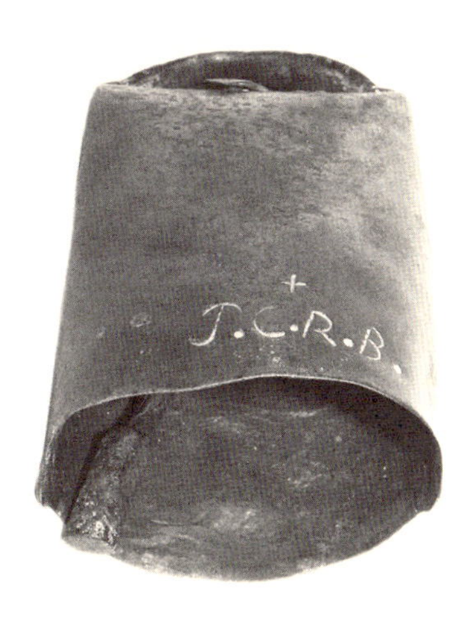

O ferro e a marca com as quais Cícero identificava as cabeças de gado de sua propriedade. No chocalho leem-se as iniciais "PCRB": Padre Cícero Romão Batista dade, que os fiéis corriam perigo, que a torre deteriorada poderia cair a qualquer momento, que a única coisa a fazer era providenciar a reforma o mais rápido possível. Ninguém o ouviu. A casa sagrada da Mãe das Dores era intocável, contrapôs a população. Ninguém tiraria um único tijolo dela. Quando o padre Esmeraldo deu sinal para que o mestre de obras começasse o trabalho, a multidão avançou, ameaçadora.

Esmeraldo resignou-se:

"Não vim aqui para questionar e brigar com vocês. Vou-me embora. Acabou."

Ao saber do incidente, dom Quintino subordinou novamente a igreja de Nossa Senhora das Dores à paróquia do Crato. Como consequência, Juazeiro ficou mais uma vez sem vigário. Somente um ano e meio depois, dom Quintino cedeu aos apelos do recém-ordenado padre Manoel Correia de Macedo, o Macedinho, o mesmo com quem o bispo do Crato trocara franca correspondência algum tempo antes. Em férias no Juazeiro após receber as ordens sacerdotais e concluir o curso teológico na Itália, o filho de Pelúsio Macedo responsabilizou-se pela manutenção da ordem entre os paroquianos e solicitou a própria nomeação como vigário da cidade. Dom Quintino assinou a portaria, na esperança de que Macedinho pusesse em prática as teses que desposara por carta, quando pregara a necessidade de levar, aos romeiros, aqueles que seriam os "verdadeiros princípios cristãos".

De início, a nova conjuntura pareceu promissora. Com a ajuda decisiva de Cícero, as obras na igreja de Nossa Senhora das Dores puderam ser retomadas pelo pároco recém-nomeado. Ainda houve alguma resistência popular, precisando-se recorrer à polícia de quando em vez para conter os mais exaltados. Mas, depois de Cícero explicar aos devotos os reais propósitos da reforma, os pedreiros puderam seguir adiante, sem maiores percalços. A aliança estratégica entre Cícero e Macedo, portanto, presumia um tempo de bonança na relação entre o bispado e o Juazeiro. Porém, padre Macedo, que chegara pregando a paz e o entendimento, passaria apenas dois curtos anos à frente da paróquia. Ele logo percebeu que teria um obstáculo mais incontornável do que o arrebatamento dos romeiros a lhe tolher os passos: Floro Bartolomeu. Inconformado com as execuções sumárias promovidas na temida rodagem, o novo vigário começou a se desentender com o doutor — sobre quem recaíam, além das denúncias de comandar o extermínio em massa de bandidos, as acusações de que embolsara metade do dinheiro dos impostos extraordinários cobrados à população para a instalação do calçamento da cidade.

O rompimento definitivo entre Macedo e Floro se deu no final de 1924, quando o vigário se recusou a realizar os festejos natalinos programados pelo doutor. Floro Bartolomeu havia intermediado um contrato de gaveta que permitia a exploração de bancas de jogo na cidade durante as quermesses do Natal. Para expedir o alvará à contravenção, com carimbo da prefeitura e tudo, Floro cobrou o pagamento de polpudos oito contos de réis, valor equivalente a um terço de todos os impostos recolhidos pela coletoria federal, naquele ano inteiro, em todo o município do Juazeiro.

Macedo, desgostoso, criticou Cícero por não vir a público condenar os atos cada vez mais imponderados de Floro. Cícero, que sempre reprovara o jogo como uma "obra sórdida de Satanás" — tendo chegado tempos antes a invadir casas de família para desmanchar rodadas de carteado —, havia permitido a oficialização da roleta na cidade justamente na festa que comemorava o nascimento de Cristo. A agravante, alertava Macedo, era a de que a prática do jogo se encontrava duplamente vedada, tanto por ordens da polícia como por recomendações morais da Igreja. No Juazeiro, Floro estaria se sobrepondo tanto às leis dos homens quanto à lei de Deus.

Menos de um mês depois do Natal, em janeiro de 1925, padre Manoel Correia de Macedo seguiu o exemplo de seu antecessor: tomou o caminho da estrada sem olhar para trás. Solicitou exoneração ao bispo e, retirando-se da cidade, passou a dar aulas no seminário do Crato. Logo no mês seguinte, como se nada houvera ocorrido — ou, quem sabe, até mesmo em sinal de ostensiva comemoração —, Floro realizou, em grande estilo, o primeiro Carnaval da história do Juazeiro. Distribuiu dinheiro para que se confeccionassem alegorias, mandou trazer do Rio de Janeiro águas de cheiro para regar a folia e até ajudou a organizar três blocos momescos: um com fantasias de baianas, outro com brincantes caracterizados de mexicanos e o último composto de mascarados vestidos de marinheiros. A elite juazeirense caiu na farra. Cícero, que no passado já terminara sambas com bordoadas de cajado, novamente não se opôs. Segundo Floro, o Carnaval também era sinal de progresso. Cantar benditos é que era coisa do arco-da-velha.

Para desalento de Macedo, Cícero permaneceu em silêncio mesmo quando Floro mandou empastelar as oficinas e apreender toda a edição de um pequeno jornal da cidade, *O Ideal*, no dia em que aquela folha publicou um editorial escrito por um dileto amigo do padre, o professor Manoel Diniz, seu futuro biógrafo oficial, no qual se reprovavam as carnificinas na rodagem: "Um crime não corrige outro crime. Ao contrário, o crime atrai o crime", escrevera Diniz. Os redatores, a partir dali, começaram a receber ameaças de morte. O proprietário do jornal, o boticário José Geraldo da Cruz, afilhado de batismo de Cícero, foi obrigado a juntar a família e se mudar às pressas para o Crato.

"Enquanto eu estiver no Juazeiro, não permito que se façam apreciações desfavoráveis aos meus atos. Aqui é como eu quiser", advertiu Floro.

Em vez de recuar, o pequenino *O Ideal* ganhou em prestígio e indignação. Transferiu o prelo para o Crato e, da cidade vizinha, passou a incluir artigos inflamados do padre Macedo em suas páginas. Em um deles, tornou pública a acusação de que Floro se locupletava dos cofres da prefeitura. O texto, a certa altura, lamentava que o Juazeiro estivesse se convertendo "em um arraial imundo e sem moral". Para responder na mesma medida, Floro resolveu reeditar seus tempos de jornalista incendiário. Pôs em circulação um novo jornal na cidade, a *Gazeta do Juazeiro*, impressa nas modestas oficinas da tipografia Esperança, com a ajuda de uma velha máquina de linotipo de propriedade de Cícero. No número de estreia, vinha a manchete explosiva, encimando o artigo escrito pelo próprio Floro, em referência a Macedo: "Um padre ordinário".

Durante meses, as duas publicações trocariam insultos em letra de forma, dividindo as opiniões na cidade. Muita gente, insatisfeita com o domínio absoluto de Floro nos assuntos do município, apoiava Macedo, ainda que de modo velado, por receio de sofrer represálias. A polêmica produziria indiretamente uma série de lances constrangedores para Cícero, que certa manhã acordou com um panfleto pregado à porta de casa, no qual era chamado de "padre caduco e idiota". Não muito tempo depois, Cícero ficou mortificado ao saber que haviam defecado aos pés de sua estátua de bronze, recém-inaugurada na principal praça da cidade em homenagem a seu octogésimo aniversário. Floro acusou o padre Macedo de tramar o gesto iconoclasta. Macedo devolveu a suspeita, apontando o doutor como a única pessoa capaz de semelhante vileza.

"Os verdadeiros amigos do padre Cícero somos nós, seus colegas de batina, que não visam suas riquezas, nem querem um lugar no seu testamento, mas que desejam que ele se reconcilie com a Igreja e salve sua alma", trombeteou Macedo, pelas colunas de *O Ideal*. Padre Macedo dizia entender, cada vez menos, a completa omissão de Cícero quanto às truculências de Floro: "O padre Cícero engendrou este fenômeno político, único no Brasil e no mundo, de um só poder municipal em duas pessoas distintas, vindo a ser o padre o prefeito, mas exercendo a prefeitura o doutor".

A ausência de reação por parte de Cícero continuou intrigando tanto amigos quanto adversários. Por que ele, um moralista declarado, não se opunha à escalada de desmandos de Floro? Poucos sabiam — embora os mais próximos a Cícero tivessem total conhecimento do assunto — que Floro Bartolomeu não hesitava mais em desacatar até mesmo o amigo, com vexatória constância, sempre ao menor sinal de contrariedade. Quando Cícero tentava ponderar sobre a pertinência de alguma crítica disparada por Macedo, Floro logo rugia com toda a força dos pulmões, quase fora de si:

"Você é um velho besta! Trate de seus romeiros idiotas e não me azucrine a paciência, que padre e merda para mim são a mesma coisa!"

Cícero Romão Batista caiu de cama. As dores lombares e a catarata estavam lhe minando as forças. Para agravar o quadro, uma crise de furúnculos o impediu de pôr em ação a derradeira tentativa de recuperar o exercício das ordens. Cícero confiava suas últimas esperanças à mediação do visitador pontifício, dom Bento Lopez, que naquele momento se encontrava em viagem pastoral pelo Ceará. Após passar por Fortaleza, saudado com honras tanto no palácio do governo quanto no palácio episcopal, o abade rumou para o interior e constatou, em pessoa, a espantosa devoção que os sertanejos nutriam por um padre condenado por decretos

O padre Manoel Correia de Macedo, o Macedinho, que passou a atacar pela imprensa a influência exercida por Floro Bartolomeu sobre Cícero Romão Batista. No quadro oficial da prefeitura, ao lado de outros nomes da administração, o deputado Floro tem mais destaque do que o prefeito Cícero

do Santo Ofício. Mostrando-se interessado no caso, dom Bento Lopez foi até o Juazeiro e recebeu o combalido Cícero em audiência reservada. "Conversei com dom Bento durante algum tempo, expondo os principais acontecimentos da minha vida, as conhecidas perseguições de que tenho sido vítima. Terminou Sua Excelência me aconselhando que eu deveria requerer diretamente a Sua Santidade, o Papa, o restabelecimento das minhas ordens", registrou Cícero, otimista.

Dom Bento Lopez chegou a acenar com um desfecho positivo para a questão. Pelo menos ficou acertado que os dois teriam um segundo encontro, um pouco mais demorado, durante o qual o visitador orientaria Cícero sobre a minuta da documentação com o recurso final a Roma. A furunculose, contudo, deixou o padre preso ao leito justo no momento em que deveria comparecer novamente perante o visitador pontifício. Impossibilitado de ir à reunião, com febre alta e fortes dores provocadas pela infecção que lhe resultara em abscessos espalhados pelo abdômen, axilas e nádegas, Cícero enviou Floro em seu lugar.

Nunca se soube, ao certo, o que ocorreu na conversa entre Floro Bartolomeu e dom Bento Lopez. Mas o fato é que, depois daquele dia, o abade desistiu de levar o assunto adiante. Pode-se supor que ele já estivesse devidamente advertido da péssima fama que desfrutava o caudilho e, assim, tenha se negado a dar ouvidos ao representante de Cícero. Porém, em um de seus artigos jornalísticos mais incisivos, padre Macedo lançou a grave suposição de que o doutor não teria feito esforço algum em prol do caso, atribuindo a Floro a responsabilidade total pelo encontro frustrado com o visitador pontifício. Macedo chegou mesmo a insinuar que Floro Bartolomeu, para manter a tutela sobre um velho enfermo, teria impedido fisicamente Cícero de ir à audiência com dom Bento.

Floro, em resposta veemente publicada pela *Gazeta do Juazeiro*, negaria tal versão. Segundo ele, o abade simplesmente mudara de opinião de uma hora para outra, talvez aconselhado por fontes inconfessáveis, alusão que por certo incluía o próprio Macedo na relação dos informantes de má-fé. Desconsolado, em meio ao choque de versões contrárias, Cícero preferiu acreditar que tudo não houvesse passado de um enorme mal-entendido. "Foi uma surpresa dolorosa para mim", lamentou. "E, agora, fiquei a refletir: ou não compreendi bem o que dom Bento Lopez me disse, ou ele não compreendeu suficientemente o que eu lhe dissera".

Um ainda esperançoso Cícero resolveu apelar à intervenção do padre italiano Pedro Rota, inspetor da ordem dos salesianos no Brasil. No final de 1924, Cícero escreveu a Rota, comunicando o desejo de ver instalado no Juazeiro um colégio dirigido pela congregação, confidenciando-lhe a cláusula que fizera constar no próprio testamento. "Permita que lhe confesse que tenho reservado tudo quanto possuo para auxílio desta grande obra, conforme consta do meu testamento já feito", mencionou.

O salesiano Pedro Rota respondeu em tom amigável. Dissera-se feliz com a notícia, mas ponderava que o maior obstáculo para que o assunto chegasse a bom termo era a situação de Cícero perante as autoridades do clero, tanto no Brasil quanto no Santo Ofício. Aquela talvez fosse a deixa que Cícero Romão precisava para implorar a ajuda de Rota, que, coincidentemente, logo seria transferido para a Itália, onde poderia melhor advogar em nome da causa. "Creia, é tão grande o meu desejo que tenho de reabilitar-me que se meu distinto amigo se dispuser a auxiliar-me, e se achar conveniente, não me pouparei ao sacrifício de ir pessoalmente a Roma, apesar dos meus 82 anos de idade, para tratarmos do assunto", escreveu Cícero.

Conforme lhe fora pedido, padre Rota fez uma consulta formal ao Santo Ofício, mostrando-se favorável à reabilitação e dando pormenores da correspondência que vinha travando com o padre brasileiro Cícero Romão Batista. Em resposta, no dia 27 de janeiro de 1926, os cardeais inquisidores mandaram correspondência oficial a dom Quintino. Afirmaram que não se recusariam a receber e analisar qualquer recurso em defesa do sacerdote suspenso de todas as ordens. "Mas desde que ele se transfira para outro lugar, bem longe da cidade do Juazeiro", ressalvaram.

Mais uma vez, sem imaginar que o bispo do Crato apenas cumpria a decisão do Vaticano, Cícero considerou absurda a hipótese que dom Quintino lhe obrigava. "Imagine que, agora mesmo, recebi uma notificação na qual [o bispo] me impõe como condições para a extinção de minha irregularidade sacerdotal que eu me retire do Juazeiro", escreveu, contrariado, ao padre Rota.

Cícero reafirmou sua decisão de permanecer no Juazeiro. Jamais voltaria a se afastar do seu chão. Em resposta, o Vaticano descartou, desde esse momento, qualquer possibilidade de absolvê-lo. Enquanto o padre Cícero Romão Batista vivesse, o Santo Ofício não se ocuparia mais dele.

O pernambucano Miguel Jordão, romeiro do padre Cícero, desembarcou no Rio de Janeiro matutando a melhor forma de pôr em prática uma ideia fixa: assassinar o deputado federal Floro Bartolomeu. Na mala, levava uma faca pontiaguda, um revólver de fabricação norte-americana marca Smith & Wesson e um crucifixo presumidamente benzido pelo papa — um dos exemplares que haviam sido trazidos de Roma, anos antes, pelo fundador da Legião da Cruz, José Joaquim de Maria Lobo. Jordão tinha um motivo pessoal para perpetrar o crime: vingança. Meses antes, no Juazeiro, ele levara uma surra a mando de Floro.

Embora existam suspeitas históricas de que, na realidade, Miguel Jordão tenha sido enviado sob encomenda de algum dos muitos inimigos do doutor, jamais se comprovou quem seria o verdadeiro mandante — e se ele existia de fato. No Rio de Janeiro, Jordão foi dissuadido de seu propósito por Xavier de Oliveira, o autor de *Beatos e cangaceiros*, que estava hospedado na mesma pensão que ele e não concordou com o plano sinistro, embora o próprio nome figurasse na longa lista de opositores de Floro: por mais de uma vez, na tribuna da Câmara Federal, Floro o acusara de alimentar o apetite da grande imprensa com informações desabonadoras a seu respeito. Ao que consta, além de não querer compactuar com um homicídio, Xavier de Oliveira considerava que ninguém precisava sujar as mãos de sangue para afastar Floro Bartolomeu do caminho. Os dias do temido doutor estavam contados:

"Floro é um homem aniquilado; não viverá trinta dias", sentenciou Oliveira.

Aquilo era algo a respeito do qual só se falava à boca miúda, embora todos já soubessem que, assim como Cícero, Floro Bartolomeu vinha sendo atormentado por uma série de complicações de saúde. Muitos chegaram a imputar o exaltado estado de espírito do doutor às cefaleias, ínguas e comichões dos quais ele se queixava havia algum tempo. A irritabilidade de Floro também era atribuída à osteíte, doença inflamatória dos ossos, que no seu caso se tornara crônica. Ao contrário do que ocorria com o octogenário Cícero Romão Batista, todas as perturbações físicas que torturavam o quase cinquentão Floro Bartolomeu eram os sintomas reconhecíveis de uma enfermidade muito mais grave — e de que era portador não se sabe exatamente desde quando.

Aquela era uma doença maldita, da qual à época quase não se ousava dizer o nome. Uma praga, sexualmente transmissível, que não se desejava nem mesmo ao pior dos inimigos. Era um estigma, um motivo de vergonha, um castigo reservado aos pecadores da pior espécie. O doutor mulherengo, que crescera à sombra da batina de um padre e que um dia conquistara o diploma em medicina com uma dissertação sobre o cancro duro, estava contaminado pelo terrível mal: a sífilis.

À época, o remédio indicado para combater a doença, o Salvarsan, elaborado à base de arsênico, promovia uma intoxicação progressiva dos órgãos vitais e, em certos casos, os efeitos colaterais eram tão ou mais violentos do que a própria moléstia. Era isso que estava matando Floro Bartolomeu. Entre os moradores do Juazeiro, havia quem previsse dias turbulentos pela frente. Com o desaparecimento definitivo de Floro, o velho sacerdote, já defenestrado pela Igreja, perderia também seu cérebro político. Nesse caso, sem a saúde necessária para cuidar do próprio legado, tenderia a ser assediado por novos aproveitadores, ávidos por colocar a mão em seu espólio. Mas havia também quem pensasse de modo exatamente oposto: se Floro morresse rápido, como tudo levava a crer que viria a ocorrer, Cícero poderia voltar a ter o controle sobre a própria vida — ou do tempo que restasse dela.

Velho que se cura cem anos dura, já dizia o adágio matuto.

Um dia após o Natal de 1925, o presidente da República, Artur Bernardes, recebeu no Palácio do Catete uma mensagem expedida pela estação telegráfica do Juazeiro:

Senhor presidente,

Chegada hoje Fortaleza deputado Floro Bartolomeu distinguido confiança Vossa Excelência organizar resistência contra revoltosos. Tendo honra enviar eminente chefe da nação cordiais saudações testemunho minha solidariedade dedicados esforços patrióticos de Vossa Excelência pelo restabelecimento ordem nosso querido Brasil.

Padre Cícero Romão Batista

O telegrama oficializava a adesão de Cícero a um plano mirabolante, gestado nos altos gabinetes do governo federal. Os detalhes da ação haviam sido discutidos alguns dias antes, quando um enfermo Floro Bartolomeu foi recebido em audiência pelo próprio presidente da República, Artur Bernardes, após confabulações prévias de ambos com o então ministro da Guerra, o general Setembrino de Carvalho. Floro e Setembrino eram velhos conhecidos. O general, que comandara a intervenção no Ceará após a queda de Franco Rabelo, em 1914, sabia muito bem o que estava fazendo — e com quem estava lidando.

Setembrino fora testemunha ocular do triunfo esmagador dos homens que um dia haviam guerreado sob o comando de Floro e em nome do padre Cícero. O Palácio do Catete, por meio do Ministério da Guerra, queria conclamá-los de novo à luta. Receberiam, desta vez, todo o apoio necessário: armas modernas, munição pesada e dinheiro a rodo — uma ordem de pagamento, descontável na agência do Banco do Brasil em Fortaleza, no valor total de quinhentos contos de réis, quantia quatro vezes superior ao orçamento anual previsto para a manutenção de toda a força pública cearense.

Tamanha deferência não era à toa. A missão que Artur Bernardes confiou a Floro Bartolomeu era considerada da mais alta relevância pelo governo federal. Floro deveria convocar mais uma vez o maior número possível de jagunços e cangaceiros — de preferência, os mais valentes e atrevidos entre eles — para tentar aquilo que os soldados do Exército brasileiro não tinham conseguido até ali, após quase um ano de luta. A tarefa era esmagar um grupo de jovens e audaciosos oficiais que havia se rebelado nos quartéis de São Paulo e do Rio Grande do Sul, depois se unido no Paraná, transposto o

Mato Grosso, penetrado em Goiás, atingido Minas Gerais, rasgado o sul da Bahia, adentrado o Maranhão e alcançado o Piauí. Naquele instante, ameaçava invadir as fronteiras do Ceará.

Floro, com a ajuda de Cícero, estava sendo chamado a medir forças com a legendária Coluna Prestes.

11

O dia em que Lampião foi convocado para fazer guerra à Coluna Prestes

1926

"Meus amiguinhos, o governo está nos avisando que os revoltosos estão marchando para o Juazeiro armados até os dentes, para arrasar com tudo por aqui. Nós vamos deixar que essa desgraceira aconteça conosco?", indagou Cícero, debruçado na janela de casa.

Não foi preciso mais nenhuma palavra. Todos entenderam o recado. Poucos dias depois, na manhã de 9 de janeiro de 1926, vestidos com uniformes de brim azul-celeste e municiados com modernos fuzis de uso exclusivo das Forças Armadas, cerca de mil voluntários marcharam em passo acelerado pelas ruas do Juazeiro, para depois se perfilarem, em respeitosa posição de sentido, diante da residência de Cícero. Estavam prontos para a guerra.

Apoiado novamente no peitoril da janela, mesmo com a vista enfraquecida pela catarata, o padre reconheceu em meio àqueles indivíduos enfileirados as feições carrancudas de notórios jagunços e cangaceiros, sobreviventes da fúria da "rodagem". Haviam recebido treinamento intensivo por parte de oficiais militares, apenas o suficiente para improvisarem uma ordem-unida e manipularem as peças de artilharia fornecidas pelo Exército. Muitos envergavam uma roupa limpa e engomada pela primeira vez na vida. "Esses egressos das cadeias, tipos repugnantes de assassinos, ladrões e estupradores, veem os seus nomes figurando no Almanaque do Ministério da Guerra, quando deviam ser inscritos nos livros das penitenciárias", protestaria em suas memórias, *Marchas e combates*, o secretário-geral da Coluna Prestes, Lourenço Moreira Lima.

"Só temos o direito de tirar a vida de um semelhante se for assim, em guerra, e ainda mais só se for uma guerra justa como esta, meus amiguinhos", pregava Cícero à tropa, formada não só por bandidos, mas também por centenas de agricultores, artesãos e romeiros, que se diferenciavam dos jagunços unicamente pelo rosário branco que traziam por baixo do colarinho alto do fardamento. No mais, formavam uma massa coesa dentro da túnica anil mal cortada, as calças vincadas e frouxas nas pernas, mandadas confeccionar às pressas por Floro Bartolomeu. Em vez de coturnos, usavam alpercatas. No lugar de capacetes, chapéus de pano.

Estavam mais para Judas em sábado de Aleluia do que para verdadeiros soldados. Mas o que realmente importava para Cícero é que ninguém fugira à convocação do "Batalhão Patriótico", nome oficial da milícia organizada em tempo recorde por Floro e cujo comando foi entregue ao coronel Pedro Silvino de Alencar, um dos experimentados chefes da sedição de 1914. Em pouco mais de duas semanas, superando até mesmo as expectativas mais otimistas do governo federal, Juazeiro restabeleceu seu esquadrão sertanejo, numericamente superior a qualquer guarnição que o Ministério da Guerra pudesse vir a providenciar em um espaço mais dilatado de tempo. "Sinto um vivo contentamento em enviar a Vossa Excelência calorosas saudações, com as melhores esperanças de que dentro em breve nosso querido Brasil gozará a tranquilidade e a paz tão necessárias ao seu progresso e à sua grandeza", escreveu Cícero Romão Batista ao ministro Setembrino de Carvalho.

Na dupla condição de prefeito e líder espiritual, Cícero passou em revista a tropa e abençoou os voluntários, que seguiram depois em fila indiana para os ônibus, charretes e caminhões estacionados ali próximo. Os veículos haviam sido requisitados diretamente por Floro aos respectivos proprietários. Qualquer pessoa no Juazeiro que possuísse uma condução sobre rodas — até a mais ordinária carroça — recebeu a intimação para franqueá-la ao Batalhão Patriótico. Em grupos de duzentos indivíduos de cada vez, os comboios começaram a deixar a cidade naquela mesma manhã. Os mantimentos — toneladas de farinha, feijão, carne-seca e rapadura — foram enviados com a ajuda de vagarosos carros de boi escoltados por homens armados. "Com o maior esforço, devido ao mau estado do caminho por causa do rigoroso inverno, consegui transportar todo

Os voluntários do "Batalhão Patriótico" perfilam-se nas ruas do Juazeiro: sua missão era combater a Coluna Prestes o material bélico e víveres", comemorou Floro em telegrama ao general Setembrino. "Mandei, por minha conta, numerosas turmas para fazer reparo nas estradas e abrir outras de pequena distância", informou.

O destino final da caravana era o município de Campos Sales, cerca de acidentados 150 quilômetros a oeste do Juazeiro, já na divisa com o Piauí. De acordo com informações passadas pelo governo federal, era por lá que os revolucionários planejavam adentrar o território cearense. Floro mandou um ofício ao ministro:

> Seguirei para Campos Sales com o último contingente. Só depois de ali chegar poderemos agir com eficiência. Resta-me pouco dinheiro do recebido para manter e fardar a tropa. Por isso peço a Vossa Excelência providenciar com maior urgência mais quinhentos contos, pois nesses sertões, sem dinheiro, nada se encontra.

Ainda que levassem todas as rezas do *Padim Ciço* a seu favor, aqueles mil homens convocados em regime de urgência temiam estar sendo despachados para uma aventura inglória. Iam enfrentar um inimigo mais calejado, até então invencível. A marcha da Coluna Prestes, que ao final percorreria 25 mil quilômetros e cruzaria um total de treze estados brasileiros, serpenteava invicta pelos grotões do país. As forças federais enviadas anteriormente em seu encalço, aferradas aos manuais militares que previam a "guerra de posição" — encurralar o inimigo para depois asfixiá-lo —, haviam malogrado. Os revolucionários adotaram a tática de guerrilha, a luta em permanente movimento, desferindo ataques de surpresa seguidos de rápidos deslocamentos pelos territórios mais inóspitos. Quando o Exército imaginava que os havia cercado, os rebeldes já estavam longe, deixando atrás de si um rastro de pontes derrubadas, estradas destruídas e linhas de telégrafo desmanteladas, o que comprometia ainda mais a perseguição.

Muitos dos voluntários que seguiam nos comboios organizados no Juazeiro acreditavam que os rebeldes possuíam o poder mágico de desaparecer no ar feito fantasmas: só isso explicaria o fato de os guerrilheiros, depois de percorrer tantos milhares de léguas sertão adentro, jamais terem se deixado apanhar pelos tiros dos soldados do Exército. Na imaginação fecunda do povo do interior do Brasil, a figura do líder revolucionário Luís Carlos Prestes já ganhara uma aura quase mitológica. O jovem capitão, que fora um dos mais brilhantes alunos da Escola Militar do Realengo, era tido na conta de sábio adivinhador, um bruxo capaz de prever o futuro, pois sempre parecia desvendar, de antemão, todos os movimentos dos opositores. Para controlarem os próprios arrepios que lhes sobrevinham sempre que pensavam no assunto, os combatentes do Batalhão Patriótico puxavam os rosários para fora da túnica e beijavam com ardor as contas pequeninas. O tal Prestes podia ser um feiticeiro barbudo, mas muito maiores eram os poderes do Céu, benziam-se eles, fazendo o sinal da cruz. Estavam devidamente abençoados por Nossa Senhora das Dores e pela mão milagreira do *Padim Ciço*, tranquilizavam uns aos outros.

Enquanto magnetizava o sertão com suas proezas, a marcha revolucionária sedimentava uma imagem de heroísmo junto à opinião pública dos centros urbanos. A população de grandes capitais como Rio de Janeiro e São Paulo acompanhava excitada, de olho colado nas páginas dos jornais e dos semanários ilustrados, cada novo feito daquela epopeia. Não se falava em outra coisa no país inteiro. A intenção dos revoltosos era incendiar o Brasil com o apelo romântico da rebelião, minar as resistências do governo federal e, no momento oportuno, infletir para o litoral e enxotar o presidente Artur Bernardes do Palácio do Catete.

Testado e aprovado cerca de doze anos antes na vitoriosa sedição do Juazeiro, Floro Bartolomeu pareceu ao Ministério da Guerra o homem talhado sob medida para bloquear a passagem da Coluna Prestes pelo Ceará. Em 1914, os bandoleiros sertanejos sob seu comando também adotaram táticas próprias da guerra em movimento, um legado das antigas batalhas indígenas travadas por tribos rivais no sertão. Quando acuados, os aguerridos cangaceiros e jagunços não hesitavam em fugir sem disparar um único tiro, o que no código de honra militar podia ser confundido com covardia. Na verdade, esse era um dos procedimentos mais eficazes da estratégia cangaceira — e, também, da cartilha do bom guerrilheiro. Só atiravam para acertar. Guerreavam apenas quando tinham chances reais de triunfo.

Era forçoso reconhecer que ninguém talvez estivesse realmente mais bem preparado para enfrentar Prestes do que um bando infernal de cangaceiros. Até aquele momento, a sarna, a disenteria

Os revolucionários da Coluna Prestes, que encontrariam os devotos de Cícero como principais adversários em sua passagem pelo Ceará e o bicho-de-pé haviam provocado mais baixas nas linhas revolucionárias do que as balas dos soldados do Exército. Consciente de que as esperanças do Palácio do Catete estavam temporariamente depositadas em suas mãos, Floro insistia na solicitação de mais recursos para a tropa. "Rogo telegrafar urgente ao presidente da República ou ao ministro da Guerra pedindo mandar mais quinhentos contos de réis. Faltando dinheiro, minha ação ficará grandemente prejudicada, se não completamente anulada", recorreu Floro, dessa vez, à intermediação do então presidente estadual, o desembargador Moreira da Rocha, de quem o prefeito do Juazeiro, Cícero, era fiel aliado.

A persistência e a articulação surtiram efeito. Quando a verba adicional foi aprovada, Floro Bartolomeu já havia decidido apostar parcela considerável daquele dinheiro em uma manobra ainda mais arrojada. Floro não se considerava satisfeito com os mil voluntários que conseguira arregimentar. A fim de garantir o absoluto sucesso da missão, estava disposto a pagar uma pequena fortuna para engajar na luta contra Prestes pelo menos um homem a mais. Era realmente só um, mas valia por outros mil. Tratava-se do maior e mais feroz bandoleiro sertanejo de todos os tempos: Virgulino Ferreira da Silva. Para quem não ligava a fera ao nome, bastava o apelido que lhe dera a fama: Lampião, o rei dos cangaceiros.

Nos sertões pernambucanos do Pajeú, Virgulino olhou para o pequeno retângulo de papel escrito à máquina, leu o conteúdo e, com cara de descrédito, devolveu a carta ao portador:

"Eu não vou. Isso está me cheirando a traição. Estão querendo é me pegar", disse, ressabiado.

A mensagem, caprichosamente datilografada em fita vermelha, prometia a Lampião mundos e fundos. Ele receberia generoso pagamento em dinheiro e a patente de capitão do Batalhão Patriótico. Era uma chance de ouro para que abandonasse de uma vez por todas a vida atribulada de fora da lei, argumentava a missiva, que também flertava com a decantada vaidade do cangaceiro. Se derrotasse Prestes, sugeria aquela sedutora folha de papel, Virgulino seria condecorado pelo governo federal e viria a ser cortejado como grande herói nacional. As perseguições policiais teriam fim. Ele receberia salvo-conduto para trafegar por todo o sertão, exibindo a todos o título de capitão Virgulino.

"Não, eu não vou", repetiu assim mesmo.

Parecia decidido. Mas o mensageiro insistiu:

"Vá, homem... A carta é do padre Cícero...", recomendou o coronel Manuel Pereira Lins, vulgo Né da Carnaúba, conhecido protetor de cangaceiros.

Desconfiado, Lampião conferiu de novo a assinatura do bilhete, manuscrita em nanquim. Estava lá, letra por letra: "Cícero Romão Batista". Se ficasse convencido de que era realmente o jamegão do padre, o cangaceiro partiria absolutamente tranquilo. Tinha por Cícero o mais profundo respeito, a mais irrestrita confiança. Duas irmãs de Virgulino residiam no Juazeiro sob a proteção do sacerdote, sem nunca ter sido molestadas por ninguém, muito menos pela polícia. Por causa daquela ligação familiar, além do apreço que mantinha pelo *Padim Ciço*, Lampião sempre poupara o Cariri das habituais selvagerias que tanto lhe fizeram o cartaz de bandido.

"Eu conheço bem essa letra... É a assinatura do padre", garantiu Né da Carnaúba.

Virgulino, finalmente, tomou a decisão. Mandou seus homens juntarem os trecos e se porem em marcha imediatamente. Iriam todos para o Juazeiro. Estavam sendo convocados pelo único homem capaz de lhes ditar ordens e conselhos: o padre Cícero Romão Batista.

Deus e o diabo iriam se encontrar na Terra do Sol.

Cícero quase não acreditou quando leu o telegrama marcado com o duplo carimbo de "urgentíssimo" e "reservado". Eram péssimas notícias, constatou o padre. A Coluna Prestes ludibriara mais uma vez todos os adversários. Em vez de despontar à altura do município de Campos Sales, como estava previsto pelos despachos oficiais do governo, os revolucionários haviam entrado no Ceará pela cidade de Ipu, mais de quinhentos quilômetros ao norte. As autoridades ipuenses estavam pedindo arrego ao Batalhão Patriótico. No dia 12 de janeiro, a Coluna invadira o território do estado sem encontrar a mínima resistência pelo caminho e, a partir de então, passara a crescer o receio de que os rebeldes estivessem planejando um ataque maciço a Fortaleza. Alarmado, Cícero mandou avisar a nova situação a Floro, que concentrara todas as forças na posição inicialmente indicada como o provável teatro de operações.

Na verdade, nem Cícero nem Floro ainda sabiam, mas aquela era uma das táticas diversionistas dos revolucionários. Eles haviam se dividido em duas frentes antes de deixar o Piauí para atacar o Ceará em dois alvos distintos, recurso que sempre deixava o inimigo atarantado. Em Ipu, a ação de um destacamento de vanguarda comandado por um dos principais líderes do movimento rebelde, o capitão João Alberto, apenas desviou a atenção para que o estado-maior da Coluna, chefiado pessoalmente por Luís Carlos Prestes, aproveitasse a confusão e investisse por outra faixa de terreno, cerca de apenas quarenta quilômetros do lugar em que estavam aquartelados Floro Bartolomeu e seus homens. Enquanto Cícero e Floro trocavam telegramas desencontrados, os dois braços da volátil marcha revolucionária já haviam convergido para um mesmo ponto, a vila de Arneiroz, situada a trezentos quilômetros de Juazeiro, às margens do Jaguaribe, considerado o maior rio seco do mundo.

Floro estava com dois grandes problemas nas mãos. O primeiro era deslocar no tempo mais curto que fosse possível todo o contingente, além de arrastar os víveres e a munição, pelas estradas enlameadas e cheias de buracos que ligavam Campos Sales a Arneiroz, distante duzentos quilômetros uma da outra. O segundo problema era ainda mais preocupante. Floro Bartolomeu não conseguia mais conduzir nem mesmo o peso do próprio corpo, que dirá um exército inteiro. A sífilis corroía seu organismo e os efeitos colaterais dos medicamentos cobravam seu preço. Em Campos Sales, Floro caiu de cama, intoxicado, e só conseguiu se levantar após a visita de um médico, mandado buscar às pressas em Fortaleza. De automóvel, o clínico geral José Paracampos, que mantinha um dos consultórios mais requisitados da capital cearense, acelerou em socorro ao colega agonizante, transportando-o depois em marcha lenta, para evitar solavancos, no caminho até o Juazeiro. Ao passo que Floro sofria com os safanões da estrada, Cícero dividia seus temores com o chefe da nação:

> Excelentíssimo presidente Artur Bernardes
>
> [...]
>
> Nosso eminente amigo Floro Bartolomeu se encontra enfermo. Espero em Deus que sua preciosa vida não nos faltará neste grande momento nacional, em que a augusta personalidade de Vossa Excelência encarna superiormente os grandes destinos da pátria. Viva o Brasil. Viva a República.
>
> [...]
>
> Padre Cícero Romão Batista

Com o mentor posto fora de combate, o Batalhão Patriótico seguiu como barata tonta na perseguição a Prestes. Demorou algum tempo até se perceber que a Coluna não pretendia seguir para Fortaleza e muito menos atacar o Juazeiro, como Cícero tanto temia. Os revolucionários, como de costume, haviam plantado pistas falsas. A exemplo do que sempre faziam, evitavam as aglomerações urbanas, onde a guerrilha por certo teria maiores dificuldades de ação. O verdadeiro objetivo de Luís Carlos Prestes era cruzar o semiárido do Ceará ao meio, para depois alcançar, do outro lado, os sertões do Rio Grande do Norte. Dali, ele e seus homens seguiriam adiante, desmoralizando a repressão. "Reforce o contingente e não deixe escapulir rebeldes", telegrafou Floro, abatido pela doença e pela decepção, ao pasmado capitão Pedro Silvino de Alencar.

Mais rápido do que Silvino pudesse pensar em agir, a Coluna cruzou como um raio a fronteira potiguar e desceu em demanda à Paraíba. Ao passo que os rebeldes fugiam para longe do Ceará, o acéfalo Batalhão Patriótico se desfazia em disputas internas. Em Juazeiro, Cícero recebia seguidas denúncias de que alguns dos jagunços alistados como voluntários estavam desistindo da luta para promover arruaças, extorquir pequenos proprietários de terras e desacatar chefes de família pelo interior do estado. A situação saíra inteiramente de controle.

Mesmo assim, como último recurso, Cícero procurava demonstrar altivez. Com data de 20 de fevereiro de 1926, encaminhou uma carta aberta aos revoltosos. "Venho vos convidar à rendição", conclamava, logo na primeira linha. "Faço-o firmado na convicção de que presto serviço à pátria, por cuja grandeza também devem palpitar vossos corações de patriotas. Acredito que já não nutris esperan-

Ao Capitão Luiz Carlos Prestes
e seus companheiros de luta

CAROS PATRICIOS

Venho vos convidar à rendição.

Faço-o firmado na convicção de que presto serviço à Patria, por cuja grandeza tambem devem palpitar os vossos corações de patriotas.

Acredito que já não nutris esperanças na victoria da causa pela qual, ha tanto tempo, pelejais, com excepcional bravura. E' tempo, portanto, de retrocederdes no arduo caminho por que seguis e que, agora, tudo está a indicar, vos vae conduzindo a inevitavel abysmo. Isto, sinceramente, enche-me a alma de sacerdote catholico e brasileiro de intraduziveis apprehensões, dominando a de indefinivel tristeza.

Reflexo do meu grande amor ao Brasil, esta tristeza, assevero-vos firmente, é uma resultante do conhecimento que tenho dos inauditos sacrificios que estaes impondo à Nação, entre os quaes incluo, com notavel relevo, o vosso proprio sacrificio e dos muitos companheiros que são vossos alliados, na espectativa de resultados, hoje, provadamente impossiveis.

Confrange-me o coração e atormenta-me, incessantemente, o espirito esse innominavel espectaculo de estar observando brasileiros contra brasileiros, numa lucta fraticida e exterminadora, que tanto nos prejudica vitaes interesses no interior, quanto nos humilha e deprime perante o extrangeiro. Accresce que para uma Nação jovem e despovoada como é a nossa, as actividades constantes de cada cidadão representam um valor inestimavel ao impulsionamento do seu progresso. De modo que para se fazer obra de impatriotismo basta contribuir-se para a paralysação dessas actividades ou para o desvio da sua applicação constructora. E' o que estaes fazendo, involuntariamente, talvez.

Assim sendo, é claro que se outros vultuosos males não acarrètasse ao Paiz a campanha que contra elle sustentaes, bastaria attentardes nesta importante rasão para vos demoverdes dos propositos de luta em que persistis.

Entretanto, deveis reflectir ainda na viuvez e na orphandade que, com penalisadora abundancia, se espalham por toda parte; na fome e na miseria que acompanham os vossos passos, cobrindo-vos das maldições dos vossos patricios, que não sabem comprehender os motivos da vossa tormentosa derrota atravez do nosso grandioso hinterland.

E', pois, em nome destes motivos superiores e porque reconheço o valor pessoal de muitos dos moços que dirigem esta malfadada revolução, que ouso vos convidar e a todos os vossos companheiros a depordes as armas. Prometto-vos, em retribuição á attenção que derdes a este meu convite, todas as garantias legaes e bem assim me comprometto a ser advogado das vossas pessoas perante os poderes constitucionaes da Republica, em cuja patriotica comparencia muito confio e deveis confiar tambem. Deus queira inspirar a vossa resolução, que aguardo com ansiedade e confiança.

Deus e o amor da Patria sejam vossos orientadores, neste momento decisivo da vossa sorte, cujos horisontes me parecem toldados de sombrias nuvens.

Outrosim: é meu principal desejo vos salvar da ruina moral em que, insensivelmente, vos estaes embrenhando com os feios actos e desregramentos consequentes da revolução e que, certamente, vos conduzirão a uma inevitavel ruina material. Lembrae-vos de que sois moços educados, valentes soldados do Brasil, impulsionados neste vosso corajoso tentamem por um ideal, irreflectido embora, e que, entretanto, estaes passando, perante a maioria dos vossos compatriotas, por celerados communs, já se vos tendo comparado, na imprensa das capitaes, aos mais perigosos facinoras do nordeste.

Isto é profundamente entristecedor. Deixae, portanto, a luta e voltae á paz — paz que será abençoada por Deus, bemdita pela Patria e acclamada pelos vossos concidadãos, e, pois, só vos poderá conduzir á felicidade. Deus e a Patria assim o querem e eu espero que assim o fareis.

Com toda attenção subscrevo-me

Vosso patricio muito grato

[illegible]

[illegible] Fevereiro de 19[illegible]

A carta que Cícero enviou a Luiz Carlos Prestes, conclamando-o à rendição ça na vitória da causa pela qual, há tanto tempo, pelejais com excepcional bravura", blefou. Como se estivesse em situação privilegiada, embora as circunstâncias comprovassem exatamente o contrário, Cícero prosseguia, enfático: "Porque reconheço o valor pessoal de muitos dos moços que dirigem esta malfadada revolução é que ouso vos convidar, e a todos os vossos companheiros, a deporem as armas". Em troca da possível rendição, o padre prometia dar garantias legais aos que capitulassem e assegurava advogar por eles junto às autoridades do governo federal. "Deus queira inspirar a vossa resolução, que aguardo com ansiedade e confiança", concluiu.

Em suas memórias, o secretário-geral da Coluna, Moreira Lima, confirmaria que aquela mensagem chegou, de fato, às mãos de Prestes. "Tivemos a oportunidade de ler essa carta, escrita com uma grande ingenuidade, mas da qual ressaltava o desejo íntimo e sincero do padre no sentido de conseguir fazer a paz." O revolucionário Moreira Lima até fazia uma imagem positiva do sacerdote, embora seu diagnóstico sobre o fenômeno do Juazeiro não diferisse daquele que a Igreja oficial dispensava à questão. "O padre Cícero não é o homem mau que se tem dito, mas uma simples vítima do meio em que nasceu e vive", escreveria, para em seguida completar: "A mesma crendice que fez Canudos ergueu o Juazeiro". No entender de Moreira Lima, Floro era o verdadeiro vilão, o gênio pervertido que arregimentara a "galeria de tipos lombrosianos" de que era feito o Batalhão Patriótico: "Um governo de saqueadores dos cofres públicos só podia ser defendido por uma horda dessa natureza".

Enquanto isso, ainda sob os cuidados do doutor Paracampos, Floro imaginou que a única chance de sobreviver à moléstia que o consumia era buscar tratamento especializado no Rio de Janeiro. Não havia tempo a perder. Deixou instruções detalhadas a Cícero e partiu de automóvel para o terminal da estrada de ferro em Missão Velha. Ali, pegou um trem expresso para Fortaleza e, no dia 18 de fevereiro, subiu a bordo do vapor *Itassucê*, um dos famosos "itas" da Companhia Nacional de Navegação Costeira, com destino à capital federal. Na escala marítima no Recife, ardendo em febre, Floro daria uma desconsolada entrevista ao pernambucano *Jornal do Commercio*. Ainda tentou contar vantagem ao repórter sobre o poderio da trincheira que armara em Campos Sales, mas ao final reconheceu que o Batalhão Patriótico fracassara, sem nunca ter conquistado a simpatia estratégica da população do interior. "Os nossos matutos não tinham uma ideia exata da situação, recusando-se a oferecer os elementos para a nossa defesa, que era, afinal, a sua. Animais e víveres, só com muita dificuldade eu os conseguia, e em quantidades insuficientes", desculpou-se.

No Juazeiro, uma das primeiras preocupações de Cícero logo após a partida de Floro foi tentar desfazer o convite que tinha sido lançado a Lampião em seu nome. Os rebeldes já haviam cruzado o rio São Francisco e seguiam céleres pelo interior da Bahia, de onde em pouco tempo alcançariam Minas Gerais. Não fazia mais nenhum sentido manter a promessa feita ao cangaceiro. Assim, o padre mandou um emissário ao encontro de Virgulino. O mensageiro o alcançou à altura da cidade de Barbalha, já nas cercanias do Juazeiro. Era tarde demais para fazer o opinioso bandido mudar de ideia e dar meia-volta.

Virgulino queria ver padre Cícero. Ia cobrar cada vírgula do que lhe havia sido prometido.

Foi a beata Mocinha quem primeiro correu apavorada para avisar Cícero:

"Meu padrinho, aconteceu uma desgraça! Lampião está aqui, no Juazeiro!"

À frente de 49 comparsas, com os fuzis e punhais reluzindo ao sol, Virgulino se abrigou preventivamente em uma modesta casinha de taipa, nas adjacências da fazenda que pertencia a Floro Bartolomeu, às margens da rodagem. Foi lá que o delegado da cidade, o sargento José Antônio do Nascimento, pensou em mandar emboscá-lo, mas logo depois desistiu de tal intuito ao receber um firme recado de Cícero. Ninguém importunasse Virgulino, recomendava o padre e prefeito. Era um convidado de Floro. Mesmo com o doutor ausente, atacar Lampião depois de convidá-lo ao Juazeiro seria uma traição, coisa que o código de honra dos sertões abominava. Deixassem, portanto, o homem quieto. O próprio Cícero cuidaria de se entender com ele mais tarde.

Livre e desimpedido para entrar na cidade, Virgulino e seus homens rumaram para o centro. Ficaram hospedados no sobradinho do poeta popular João Mendes de Oliveira, localizado na rua

Boa Vista, não muito distante de onde morava Cícero. A chegada do célebre grupo de cangaceiros atraiu, é claro, a atenção da cidade inteira. Pelos cálculos das testemunhas da época, 4 mil curiosos foram recebê-lo.

Os moradores mais antigos do Juazeiro ainda recordariam, anos depois, com o mesmo misto de temor e fascínio, as peripécias da estada de Lampião no sobrado do poeta, no qual permaneceu acomodado por três dias seguidos. Dona Assunção Gonçalves, uma das afilhadas prediletas do padre, relembraria a gargalhada sonora do cangaceiro diante do alvoroço das crianças que disputavam as moedas atiradas por ele pela janela. As moçoilas do Juazeiro, igualmente alvoroçadas, obviamente sem o consentimento dos pais, espreitavam pelas frestas da porta de casa, na esperança de pôr a vista naquele homem tão admirado quanto temido, o chapéu enfeitado com espelhos e patacões de ouro. "A gente morria de medo dele, mas não resistia a dar uma espiada, olhar o monstro de perto", suspiraria ainda, décadas depois, uma entusiasmada dona Assunção.

Somente quando o relógio da igreja marcou as dez horas da noite daquele 4 de março de 1926, Cícero resolveu ir ao encontro do bandido, protegido da indiscrição da maior parte da cidade, que dormia. Segundo os poucos e privilegiados espectadores da cena, o padre teria tentado de todas as formas convencer Lampião a se regenerar:

"Virgulino, se você não se arrepender logo, será um condenado de Deus. Vai direto pro Inferno, queimar pelos tantos crimes que traz nas costas", dissera-lhe Cícero.

Com tal peroração, o padre tentava reproduzir o ocorrido quatro anos antes, quando Sebastião Pereira da Silva, mais conhecido pela alcunha de Sinhô Pereira, perigoso bandoleiro pernambucano que aterrorizara o agreste, decidira largar o cangaço a seu conselho. Por obra e graça de Cícero, o arrependido Sinhô migrou para Goiás e posteriormente fixou-se em Minas Gerais. Casou, teve filhos, largou de beber, parou de fumar e nunca mais empunhou uma arma. Porém, ao renunciar ao vício e ao crime, deixara como sucessor em seu bando um então jovem discípulo de apenas 24 anos, que apesar da pouca idade já se destacava entre os demais comparsas: Virgulino, o futuro Lampião. Se um dia convertera Sinhô, Cícero não via por que não tentar pacificar o mais abominável de seus discípulos.

O único encontro de que se tem real notícia entre os dois mitos exponenciais de toda a história nordestina — padre Cícero e Lampião — atiçaria a fantasia sertaneja e renderia uma enxurrada de versões contraditórias. Houve quem dissesse que Lampião se ajoelhou aos pés do sacerdote chorando remorsos. Outros preferiram acreditar que o cangaceiro teria chegado a levar uma sova de cajado do padre. Mas havia também os que asseguravam que nada daquilo era verdade, que Cícero apenas teria dito a Lampião da inconveniência de sua presença na cidade, já que o Batalhão Patriótico estava esfacelado.

Pelo sim, pelo não, a imagem de Lampião em genuflexo diante de Cícero viraria tema recorrente de xilogravuras populares e adornaria, pelo sertão afora, inúmeras capas de folhetos de cordel. História e lenda se misturariam mais uma vez, sem que se tornasse possível saber ao certo onde começava uma e terminava a outra.

Todavia, em duas entrevistas concedidas por Lampião ao correspondente do jornal fortalezense *O Ceará*, o próprio cangaceiro disseminou ambiguidades em sua apoteótica passagem por Juazeiro. "Vim ao Cariri porque desejo prestar meus serviços ao governo", teria dito ele, afirmativo, ao repórter Otacílio Macedo. Ao mesmo jornalista, quando indagado se por acaso pretendia abandonar o cangaço, respondeu com outra pergunta: "Se o senhor estiver em um negócio e for se dando bem, pensará, porventura, em abandoná-lo?".

Descontados o português escorreito e a colocação pronominal precisa atribuída pelo jornal à fala do bandido, restaria daquelas duas entrevistas uma única convicção. Virgulino aproveitou a passagem por Juazeiro para praticar uma de suas diversões prediletas além do roubo e do saque: exercitar o direito à vaidade. Com efeito, o cangaceiro conseguiu fazer da passagem pela Meca sertaneja um acontecimento para a imprensa. Reuniu todos os parentes que moravam na cidade e posou junto deles para uma prosaica foto em família. Depois, empunhou o rifle para o fotógrafo Lauro Cabral, com o calculado objetivo de fornecer uma imagem impactante. Desfilou pelas ruas, doou dinheiro a romeiros, distribuiu autógrafos.

Os repórteres, claro, quiseram saber o que o prefeito Cícero Romão Batista achava de tudo aquilo. "Eu prevejo que muita gente agora, principalmente os meus desafetos, vá dizer que estou man-

Lampião posa para fotos, com familiares e sozinho, em sua passagem por Juazeiro, onde foi receber das mãos de Cícero a patente de capitão comunado com Lampião", lamentou Cícero ao correspondente de *O Ceará*. "Aqui no Juazeiro eu recebo todas as pessoas que me procuram e fico satisfeito em prestar assistência a um transviado da sociedade, procurando guiá-lo no bom caminho", minimizou. "Além do mais, Lampião procurou o Juazeiro com intuitos patrióticos", argumentou.

Em meio à festança cangaceira, Virgulino não esqueceu de exigir o cumprimento do acordo firmado por Floro Bartolomeu com a assinatura — legítima — de Cícero Romão Batista. Lampião queria o dinheiro, as armas e a patente de capitão, tudo conforme lhe fora prometido na carta batida à máquina. Avisou que não iria embora antes disso. Cícero, que teria dado o prazo de três dias para o cangaceiro abandonar a cidade, não viu outro jeito senão arquitetar um pequeno teatro para ver o bandido pelas costas o mais rápido que pudesse. Mandou chamar o único funcionário público federal disponível em toda a cidade, o agrônomo Pedro de Albuquerque Uchoa, inspetor agrícola do município, para que lavrasse um documento no qual se atribuía a Virgulino Ferreira da Silva — 28 anos, brasileiro, natural de Vila Bela, Pernambuco, filho do falecido José Ferreira e da finada Maria Vieira da Soledade — a patente de capitão honorário do glorioso Batalhão Patriótico do Juazeiro.

A partir daquela data, equipado com armas do Exército e envergando o uniforme de brim azul-celeste, o empavonado Lampião fez questão de ser chamado, até o último de seus dias, de "capitão Virgulino". Não se tem notícia se levou também o dinheiro prometido por Floro, pois a verba adicional do Batalhão Patriótico estava retida no Rio de Janeiro por decisão do Tribunal de Contas da União, que viu ali indícios de malversação de recursos públicos.

Mal deixou o Cariri, Lampião constatou que o documento que lhe fora entregue por Cícero não evitava que continuasse a ser caçado com a mesma virulência pelos chamados "macacos", as volantes da polícia. Em vez de seguir ao encalço de Prestes, decidiu então prosseguir na vida de crimes. Não voltaria a Juazeiro para pedir explicações.

Quando, mais tarde, fosse inquirido pelo jornalista e folclorista Leonardo Mota sobre a assinatura que apusera em um documento sem nenhum valor legal (a suposta patente e o salvo-conduto concedido ao rei dos cangaceiros), o agrônomo Pedro Uchoa deixaria escapar um risinho encabulado e o pedido esfarrapado de desculpas à posteridade:

"Naquela hora eu assinava até a demissão do Artur Bernardes, quanto mais a nomeação de Virgulino..."

Um dia depois da partida de Lampião do Juazeiro, a 8 de março de 1926, Cícero recebeu o fatídico telegrama do Rio de Janeiro: Floro Bartolomeu acabara de falecer, aos 49 anos, às cinco horas da tarde, na casa de número 83 da rua do Catete. Embora o atestado de óbito não fosse conclusivo, é quase certo que morreu vitimado pela intoxicação crônica decorrente do tratamento contra a sífilis, que incluía doses sistemáticas de metais pesados, como o mercúrio, e de arsênio e bismuto, capazes de provocar transtornos gastrointestinais, inflamações na boca, depressão, fadiga, vômitos, alucinações, tremores e descontrole motor, entre outros sintomas.

Pouco antes, no dia 2 do mesmo mês, recebera o título de general de brigada honorário do Exército brasileiro, outorgado pelo presidente Artur Bernardes, em agradecimento ao desempenho à frente do Batalhão Patriótico. Em face disso, no dia 9, o corpo de Floro desceu à sepultura, no cemitério São João Batista, em Botafogo, com direito a honras militares. Enquanto a tradicional salva de 21 tiros era disparada para o alto, via-se sobre o túmulo uma gigantesca coroa de flores que se destacava entre as demais. Na fita de seda, lia-se a última homenagem: "Ao Dr. Floro Bartolomeu, do presidente da República".

O defunto condecorado pelo governo federal não mereceria a mesma glória por parte da Igreja do Cariri. Ao contrário, todos os padres da diocese do Crato se recusaram a celebrar a missa de sétimo dia em intenção de sua alma pelo fato de ele ser um homem que sempre maldissera a fé católica.

No imaginário do catolicismo popular, isso equivalia à condenação eterna. Deus criara o mundo em sete dias e depois descansara. Por analogia, sem a cerimônia fúnebre do cabalístico sétimo dia após a morte, nenhum espírito descansaria em paz, nem mesmo a mais arrependida das almas poderia entrar no Céu. Para os romeiros do Juazeiro, era mais do que justo. O doutor Floro arderia para sempre nas chamas do Inferno.

* * *

Pelas regras da época, seria necessária a realização de uma nova eleição para escolher o substituto do deputado Floro Bartolomeu na Câmara Federal. Como de costume, políticos de todos os calibres foram a Juazeiro cortejar o apoio do enlutado Cícero, o maior cabo eleitoral de toda a região. O sacerdote recebeu a todos os pretendentes indistintamente, tratando cada um deles com a mesma consideração, mas não declarou apoio a nenhum. "Tenho recebido insistentes pedidos de vários amigos", escreveu ao presidente estadual, Moreira da Rocha, explicando a situação. "Vê, portanto, o meu nobre amigo que não é pequena a dificuldade em que me encontro e, certamente, Vossa Excelência e nossos amigos, na capital, ficariam nas mesmas dificuldades, para a escolha de um candidato dentre os muitos que se propõem", explicou.

Exatos dez dias após o enterro de Floro, quando todos imaginavam que o velho padre debilitado pelo peso dos 82 anos já havia esgotado o repertório de surpresas, Cícero anunciou a decisão: seria ele próprio o candidato à vaga pela morte do amigo. "Eu, absolutamente, não desejava, nem desejo, ser deputado. Não podia, entretanto, diante do exposto, escusar-me", justificou a Moreira da Rocha.

Como exigia a lei, Cícero passou a prefeitura do Juazeiro ao sucessor direto — o presidente da Câmara Municipal, vereador José Eleutério de Figueiredo, o popular Zé Xandu — e anunciou publicamente a sua candidatura, lançada de comum acordo entre os caciques estaduais do Partido Conservador e do Democrático. A surpreendente notícia provocou reações antagônicas. Os juazeirenses aderiram de pronto à ideia e saíram às ruas em defesa dela. A imprensa da capital, entretanto, bateu pesado na nova pretensão política de Cícero. Em Fortaleza, na edição de 9 de abril de 1926, coube ao jornal *O Ceará* estampar em editorial a mais mordaz de todas as análises:

> Assiste-nos a razão de salientar o ridículo que recairá sobre nós com a recepção do povo carioca ao legendário chefe dos fanáticos. Imaginemos, por instantes, a cena grotesca que será o desembarque, na capital do país, do novo emissário do povo cearense. [...] A figura do padre,

> com o seu longo bastão de pastor de cinema, ao lado da beata Mocinha, de quem jamais se separa, constituirá "um número", servirá de pasto aos jornais e revistas cariocas, durante uma semana. E quando, sempre de bastão, sempre acompanhado da beata, ele for ao Catete retribuir os cumprimentos do chefe da nação a quem naturalmente chamará "meu camaradinha", então a cena será de um pitoresco irresistível.

O protesto, apesar de ferino, caiu no vazio. Cícero Romão Batista foi eleito sem concorrentes, pois não houve sequer quem se aventurasse a enfrentá-lo nas urnas. Com votação esmagadora, competindo apenas consigo mesmo, Cícero ganhou uma cadeira no Congresso Nacional.

12

O velho padre está quase cego. Mas encontra forças para advertir: Getúlio Vargas é mensageiro de Satanás

1927-1932

O pedreiro obedeceu à ordem sem discutir. Com baques de marreta e alavanca, começou a destruir a catacumba onde estava enterrado, havia 16 anos, o corpo da beata Maria de Araújo. Os tijolos de barro cederam aos primeiros golpes. Não foi difícil pôr abaixo aquela estrutura simples de alvenaria em forma retangular, de cerca de um metro de altura, sobre a qual os romeiros acendiam velas, punham flores e faziam orações.

O novo vigário da paróquia do Juazeiro, o padre cratense José Alves de Lima, determinara que o túmulo fosse removido de dentro da capela de Nossa Senhora do Perpétuo Socorro. A justificativa era que o templo seria reformado e, entre as tantas tarefas previstas na obra, estava o nivelamento do piso. Como a sepultura de Maria de Araújo ocupava um espaço privilegiado bem ao lado de uma das portas da entrada, padre José Alves decidiu eliminá-la, sem ao menos se preocupar em obter a necessária licença para proceder à exumação. Quando soube o que estava ocorrendo na capela, Cícero apressou-se em ir até o local. Ao chegar, encontrou o jazigo já aberto, semidestruído. A tampa de cimento fora retirada e lá dentro se via apenas o escuro vazio da tumba. O corpo de Maria de Araújo havia sumido.

Em meio à poeira e aos pedaços de tijolos, restavam fragmentos de pano e estilhaços do velho caixão de cedro, enegrecidos pelo tempo. Ninguém sabia dizer ao certo para qual lugar os restos mortais da beata tinham sido levados. Cícero remexeu os escombros e encontrou ainda um escapulário, o cordão do hábito marrom de são Francisco com que Maria de Araújo fora enterrada e um pequeno pedaço do osso do crânio, onde se enredavam alguns fios de cabelo.

Indignado com a profanação, recolheu cuidadosamente todos aqueles objetos a um pote de vidro e seguiu ao cartório municipal para registrar sua revolta por escrito. "A violação do túmulo foi de surpresa, sem preceder autorização legal, sem conhecimento sequer do respeitável zelador do cemitério, o senhor Hildebrando Oliveira", dizia o texto lavrado por Cícero junto ao tabelião público da cidade, com data de 22 de outubro de 1930. A formalização do protesto, com firma reconhecida, não impediu que o corpo de Maria de Araújo continuasse desaparecido. A Igreja nunca revelaria o paradeiro dos restos mortais da protagonista dos proclamados milagres do Juazeiro. Eles jamais seriam encontrados.

"Nós temos o direito de protestar contra essa transformação da bancada cearense em asilo de inválidos", advertira o jornal *O Ceará* ao eleitorado. De fato, sem energias para enfrentar viagens sistemáticas à capital federal, Cícero simplesmente deixara vazia a cadeira de deputado no Congresso Nacional. Não foi ao Rio de Janeiro sequer buscar o diploma parlamentar decorado com o brasão da República. Preferiu retornar ao posto de prefeito do Juazeiro, para o qual voltou a ser eleito em 1926, sem encontrar nenhuma dificuldade nas urnas, como era presumível. Nunca mais o padre poria os pés fora do Cariri.

Com a morte de Floro, um personagem ascendera à posição de principal preposto de Cícero Romão Batista: Joana Tertuliana de Jesus, a beata Mocinha. Aos 62 anos, a solteirona Mocinha assumira o papel não só de governanta e tesoureira, mas também passara a responder pela administração dos bens do padre. Era ela quem recebia as esmolas e doações deixadas pelos romeiros, mas também quem cuidava da compra, venda e arrendamento de imóveis. Mocinha autorizava procurações, consentia permutas, abonava doações, decidia hipotecas. Nos arquivos do cartório do Juazeiro ficaria documentada a vultosa movimentação financeira feita sob a rubrica da beata. As cifras alcançavam as várias centenas de contos de réis. Até a empresa encarregada de fornecer a energia elétrica para o muni-

A beata Mocinha, tesoureira
da casa do padre: era ela
quem controlava o acesso
a Cícero e quem assinava
papéis em transações
comerciais e imobiliárias

cípio de Juazeiro, cujo capital somava a pequena fortuna de sessenta contos, estava no nome de Mocinha. Também eram oficialmente dela o matadouro e uma usina beneficiadora de algodão, além de casas, prédios e sítios espalhados pelo Cariri. Embora se soubesse que todas as propriedades, em última análise, fossem de Cícero, era a beata quem assinava os papéis e respondia legalmente por elas.

Nada na residência do padre se fazia sem o consentimento da velha, o que inclusive lhe rendera o epíteto de "Mandona". Sempre vestida com o hábito escuro, dona de personalidade forte, a onipresente Mocinha administrava com rédea curta a rotina da casa. Generosa Alencar, uma das muitas órfãs criadas por Cícero, relembraria mais tarde:

> Ela nos orientava, vigiando-nos e corrigindo nossas atitudes negativas, dando-nos tarefas da vida doméstica, não nos deixando muito espaço entre o trabalho de puxar água na bomba para o banho e a rega do jardim, pilar arroz entre as refeições, fazer crochê e ir à escola. Nos momentos de folga, nós tínhamos o direito de brincar com os filhos dos amigos do padre, que iam visitá-lo diariamente [...]. Quando agíamos de maneira negativa, esquecendo as boas maneiras, cometendo falhas no trato com a pessoas, ela dizia: "Isso é um bando de corja!".

Mocinha passou a controlar também a frequência das visitas ao sacerdote. Antes, a casa vivia em um entra e sai permanente, segundo Generosa:

> Não havia interrupção entre o café para os diversos convidados, que tanto era servido à mesa como fora da sala de jantar. As pessoas sentavam-se em bancos pela cozinha e pelos alpendres. A média era de trinta a quarenta convidados diariamente, indo noite adentro, para lanches, café, doces, bolos.

Além dos visitantes habituais, havia sempre a abundância de romeiros, ávidos por escutar uma palavra do padre, tocar-lhe a batina, beijar-lhe a mão. A saúde frágil de Cícero não permitia mais que atendesse a todos, como fizera antes. Mocinha selecionava os poucos que podiam entrar na casa e, mais raros ainda, os que tinham direito a ser recebidos para alguns minutos de prosa. Isso ajudava a sedimentar a pecha de autoritária da beata, que de fato não hesitava em impedir, com gestos e palavras bruscas, o acesso dos que queriam adentrar à força no quarto do padre para simplesmente vê-lo deitado na velha rede em que costumava repousar — desde criança, Cícero Romão Batista jamais dormira em uma cama.

Justamente por aquele tempo, Cícero precisou se submeter a uma delicada intervenção cirúrgica para extirpar um antraz cutâneo que lhe rebentara, doloroso, à altura da nuca. O incômodo pelo inchaço da pele e, depois, pela ferida aberta, impedia até mesmo o mais leve movimento no pescoço. A dor se irradiava pelos nervos dos braços e provocava também enxaquecas insuportáveis. Numa época em que ainda não existiam antibióticos, o antraz, ulceração provocada pela bactéria *Bacillus anthracis,* podia acarretar graves complicações ao organismo: caso o micro-organismo viesse a cair na circulação sanguínea do padre, provocaria uma infecção generalizada, podendo levá-lo à morte.

Para conduzir a operação, Cícero mandou buscar em Belo Horizonte um médico afamado à época, o doutor Licínio Santos, autor de um então polêmico estudo, intitulado *Loucura dos intelectuais,* no qual se discutia a relação entre a inteligência e a perturbação mental. Ao chegar ao Juazeiro, porém, Licínio deparou com a multidão apinhada diante da casa do sacerdote e temeu ser alvo de um tipo bem peculiar de insanidade: aquela que por certo tomaria conta dos devotos, se o ilustre paciente, por algum motivo, não resistisse à cirurgia.

Enquanto mandava ferver os instrumentos cirúrgicos, o médico resolveu explicar os riscos a Mocinha. Com a devida autorização da beata, saiu depois à sacada da casa e advertiu às centenas de romeiros lá fora que iria realizar um procedimento arriscado. O povo olhou para ele com ar de desconfiança, como se tentasse lhe adivinhar supostas intenções ocultas. Licínio evitou esmiuçar os detalhes clínicos, o que o poupava da tarefa de tentar traduzir aos sertanejos, em linguagem leiga, a natureza da enfermidade progressiva de Cícero. Mas, ao mesmo tempo, precisava deixar todos bem prevenidos: sem a cirurgia, o padre morreria. Com ela, ninguém podia garantir que continuasse a viver, mas as chances eram muito maiores.

Um frêmito logo tomou conta da massa. A ideia de ver o *Padim Ciço* morto deixou todos terrificados. O que seria daquela gente sem seu protetor e guia? A quem apelariam na falta do padrinho?

Depois de derramarem riachos de lágrimas e levantarem preces desesperadas ao Céu, os romeiros preferiram acreditar que Deus estava olhando por eles: o dedo de Nossa Senhora das Dores guiaria as mãos do doutor Licínio. Durante o período de cerca de uma hora em que transcorreu a operação, os fiéis não pararam de rezar a ave-maria e o pai-nosso por um único segundo. Ao som daquela ladainha infinda, o médico tentou se concentrar no trabalho: fez uma incisão em torno da ferida purulenta e constatou que já existia um princípio de necrose, o que significava um grau avançado de infecção local. Se a cirurgia houvesse demorado mais alguns dias, o resultado poderia ter sido devastador para Cícero. Depois de extrair todo o tecido morto ao redor da ulceração, Licínio aplicou um curativo sobre o ferimento. Os devotos, enfim, respiraram aliviados. Licínio, mais ainda.

Antes de se despedir, o médico recomendou cuidados especiais ao doente. Por causa da saúde cada vez mais abalada, a alimentação de Cícero, que nunca fora desmedida, teria de se tornar ainda mais frugal. Pela manhã, somente chá e leite, acompanhados de única fatia de pão de ló. No almoço, tinha direito a canja de arroz e mais outro copo de leite. À noitinha, antes de dormir, apenas um prato de mingau. Entre as refeições, para ajudar no combate às fortes dores intestinais que também sentia, recomendaram-se as purgativas xícaras de chá de abacate.

As aparições públicas do sacerdote, aos poucos, foram rareando. Porém, Cícero se sentiu no dever de fazer um esforço extra para prestigiar um evento que trouxe grande sensação à cidade: a chegada dos trilhos da estrada de ferro ao Juazeiro. A partir daquele dia, 7 de novembro de 1926, o município passava a ter ligação direta com as demais estações da Rede Viação Cearense, o que abreviava a distância a Fortaleza para apenas um dia de viagem. Assim como Cícero, centenas de pessoas foram até a pequena estação ferroviária, embandeirada de verde e amarelo, para testemunhar a visão da primeira maria-fumaça estacionada no local. Muita gente subiu nos vagões de carga para apreciar a maravilha mais de perto, mesmo depois de a caldeira soltar o longo chiado, as rodas de ferro

Cenas da inauguração
da estrada de ferro
em Juazeiro do Norte,
em 7 de novembro de 1926

rangerem sobre os trilhos e o apito anunciar a partida. Na viagem inaugural, Cícero, o convidado de honra, seguiu na locomotiva até o Crato, ao lado dos engenheiros da companhia. Ao acenar com o chapéu preto para a multidão, todos notaram que os gestos do padre estavam mais lentos, visivelmente penosos.

Os que puderam contemplar-lhe o rosto mais de perto notaram que, além das muitas rugas que desenhavam sulcos profundos na face emagrecida de Cícero, os característicos olhos azuis, que antes causavam alumbramento aos devotos, haviam perdido o antigo brilho. A pupila esquerda estava opaca, sem luz, esbranquiçada pela catarata. O olho direito, avermelhado, lacrimejava sem parar.

A serra do Catolé, vista da janela da locomotiva, era apenas um borrão verde e disforme para Cícero.

Após concluir mais um mandato à frente do Executivo municipal, em 1929, Cícero era um ancião de 85 anos de idade. Depois de dezoito longos anos na função, decidiu que enfim chegara a hora de escolher um nome para sucedê-lo à frente da prefeitura. O ungido pelo extenuado Cícero foi o comerciante Alfeu Ribeiro Aboim, um elegante comerciante sergipano de cinquenta anos, que viria a fazer longa carreira política no Ceará, já tendo ocupado antes a chefia do município de Quixadá. A indicação não deixou de ser uma surpresa para os observadores mais atentos. Ex-aluno do Colégio Militar, antigo voluntário do Exército na guerra contra Canudos, ninguém poderia encarnar mais a antítese do velho padre, naquela eleição, do que Aboim.

Contra o candidato, as más-línguas diziam que ele possuía, em Fortaleza, chinelos reservados na casa de pelo menos meia dúzia de mulheres, todas casadas com respeitáveis figurões da cidade. Aquilo podia não passar de maliciosa fofoca, porém havia motivos mais objetivos para um católico conservador como Cícero vê-lo com certa desconfiança. Sabia-se que Aboim participava das sessões de mesa branca do Centro Espírita Cearense, do qual aliás chegou a ser primeiro-secretário. Além disso, comentava-se à boca miúda que articulava a fundação da primeira loja maçônica do Juazeiro, fato que viria a se confirmar não muito tempo depois, quando a filial juazeirense do Grande Oriente abrisse as portas. Entretanto, pelas contingências da política, o moralista Cícero, incansável pregador contra o adultério, a maçonaria e o espiritismo, declarou apoio incondicional a Aboim. Muitos chegaram a acusar o padre de senilidade. Mas a explicação para o caso era de outra ordem, bem pragmática: o candidato saíra diretamente do bolso do colete do presidente estadual, José Carlos de Matos Peixoto.

Na verdade, a barganha municipal tinha como principal horizonte a eleição para presidente da República, marcada para março do ano seguinte. Matos Peixoto, de olho no imenso capital eleitoral do padre, firmara com ele um trato político. Aceitaria a indicação de dois apadrinhados caririenses de Cícero ao parlamento federal; em troca, pedia não só o apoio ao nome do correligionário Aboim para prefeito do Juazeiro, mas, em especial, a adesão do sacerdote à chapa do governador paulista Júlio Prestes à Presidência do Brasil. Naquela que viria a ser a mais polêmica das eleições gerais da República Velha, Júlio Prestes, o candidato oficial do Palácio do Catete, enfrentaria o gaúcho Getúlio Vargas, candidato da oposicionista Aliança Liberal à sucessão de Washington Luís. Cícero não titubeou na hora de escolher de qual lado ficaria. Com ou sem trato, ele já havia tomado sua decisão.

O padre encontraria forças para lançar uma bombástica carta aberta aos fiéis: "A horda vermelha ameaça, com sua garra de abutre, destruir a nossa felicidade, perturbando a paz no Brasil e abalando seus fundamentos seculares e a própria organização da família, célula *mater* da sociedade cristã", ditou Cícero, já quase inteiramente cego, a um de seus secretários particulares, apondo a assinatura — trêmula, mas perfeitamente reconhecível — ao final da mensagem. "Acenando com a falsa bandeira do liberalismo, a Besta-Fera do Apocalipse atira suas patas de fogo contra a estabilidade de nossas instituições. Ai daqueles que prestarem seu auxílio aos inimigos de Deus", advertia. "As lavas ardentes do vulcão bolchevista lamberam a face da terra e sob os escombros da fé, calcinadas pelas labaredas do Anticristo, fizeram ressurgir Sodoma e Gomorra."

Getúlio Vargas estava longe de ser um bolchevique, como acusava Cícero. A plataforma política de Getúlio vinha na esteira dos movimentos militares que, ao longo de toda aquela década, pregavam a necessidade de moralização da República. Porém, o discurso de que a transformação nos costumes políticos teria de chegar de

A máquina de escrever que pertenceu a Cícero. O padre, já acometido pela catarata que lhe roubaria a visão pouco a pouco, assina documentos ditados aos secretários

uma vez por todas, por bem ou por mal — pelo voto ou pela revolução — foi o mote que acabou contagiando os comitês oposicionistas espalhados pelo país. Mesmo nos sertões mais distantes, as flâmulas vermelhas da Aliança Liberal podiam ser vistas tremulando ao sol. "De pé, cristãos brasileiros! Guerra de morte aos que empunham a bandeira vermelha do liberalismo para estancar em nossas almas a fonte perene da fé e entregá-la inerme nos braços de Satanás", diria a carta aberta de Cícero.

No Juazeiro, a demonização dos adversários surtiu efeito. A eleição municipal, como sempre, foi mero protocolo. Ancorado no apoio de Cícero, Alfeu Aboim elegeu-se prefeito com 97% dos votos válidos, esmagando o oposicionista João Bezerra de Menezes, candidato do diretório juazeirense da Aliança Liberal. Contudo, tão logo se viu eleito, Aboim aderiu à "maré vermelha". Virou as costas ao padrinho político e resolveu passar de malas e bagagens para o ninho dos liberais. Cícero, claro, sentiu-se atraiçoado.

Fiel portador das dores do padre, um panfleto anônimo passou a circular de mão em mão pelas ruas da cidade: "Alfeu Aboim, além de haver traído miseravelmente o grupo político que o elegeu bandeando-se para a Aliança Liberal, não teve, como qualquer homem de bem o faria, a coragem de renunciar ao mandato que, em confiança, lhe fora entregue". A Câmara Municipal, integralmente formada por aliados do ex-prefeito Cícero Romão Batista, propôs um boicote à nova administração, incitando os comerciantes juazeirenses a não pagar impostos ao "traidor do padre Cícero". Ato contínuo, os vereadores decidiram eles mesmos desprezar o resultado das urnas e não empossar Aboim, passando o cargo ao presidente da Casa. Cícero não fez nenhuma declaração oficial a respeito do episódio, embora o silêncio deixasse evidente sua adesão ao golpe.

Pouco antes disso, o descontentamento público do padre já dera ensejo a que se assistisse a um insólito atentado político, do qual a imagem de Aboim sairia, literalmente, enodoada. Quando passeava de paletó e gravata-borboleta pelas ruas centrais da cidade, o sorridente prefeito eleito distribuía acenos de agradecimento ao povo quando, de súbito, foi abordado por um popular que trazia um malcheiroso balde à mão. Antes que Aboim lhe percebesse o intento, o homem despejou-lhe todo o conteúdo do balde sobre a cabeça. Eram fezes humanas.

Cícero e o sucessor à frente
da prefeitura, Alfeu Ribeiro Aboim,
que o trairia após a vitória
nas urnas, aderindo à Aliança
Liberal e à candidatura
presidencial de Getúlio Vargas

Durante muito tempo, os juazeirenses ainda relembrariam a cena, repetindo a mesma e escatológica pilhéria:

"E o Aboim, heim? Morreu de vergonha!"

"É, morrer, não morreu... Mas escapou fedendo."

João Pessoa, presidente estadual da Paraíba e candidato a vice-presidente da República na chapa encabeçada por Getúlio Vargas, considerou insultuoso o telegrama que o padre Cícero Romão Batista lhe enviara:

> Caso me fosse permitido, pediria ao iminente amigo, mesmo com sacrifício de quaisquer paixões pessoais, procurar uma solução que pusesse fim a esse lamentável estado de coisas, em que vidas preciosas e a riqueza da terra paraibana vão sendo destruídas na voragem de uma luta fratricida.

João Pessoa avaliou que Cícero, do fundo de uma rede, intrometia-se em questões que não lhe diziam o menor respeito.

Naquele momento, Pessoa enfrentava uma revolta no interior paraibano, mais especificamente no município de Princesa, onde um mandachuva local, o coronel José Pereira Lima, estava repetindo os mesmos expedientes de que Floro Bartolomeu lançara mão no Ceará em 1914. Com a complacência do Palácio do Catete, José Pereira rompera com o governo estadual, destituíra as autoridades municipais e proclamara a independência da cidade em relação à Paraíba, instituindo um singular "Território Livre de Princesa", que passara a ter jornal, bandeira e hino próprios. "Filhos valentes de Princesa, avante! Da terra molhada com o vosso sangue nascerão tantas flores e tantos frutos que nunca mais a inclemência do Sol tostará os vossos campos", dizia o editorial do primeiro número do carbonário *Jornal de Princesa*.

O artifício era conhecido e as intenções de José Pereira, claras. Com a sedição, ele pretendia provocar a intervenção federal na Paraíba e a consequente destituição do inimigo político João Pessoa do comando estadual. Com o propósito de bombardear as pretensões eleitorais do oposicionista Getúlio, o Catete incentivou a desordem no quintal do candidato a vice da Aliança Liberal, recusando-se a mandar o Exército reprimir a revolta. Júlio Prestes, diretamente interessado na pendenga, foi ainda mais explícito: providenciou o envio de armas e munições da polícia paulista para equipar os jagunços de José Pereira, que já ameaçavam seguir de garrucha em punho numa marcha a pé pela Paraíba, do mesmo modo que fizera o exército sertanejo de Floro Bartolomeu, dezesseis anos antes, no vizinho Ceará.

O telegrama de Cícero a João Pessoa usava de floreios verbais — e certos laivos de lisonja — para tentar convencê-lo a abandonar a luta, o que deixaria caminho livre para o avanço dos rebeldes financiados pelos cofres do governo paulista. Em mais uma mensagem ditada aos secretários, o padre recomendou:

> Como amigo que sou de Vossa Excelência, tomo a liberdade de sugerir a conveniência de retirar as forças do campo de batalha e, logo que seja reconhecido o novo presidente da República, Vossa Excelência, com honra e superior dignidade, caráter forte e inquebrantável, volte ao cargo de ministro do Supremo Tribunal Militar, cargo esse que Vossa Excelência tem exercido com elevado patriotismo e sábia prudência.

Enfurecido, João Pessoa replicou em termos firmes, mas não se permitiu perder a compostura, mantendo intacta a liturgia do cargo:

> Padre Cícero,
>
> [...]
> Aceitar a proposta do meu nobre amigo, perdoe-me a franqueza, seria sacrificar a própria dignidade e trair os meus conterrâneos. Estou dentro da lei. Os criminosos, pois, deponham as armas e se entreguem, confiantes, aos ditames serenos da Justiça.
>
> Saudações cordiais,
> João Pessoa

O governante da Paraíba não estava disposto a ceder. Sabia que, na guerra, todas as armas eram válidas, especialmente a informação — ou, no caso, a desinformação. Por isso, ordenou que um pequeno avião sobrevoasse Princesa, despejando sobre a cidade um boletim ameaçador, redigido pelo secretário de Segurança estadual, José Américo de Almeida. "Dentro de quatro horas Princesa será bombardeada por aeroplanos da polícia e tudo será arrasado", lia-se no boletim, que não passava de mais uma peça de ficção da lavra do romancista José Américo, autor de um clássico da literatura regionalista brasileira: *A bagaceira*. A força aérea da Paraíba se resumia a três aeronaves: o inofensivo bimotor que lançara os panfletos sobre os revoltosos e mais dois outros aviões sucateados, que jamais conseguiriam levantar do chão.

Enquanto o presidente da Paraíba punha em ação a "guerra psicológica", o chefe do Território Livre de Princesa decidia recorrer a uma ameaça real: conquistar a ajuda de Cícero Romão Batista. Como tinha ciência de que o padre declarara apoio eleitoral a Júlio Prestes e lançara uma furibunda carta aberta contra Getúlio, José Pereira o cortejou para que enviasse as armas e munição porventura remanescentes do Batalhão Patriótico de Juazeiro, a fim de alimentar o poder bélico dos rebeldes paraibanos. Cícero, contudo, negou fogo. Se sugerira a João Pessoa o abandono da refrega, decidira também não manifestar apoio ao lado oposto. "A minha situação de sacerdote e amigo de todo esse povo do Nordeste me impõe o dever de só interferir em movimentos como o que aí se esboça no sentido de evitar uma luta fratricida de destruição entre irmãos", contemporizou. "Confio que o caso será solucionado pelos meios mais convenientes e legais, porque estou certo de que o presidente Washington Luís não deixará ao desamparo os amigos que estiverem ao seu lado."

O padre acertou no varejo, mas errou no atacado. Washington Luís realmente tinha total interesse em permanecer dando suporte a José Pereira e às peripécias do Território Livre de Princesa. Mas a solução definitiva para o caso não decorreria de meios "convenientes e legais", como Cícero previra. O inesperado assassinato de João Pessoa, no dia 26 de julho de 1930, arrastaria os fatos repentinamente para outra direção.

Um aliado de José Pereira, o advogado João Duarte Dantas, ficara possesso quando a polícia paraibana lhe invadira o escritório e apreendera uma pilha de documentos particulares. No meio dos papéis confiscados, foi junto a correspondência amorosa trocada entre Dantas e uma bela professorinha da cidade, Anaíde Beiriz, apelidada nos saraus literários paraibanos de "a pantera dos olhos dormentes". O jornal do governo estadual, *A União*, divulgou trechos da correspondência privada de Dantas, informando aos leitores que existiam no pacote também certas cartas íntimas, classificadas de "impublicáveis", mas que estariam inteiramente à disposição de quem quisesse lê-las na redação. Em represália, um alucinado Dantas abasteceu o tambor do revólver e cravejou três tiros em João Pessoa, quando este placidamente tomava chá com torradas, na companhia de aliados, numa luxuosa confeitaria do Recife.

A morte de João Pessoa, principal alvo da rebelião de José Pereira, pôs fim à revolta de Princesa, mas arrastou o país para uma revolução muito maior, que iria mudar a história brasileira para sempre. A Aliança Liberal, que saíra derrotada nas eleições presidenciais cerca de três meses antes e alegava fraude nas urnas, tinha a partir de então um mártir e uma justificativa para levar a conspiração para as ruas. Júlio Prestes, o candidato vencedor na disputa pela Presidência da República, jamais tomaria posse. No dia 3 de outubro, um movimento armado explodiu simultaneamente no Rio Grande do Sul e em Minas Gerais, conquistando de imediato a simpatia popular e a adesão instantânea dos quartéis. A conflagração se multiplicou em vários focos pelo país, inclusive no Ceará. Um major rebelde, João Leal, telegrafou a Cícero para avisá-lo que a marcha revolucionária estava a caminho do Cariri. "O meu povo não tomará armas nesta luta entre irmãos", respondeu o padre.

Acuado, o presidente estadual Matos Peixoto também enviou mensagem a Cícero, para conclamá-lo à resistência, embora precisasse lhe dar uma péssima notícia: diante das circunstâncias, o governo estadual se via obrigado a transferir todo o contingente policial do Juazeiro para Fortaleza, com o intuito de reforçar as tropas da capital cearense contra o avanço rebelde. Em outras palavras, o padre teria de se arranjar sozinho com seus romeiros, sem contar com um só soldado da tropa oficial. "Deixo o Cariri entregue ao seu esclarecido e patriótico prestígio", desobrigou-se Peixoto. Apesar da desfeita, a resposta de Cícero foi em tudo oposta à que dera ao revolucionário major Leal: "Para defesa do governo de Vossa Excelência, tenho tantos homens quantos forem precisos, faltando, porém, armas e munição".

Palavras ao vento. Àquela altura, a revolução já estava plenamente vitoriosa. Um dos líderes do movimento, o cearense Juarez Távora, encarregado de coordenar as ações no Nordeste, seria o próximo a telegrafar a Cícero, no dia 8 de outubro, para informá-lo que o Ceará seria o próximo estado a cair. "Rio Grande do Sul, Paraná, Santa Catarina, Minas Gerais, Pernambuco, Paraíba, Rio Grande do Norte e Piauí estão totalmente em poder dos revoltosos", enumerou Távora a Cícero. "Apelo para o seu brilhante passado, suas virtude excelsas e patrióticas, a fim de que aconselhe o presidente Matos Peixoto a renunciar, evitando o derramamento do sangue generoso dos nossos irmãos."

Naquele mesmo dia, Matos Peixoto abandonou o Palácio da Luz e embarcou em um navio ancorado no cais de Fortaleza, para ficar a salvo de um possível ataque à sede do governo local. Ao receber aquela informação, Cícero telegrafou uma polida — e cautelosa — resposta a Távora: "Ciente do vosso atencioso telegrama de hoje, que muito me honra, cumpre-me dizer-vos não ser mais necessária minha interferência junto ao presidente Matos Peixoto, visto já haver este renunciado ao governo do estado".

A revolução de 1930 levaria Getúlio Vargas à Presidência da República e, ao mesmo tempo, faria uma limpa geral nos comandos políticos de estados e municípios do país, nomeando interventores para o lugar dos então governantes regionais. No Ceará, a intervenção ficaria a cargo de um irmão de Juarez Távora, Manoel do Nascimento Fernandes Távora, que por sua vez designaria como interventor municipal do Juazeiro o farmacêutico José Geraldo da Cruz — o dono do jornal *O Ideal*, que tempos antes medira forças com a incendiária *Gazeta do Juazeiro* de Floro Bartolomeu.

Como demonstração de que pretendia inaugurar uma nova era na vida de uma cidade que crescera de forma desordenada à sombra da fé, Geraldo da Cruz adotou uma batelada de novas regras para o reordenamento urbano do Juazeiro. O objetivo era claro: disciplinar o desenvolvimento até então anárquico do município, provocado pelo longo histórico das migrações e romarias. Sob a ideologia da higienização social e evocando a civilidade dos costumes, o interventor obrigou os juazeirenses a remodelar e conservar as calçadas públicas diante de casa, a construir parapeitos padronizados nas residências e a não jogar lixo e entulho nas ruas, sob a ameaça de

A fotografia oficial
de Cícero, retirada
do prédio da prefeitura
por ordem do interventor
nomeado após a vitória
da Revolução de 30

pesada multa em caso de desobediência. Entretanto, nenhuma daquelas medidas provocou maior impacto e maior consternação popular do que a determinada pelo decreto de número 751, de 9 de setembro de 1932, no qual se exigia a remoção imediata dos retratos de pessoas vivas que porventura estivessem afixados nas paredes das repartições públicas.

Naquela mesma manhã, a fotografia oficial de Cícero foi retirada do prego no qual estivera pendurada por 21 anos, em lugar de destaque, no salão nobre da prefeitura do Juazeiro. Se o padre não quisesse que ela fosse recolhida à poeira do depósito municipal, onde faria companhia apenas a uma pilha de trastes inúteis, que mandasse então buscá-la por um portador, informava um ofício.

Em casa, Cícero ficou desolado. "A história não poderá obscurecer o contingente de minha contribuição", mandou dizer ele em resposta ao interventor. E solicitou:

> Comunico-vos que autorizei o senhor José Duviges a receber o aludido retrato e peço-vos mandeis lavrar, da entrega, um termo, no competente livro dessa repartição, a fim de que fique perpetuada a ocorrência, que julgo de importância para a futura história da nossa terra.

Para Cícero Romão Batista, aquilo era o equivalente a um destronamento simbólico. Impedido que estava de subir aos retábulos da Igreja, também fora rebaixado, para sempre, dos altares do mundo político.

Não lhe restavam mais forças suficientes para reagir.

Muito menos, tempo.

Provavelmente, naquele dia, Cícero já havia começado a morrer.

13

Cego, atormentado pelas dores, o padre agoniza

1933-1934

De olhos vendados, sentado na rede, Cícero acalentava um último desejo: poder voltar a enxergar. Rodeado pelas beatas, o médico pernambucano Isaac Salazar da Veiga Pessoa, professor da cadeira de clínica oftalmológica da Faculdade de Medicina do Recife, começou a remover lentamente os esparadrapos e a desenrolar a faixa de gaze que fixava os curativos ao rosto do padre.

Cerca de dois meses após completar noventa anos, Cícero se submetera em Juazeiro a uma cirurgia de catarata. Pagara vinte contos de réis pelos honorários do médico. Na ocasião, ficou patenteada a ausência de liquidez do patrimônio do padre. Foi preciso que Cícero contraísse um empréstimo junto a um comerciante local a fim de obter os recursos necessários, em papel-moeda, para honrar a conta do médico. Meses depois, a beata Mocinha se veria na contingência de ter de hipotecar um sítio, além de algumas casas no Juazeiro, em garantia daquela dívida.

Embora o valor dos honorários fosse elevado, Cícero não pensou em regatear. Para ele, nem mesmo uma montanha de dinheiro pagaria a ventura de voltar a enxergar o mundo de forma nítida. De antemão, o doutor Veiga Pessoa o desenganara em relação ao olho esquerdo: o cristalino já estava completamente fosco, sem nenhuma esperança de cura. O direito, também atacado pela moléstia, tinha boas chances de reversão, de acordo com o que ficara constatado na avaliação clínica. Porém, o fato de Cícero ser um paciente idoso, nonagenário, de saúde frágil, era uma agravante que precisava ser levada em conta. Àquela época, a remoção da catarata consistia em um procedimento de altíssimo risco, com a utilização de instrumentos pontiagudos, o que resultava às vezes em graves acidentes: não eram poucos os traumas oculares decorrentes da manipulação cirúrgica.

A operação de Cícero ajudou a corroborar as estatísticas: uma incisão inadequada provocou o prolapso da íris, o que tornou o processo duplamente complicado. Foi necessário reconduzir a íris para o lugar original, o que exigiu redobrada perícia do cirurgião. Ao final, o doutor Veiga Pessoa procurou tranquilizar o paciente. O imprevisto não traria maiores sequelas, garantiu. Pela previsão do médico, em pouco tempo, com a ajuda de óculos apropriados, Cícero poderia contemplar novamente as imagens dos santos que conservava no pequeno oratório particular.

Não foi exatamente a mesma coisa que o cirurgião afirmou em entrevista à *Gazeta do Cariri*, do Crato, quando aquele jornal quis saber se o padre Cícero Romão Batista recuperaria a visão em definitivo. Explicou:

> A vista do olho esquerdo está completamente extinta; a do olho direito, ora beneficiado pela operação de catarata, é, infelizmente, de recuperação duvidosa, em vista da impropriedade fisiológica das membranas e humores internos do globo ocular, já atingidos pela degeneração senil.

O palavreado técnico não escondia a suspeita de que a cirurgia fora em vão. Quando naquele dia, cercado pelas beatas, Cícero enfim se viu livre das vendas, veio o desapontamento. Sem as bandagens a lhe encobrir os olhos, discerniu apenas uma série de vultos em sua frente. Era como se um denso nevoeiro houvesse baixado no quarto. Cícero continuava a ver as cores desbotadas e os objetos sem contorno preciso. Na verdade, não sentira nenhuma diferença significativa entre o antes e o depois da operação. Pelo contrário, tudo parecia ainda mais desfocado. O oftalmologista, mais uma vez, procurou tranquilizá-lo. Aquilo era normal. Após algumas semanas, a vista embaçada cederia lugar a imagens progressivamente mais límpidas. Em cerca de trinta a quarenta dias, Cícero estaria recuperado. A operação fora um sucesso, tentou convencê-lo Veiga Pessoa.

Nas semanas seguintes, passado o período crítico do pós-operatório, o quadro não evoluiu na velocidade esperada, a despeito de Cícero ter seguido à risca a prescrição de fazer lavagens com soro fisiológico a cada doze horas, aplicar colírios e submeter as veias do braço a doses diárias de injeções de antiinflamatório. Cícero continuava, como antes, praticamente cego. Percebeu então que estava condenado a viver os últimos dias envolto em um mundo de nuvens difusas. Tateando as paredes, distinguindo apenas sombras, esforçava-se para permanecer por alguns minutos na sala de casa, mas logo depois se recolhia a seus aposentos, onde retornava a mergulhar, deprimido, no fundo da rede.

Como se não bastassem as agruras da visão precária, os carbúnculos voltaram a lhe brotar por todo o corpo. Febres e dores abdominais se tornaram rotineiras, às vezes acompanhadas de náuseas, vômitos, câimbras noturnas, inchaço nas pernas. O médico particular de Cícero, o doutor Manuel Belém de Figueiredo Sobrinho, proprietário de uma farmácia no Juazeiro, diagnosticou a ocorrência de uma nefrite: os antígenos decorrentes das infecções bacteriológicas na pele haviam penetrado na corrente sanguínea e, em consequência, provocado graves lesões nos rins de Cícero. A urina avermelhada, com presença de sangue, confirmava a suspeita.

Exatos 35 dias após a cirurgia de catarata, quando o padre deveria estar experimentando as primeiras melhoras na visão, sobreveio uma crise de dores intestinais tão aguda que o doutor Figueiredo Sobrinho não quis mais responder sozinho pelo caso. Recorreu à ajuda de um colega de ofício, o doutor Mozart Cardoso de Alencar, que além de médico era conhecido na cidade pela verve de poeta fescenino, autor de estrofes de fazer corar até frades de pedra. Da lavra do doutor-poeta sairiam versos licenciosos, cujos títulos bastariam para dar uma ideia do teor do restante de sua obra: "Os peitos de Miriam", "O dia do veado", "Pomba mole". Mas, daquela vez, o caso não era para fazer graça, constatou Aguiar tão logo chegou à casa do padre, às vinte horas do dia 18 de julho de 1934, uma quarta-feira.

O aparelho digestivo de Cícero parara completamente de funcionar. Por baixo da batina, o ventre estava dilatado e enrijecido como rocha, parecendo prestes a explodir. Todos os chás purgativos trazidos pelas beatas não produziram nenhuma melhora. Os médicos concluíram que o quadro avançara para a obstrução total do intestino. Deitado na rede, o padre apenas gemia, contorcendo-se em dores lancinantes. Havia cerca de dois dias que não saía dali sequer para beber água. A fraqueza extrema, provocada pela falta de alimentação e pela dor ininterrupta, deixara-o prostrado. Na véspera, fora-lhe aplicada uma injeção intramuscular de óleo canforado, tônico à base de cânfora e azeite de oliva, então empregado como recurso extremo para fazer levantar pacientes em estado terminal. Mas nem aquilo surtira efeito. Sobrevieram apenas novos acessos de vômito, agora de odor nauseabundo. Cícero começara a expelir matéria fecal pela boca.

Sem conseguir eliminar o conteúdo dos intestinos pelo reto, o organismo de Cícero reabsorvia as toxinas e se autointoxicava. Transferido enfim da rede para uma cama, o padre foi submetido a sessões de lavagem gastrointestinal, sempre acompanhadas da administração de doses elevadas de laxantes. Por volta da uma da madrugada da quinta-feira, houve um momento fugaz de alívio. Cícero conseguiu dormir tranquilamente, por cerca de duas horas. Às três da manhã, as dores retornaram ainda mais intensas, acompanhadas de suores abundantes e da queda fulminante da temperatura das mãos e dos pés.

Com a mão na barriga, o padre implorava, de olhos esbugalhados:

"Mozart, tire essa dor de mim, por Nosso Senhor Jesus Cristo, tire essa dor de mim!"

Após cada crise, Cícero caía sobre o travesseiro, desfalecido, banhado em suor. Quatro médicos se revezaram à cabeceira da cama, aplicando-lhe estimulantes à base de cafeína, esparteína e coramina diretamente na veia. Além de Figueiredo Sobrinho e Mozart de Alencar, os doutores Elysio Gomes de Figueiredo, do Crato, e Pio Sampaio, de Barbalha, também acompanharam as tentativas de reanimar o sacerdote. Além do intestino, a bexiga também mostrou sinais de falência. Ao amanhecer do dia 19 de julho, quinta-feira, injetaram-lhe cinco centímetros cúbicos de solução de um diurético à base de urotropina. Foi quando as beatas, improvisadas em enfermeiras, ficaram transtornadas ao testemunhar gotas de sangue do padre invadirem a seringa com o medicamento.

Cícero, cego pela
catarata e com problemas
intestinais, sucumbe
à doença ao lado
do médico

O que não passava de uma reação natural devido à pressão sanguínea foi interpretado por elas como um martírio desnecessário. Por que furar o braço do padrinho com aquelas agulhas rombudas, que lhe deixavam manchas arroxeadas nos braços? — perguntavam, contrariadas. Por qual motivo não deixavam tudo nas mãos de Deus e de Nossa Senhora, que com certeza teriam muito mais poder do que toda a ciência e toda a sabedoria dos doutores do mundo? — questionavam.

Na noite daquele mesmo dia, Cícero ainda conseguiu indagar, a fala pontuada por gemidos:

"Mozart, você ainda tem esperanças?"

O médico disse que sim. Mas, depois de ter recorrido a toda a farmacopeia de que dispunha à época, abriu um simples vidrinho de leite de magnésia e deu uma colherada do líquido branco e leitoso a Cícero.

Quem sabe, o médico também começara a acreditar em milagres.

Nos meses que antecederam a progressiva agonia de Cícero, ocorrera nos bastidores do clero uma prolífica troca de correspondência entre três destacados remetentes: o novo bispo do Crato, o núncio apostólico em Petrópolis e a direção da Sagrada Congregação do Concílio, no Vaticano. O assunto das cartas dizia respeito a um único tema: o destino da fortuna de Cícero Romão Batista. A mesma Igreja Católica, que sempre condenara a origem dos bens de Cícero como espúria, acusando-os de ser frutos abomináveis da exploração da fé e da ignorância dos romeiros, discutia internamente o que fazer com eles após a morte iminente do padre.

Desde agosto de 1931, o titular da diocese cratense passara a ser o soteropolitano dom Francisco de Assis Pires, até então vigário-geral da arquidiocese de Salvador, que assumira o posto em substituição a dom Quintino, falecido no final de 1929. Após um ano e meio de vacância no bispado, o Vaticano finalmente decidira encaminhar dom Francisco, homem de confiança do arcebispo primaz do Brasil, dom Augusto Álvaro da Silva, para a diocese do Crato. Pelo fato de sempre ter se considerado alvo da presumida perseguição de Quintino, Cícero depositou suas melhores expectativas no recém-chegado dom Francisco. Prontamente expôs a ele o anseio de morrer reconciliado com a Igreja Católica, pondo-o a par de que reservara em seu testamento uma polpuda herança à Igreja em nome da ordem dos salesianos, com a condição de que os padres de Dom Bosco fundassem uma instituição de ensino no Juazeiro.

De imediato, instaurou-se uma ponte sistemática entre o Crato e o Vaticano, com passagem obrigatória por Petrópolis. Dom Francisco participou o assunto ao núncio apostólico no Brasil, dom Benedetto Aloisi Masella, que por sua vez notificou o prefeito da Sagrada Congregação do Concílio, o cardeal Giulio Serafini. Diante da doença avassaladora do padre, o caso requeria óbvia urgência. A Santa Sé não demorou a deliberar sobre o assunto. De acordo com a resposta de Serafini a Masella, era preferível que os bens de Cícero fossem repassados automaticamente à diocese do Crato, e não aos salesianos. Para tanto, fazia-se necessário tornar sem efeito o que o próprio Cícero havia deixado expresso em testamento. Era preciso, assim sendo, convencê-lo a assinar, de próprio punho, um termo formal de doação dos imóveis ao bispado.

O único problema é que Cícero parecia decidido a manter inalterada a sua vontade testamentária: "Quanto à doação que devo fazer, já tem Vossa Excelência a minha proposta em carta que tive a honra de lhe dirigir sobre o assunto, na qual estipulei as condições", mandara dizer o padre, por escrito, a dom Francisco. Comunicado do fato, o núncio recomendou que o bispo propusesse uma solução negociada para o imbróglio. Em carta datada de 8 de abril de 1933, Masella escreveu a dom Francisco:

> Vossa Excelência trate de conseguir o quanto antes que o reverendo padre Cícero faça a doação dos bens em questão a essa diocese por meio de escritura pública e, ao mesmo tempo, diga-lhe de minha parte que não deixarei de empenhar-me em obter dos salesianos a abertura de um estabelecimento na cidade do Juazeiro, de conformidade com as disposições da Santa Sé.

A correspondência só chegou quase um mês depois ao Crato. Ao recebê-la, o bispo encaminhou de imediato um bilhete a Cícero, com data de 7 de maio, comunicando-lhe a proposta do núncio Benedetto Masella: "Recebi do Excelentíssimo e Reverendíssimo senhor núncio apostólico a resposta, cuja cópia para conhecimento de Vossa Reverendíssima juntamente com esta remeto, esperando que tudo possa, agora, chegar a bom termo". Entretanto, Cícero concordasse ou não com o acordo, um detalhe continuava a incomodar os representantes do clero: ter de arcar com a pesada tributação que incidiria sobre o valor bruto de uma doação tão significativa. Era conveniente, sustentava o núncio, que se conseguisse a isenção total dos impostos quando da transferência de titularidade dos imóveis. "Vossa Excelência deve procurar que os bens sejam postos em nome dessa diocese, sem pagar os impostos, ou pagando apenas uma pequena soma", explicitara Masella em nova carta a dom Francisco, postada em 5 de junho.

Tal proposta tinha o aval de uma instância superior, o cardeal Giulio Serafini, que em 4 de maio lançara nova alternativa a Masella:

> Apresso-me a comunicar-lhe que, no caso de não querer o governo brasileiro dispensar do pagamento de impostos, [...] Vossa Excelência pode autorizar o padre Cícero a ceder o seu patrimônio aos salesianos, com a condição, porém, de que os salesianos se comprometam, por ato formal, firmado na Nunciatura Apostólica, a possuí-los precariamente, na expectativa do que vier a decidir sobre a propriedade dos mesmos bens a Santa Sé.

Em 17 de janeiro de 1934, cerca de dois meses antes do nonagésimo aniversário, Cícero enviou um procurador ao cartório do Juazeiro e mandou lavrar uma escritura pública de doação à diocese do Crato. Passou ao bispado algumas das propriedades mais valiosas que constavam de seu patrimônio: os sítios Maroto, Faustino, Fernando, Baixa Grande, São Gonçalo e São Lourenço, além de uma fazenda e um conjunto de casas geminadas em Juazeiro, em um total avaliado em 340 contos de réis, o que fazia do clero cratense, oponente histórico de Cícero, o principal beneficiário de sua herança. Para garantir que nada fugiria ao planejado, as autoridades religiosas resolveram assumir o peso dos impostos.

Cícero contava como líquido e certo que um gesto tão generoso resultasse na sua imediata reconciliação com a Igreja. Não foi o que aconteceu. Cícero Romão Batista caminhou para a morte sem nunca deixar de ser um proscrito. Não receberia nada em troca, a não ser protocolares cartas de agradecimento.

O sol mal havia despontado naquele início de manhã do dia 20 de julho de 1934, sexta-feira, quando as beatas e os amigos do padre ali reunidos começaram a rezar o terço pela enésima vez. Todos haviam varado a madrugada com o rosário nas mãos. Na rua, romeiros e devotos repetiam o mesmo gesto, ajoelhados no calçamento tosco, diante das velas que haviam permanecido acesas durante a noite inteira. Enquanto o resto da cidade acordava em respeitoso silêncio, apenas longos soluços entrecortavam a ladainha, desfiada em uníssono pelos milhares de vozes. Deitado na cama, olhos cerrados, as rugas profundas contraídas pela expressão de dor, Cícero entreabria os lábios, acompanhando a oração em voz baixa.

Ao final da última conta do rosário, quando os presentes encerraram a salve-rainha, Cícero puxou o travesseiro para o lado, apoiou o cotovelo esquerdo e, com a mão direita erguida, com gestos vacilantes, fez um derradeiro esforço, traçando três cruzes no ar.

"No Céu, eu rogarei a Deus por todos vocês...", balbuciou, com visível dificuldade em manter a respiração.

Em seguida, Cícero pendeu a cabeça sobre a cama e permaneceu imóvel entre os lençóis.

Os lábios continuavam a se mexer, como se o padre estivesse ainda rezando ou, quem sabe, querendo dizer algo. A afilhada Amália Xavier de Oliveira adiantou-se aos demais e, agachada aos pés do leito, colou o ouvido à altura da boca de Cícero.

"Meu Pai, meu Pai, meu Pai...", repetia ele, de olhos fechados.

A partir dali, entrou em definitiva agonia. Quando exalou o suspiro final, o relógio da matriz do Juazeiro marcava seis horas e quarenta minutos.

Os sinos badalaram o aviso fúnebre.

O *Padim Ciço* estava morto.

"Acordei pelo tropel de gente que corria pela rua", registraria, no calor da hora, o caixeiro-viajante Lourival Marques em carta depois publicada pelo jornal *O Semeador*.

Fiquei sem saber a quê atribuir aquelas carreiras insólitas. Quando cheguei à janela, tive a impressão de que alguma coisa de monstruosa ocorrera na cidade. Que espetáculo horroroso, esse de milhares de pessoas alucinadas, correndo pelas ruas afora, chorando, gritando, arrepelando-se... Foi então que se soube... O padre Cícero falecera... Eu, sem ser fanático, senti uma vontade louca de chorar, de sair aos gritos, como toda aquela gente... Uma caudal de mais de 40 mil pessoas atropelava-se, esmagava-se na ânsia de chegar à casa do reverendo.

Uns procuravam entrar pelas janelas, forçando passagem também pelas portas que estavam fechadas. Outros eram pisoteados pela massa em polvorosa. Todos queriam ver o padre, aproximar-se dele pela última vez. O quadro era de histeria coletiva. Para evitar a sequência de atropelos, decidiu-se que o caixão seria colocado em uma das janelas principais da casa, à vista de todos lá fora. Com a ajuda de um estrado de madeira, posicionou-se o esquife em posição quase vertical, o corpo praticamente em pé dentro da urna mortuária. Ao longo de toda aquela sexta-feira, os fiéis debulharam lágrimas e tentaram alcançar o corpo do padre como podiam, tocando-o com bengalas, muletas, galhos de árvore, depositando a seus pés os mais diversos objetos, na maioria rosários, medalhas e crucifixos, considerados a partir de então relíquias sagradas.

De tanto ser tocado, o corpo de Cícero deslocava-se lentamente dentro do caixão. Somado ao inchaço característico, já decorrente da decomposição, um último solavanco fez o braço direito de Cícero se desprender de onde havia sido encaixado e saltar fora do ataúde. Foi um sobressalto geral. Muitos julgaram ter visto padre Cícero acenar-lhes com a mão, em sinal de bênção.

"O *Padim Ciço* ressuscitou!", gritou alguém.

"Milagre! Milagre! O *Padim* ressuscitou!", repetiu-se em coro.

Quando se percebeu que tudo não passara de um mal-entendido, a desolação tomou conta de todos. Mas, ao mesmo tempo que lamentava a morte do seu guia, aquela gente buscava consolo na fé que sempre o movera. Para os que acreditavam que Cícero era um enviado de Deus, ele havia cumprido sua sina de homem santo na Terra. Viera para sofrer, para ser perseguido e para pregar a palavra sagrada. Naquele momento, imaginavam, Cícero estava no Céu, a continuar olhando por todos eles.

Juazeiro dá adeus
a Cícero: o caixão é
levado no alto, por
milhares de devotos,
até a capela onde
foi enterrado

* * *

No sábado, 21 de julho, na saída para o enterro, em vez de ser conduzido tradicionalmente pelas alças por meia dúzia de condutores, o caixão de Cícero foi carregado por cima dos braços estendidos do povo, passando de um grupo para outro, em revezamento constante, avançando sobre a onda colossal de milhares de cabeças, braços e mãos humanas. Seu corpo foi sepultado no altar da capela de Nossa Senhora do Perpétuo Socorro, a mesma que quatro anos antes assistira ao roubo e ao desaparecimento dos restos mortais da beata Maria de Araújo.

Na semana que antecedeu a missa de sétimo dia, as lojas do Cariri esgotaram seus estoques de pano preto. Não sobrou um único metro daquela cor nas prateleiras do comércio. Até mesmo as tinturas negras para tecidos desapareceram do mercado.

Os que não conseguiram comprar tecido preto ou corantes para tecidos improvisaram uma tintura caseira, feita com a lama escura do rio.

De um modo ou de outro, os 60 mil moradores do Juazeiro fizeram questão de trajar luto.

EPÍLOGO

Uma nova guerra santa é declarada no sertão: "O padre Cícero é antivírus contra evangélicos"

2009

A comissária de bordo do MK-28 vermelho e branco pede que os cem passageiros provenientes de Brasília e São Paulo fechem as mesinhas à sua frente, obedeçam ao aviso de atar cintos e retornem as poltronas à posição vertical. A tripulação vai dar início aos procedimentos de pouso. Ouve-se logo a seguir, pelos mesmos alto-falantes fanhosos, a voz do comandante. O tempo em Juazeiro do Norte — a cidade passou a se chamar assim em 1946, para diferenciá-la da outra Juazeiro, na Bahia — é de céu parcialmente nublado e a temperatura em terra, de trinta graus célsius. Naquele momento, os que estão sentados junto às janelas do lado direito podem olhar para fora e, lá embaixo, não muito distante, avistar um trecho da serra do Catolé. No topo dela, a alva estátua de 27 metros de altura brilhando ao sol do sertão. Foi construída em 1969, pelo então prefeito municipal Mauro Sampaio.

"Olha, é meu *Padim Pade Ciço*!", aponta, entusiasmada, a moça de unhas vermelhas, chamando a atenção da velha senhora ao lado, que imediatamente também abre um sorriso no rosto enrugado e moreno, tipicamente nordestino. Oito minutos depois, quando o avião pousa as rodas sobre a pista do aeroporto Orlando Bezerra de Menezes, a mesma senhora puxa discretamente o colar para fora da gola do vestido marrom — à semelhança de um hábito de são Francisco — e beija a medalhinha dourada com a efígie do padre.

Postado bem à porta que separa a área de pouso e o saguão de desembarque, um casal de jovens sorridentes distribui dois pequenos suvenires aos que chegam. Um deles é uma fitinha de seda colorida, na qual se destaca a inscrição "Lembrança do padre Cícero". O outro é uma pequena fotografia em preto e branco, de dez por sete centímetros. A imagem clássica do famoso sacerdote: a batina negra com botões de alto a baixo, o chapelão de abas largas, os sapatos lustrosos e o longo cajado empunhado na mão direita. No verso da foto, lê-se uma oração a Nossa Senhora das Dores, cuja autoria é atribuída a Cícero. Logo abaixo da cópia da assinatura do padre, descobre-se o promotor da oferta: "Homenagem da Prefeitura Municipal aos visitantes e turistas de Juazeiro do Norte".

É domingo, 19 de julho de 2009, véspera do 75º aniversário da morte do padre Cícero Romão Batista. Como em todos os anos, a cidade prefere recordar o falecimento de seu fundador com festa. Já na saída do pequeno aeroporto, um conjunto musical formado por quatro integrantes — equipados com sanfona, zabumba, triângulo e baixo elétrico —, toca e canta canções que qualquer nordestino traz na ponta da língua. "Só deixo meu Cariri, no último pau de arara", entoa o sanfoneiro com sua camisa xadrez, calças jeans, tênis e boné Adidas.

Quem não fez reserva antecipada não encontrará um quarto disponível na cidade. Os hotéis e pousadas estão lotados. Os incontáveis "ranchos", locais de hospedagem dos romeiros, fervilham de gente. As centenas de ônibus e caminhões enfeitados com coroas de flores, bandeirinhas e laços de fita, todos apinhados de devotos, tornam o trânsito do Juazeiro, já costumeiramente confuso por causa do grande volume de carros que disputam espaço nas ruas estreitas do centro, um caos absoluto. Mas ninguém reclama. Apesar do calor, das buzinas, dos engarrafamentos, a cidade vive a expectativa de um dia especial. Todos estão ansiosos para visitar os lugares onde pisou padre Cícero.

Uma das escalas principais do chamado "Roteiro da Fé", devidamente sinalizado com placas indicativas aos visitantes, é a igreja matriz, de Nossa Senhora das Dores, a mesma construída em regime de mutirão por Cícero em 1875, cenário catorze anos depois do suposto "milagre da hóstia". Após sucessivas reformas, o templo teve algumas de suas linhas arquitetônicas alteradas. Em vez das duas torres originais, existe apenas uma, mais alta que as anteriores. É nela que se observa um dos sinais mais nítidos de que a Igreja já começou a pavimentar o terreno para a possível reabilitação do padre que um dia renegou: o majestoso escudo da Santa Sé está encravado em alto-relevo sobre a parede cor de creme. Pelo fato de abrigar a maior concentração religiosa de todo o Nordeste — fruto das romarias iniciadas ainda no século XIX —, o templo que padre Cícero ergueu foi elevado pelo papa, em setembro de 2008, à condição de basílica. Logo à entrada, assentou-se também um escudo vermelho e dourado, ornado com as chaves de são Pedro e as imagens de um urso, um rosto humano e uma concha: o brasão oficial de Bento XVI.

Quem deixa a praça da Matriz, percorre por alguns metros a rua Doutor Floro, cruza a rua padre Cícero e segue adiante, logo chega à rua São José. No número 242 está a morada azul e branca na qual morreu o sacerdote, transformada em museu oficial. Foi para esse prédio que Cícero se mudou ao completar noventa anos. É um casarão de oito janelas dando para a rua, com piso interno situado em um nível pouco mais elevado do que a calçada, o que torna necessária a subida de pequenos degraus — alguns romeiros preferem vencê-los de joelhos — para depois alcançar o comprido corredor que leva a oito vastas salas e quartos. No aposento em que morreu Cícero, o segundo do lado esquerdo de quem entra, a cama coberta com lençóis brancos converteu-se em altar, sobre o qual se pedem graças e se pagam promessas. Romeiros depositam ali objetos pessoais que, acreditam, passam a ser abençoados.

Nos demais cômodos da casa, em armários antigos de madeira escura com vitrines de vidro, estão distribuídos inúmeros utensílios domésticos, livros, roupas, paramentos e batinas que pertenceram ao célebre morador, inclusive a palmatória com que ele punia os pecadores mais renitentes. Também está preservada ali uma intrigante coleção dos presentes exóticos trazidos pelos romeiros ao patriarca do Juazeiro: cobras conservadas em formol, animais embalsamados, conchas marítimas, carapaças de caranguejo e até mesmo a enorme costela de uma baleia. Esta última serve de atração à parte para os visitantes, especialmente os portadores de alguma deformidade física ou dores crônicas. Os enfermos esfregam o corpo no osso colossal, de poderes supostamente miraculosos. Os mais exaltados dizem que ele veio da baleia bíblica que teria engolido o profeta Jonas no Velho Testamento.

Mas é a capela de Nossa Senhora do Perpétuo Socorro, em cujo altar permanece enterrado o corpo de Cícero, um dos locais de maior simbologia para os romeiros. Ali também os devotos deixam que seus pertences façam contato com a fria lápide de mármore do padre, para depois levá-los para casa como se fossem relíquias sagradas. Ajoelham-se, derramam lágrimas, fazem orações silenciosas. Uma curiosidade não passa despercebida ao olhar de quem entra: esse é o único templo católico a exibir a imagem do polêmico sacerdote. Um dos vitrais coloridos que decoram a capela — instalados em 2006, sintomaticamente quando o processo de reabilitação já estava em pleno andamento no Vaticano — traz a figura do *Padim Ciço*. Em outro vitral, bem defronte, está Maria de Araújo. Em um canto à parte, próximo à porta de entrada, um pequeno camafeu sinaliza que ali estivera o túmulo da beata, antes de ser violado.

Com o sumiço dos ossos de Maria de Araújo, muitas perguntas tendem a permanecer eternamente sem resposta. Tornou-se impossível, por exemplo, qualquer tentativa de confrontar o material genético dos restos mortais da beata com a substância que aparece nos poucos paninhos manchados de sangue de que ainda se tem notícia. Até mesmo o pote de vidro em que Cícero guardou o pedaço de osso do crânio de Maria de Araújo sumiu para sempre. Ninguém sabe onde ele foi parar. Em fevereiro de 2009, a direção do Museu Padre Cícero anunciou que durante o trabalho de restauração dos volumes da biblioteca deixada pelo padre, fora encontrado dentro de um dos seiscentos livros de que ela é composta um dos tais famosos paninhos. Com quarenta centímetros de comprimento por dez de largura, a velha faixa de pano amarelecido apresenta pequenos rasgões produzidos pela ação natural do tempo. Pontilhado por manchas escuras, semelhantes a sangue, o tecido traz ainda uma inscrição em italiano, provavelmente feita a bico de pena: *Oh, mio Dio. Iddio mio* ("Oh, meu Deus. Pai meu"). Não se sabe quem a escreveu. Não parece ser a letra de Cícero.

A grande maioria dos demais paninhos — especialmente aqueles que estavam na caixa de madeira furtada pelo professor José Marrocos do sacrário da matriz do Crato e que depois retornaram às mãos de Cícero — foi destruída. Perto de morrer, em 1944, Joana Tertuliana de Jesus, a Mocinha, passou-os às mãos de outra beata, Josefa Maria do Menino Jesus, apelidada de Bichinha. À época, a informação teria vazado, e uma temerosa Josefa se sentiu compelida a entregá-los à guarda do então vigário do Juazeiro, monsenhor Joviniano Barreto. O pároco os repassou imediatamente ao bispo do Crato, dom Francisco de Assis Pires. Em vez de submeter os panos a qualquer investigação, dom Francisco fez cumprir a ordem sumária que, décadas antes, fora decretada pelo Santo Ofício. Às dez horas da noite de 30 de novembro de 1945 — por ironia, a data de aniversário da ordenação sacerdotal de Cícero —, numa área privada do seminário do Crato, todos aqueles paninhos foram atirados ao fogo. A tradição popular conta que no local em que foram incinerados teria sido posteriormente semeada uma mangueira. A planta chegara a germinar, mas em seguida murchara misteriosamente, sem jamais ter produzido flores ou frutos. Um detalhe ajudou a tornar a história ainda mais sinistra: cerca de quatro anos depois de ter entregado as relíquias ao bispo, monsenhor Joviniano Barreto foi assassinado com uma facada no peito por um exaltado devoto do padre Cícero, Manuel Pedro da Silva, vulgo Pé-de-Galo.

Na contramão da crença no milagre, o padre e historiador caririense Antônio Gomes de Araújo publicou em 1956 o opúsculo *O apostolado do embuste*, violento libelo contra Maria de Araújo, José Marrocos e o padre Cícero. Para o padre Gomes, a beata era apenas "uma negra ignorante, que ingeria bons goles de cachaça, após fingidos êxtases". Marrocos, a quem classificou de "professor burlão", teria sido o autor intelectual da conjeturada farsa. Gomes dizia ter a convicção de que tudo não passara de um truque banal de química: uma hóstia umedecida previamente em solução de fenolftaleína, ao entrar em contato com a língua de alguém que tenha posto sobre ela uma pitada de bicarbonato de sódio, seria o suficiente para reproduzir o fenômeno. Ao interagir com o teor alcalino do bicarbonato, a fenolftaleína tende necessariamente a ganhar a coloração rosa e, dependendo da concentração da substância, evoluir para o carmim ou o roxo.

Em defesa de sua tese, padre Gomes por várias vezes tentou repetir o que chamava de "química marroquina" — uma referência jocosa a José Marrocos — em suas aulas como professor de religião no Ginásio Diocesano do Crato. Em algumas vezes, conseguia obter resultados que lembravam o sangue. Noutras, o experimento fracassava. Gomes procurava justificar o malogro acusando os voluntários que usava como cobaias de ter se alimentado propositalmente poucos minutos antes da experiência — a acidez decorrente da ingestão da comida se sobreporia à alcalinidade do bicarbonato, neutralizando a alteração na cor da fenolftaleína. Tal explicação não conseguia dobrar a fé dos alunos naturais do Juazeiro, o que sempre resultava em sonoras vaias para o indignado professor a cada insucesso.

Tantos anos depois, em vez de exigirem provas científicas contra ou a favor do decantado milagre, os romeiros estão mais interessados nos prodígios que afirmam receber eles próprios, do Céu, por obra e graça do *Padim Ciço*. Por isso, estão no Juazeiro. Por esse motivo, sobem a pé a colina do Horto, alguns descalços, outros levando pedras à cabeça, em sinal de penitência. Há os que carregam pesadas cruzes de madeira às costas, para repetir na pele os sofrimentos de Cristo. De um modo ou de outro, chegam ao topo da montanha esbaforidos, mas felizes, por ter cumprido a promessa feita. Lá no alto, amontoam-se nas escadarias da enorme estátua e deixam seus nomes rabiscados a caneta ou a carvão na parte mais baixa do sacerdote de pedra. Os botões inferiores da batina da imensa escultura exercem um fascínio peculiar sobre os devotos, que debruçam a cabeça sobre eles, em novas e emocionadas orações. O vão entre o cajado e o corpo da estátua igualmente se reveste de significados mágicos. É por ali que os romeiros se espremem, passando pela fresta, com a intenção de se livrarem das tentações e dos pecados.

Vizinho à estátua, um casarão azul de dois andares que serviu de retiro espiritual para Cícero abriga um museu de cera, no qual os principais personagens da história do sacerdote estão reproduzidos em tamanho natural, em prosaicas cenas domésticas. Numa larga mesa de jantar, Cícero aparece sentado à cabeceira junto a Floro Bartolomeu, ambos escoltados pela beata Mocinha. Numa sala contígua, Cícero e Maria de Araújo estão lado a lado. Os visitantes querem fazer fotos com as esculturas de cera, embora lamentem não poder tocá-las, conforme advertem avisos escritos e monitores. Para os fiéis do padre, a devoção não se contenta em ser mediada apenas pelo olhar. Também necessita do apelo físico do toque. Frustrados, como não podem pôr a mão, tiram retratos, que depois irão manusear quantas vezes quiserem. No recinto em que está Floro, tomam o cuidado de não enquadrá-lo na cena. "Não bota este Satanás na foto!", protesta uma romeira enquanto faz pose para a pequena câmera do celular do marido. "Ele maltratava muito o meu Padrinho", explica.

No Horto, os mais fervorosos não dispensam uma nova caminhada de 45 minutos ao sol, agora por uma trilha aberta no mato, até chegarem ao chamado Santo Sepulcro. Lá, creem, Jesus Cristo foi crucificado. Grandes formações rochosas em granito bruto pontilham o lugar. As enormes pedras que parecem abrolhar do chão formam labirintos naturais, com fendas apertadas entre elas, o que novamente dá ensejo a simbologias e crenças. Passar pela chamada "Pedra do Pecado" — um dos trechos de ultrapassagem mais difícil, por causa do pequeno espaço aberto por uma fissura na rocha — constitui um desafio a que só os mais arrojados (e os mais místicos) se arriscam.

Grande número de romeiros passará a noite ali mesmo, rezando no alto do Horto, à espera da chegada do dia apoteótico, o 20 de julho, data da morte de Cícero Romão Batista. Mas a maioria desce antes para a cidade, com o objetivo de fazer compras na feira livre que toma conta das ruas próximas à matriz de Nossa Senhora das Dores. Ali, na babel de barraquinhas abarrotadas de quinquilharias, vende-se de tudo: panelas, roupas, relógios, bijuterias, baldes, bacias, chapéus, rádios, sapatos, quadros, rapadura, mel de abelha, óculos de sol. As imagens em gesso do padre Cícero são os produtos mais procurados. Os que estão dispostos a pagar um pouco mais — o equivalente ao preço de quatro refrigerantes — podem levar uma versão em resina, provida de um dispositivo eletrônico que, quando acionado, entoa um bendito: "Valei-me meu Padrinho Cícero e a Mãe de Deus das candeias", cantarola a engenhoca. Na base da escultura, a surpreendente informação: *Made in China*. Um jovem comerciante chinês, Jony Wang Kai, foi quem descobriu o filão. Manda fabricar milhões de exemplares em seu país natal e os importa em grandes contêineres pelo porto de Pecém, a cerca de sessenta quilômetros de Fortaleza. Veio também da criatividade de Wang Kai um dos produtos que passaram a ser sonho de consumo de todo romeiro: outra estatueta do Padre Cícero em resina, mas que brilha no escuro, por causa de um cristal cravejado por 30 mil pontos de raio laser.

Na feira, vendem-se também medicamentos alternativos para todos os males. Ninguém recusa as latinhas douradas da "Legítima Pomada Padre Cícero", um unguento de fórmula desconhecida, com forte odor de menta e eucalipto. "Este remédio vai buscar a dor lá dentro do corpo, tirando ela pra fora como se fosse um milagre", garante o vendedor. Da mesma procedência é o "Legítimo Bálsamo Maravilhoso Padre Cícero". Segundo promete o rótulo branco com letras azuis e vermelhas, serve para curar dores de cabeça, alergia, ferimentos e picadas de inseto. Melhor não abrir o vidrinho e aproximá-lo do nariz. O cheiro é sufocante. Trata-se de uma mistura de água, etanol, caramelo e hidróxido de amônia – substância que pode provocar graves queimaduras nos olhos e na pele, devido à ação cáustica. Ingerido em altas doses, pode levar à morte.

Mas nem só de romarias vive o Juazeiro. A "metrópole do Cariri" se tornou um dos principais aglomerados urbanos, comerciais e industriais do Nordeste. Nas últimas décadas, a antiga vila de cerca de trinta casas de taipa que um dia recebeu padre Cícero descobriu uma nova vocação econômica. Juazeiro do Norte é a sede do maior polo universitário do interior cearense. São mais de cinquenta cursos de nível superior — incluindo medicina, direito, jornalismo e psicologia. Novos empreendimentos imobiliários e hoteleiros surgem a todo instante para atender à demanda das dezenas de milhares de estudantes nordestinos atraídos pelas faculdades juazeirenses.

Além dos modernos *campi* universitários, nota-se outra alteração significativa na paisagem da cidade: a inflação de templos evangélicos. Durante as romarias, ônibus fretados, com placas de diferentes capitais como Fortaleza, Recife e João Pessoa, despejam pastores e obreiros no Juazeiro, treinados para conquistar novos adeptos. Posicionados nos lugares que servem de caminho aos romeiros, fazem pregações arrebatadas, distribuem folhetos, cantam hinos religiosos em praça pública. O esforço concentrado vem colhendo resultados. Cerca de 10% da população da cidade já é composta de evangélicos. Como arma de persuasão, os pastores utilizam um argumento estratégico: a Igreja Católica seria uma obra do mal, baseada na intolerância, tanto que um dia baniu padre Cícero de seus quadros. Embora considerem o culto à imagem de Cícero Romão Batista uma abominável idolatria, os evangélicos se utilizam de tal discurso para quebrar a resistência dos devotos do padre. Para eles, cada romeiro convertido ao protestantismo passa a ser um agente multiplicador e um soldado a mais na guerra santa. Depois de provocarem conversões em massa nas grandes capitais do país, os neopentecostais querem catequizar o sertão.

Um dos mais ardentes defensores da reabilitação canônica de Cícero, o bispo do Crato, o italiano Fernando Panico, não esconde mais de ninguém que a Igreja Católica realmente decidiu encarar o assunto como uma nova Cruzada. Também já ficou evidente que a missão que foi confiada pela Santa Sé a Panico é exatamente esta: barrar o avanço dos protestantes. Em entrevista ao jornal norte-americano *The New York Times* em março de 2005, Panico explicitou:

"O padre Cícero é como um antivírus contra o avanço das seitas evangélicas."

O sol acaba de despontar.

São cinco e meia da manhã do dia 20 de julho de 2009, segunda-feira. Cerca de 20 mil pessoas já estão de pé, diante da capela de Nossa Senhora do Perpétuo Socorro, em Juazeiro. Em meia hora, terá início a missa campal em homenagem aos 75 anos de morte de Cícero Romão Batista. Como seria impossível colocar tanta gente lá dentro, armou-se um imenso palanque do lado de fora do templo onde está sepultado Cícero. É nesse estrado de madeira de três metros de altura que será realizada a cerimônia, conduzida pelo bispo dom Fernando Panico, ao lado de mais 55 religiosos, reitores dos principais santuários brasileiros, incluindo o padre Darci Niciolo, reitor do santuário de Nossa Senhora Aparecida, em São Paulo, e o padre Carlos Gustavo Hass, assessor da Comissão Episcopal para a Liturgia da Conferência Nacional dos Bispos do Brasil (CNBB).

Enquanto aguardam o início do ritual, os romeiros cantam benditos, desfiam as contas do rosário, procuram um lugar que dê melhor visão para o palco. Para se identificarem com eles, os padres trazem sobre a cabeça o chapéu de palha, símbolo das romarias de Juazeiro do Norte. Há pouco mais de uma década, seria inimaginável tal cena: a Igreja institucionalizada buscando assimilar os códigos e os emblemas herdados do padre Cícero.

Às seis horas em ponto, ao subir ao palanque com o solidéu violeta e a casula verde sobre a túnica branca, dom Fernando Panico acena o alvo lenço para a multidão.

"Louvado seja Nosso Senhor Jesus Cristo!", diz o bispo.

"Para sempre seja louvado", respondem as 20 mil vozes.

"O nosso encontro é abençoado. Hoje é um dia especial. Comemoramos setenta e cinco anos da páscoa do nosso padre Cícero Romão Batista. Ele está junto de Deus, e está também no meio de seu povo, intercedendo por nós", anuncia o bispo, sorrindo.

Os romeiros não sabem se riem ou se choram de emoção. Dom Fernando, um bispo, está lhes dizendo que também acredita no que eles sempre acreditaram: o *Padim Ciço* está no Céu.

Durante o sermão, dom Fernando arranca uma série de aplausos calorosos da multidão ao apontar para o interior da capela de Nossa Senhora do Perpétuo Socorro:

> Aqui nós temos os restos mortais dele, que estão debaixo da terra. Mas padre Cícero já está no Alto. Ele está abençoando todos os romeiros aqui na praça. E todos os outros milhões que estão por aí pelo Brasil afora. Hoje não é dia de luto, hoje é dia de festa. Padre Cícero, o nosso *Padim Ciço,* está sorrindo.

Ao final da cerimônia, com a audiência completamente eletrizada, dom Fernando comanda uma sessão de vivas, mas não se esquece de deixar um recado direto aos evangélicos:

"Viva o padre Cícero!"

"Viva!"

"Viva a nossa Igreja Católica!"

"Viva!"

"Vivam os padres!"

"Viva!"

"Quem ama padre Cícero amará forçosamente todos os padres. Quem fala mal dos padres está falando mal do padre Cícero!", adverte.

Ao ouvirem as últimas palavras do bispo, os 20 mil romeiros levantam os chapéus de palha para o alto e cantam, a uma só voz, a música eternizada por outro nordestino devoto de Cícero, Luiz Gonzaga, o rei do baião:

> *Olha lá,*
> *no alto do Horto!*
> *Ele está vivo,*
> *o Padim não tá morto!*

CRONOLOGIA

1844 — 24 de março: nascimento de Cícero Romão Batista, no Crato (CE). Há versões que dizem ser o dia anterior, 23, a data verdadeira.

1856 — Aos doze anos, Cícero faz voto de castidade.

1860 — Cícero passa a estudar em Cajazeiras (PB).

1862 — Morte de Joaquim Romão. Órfão de pai, Cícero retorna ao Crato.

1863 — Nasce Maria de Araújo.

1865 — 7 de março: Cícero ingressa no seminário da Prainha, em Fortaleza.

1870 — 30 de novembro: ordenação de Cícero.

1871 — 8 de janeiro: Cícero reza a primeira missa, no Crato.
24 de dezembro: Cícero celebra a Missa do Galo no Juazeiro.

1872 — 11 de abril: Cícero passa a residir no Juazeiro.

1874 — Explode a revolta dos Quebra-Quilos, em vários estados nordestinos.

1875 — Início da construção da Igreja de Nossa Senhora das Dores, em regime de mutirão.

1878 — 4 de março: Nogueira Accioly assume pela primeira vez, interinamente, o governo do Ceará.

1884 — 31 de maio: Nogueira Accioly ocupa novamente o cargo de presidente interino do Ceará.

1888 — 13 de maio: abolição da escravatura no país, com a assinatura da Lei Áurea.

1889 — 1º de março: ocorre a primeira manifestação do alegado "milagre do Juazeiro".
15 de novembro: um movimento militar proclama, no Rio de Janeiro, a República.

1890 — 24 de janeiro: instituição do casamento civil no Brasil.

1891 — 17 de julho: Cícero é interrogado pelo bispo dom Joaquim em Fortaleza.
21 de julho: instalada a primeira comissão de inquérito eclesiástico.
28 de novembro: o relatório final — que defende a tese de milagre — é entregue ao bispo.

1892 — 20 de abril: instala-se a segunda comissão de inquérito, que depois de três dias de trabalho declara que o milagre seria uma farsa.
12 de julho: Nogueira Accioly é presidente interino do Ceará mais uma vez.
6 de agosto: o bispo proíbe Cícero de confessar e administrar sacramentos.

1894 — 4 de abril: com base na documentação enviada pelo bispo do Ceará, o Santo Ofício condena os alegados "milagres do Juazeiro".

1896 — 13 de abril: portaria diocesana proíbe Cícero de celebrar missa em todo o Ceará.
12 de julho: Nogueira Accioly assume o governo do Ceará, para um mandato de quatro anos.
24 de novembro: o Exército envia a primeira expedição contra o arraial de Canudos (BA).

1897 — 29 de junho: ameaçado de excomunhão, Cícero sai do Ceará e busca "exílio" em Salgueiro (PE). É acusado de estar mancomunado com Antônio Conselheiro.
5 de outubro: Canudos é destruída no quarto ataque do Exército ao arraial.

1898 — 8 de fevereiro: Cícero viaja para Roma para se defender perante o Santo Ofício. Retorna em outubro do mesmo ano, alegando ter sido anistiado das penas pelos inquisidores, mas o bispo do Ceará mantém as proibições anteriores.
15 de novembro: Campos Sales assume a presidência da

República e estabelece a "política do Café-com-leite". As oligarquias estaduais se fortalecem.

1904 — 12 de julho: Nogueira Accioly assume novo mandato como presidente do Ceará.

1908 — Maio: chegada de Floro Bartolomeu a Juazeiro.
12 de julho: Accioly empossado para segundo mandato consecutivo como presidente do Ceará.

1909 — 18 de julho: passa a circular *O Rebate*, primeiro jornal de Juazeiro.

1910 — 14 de abril: morte misteriosa do professor José Marrocos. Os panos que haviam sido roubados do sacrário da Matriz do Crato são encontrados em seus pertences.
15 de novembro: Hermes da Fonseca assume a presidência da República com o discurso de renovação dos costumes políticos no país. Recebe o apoio político do padre Cícero.

1911 — 22 de julho: emancipação do Juazeiro. Cícero, filiado ao Partido Republicano Conservador (liderado nacionalmente pelo senador gaúcho Pinheiro Machado), é nomeado primeiro prefeito do novo município.
4 de outubro: Cícero sela o "Pacto dos Coronéis".

1912 — 24 de janeiro: queda da oligarquia Accioly no Ceará. Cícero assume a terceira vice-presidência estadual, mas em agosto é destituído do cargo de prefeito do Juazeiro pelo novo chefe do executivo cearense, Franco Rabelo.

1913 — 11 de agosto: Floro Bartolomeu viaja ao Rio de Janeiro para tramar com Pinheiro Machado a deposição de Franco Rabelo.

1914 — Janeiro: começa a "Sedição do Juazeiro".
14 de março: o governo federal decreta a intervenção no Ceará.
5 de maio: Cícero é nomeado novamente prefeito, pelo interventor Setembrino de Carvalho.

1917 — 14 de abril: o Santo Ofício expede a pena de excomunhão contra Cícero.

1918 — Abril: Cícero prepara a primeira versão de seu testamento, em que a Santa Sé consta como única herdeira.

1921 — 23 de fevereiro: o Santo Ofício concede absolvição da pena de excomunhão, mas mantém Cícero suspenso das ordens sacerdotais.

1922 — 7 de março: Cícero revê seu testamento.
15 de novembro: Artur Bernardes se elege presidente da República.

1923 — 4 de outubro: Cícero estabelece terceira versão de seu testamento, indicando os padres salesianos como principais beneficiários de sua herança.

1926 — 12 de janeiro: a Coluna Prestes entra em território cearense.
20 de fevereiro: Cícero escreve carta aberta a Prestes, conclamando-o à rendição.
4 de março: encontro de Cícero e Lampião, que recebe a patente de capitão do Batalhão Patriótico formado para combater Prestes.
8 de março: morte de Floro Bartolomeu.
6 de maio: Cícero é eleito deputado federal, ocupando a vaga deixada pela morte de Floro Bartolomeu.

1929 — 7 de setembro: indicado por Cícero, Alfeu Aboim é eleito prefeito de Juazeiro. Após vencer as eleições, Aboim rompe com o padre e, pressionado, não chega a exercer o cargo.

1930 — 1º de março: Júlio Prestes vence as eleições presidenciais.
22 de setembro: o túmulo de Maria de Araújo é violado e os restos mortais da beata desaparecem para sempre.
Outubro: vitória da revolução que levará Getúlio Vargas à presidência da República.

1932 — Setembro: o retrato oficial de Cícero é tirado do prédio da prefeitura.

1934 — 17 de janeiro: Cícero faz uma grande doação ao bispado do Crato, tornando-o o principal beneficiário de sua herança.
20 de julho: morre Cícero Romão Batista, aos noventa anos.

AGRADECIMENTOS

Comecei a planejar este livro pelo menos dez anos antes de efetivamente escrevê-lo. Ao longo de todo esse tempo, fui juntando material, garimpando fontes, coletando informações esparsas. O universo que envolve a história de Cícero Romão Batista sempre me pareceu tão vasto — e ao mesmo tempo tão extraordinário — que por muitas vezes me perguntei se seria possível realmente abarcá-lo. Assim, fui adiando o projeto, jogando-o para o fim da fila em relação a outros trabalhos, até o dia em que porventura me sentisse suficientemente preparado para encarar tamanha empreitada.

No início de 2007, quando havia acabado de colocar o ponto final em meu livro anterior, a biografia da cantora Maysa, fiz uma ligação telefônica para Fortaleza e conversei demoradamente com o amigo Renato Casimiro, dono do maior acervo sobre o Cariri em geral e sobre o padre Cícero em particular. Nunca havia revelado a Renato o meu desejo de biografar o polêmico sacerdote. Contei-lhe inicialmente que estava em busca de uma boa história para ser o assunto de meu próximo livro. Com certa cautela, fui confessando-lhe meus planos. Apesar de sermos amigos há mais de uma década, eu não poderia antever qual seria a reação de um especialista no assunto ao perceber que um jornalista abelhudo como eu estava rondando a área.

Ao saber de minha intenção, Renato animou-se. De pronto, falou-me da pilha de documentos novos que estavam surgindo em decorrência do processo de reabilitação do padre na Santa Sé.

Prontificou-se a me ajudar em tudo o que estivesse a seu alcance. Fez-me uma lista de livros que eu deveria ler sobre o assunto e me emprestou dezenas de volumes raríssimos sobre a história do Ceará, do Juazeiro e de Cícero. Era meu "dever de casa", explicou, com seu peculiar sotaque caririense. Em seguida, assegurou-me acesso irrestrito a seus inacreditáveis arquivos — composto de jornais de época, correspondências originais, fotos históricas, documentos inéditos. A imensa generosidade de Renato me convenceu de que, enfim, chegara a hora de encarar o desafio de escrever este livro. Por isso, *Padre Cícero: poder, fé e guerra no sertão* é dedicado a ele.

No Crato, Renato apresentou-me ao padre e historiador Roserlândio de Souza, coordenador do Departamento Histórico Diocesano, que me franqueou a íntegra das cerca de novecentas cartas contidas no acervo da instituição, todas devidamente escaneadas. No rodapé delas, estão as assinaturas dos principais personagens desta história. No dia em que estive pela primeira vez com esse material nas mãos, percebi imediatamente que aquele verdadeiro relicário epistolar iria compor a coluna dorsal de meu trabalho. Para Roserlândio, pela confiança em mim depositada, deixo aqui o meu muito obrigado.

Agradeço também a Daniel Walker, outro incansável pesquisador da história do padre Cícero. Várias vezes o importunei, por e-mail ou telefone, solicitando detalhes sobre algum episódio ou pedindo documentos que me confirmassem esta ou aquela informação. Em todas as ocasiões, sua presteza e sua eficiência nunca me faltaram.

No Juazeiro do Norte, em diferentes momentos, dona Assunção Gonçalves, afilhada do padre, sentada em sua cadeira de balanço, puxou os fios da memória para traçar um retrato vivo de Cícero. Algumas cenas deste livro devem a ela o colorido que só mesmo quem assistiu à história de perto pode vir a oferecer.

No seminário da Prainha, o padre João Jorge me abriu os antigos livros em que estava registrado o histórico escolar do então jovem estudante Cícero Romão Batista.

No Recife, o colega Vandeck Santiago mergulhou nos arquivos centenários da imprensa pernambucana em busca de pistas que me ajudaram a recuperar o contexto histórico e o cotidiano nordestino da época. Em Fortaleza, a amiga Cláudia Albuquerque, também jornalista, fez trabalho idêntico, com singular sensibilidade para perceber a relevância dos detalhes. Em São Paulo, Neide Oliveira completou a tarefa, em arquivos que revelam como a imprensa paulistana e a carioca de então encararam o Juazeiro.

Maria do Carmo Pagan Forti, doutora em ciência das religiões pela Universidade de Braga, em Portugal, autora de uma dissertação fundamental sobre a beata Maria de Araújo, leu os originais deste livro com olho de especialista, apontando-me os inevitáveis deslizes, sempre com sua generosa autoridade e com sua elegante cobrança. O trabalho consciencioso de Maria do Carmo não isenta este livro de possíveis falhas, todas da minha mais completa responsabilidade, pois nem sempre me dobrei a seus abalizados puxões de orelha.

Minha mulher, Adriana Negreiros, leu cada linha deste livro quase ao mesmo tempo que elas eram escritas. Deu palpites, sugeriu modificações, propôs novos rumos à narrativa. Ela é sempre a minha primeira e mais exigente leitora e, por consequência, minha primeira crítica. Para ela, pela enorme admiração e pelo amor profundo, o agradecimento se faz necessariamente seguido de um beijo.

À proporção que os capítulos iam sendo escritos, contei com a leitura preciosa de alguns poucos e bons amigos, a quem sempre também submeto os textos de cada novo livro: Edvaldo Filho, Kelsen Bravos e Vessillo Monte. Desta vez, contei também com outros atentos e exigentes leitores prévios: Floriano Martins, Myrson Lima, Ney Vasconcelos, Ricardo Alcântara, Ruy Vasconcelos, Socorro Acioli e Victor Gentili. Cada um, a seu modo, deu sugestões valiosíssimas para a fluência final do texto.

Pela interlocução constante e sensível, meu obrigado ao professor Gilmar de Carvalho, um profundo estudioso do universo da cultura popular caririense. E também para Freitas Filho, que fez o meticuloso trabalho de restaurar várias fotos incluídas no livro.

Para o amigo Fernando Morais, que me apresentou a Luiz Schwarcz, cabe um agradecimento especial. O entusiasmo de ambos me ajudou a escrever este livro.

Pelas dicas, apoios, conversas, talentos e amparos, agradeço ainda a Afonso Celso Machado Neto, Ana Laura Souza, Anne Dumoulin, Anne Mary Chaves, Antônio Mendes da Costa Braga,

Binho Bezerra, Cláudia Leitão, Cristina Grillo, Dimas Macedo, Edênio Nobre, Edson Rossi, Eleuda de Carvalho, Elisa Braga, Fernando Costa, Hélio de Almeida, Herson Miranda, Ivone Cordeiro, João Pedro Carvalho Neto, Joaci Pereira Furtado, Joana Reis Fernandes, Joca Reiners Terron, José Carlos dos Santos, Jota Pompílio, Lidiane Moura, Luciana Dummar, Lucila Lombardi, Luitgarde Oliveira Cavalcanti Barros, Marcelo Levy, Maira Sales, Maria Tereza Ayres, Marco Antonio Villa, Mario Sergio Conti, Marta Garcia, Melquíades Pinto Paiva, Mona Gadelha, Napoleão Tavares, Patrícia Hargreaves, Paulo Linhares, Paulo Machado, Paulo Mota, Pedro Gomes de Matos Neto, Pedro Henrique Antero, Rafael Oliveira, Raimundo Araújo, Raimundo Gomes Marques, Ralph Della Cava, Rejane Garcia, Renata Megale, Roberto Smith, Rodrigo Teixeira, Thaís dos Anjos Rezende, Therezinha Stella Guimarães, Tibico Brasil, Tom Hennigan e Xico Sá.

Em tempo: este livro só se tornou possível porque durante toda a fase de investigação e pesquisa contei com o apoio decisivo do Banco do Nordeste e do BICBANCO.

Por fim, pela necessária ênfase, o agradecimento para meus filhos: Ícaro, Nara, Emília e, especialmente, Alice, que nasceu praticamente junto com a publicação deste trabalho.

Juazeiro do Norte, 20 de julho de 2009
No 75º aniversário de morte de Cícero Romão Batista

BIBLIOGRAFIA

Documentos e arquivos:

Atas dos Conselhos de Ordenação Sacerdotal. Arquivo da Sala de História Eclesiástica. Arquidiocese de Fortaleza.

Caderno com manuscritos de José Marrocos. Arquivo de Renato Casimiro.

Cópia authentica do processo instruido sobre os factos extraordinarios ocorridos nesta povoação do Joaseiro. Arquivo da Diocese do Crato.

Correspondências e decretos. Arquivo Secreto e Arquivo da Congregação dos Negócios Eclesiásticos Extraordinários, Vaticano.

Livro de Notas do Seminário da Prainha. Arquivo da Sala de História Eclesiástica. Arquidiocese de Fortaleza.

Rerum Novarum 1898, n. 128, Araújo-Cícero. Arquivo da Congregação para a Doutrina da Fé, Vaticano.

Revisão Histórica da Questão Religiosa de Juazeiro: padre Cícero — O povo — O clero. Diocese do Crato. Comissão de Estudos.

Publicações:

Álbum Histórico do Seminário Episcopal do Ceará. Fortaleza: Diocese do Ceará, 1914.

Álbum Histórico do Seminário Episcopal do Crato. Rio de Janeiro: Typographia dos Tribunais, 1925.

Albuquerque, Ulysses Lins. *Um sertanejo e o sertão*. Rio de Janeiro: José Olympio, 1957.

Alencar Peixoto, Padre Joaquim de. *Joaseiro do Cariry*. Fortaleza, s/d.

Andrade, P. Alves de. "O seminário de Fortaleza e a cultura cearense". *Revista do Instituto do Ceará*, ano LXXIX, 1965.

Anônimo "Apontamentos biográficos do Pe. Pedro A. Chevalier, lazarista". *Revista do Instituto do Ceará*, ano XVIII, 1903.

Anselmo, Otacílio. *Padre Cícero: Mito e realidade*. Rio de Janeiro: Civilização Brasileira, 1968.

Aragão, R. Batista. *História do Ceará*. Fortaleza: Ioce, 1987.

Araújo, Antônio Gomes de. *Apostolado do embuste*. Crato: Itaytera, 1956.

______. *Revista Eclesiástica Brasileira*, vol. 28, fasc. 1, mar. 1968.

Araújo, F. Sadoc de. *Padre Ibiapina, peregrino da caridade*. São Paulo: Paulinas, 1996.

Arruda, João e Casimiro, Renato. *Anais do Seminário 150 anos de padre Cícero*. Fortaleza: RCV, 1994.

Azevedo, João Lúcio de. *A evolução do sebastianismo*. 3. ed. Lisboa: Presença, 1984.

Barros, Luitgarde Oliveira Cavalcanti. *A terra da mãe de Deus*. Rio de Janeiro: Francisco Alves; Brasília: INL, 1988.

______. *A derradeira gesta: Lampião e os Nazarenos guerreando no sertão*. Rio de Janeiro: Mauad, 2000.

Barroso, Gustavo. *À margem da história do Ceará*. Fortaleza: Imprensa Universitária do Ceará, 1962.

Bartolomeu, Floro. *Juazeiro e o padre Cícero: depoimento para a história*. Natal: Sebo Vermelho, 2004.

Braga, Antônio Mendes da Costa. *Padre Cícero: sociologia de um padre, antropologia de um santo*. Bauru: Edusc, 2008.

Câmara, Fernando. "Dom Luiz Antônio dos Santos: o apostolo do Ceará". *Revista do Instituto do Ceará*, ano XCV, 1981.

Câmara, José Aurélio Saraiva. *Fatos e documentos do Ceará provincial*. Fortaleza: Imprensa Universitária, 1970.

Campina, Maria da Conceição Lopes. *Voz do padre Cícero e outras memórias*. São Paulo: Paulinas, 1985.

Campos, Eduardo. *As irmandades religiosas do Ceará provincial*. Fortaleza: Secretaria de Cultura e Desporto, 1980.

Camurça, Marcelo. *Marretas, molambudos e rabelistas: a revolta de 1914 no Juazeiro*. São Paulo: Maltese, 1994.

Carneiro, Glauco. *História das revoluções brasileiras*. Rio de Janeiro: O Cruzeiro, 1965.

Carvalho, Gilmar de. *Madeira matriz: cultura e memória*. São Paulo: Annablume, 1998.

Coimbra, Dário Maia. *Os construtores de Juazeiro*. Juazeiro do Norte, 2000.

Costa Filho, Luiz Moreira da. "A inserção do Seminário Episcopal de Fortaleza na romanização do Ceará (1864-1912)". Dissertação de mestrado. UFC, 2004.

Coutinho, Lourival. *O general Góes depõe*. Rio de Janeiro: Livraria Coelho Branco, 1956.

Couto, Padre Manoel José Gonçalves. *Missão abreviada para despertar os descui-*

dados, converter os pecadores e sustentar o fruto das missões. Porto: Typographia de Sebastião José Pereira, 1868.

D'Ávila, Teresa. *Obras completas de Teresa de Jesus*. São Paulo: Loyola, 1995.

Della Cava, Ralph. *Milagre em Joaseiro*. Rio de Janeiro: Paz e Terra, 1976.

Delumeau, Jean. *O que sobrou do Paraíso?*. São Paulo: Companhia das Letras, 2003.

Detienne, Marcel. *A invenção da mitologia*. 2. ed. Rio de Janeiro: José Olympio; Brasília: UnB, 1998.

Dinis, M. *Mistérios do Joazeiro: história completa do padre Cícero Romão Batista do Joazeiro do Ceará*. Juazeiro: Tipografia de *O Joazeiro*, 1935.

Emmerich, Anna Katharina. *A dolorosa Paixão de Nosso Senhor Jesus Cristo*. São Paulo: Axcel Books, 2004.

Facó, Rui. *Cangaceiros e fanáticos*. 4. ed. Rio de Janeiro: Civilização Brasileira, 1976.

Farias, Alberto. *Padre Cícero e a invenção do Juazeiro*. Brasília: Centro Gráfico do Senado Federal, 1994.

Feitosa. Padre Antônio. *Falta um defensor para o padre Cícero*. São Paulo: Loyola, 1983.

Fernandes, Judá. *A xícara do padre*. Arapiraca: Novo Nordeste, 1998.

Figueiredo Filho, J. de. *História do Cariri*. 4 vols., Crato: Faculdade de Filosofia do Crato, 1968.

Forti, Maria do Carmo Pagan. *Maria do Juazeiro: a beata do milagre*. São Paulo: Annablume, 1999.

Gardner, George. *Viagem ao interior do Brasil, principalmente nas províncias do Norte e nos distritos do ouro e do diamante durante os anos de 1836-1841*. Belo Horizonte: Itatiaia; São Paulo: Edusp, 1975.

Girão, Raimundo e Filho, Martins. *O Ceará*. 3. ed. Fortaleza: Editora Instituto do Ceará, 1966.

Gomes, Misael. "Dom Joaquim José Vieira: 2º bispo do Ceará no 50º aniversário de sua morte". *Revista do Instituto do Ceará*, ano LXXXI, 1967.

Guimarães, Therezinha Stella e Dumoulin, Anne. *O padre Cícero por ele mesmo*. Petrópolis: Vozes, 1983.

Hauck, João Fagundes et al. *História da Igreja no Brasil. Segunda Época*. Petrópolis: Vozes, 1992.

Homenagem à memória de Monsenhor João Alfredo Furtado na data de seu centenário. Fortaleza: Departamento de Imprensa Oficial, 1968.

Hoornaert, E. *O catolicismo moreno no Brasil*. Petrópolis: Vozes, 1991.

Inojosa, Joaquim. *República de Princesa*. Rio de Janeiro: Civilização Brasileira, 1960.

Ismael, J. C. *Iniciação ao misticismo cristão*. Rio de Janeiro: Record, 1998.

Lima, Lourenço Moreira. *A Coluna Prestes: marchas e contramarchas*. São Paulo: Alfa-Omega, 1979.

Lima, Marinalva Vilar de. *Narradores do padre Cícero: do auditório à bancada*. Fortaleza: UFC/Casa de José de Alencar, 2000.

LOPES, Régis. *O verbo encantado: a construção do padre Cícero no imaginário dos devotos*. Ijuí: Inijuí, 1998.

LOURENÇO FILHO, M. B. *Juazeiro do padre Cícero*. 3. ed. São Paulo: Melhoramentos, s/d.

MACEDO, Joaryvar. *Império do bacamarte*. Fortaleza: UFC/Casa de José de Alencar, 1998.

______. *Um vernaculista e um poeta*. Fortaleza: Ioce, 1985.

MACEDO, Nertan. *Memorial de Vilanova*. Rio de Janeiro: O Cruzeiro, 1964.

______. *O padre e a beata: a vida do padre Cícero do Juazeiro*. Rio de Janeiro: Renes; Brasília: INL, 1981.

MACHADO, J. *Excertos da vida do padre Cícero*. Juazeiro do Norte, 1948.

MACHADO, Paulo. *Cartório como fonte de pesquisa: certidão histórica da comarca de Juazeiro do Norte*. Juazeiro do Norte: Gráfica Royal, 1994.

______. *Padre Cícero entre os rumores e a verdade*. Fortaleza: ABC, 2001.

MAIA, Helvídio Martins. *Pretensos milagres em Juazeiro*. Petrópolis: Vozes, 1974.

MARIZ, Celso. *Ibiapina: um apóstolo do Nordeste*. João Pessoa: A União Editora, 1942.

MARTINS, José Saraiva. *Pequeno Catecismo Eucarístico*. Anápolis: Serviço de Animação Eucarística Mariana, 2003.

MARTINS, Karla Patrícia Holanda. *Profetas da chuva*. Fortaleza: Tempo d'Imagem, 2006.

MATHIEU-ROSAY, Jean. *Dicionário do cristianismo*. Rio de Janeiro: Ediouro, 1992.

MEIRELLES, Domingos. *As noites das grandes fogueiras: uma história da Coluna Prestes*. 5. ed. Rio de Janeiro: Record, 1997.

MELLO, Frederico Pernambucano de. *Guerreiros do sol: violência e banditismo no Nordeste do Brasil*. São Paulo: A Girafa, 2004.

MENEZES, Eduardo Diatahy Bezerra de. "Pe. Ibiapina: figura matricial do catolicismo sertanejo no Nordeste do século XIX". *Revista do Instituto do Ceará*, ano CXII, 1998.

MENEZES, Fátima. *O outro lado da história do Juazeiro*. Recife: Imprensa Universitária da Universidade Federal de Pernambuco, 1983.

______. *Padre Cícero: do milagre à farsa do julgamento*. Recife: Bagaço, 1953.

______ e ALENCAR, Generosa. *Beata Mocinha: governanta e tesoureira da casa do padre Cícero*. Juazeiro do Norte: HB Editora e Gráfica, s/d.

______. *Homens e fatos na história do Juazeiro*. Recife: UFPE, 1989.

______. *Dossiê confidencial: padre Cícero e Floro Bartolomeu*. Brasília: Centro Gráfico do Senado, 1994.

MESLIN, Michel. *A experiência humana do divino*. Petrópolis: Vozes, 1992.

MONTENEGRO, Abelardo F. *História do cangaceirismo no Ceará*. Fortaleza: A. B. Fontenele, 1955.

______. *Os partidos políticos do Ceará*. Fortaleza: UFC, 1980.

MOREL, Edmar. *Padre Cícero: o santo de Juazeiro*. Rio de Janeiro: Civilização Brasileira, 1966.

MOTA, Leonardo. *Cantadores: poesia e linguagem de sertão cearense*. Rio de Janeiro: Livraria Castilho, 1921.

______. *No tempo de Lampião*. Fortaleza: Imprensa Universitária do Ceará, 1967.

______. *Adagiário brasileiro*. Fortaleza: UFC; Rio de Janeiro: José Olympio, 1982.

MYSCOFSKI, Carole A. *When men walk dry: portuguese messianism in Brazil*. Atlanta: Scholars, 1988.

NASCIMENTO, F. S. "José Marrocos: o propagador do milagre de Juazeiro". In: *Apologia de Augusto dos Anjos e outros escritos*. Fortaleza: UFC/Casa de José de Alencar, 1990.

______. *História política do Juazeiro*. Fortaleza: ABC, 1998.

NOGUEIRA, Paulino. "O padre Ibiapina". *Revista do Instituto do Ceará*, ano II, 1888.

NUNES FILHO, Pedro. *O guerreiro togado*. Recife: UFPE, 1997.

ODÍSIO, Agostinho Balmes. *Memórias sobre Juazeiro do padre Cícero*. Fortaleza: Museu do Ceará, 2006.

OLIVEIRA, Amália Xavier de. *Juazeiro e suas memórias: religiosas, políticas, sociais*. Originais datilografados e inéditos.

______. *O padre Cícero que eu conheci*. Fortaleza: Premius, 2001.

OLIVEIRA, Antônio Xavier de. *Beatos e cangaceiros*. Rio de Janeiro, 1920.

PAIVA, Melquíades Pinto. *Uma matriarca do sertão: Fideralina Augusto Lima*. Fortaleza: Livro Técnico, 2008.

PEIXOTO JÚNIOR, José. *Padre Peixoto: intelectual, político, sacerdote*. Brasília: Ser, 2007.

PIMENTA, Joaquim. *Retalhos do passado*. Rio de Janeiro: Departamento de Imprensa Nacional, 1946.

PINHEIRO, Irineu. *O Joaseiro do padre Cícero e a revolução de 1914*. Rio de Janeiro: Irmãos Pongetti, 1938.

______. *Efemérides do Cariri*. Fortaleza: Imprensa Universitária do Ceará, 1963.

PORTO, Costa. *Pinheiro Machado e seu tempo*. Porto Alegre: L&PM, Brasília: INL, 1985.

QUEIROZ, Maria Isaura Pereira. *O messianismo no Brasil e no mundo*. 2. ed. São Paulo: Alfa-Omega, 1977.

QUINDERÉ, Monsenhor José. *Dom Joaquim José Vieira: aspectos de sua vida*. Fortaleza: Imprensa Universitária do Ceará, 1958.

REESE, Thomas J. *O Vaticano por dentro*. Bauru: Edusc, 1999.

REGO, José Lins do. *Pedra Bonita*. Rio de Janeiro: José Olympio, 1988.

REYNAUD, Elisabeth. *Teresa de Ávila ou o divino prazer*. Rio de Janeiro/São Paulo: Record, 2001.

RODRIGUES, Inês Caminha Lopes. *A revolta de Princesa*. João Pessoa: Secretaria da Educação e Cultura, 1978.

SALES, São Francisco de. *Filoteia ou Introdução à vida devota*. 15. ed. Petrópolis: Vozes, 2004.

SERBIN, Kenneth P. *Padres, celibato e conflito social: uma história da Igreja Católica no Brasil*. São Paulo: Companhia das Letras, 2008.

SILVA, Antenor de Andrade. *Cartas do padre Cícero (1877-1934)*. Salvador: Escolas Profissionais Salesianas, 1982.

______. *Padre Cícero: mais documentos para sua história*. Salvador: Escolas Profissionais Salesianas, 1989.

______. *Padre Cícero: sacerdote, médico e conselheiro*. Salvador: Escolas Profissionais Salesianas, 1992.

SILVA, Hélio. *1930: A revolução traída*. Rio de Janeiro: Civilização Brasileira, 1966.

SILVEIRA, Aureliano Diamantino. *Ungidos do Senhor na evangelização do Ceará*. Fortaleza: Premius, 2004.

SAGARBOSSA, Mario. *Os santos e os beatos da Igreja do Ocidente e do Oriente*. São Paulo: Paulinas, 2003.

SOBRAL, Lívio. "Padre Cícero Romão". *Revista do Instituto do Ceará*, ano LVII, 1943.

SOBREIRA, Azarias. *O patriarca de Juazeiro*. 2. ed. Juazeiro do Norte, 1969.

______. *O primeiro bispo do Crato: Dom Quintino*. Fortaleza: Expressão Gráfica, 2006.

SOBREIRA, João Glz. Dias. "Fundação de Caldas". *Revista do Instituto do Ceará*, ano LV, 1941.

SOUTO MAIOR, Armando. *Quebra-Quilos: lutas sociais no outono do império*. São Paulo: Ed. Nacional; Brasília: INL; Recife: Instituto Joaquim Nabuco de Pesquisas Sociais, 1978.

SOUZA, Simone de (coord.). *História do Ceará*. 4. ed. Fortaleza: Fundação Demócrito Rocha, 1995.

STUDART, Barão de. *Climatologia, epidemias e endemias do Ceará. Memória apresentada ao 4º Congresso Médico Latino-Americano do Rio de Janeiro*. Fortaleza: Typographia Minerva, 1909.

THEÓPHILO, Rodolpho. *Libertação do Ceará*. Lisboa: Typographia A Editora Limitada, 1914.

______. *A sedição do Juazeiro*. São Paulo: Monteiro Lobato Editores, 1922.

TORNIELLI, Andrea. *Bento XVI: O guardião da fé*. Rio de Janeiro: Record, 2006.

TRAVAL Y ROSET, Manuel. *Milagres eucarísticos*. São Paulo: Artpress, 2006.

UNIVERSIDADE REGIONAL DO CARIRI (URCA). *Anais do III Simpósio Internacional sobre o padre Cícero: e... quem é ele?*. Juazeiro do Norte, 2004.

VARAZZE, Jacopo de. *Legenda áurea: vida de santos*. São Paulo: Companhia das Letras, 2006.

VIDAL, Reis. *Padre Cícero*. Rio de Janeiro, 1936.

JORNAIS E REVISTAS:

A República (CE)
A Verdade (CE)
Careta (RJ)
Cearense (CE)

Correio Eclesiástico (CE)
Diário de Pernambuco (PE)
Diário do Commercio (RJ)
Diário do Nordeste (CE)
Itaytera (CE)
Jornal do Brasil (RJ)
Jornal do Commercio (PE)
Lanterna Mágica (PE)
O Imparcial (RJ)
O Libertador (CE)
O Malho (RJ)
O Nordeste (CE)
O Povo (CE)
O Rebate (CE)
Unitário (CE)

CRÉDITOS DAS IMAGENS

Todos os esforços foram feitos para determinar a origem das imagens deste livro. Nem sempre isso foi possível. Teremos prazer em creditar as fontes, caso se manifestem.

pp. 2-3, 20-1, 27, 29, 35, 38, 39, 49, 57, 60, 67, 79, 103, 127, 140, 153, 169, 172, 215, 220, 242, 247, 265, 272-3, 279, 282, 298, 303, 321, 336, 352 (*c*) , 371, 386 (*a*), 396, 401, 413, 427, 438, 443, 456, 465, 473, 485, 489, 492 (*b*), 494, 500, 512: Acervo Renato Casimiro e Daniel Walker

pp. 72, 73, 386 (*b*), 450, 451: Acervo Memorial Padre Cícero

pp. 123, 191: Acervo do autor

p. 203: Acervo de Obras Raras da Biblioteca Pública Estadual de Pernambuco

p. 302: Acervo da Fundação Biblioteca Nacional – Brasil

pp. 343, 506: Acervo Nirez

p. 352 (*a* e *b*): Acervo Iconographia

p. 388: J. Carlos (José Carlos de Brito e Cunha, 1884-1950)

p. 468: Fundação Getulio Vargas – CPDOC

p. 478: Direitos Aba Film e Sociedade do Cangaço. Foto: Lauro Cabral

p. 492 (*a*): Acervo de Assunção Gonçalves

ÍNDICE REMISSIVO

Os números de páginas em *itálico* referem-se a ilustrações

Aboim, Alfeu Ribeiro, 490-3, *494*, 495
Abolição da escravatura, 83
Abreu, Capistrano de, 41
Accioly, Antonio Pinto Nogueira, 278, *279*, 280, 301, 304-5, 316, 318, 320, 322, 323, 325-8, 330, 332, 335, 338-2, 346, 351, 353, 355, 385, 411
Ad limina, visita (Vaticano), 16
Aeroporto Orlando Bezerra de Menezes, 15, 514
Agnes, santa, 249
Alacoque, Maria Margarida, 69
Alagoa de Baixo, 239-40
Alagoa do Monteiro, 324-5
Alagoas, 81, 170, 283, 445
Alatri, vila de (Itália), 106
Albergo dell'Orso (Roma), 243, 257
Albertina, sra. (esposa de Adolphe van den Brule), 296
Alberto, João, 471
Albuquerque, Ulysses Lins de, 240
Alencar, Abdon Franca de, 322
Alencar, Antônio Alexandrino de, padre, 149-2, *153*, 154, 158-68, 170, 173, 175-7, 179, 184-5, 187, 190, 195-200, 204-6, 210-4, 216, 221-5, 239, 240, 254, 255, 269-71, 276, 281
Alencar, Joaquim Sother de, padre, 109, 120, 136, 152, 329
Alencar, Mozart Cardoso de, 504-5, 507
Alencar, Nelson Franca de, 322
Alencar, Pedro Silvino de, 332, 390-4, 398-400, *401*, 403, 464, 472
Aliança Liberal, 491, 493, 495, 498
Almeida, José Américo de, 497
Almeida, Tomás Gomes de, dom, 125-6
Álvares "Caramuru", Diogo, 48
Alves Pequeno, Antônio Luiz, coronel (filho do padrinho de Cícero), 275-8, *279*, 280, 290, 301, 304-5, 308, 314-20, 323-5, 327-8, 332, 346, 358, 367, 376, 383, 385
Alves Pequeno, Antônio Luiz, coronel (padrinho de Cícero), 31, 42, 52, 323

Alves, Rodrigues, 335
Amazônia, 283
América Latina, 139, 300
Américo, José *ver* Almeida, José Américo de
anarquismo, 188
Angélica Vicência (irmã do padre Cícero), 25, 30, 47, *79*, 96, 197, 222, 235, 257
Ângelus, hora do, 37
Antero, Francisco Ferreira, padre, 102, *103*, 111-6, 118, 120, 124, 128-9, 131-2, 135, 138, 141, 145, 149, 154, 155-6, 160-2, 167, 178-82, 184, 186, 189, 200, 202, 204, 213, 222, 224, 237, 239, 309, 329
Anticristo, 74, 170, 491
Antônio Conselheiro *ver* Conselheiro, Antônio
antraz, 487
Apocalipse, 56, 491
Apostolado do embuste, O (Araújo), 518
Aracati, 156, 174-6
Araripe (cidade), 149, 288, 332, 390
Araújo, Antônio de (pai da beata Maria), 96
Araújo, Antônio Gomes de, padre, 518
Araújo, Joaquim Correia de, 227-8, 231, 233, 240-1, *242*
Araújo, Maria de (beata "Maria Preta"), 61-6, *67*, 68-9, 71, 76-8, 80, 82-93, 95-100, 102, 106-7, 111-22, 124, 128-9, 131, 133-9, 141-4, 146, 148, 151, 155-7, 160-4, 175, 178-9, 181-2, 190, 192-6, 198-202, 205-6, 211, 237, 257, 284-7, 314, 375-6, 415, 421, 423, 483-4, 513, 517-9
Arcoverde, cardeal *ver* Cavalcanti, Joaquim Arcoverde de Albuquerque, dom
Aristóteles, 104
Armagedom, 93
Arneiroz, 471
Arns, Paulo Evaristo, dom, 17
Assaré, 183, 235, 332, 362
Assembleia Legislativa do Ceará, 305, 316, 327, 342, 351, 353-6, 360, 403, 410, 446
Associação Comercial de Fortaleza, 359, 398
Associação dos Empregados do Comércio do Rio de Janeiro, 444
Augusto, João Carlos, padre, 183, 228, 235, 236, 261, 329
Aurélio, Félix, padre, 56, 109, 136, 170, 186, 205, 213, 287
Aurora, vila de, 288, 294, 308, 332, 334, 447
Aversa, Giuseppe, dom, 404, 416-7, 419, 426
Avignon, 221
Azevedo, Joaquim Gonçalves de, dom, 130
Azevedo, Ottavio Cagiano de, monsenhor, 264
Azia (tia do padre Cícero), 24

Bagaceira, A (José Américo), 497
Bagno de Romagna, milagre de, 106
Bahia, 40, 59, 95, 130, 160, 170, 225, 227, 230, 233, 293-4, 296, 348, 462, 475, 514
Baixa Dantas, Sítio, 436-7, 447
banditismo, 347, 403, 415, 446
Barbalha, 46, 90-1, 160, 195, 198-200, 211, 277, 280, 305, 319, 327, 332, 379, 385, 389, 391-2, 475, 505
Barbosa, Rui, 329, 350, 357, 395
Barreto, Joviniano, monsenhor, 518
Barros, Alípio Lopes de Lima, 364, 366, 372
Barros, Filomena Pereira de, 283
Barros, José da Costa, padre, 33
Barros, Lima, dr., 231
Barros, Paulo Morais e, 444

Barroso, Benjamin Liberato, 402-3, 410, 415
Bartolomeu, Floro, dr., 293-7, *298*, 299, *303*, 304, 306-8, 310-1, 315-6, 319, *321*, 323, 327-9, 339-40, 344-5, 348, 351, 353-63, 365-6, 368-70, 372-6, 378-82, 384-5, 387, 389-90, 393, *396*, 398-400, *401*, 402-3, 410-2, 414-5, 421, 426, 432-3, 436-7, 439-42, *443*, 444-6, 449, 452-5, *456*, 457, 459-62, 464, 466-7, 469, 471-2, 474-5, 479-81, 484, 495-6, 499, 516, 519
Basílica de Santa Maria del Vado (Ferrara), 106
Basílica de São Pedro, 18, 246
Batalha de Uauá, 230
Batalhão Patriótico, 464, *465*, 467, 469-70, 472, 474, 477, 479-80, 497
Batista, Joaquim Romão (pai do padre Cícero), 24-5, *27*, 30-1
Baturité, 393
beatas, 28, 51, 61-2, 65, 91, 118, 128, 131, 141-3, 145-7, 150, 154, 156, 159-60, 166, 174-9, 182-3, 185, 189, 196, 199, 202, 204-6, 209, 221, 235, 237, 252, 293, 363, 365, 375, 409, 432, 446, 448, 502-3, 505, 510
Beatos e cangaceiros (Oliveira), 409, 459
Beiriz, Anaíde, 498
Belmira, Francisca, 54
Belo Horizonte, 487
Belo Monte, arraial do, 226-7, 230-1
beneditinos, 106
Bento XV, papa, 416, 433
Bento XVI, papa, 11, 18-9, 516; *ver também* Ratzinger, Joseph, cardeal
Bernardes, Artur, 460-1, 467, 472, 480
Bernini, Gian Lorenzo, 114, 249
Bertelli, Ruggero, 105
Bezerra, Joaquim, 327, 329-30
Bezerra, Pedro, 324-5
Bíblia, 34, 37, 45, 65, 74, 94, 122, 141, 145, 168, 214, 437
"Bichinha", beata *ver* Menino Jesus, Josefa Maria do
Bittencourt, José Marcelino de Souza, cônego, 125
Boi Mansinho, 436-7, 439
Bolsena (Itália), 106, 126, 233
Borges, Engrácia, 235
Borges, Lima, dr., 235, 240, 258
Borges, Manuel de Lima, 227
Borges, Pedro, 275, 277-8, 280
Borgonha, 69
borracha, 283, 290
Botafogo, 480
Bourbon, dinastia dos, 238
Braga, Antônio Tabosa, padre, 306-7
Brasil, Hipólito Gomes, monsenhor, 94-5, 174, 180
Brasília, 15, 514
Brejo Santo, 216, 288, 332
Breviarium Romanum, 37
Brígida, santa, 137
Brígido, João, 327, 348
Brito, Francisco José de, 346-7
Brito, Luís de, dom, 289
Bruno, Giordano, 244

Cabral, Jael Wanderley, 128, 145
Cabral, Lauro, 477
cabras, 161, 209-10, 296, 333, 337, 365, 367, 370, 375, 378-80, 384, 389, 407, 409
Cabrobó, 232
Cajazeiras, 30-1
calvinistas, 28
Câmara Federal, 278, 393, 416, 442, 445, 459, 481
Caminho do Céu — Considerações sobre as máximas eternas e sobre os segredos e mistérios da Paixão de Cristo Nosso Senhor para cada dia do mês (devocionário católico), 37
Campinas, 58, 402

Campos Sales (CE), 332, 466, 470-1, 474
cangaceiros, 14, 32, 110, 324, 331, 335, 337, 347-8, 355, 370, 376, 379-80, 384, 389-90, 398-9, 402-3, 408-9, 437, 442, 444-5, 461, 463, 467, 469-70, 476, 479
Cano, Alonso, 107
Cantadores (Mota), 394
Cântico dos cânticos, 100, 136
canto gregoriano, 37, 40, 95
Canudos, 225, 227, 229-31, 234, 320, 335, 339, 362, 364, 415, 474, 490
Capela de Nossa Senhora das Dores *ver* Nossa Senhora das Dores, capela de (Juazeiro do Norte)
Caramuru *ver* Álvares, Diogo
Careta (revista), 369, 387, *388*, 415
Cariri, 48, 50, 52, 56, 59, 61-4, 75, 82, 90, 92, 99, 101, 108, 112, 126, 135-8, 141, 145, 149-50, 159-60, 162-3, 173, 175, 179, 183, 186-8, 190, 195, 202, 210-1, 214, 216, 223-4, 237, 239-40, 246, 275, 277, 278, 281, 285, 287, 291-2, 296, 299, 305-9, 324-5, 328-9, 331-2, 334-5, 337, 339-40, 346-8, 351, 355, 357, 363, 373, 377, 380, 389-90, 402, 415-6, 418, 437, 445, 447, 470, 477, 479-80, 484, 486, 498, 503, 513, 515, 521
Caririaçu, 62, 332; *ver também* São Pedro
Carnaval, 393, 453
Carneiro, José Domingos, 340
Carvalho, Fernando Setembrino de, 398-400, 402, 461, 464, 466
Carvalho, Raul de Sousa, 312, 323
Casa dos Milagres (Juazeiro do Norte), 12
Cascavel, freguesia do, 33, 174
Cássia, vila de (Itália), 106
castidade, 28, 34, 100, 107, 177, 299, 365
Castro, Jerônimo de, padre, 429
catarata, 83, 455, 463, 490, 502-4
Catolé, serra do, 70, 213-4, 262, 266, 358, 363, 365, 437, 490, 514; *ver também* Horto, serra do
catolicismo popular, 34, 40, 51, 107, 112, 480
Cavalcanti, João Batista de Siqueira, 176
Cavalcanti, Joaquim Arcoverde de Albuquerque, dom, 139, *140*, 145, 147-8, 154, 156-8, 178, 184, 300-1
Ceara rubber, 290
Ceará, O (jornal), 477, 479, 481, 484
celibato, 33-4
Centro Espírita Cearense, 490
Chavanat, João, padre, 184
Chaves, Joaquim Secundo, 63, 87-8, 246, 249, 258, 329
Chevalier, Pierre-Auguste, padre, *38*, 40-3, 47, 52, 83, 108, 230
Chico Bernardo, Chico *ver* Silva, Francisco Gomes da
China, 520
Chiquinha, Manoel de, 380-5, 390
cientificismo, 187
"Círculo da Mãe de Deus", 363, 365-6, 368
CNBB (Conferência Nacional dos Bispos do Brasil), 13, 15, 522
Coelho, Polidoro Rodrigues, 353
Colégio Cratense, 45, 125
Colégio Pedro II, 30
Colégio Pio Latino-Americano (Roma), 102, 139, 179-81, 421
cólera-morbo, 30-1, 55
Coluna Prestes, 14, 462, 463, 466-7, *468*, 470
Companhia de Loterias Nacionais do Brasil, 292
comunismo, 188
Conceição, Antônia Maria da, 142, 204

Conceição, Francisca Maria da, 283
Conceição, Matildes Maria da, 283
Conceição, Teodora da, 46
Concílio de Trento, 34, 92, 101, 108
Congregação para a Doutrina da Fé, 11, 13, 16, 18; Fé *ver também* Inquisição Romana; Santo Ofício
Congresso Nacional, 357, 442, 482, 484
Conselheiro, Antônio, 225-31, 233-4, 362, 379
Constantino, imperador romano, 251
Cordeiro, José Inácio, 449
coronéis, 14, 288, 319, 331, 334-5, *336*, 337-9, 346, 348, 378, 382
Corpus Christi, festa de, 106
Correia, Rivadávia, 387, *388*
Correio do Cariri, 308, 310, 312, 322
Correio Eclesiástico, 402
Costa, Antônio de Macedo, dom, 58
Costa, Antônio Fernandes de Melo, 26
Costa, Manoel Fernandes da, 26
Couto, Manoel de Gonçalves, padre, 122, 230
Coxá, Sítio, 294-5, 307-8, 340, 417, 446, 449
Crato, diocese do, 15-7, 416, 432, 480, 507-9
Cruz, José Geraldo da, 454, 499
Cunha, Euclides da, 226, 231
Custódia, Maria, 296, 417-8

Daguerre, Louis-Jacques-Mandé, 26
daguerreótipos, 26
Daniel, profeta, 45
Dantas, João Duarte, 497
darwinismo *ver* evolucionismo
David, João *ver* Silva, João David da
demônios, 115
Des Espirits et de leurs manifestations fluidiques (Merville), 59
Dia dos Mil Mortos (Fortaleza), 56
Diabo *ver* Satanás
Diálogos (São Gregório Magno), 80
Diário da Manhã, 442
Diário do Commercio, 69
Dias, Ignácio de Sousa, dr., 134, 178, 180, 184
Diniz, Manuel, 178, 448, 454
Donana (tia do padre Cícero), 24
Duettes, Laurindo, padre, 90-1, 98, 204
Duviges, José, 501

Edwirges, José, 252
Emmerich, Ana Catarina, 113-4, 116
Enrile, Lourenço Vicente, padre, 52
Era Nova (revista católica), 90, 204
Esberard, João Fernando Santiago, dom, 176, 184, 228
espiritismo, 188, 490-1
Espírito Santo, Clara Angélica do, 25
Estado de S. Paulo, O, 226, 230
Estados Pontifícios, 36
Estados Unidos, 233
Estrela da Aparecida (folha religiosa), 71
Eucaristia, 88, 104-6, 118-9, 125-6, 164, 192-3, 423
Europa, 26, 94, 108, 180-1, 190, 240, 246, 418, 420
evangélicos, 13, 18, 514, 521-3
evolucionismo, 188

fanatismo, 51, 93, 108, 111, 150, 178, 182, 211, 267, 289, 307, 335, 404, 421, 425, 431
Farias Brito (CE), 61, 332
Farias, família, 232
fazendeiros, 86, 109, 162, 232, 234
Feitosa, Quintino, 405-9
Ferrara (Itália), 106
Ferreira, José, 479

Ferreira, Manoel da Silva Pires, 230
Figueiredo Sobrinho, Manuel Belém de, 504-5
Figueiredo, Elysio Gomes de, 505
Figueiredo, José André de, 322, 327, 344-5, 358-9
Figueiredo, José Belém de, 275-7, 385
Figueiredo, José Eleutério de, 481
Figueiredo, Manoel Furtado de, padre, 109
Filoteia ou Introdução à vida devota (São Francisco de Sales), 28
Florianópolis, 291
Fonseca, Hermes da, 325, 342, 350-1, *352*, 359, 361, 368-70, 387, *388*, 389, 395, 398, 402
Fonseca, Orsina da, 350
Força Pública, 399, 403
França, 40, 181, 212, 221, 238, 291, 309
Francelino, beato, 168
Francisco de Assis, são, 107
Francisco de Sales, são, 28, 30
Fraternitatis tuae (bula papal), 106
Frazão, Diógenes, 322
Freire, Joaquim da Cunha, 292
Freitas, Herculano de, 387
Freitas, José Martins de, 373
Frota, João Antônio da, padre, 128
Frota, Manoel Francisco da, padre, 118
Furtado, Domingos Leite, 334
Furtado, João Alfredo, 83
Furtado, Manoel de Santa Catarina, frei, 125-6

Gabriel, arcanjo, 37
Galileu Galilei, 201, 255
Gama, Saldanha da, 189
Gazeta do Juazeiro, 454, 457, 499
Genebra, bispo-príncipe de *ver* Francisco de Sales, são
Gênova, 241, 256, 262, 264
Ginásio Diocesano do Crato, 518
Giotto, 107
Goiás, 139, 462, 476
Gomes, Manoel da Silva, dom, 400, 403
Gomes, Mario, 373
Gonçalves, Assunção, *49*, 476
Gonçalves, Pedro Esmeraldo da Silva, padre, 423, 425-6, 428, 432, 449, 452
Gonçalves, Vital Maria, dom, 58
Gondim, Maria Caminha de Anchieta, 175-6, 189
Gonzaga, Chiquinha, 361
Gonzaga, Luiz, 523
Gotti, Girolamo Maria, dom, 187, 188-9, 193-5, 202, 217, 219, 254, 256-7
Gouveia, Delmiro, 233, 436
Gouveia, Hermínia Marques, 296-7, 299
Granito (PE), 232
Gregório IX, papa, 106
Gregório Magno, são, 80
Guarda Cívica, 373, 377-8, 389-90, 392
Guarda Nacional, 48, 63, 216, 354, 358
Guerra Civil espanhola, 418
Guerra do Paraguai, 32, 277
Guerra dos Quebra-Quilos, 81
Guerra, Dario Duarte Correia, 214
Guerreiros do Sol (Mello), 337
Gurgel, Newton Holanda, dom, 16

Hass, Carlos Gustavo, padre, 522
Helena, santa, 251
Herculano, emissário de Cícero, 230-1
heresia/hereges, 11, 34, 109, 116, 148, 198, 244-5, 419
hierarquia eclesiástica, 13, 34, 143, 156, 201, 346
História dos girondinos (Lamartine), 83
Holanda, João Firmino de, 90-1
Horto, serra do, *20*, 213-4, 262, 267, 296, 439, 447, 519-20, 523

Hospital de Nossa Senhora da Saúde, 188
hóstias, 66, 74, 88, 99, 104, 108, 124, 126, 129, 133, 135, 138, 142, 143, 146, 158, 175-6, 178, 189, 193, 196, 204-5, 285, 375

Ibiapaba, barão da *ver* Freire, Joaquim da Cunha
Ibiapina, José Antônio de Maria, padre, 26, 28, *29*, 32, 46-7, 51-2, 54, 61, 81, 125, 168, 229
Icó, 118
Ideal, O (jornal), 454-5, 499
igrejas *ver nomes específicos*
Iguatu, 154, 357, 364, 367, 373, 385, 389-91
Império Romano, 251
imprensa, 71, 93-4, 194, 310, 322, 327, 369, 387, 395, 400, 415, 442, 445-6, 459, 477, 481
Independência do Brasil, 319
Index Librorum Prohibitorum, 238
Inês, santa *ver* Agnes, santa
infalibilidade papal, 201
Inquisição Romana, 11, 116, 148, 181, 184, 186, 201, 208, 223, 225, 238-9, 244, 252-3, 260, 264, 300, 418, 429; *ver também* Congregação para a Doutrina da Fé; Santo Ofício
Instituto Histórico do Ceará, 128
interrogatórios, 93-4, 97-9, 102, 107, 112-3, 115, 142-3, 155, 160, 168, 196, 244, 253, 255-6, 258-9
Ipu, 286, 470, 471
Itália, 15, 34, 36, 105-7, 233, 248-9, 254, 256, 264, 291, 452, 458
Itu, 139

Jaguaruana, 156; *ver também* União
jagunços, 14, 110, 171, 227, 232, 272, 276, 309, 317, 319, 324, 326, 331, 337, 347, 358, 364, 367, 370, 374-81, 389-93, 395, 398-400, 402, 444, 461, 463-4, 467, 472, 496
Jardim (CE), 216, 332, 389
Jerônimo, são, 34
jesuítas, 139, 404, 421
Jesus Cristo, 23, 44, 47, 68-71, 77, 89, 93, 99-100, 102, 105, 111, 114-5, 118, 121, 124-6, 129, 131, 134, 139, 142-3, 145, 152, 156, 160, 176, 206, 213, 216, 251, 261, 368, 376, 505, 520, 522
Jesus, Joana Tertuliana de ("Mocinha"), 252, 285, 296, 381, 418, 447, 475, 482, 484, *485*, 502, 517, 519
Jesus, Maria das Dores do Coração de, 129
Jesus, Raimunda de, 204
Jesus, Rozalina de, 283
João Paulo II, papa, 11, 15, 17
João, são (apóstolo), 50
Jonas, profeta, 516
Jornal de Princesa, 495
Jornal do Commercio, 474
José do Egito, 45
José, são, 45
Juízo Final, 44, 115, 214

kardecismo *ver* espiritismo

Lacerda, Pedro Maria de, dom, 130
Lamartine, Alphonse de, 83
Lampião, 14, 463, 469-70, 475-7, *478*, 479-80
Lanciano, milagre de, 105
Lanterna Mágica (jornal satírico), 202, *203*
latim, 26, 34, 41, 45, 84, 89, 106, 110, 130, 134, 155, 162, 176, 208, 218, 223, 263, 304
Laurence, Bertrand Sévère, monsenhor, 107
Lavras (CE), 149, 216-7, 309, 332, 334, 390
lazaristas, 40, 52, 83, 429, 430-1, 433

Leal, João, 498
Leão XIII, papa, 87, 124, 129, 131, 179, 216, 218-9, *220*, 238, 248, 250-1, 264, 270, 295, 300, 418
Legião da Cruz, 216-8, 249, 267, 284, 286, 459
Leonardo da Vinci, 44
"Leota" *ver* Mota, Leonardo
liberalismo, 491, 493
liberdade de pensamento, 36
Libertador, O (jornal), 125
Lima, Fideralina Augusto, 333-4
Lima, Gustavo, 332-3
Lima, Honório, 332, 334
Lima, Ildefonso Correia, dr., 90, 329
Lima, José Pereira, 495-8
Lima, Lourenço Moreira, 463, 474
Linhares, João Fonteles, 277
Linoli, Odoardo, 105
liturgia, 13, 15, 37, 40, 108, 496
Livro negro de são Cipriano, O, 59
Lobo, Clycério da Costa, padre, 94-7, 99, 102, *103*, 109, 111-21, 128-9, 131-5, 138, 141-6, 149, 154-6, 158, 160, 162, 164, 174-5, 184, 188-90, 196, 204-5, 217, 329
Lobo, José Joaquim de Maria, 216-7, 219, 221-2, 239, 249, 252, 254, 255, 257, 267, 284, 329, 459
Loigny (França), 238
"Lolô" *ver* Mota, Manuel Cardoso da
Lopes, Manoel Antônio de Oliveira, dom, 306
Lopez, Bento, dom, 455, 457-8
Loucura dos intelectuais (Santos), 487
Lourdes (França), 107, 291
Lourenço, José, 436-7, *438*, 439-40
Luz, Isabel da, 311, 448

Macacos, Sítio, 377
Macedo, Manoel Correia de, padre, 414, 420-1, 452-5, *456*, 457
Macedo, Otacílio, 477
Macedo, Pelúsio, 317, 331, 354, 385, 391, 419-20, 440, 452
Macedo, Simeão Correia de, 47, 50
Machado, João, 324-5
Machado, José, padre, 245, 259
Machado, Luiz Teófilo, 446
Machado, Pinheiro, 342, 345, 350-1, *352*, 353-5, 357, 360, 368, 395, 398, 402, 411-2
Maciel, Antônio Vicente Mendes *ver* Conselheiro, Antônio
maçonaria, 33-6, 58, 62, 81, 490-1
Madeira, Marcos Rodrigues, dr., 85-6, 88-9, 93, 134, 329
Maia, Belmiro, 448
Maia, José Francisco Pereira, 24
Malaquias, são, 33
maniçoba, cultivo de, 289-90, 326
Maranhão, 15, 462
Marchas e combates (Lima), 463
Marchat, Mathilde, 238
Maria Angélica (irmã do padre Cícero), 25, 30, 47, 55
"Maria Preta", beata *ver* Araújo, Maria de
Maria, santa *ver* Virgem Maria
Mariz, Antônio Marques da Silva, dr., 280
Marques, Lourival, 510
Marrocos, José, 41, 45-6, 124, 125-6, *127*, 128, 139, 147, 157, 162, 167-8, 183, 187, 232, 292, 299, 310-1, 314, 329, 424, 449, 517-8
Martinez, Saleta Cabrero, 418
Martins de Jesus, Manuel Antônio, padre, 90, 109
Martins, Domingos Gonçalves, 47
Masella, Benedetto Aloisi, dom, 508-9
Mato Grosso, 462
Matos, Pedro Gomes de, 322
Mattei, Catarina, 179
Maurício, família, 232
medalhinhas de padre Cícero, 190,

191, 194, 217, 224, 288, 362, 370, 425-6, 428-9
Mello, Frederico Pernambucano de, 337
Melo, Francisco Batista Torres de, 364
Memorial de Maria Moura (Queiroz), 333
Menezes, João Bezerra de, 345-6, 358-9, 493
Menino Jesus, Josefa Maria do, 517
Merry del Val, Rafael, cardeal, 404, 418-9, 434
Merville, Marquês de, 59, 117
Miguel Calmon (cidade), 389-90, 392-3; *ver também* Piquet Carneiro
Milagres do Joaseiro ou Nosso Senhor Jesus Cristo manifestando sua presença real no divino e adorável sacramento da Eucaristia, Os (panfleto), 93, 139
"milagres eucarísticos", 105-7; Araújo, Maria de (beata "Maria Preta"); hóstias
Milagres, vila de, 109, 216, 294, 307, 319, 332, 334
Minas Gerais, 32, 184, 462, 475-6, 498-9
Ministério da Guerra, 415, 461, 463-4, 467
Missão abreviada para despertar os descuidados, converter os pecadores e sustentar o fruto das missões (Padre Couto), 122, *123*, 229
Missão Velha, vila, 28, 56, 109, 136, 170, 187, 213, 216, 287, 295, 305, 311, 319, 327, 331-2, 367, 389, 449, 474
Mística cristã, A (Von Görres), 59
misticismo, 13, 32, 46, 59, 82, 116, 156, 229, 439, 520
"Mocinha", beata *ver* Jesus, Joana Tertuliana de
modernidade, 36, 58, 437
Monteiro, Francisco Rodrigues, monsenhor, 66, *67*, 71, 74, 77-8, 109, 121, 137, 141-4, 146, 148, 154, 157-8, 186, 188, 190, 196, 201, 205, 212, 287, 329
Monteiro, Leandro Bezerra, 48, 327
Montezuma, Rufino de Alcântara, 26
Mosteiro de Santa Rita (Vila de Cássia), 106
Mosteiro de São Legoziano, 105
Mota, Leonardo, 393-4, 479
Mota, Manuel Cardoso da, 357
Moura, Inácio Rufino de, padre, 237
Moura, Manuel Félix de, padre, 183
Murta, Antônio Versiani de Figueiredo, padre, 248
Museu Padre Cícero, 517

Nascimento, José Antônio do, 475
Nascimento, Manuel Joaquim Aires do, padre, 46, 56
New York Times, The, 522
Niciolo, Darci, padre, 522
Niterói, 216
Nordeste brasileiro, 28, 55, 173, 225, 246, 291, 497, 499, 516, 521
Nossa Senhora da Penha, Igreja de (Crato), 45
Nossa Senhora das Dores, capela de (Juazeiro do Norte), 47, *49*, 56, *57*, 61, 65-6, 68, 71, 85, 90, 98, 112, 118, 121, 130, 149, 186-7, 198, 210, 212-3, 237, 270, 316, 373, 375, 422-3
Nossa Senhora das Dores, Igreja de (Juazeiro do Norte), 431, 440, 446, 448-9, 452
Nossa Senhora de Lourdes, aparições de, 107
Nossa Senhora do Perpétuo Socorro, capela de (Juazeiro do Norte), 376, 446, 448, 483, 513, 517, 522-3
Nova York, 290
Novo Mensageiro do Coração de Jesus (periódico religioso), 125
Nunciatura Apostólica do Brasil, 12, 219, 221, 403-4, 416, 418-20, 426, 509

Olinda, 32-3, 58, 176, 184, 228, 236, 238, 241, 248, 264, 289
Oliveira, Amália Xavier de, 429, 432, 510
Oliveira, João Mendes de, 24, 475
Oliveira, José Armando Perdigão de, 369-70
Oliveira, Quintino Rodrigues de, padre, 109, 135, 136, *140*, 154-6, 163, 196-7, 271, 281, 284-6, 292, 297, 299-300, 304, 307, 381, 416, 417, 420-3, 425-6, *427*, 428-34, 449, 452, 458, 507
Oliveira, Xavier de, 409, 459

Padre Cícero que eu conheci, O (Oliveira), 430
Paixão de Cristo, 37, 136, 150
Pajeú, barão do *ver* Silva, Andrelino Pereira da
Palácio da Arcádia (Roma), 257
Palácio da Luz (Ceará), 277, 340, 342, 346, 355, 359, 372, 389, 399, 403, 499
Palácio das Princesas (Pernambuco), 227, 231
Palácio do Catete (Rio de Janeiro), 341, 350, 361, 369, 387, 402, 460, 461, 467, 469, 491, 495
Panico, Fernando, dom, 15, 18, 522
Panico, Giovanni, dom, 15
"paninhos ensanguentados", 77-8, 90, 98, 102, 129, 130-1, 135, 144, 149, 152, 158-9, 162, 165, 167-8, 184, 193, 314, 315, 322-3, 425, 429, 517, 518
Pará, 58, 180, 184
Paracampos, José, 471, 474
Paraguaçu, índia, 48
Paraíba, 46, 61, 81, 90, 324, 325, 347-8, 472, 495-7, 499
Paraná, 461, 499
Paris, 139, 293, 295, 417
Parnaíba, Henrique Ferreira, 144
Parnamirim (PE), 232
Parocchi, Lucido, cardeal, 224, 239, 245, 252, 257, 259-60, 262, 264, 267-70
Partido Democrata, 441, 481
Partido Republicano Conservador *ver* PRC
Paulo III, papa, 34
Paulo, são (apóstolo), 16
pecado, 13, 156, 164, 170-1, 177, 195, 421, 426
Peçanha, Nilo, 335, 355
Pecci, Gioacchino, cardeal, 131; *ver também* Leão XIII, papa
Pecci, Giussepi, cardeal, 131, 179
"Pé-de-Galo", devoto *ver* Silva, Manuel Pedro da
Pedra Bonita, matança de, 80-1
Pedro II, d., 26, 58, 74, 91
Pedro, são, 16, 36, 257, 259, 516
Pedro, Zé, 379-85, 390, 393, 407
Peixoto, Felismino de Alencar, 312
Peixoto, Floriano, 189
Peixoto, Joaquim Marques de Alencar, padre, 301, *303*, 304, 307-10, 312, 322, 327-9
Peixoto, José Carlos de Matos, 491, 498-9
Pena, Afonso, 335
Penha, Jota da *ver* Sousa, José da Penha Alves de
penitências, 33, 196, 261, 434
Perdigão, João da Purificação Marques, dom, 33
Pereira, Manoel dos Santos, dom, 228, 236, 248
Pereira, Sinhô *ver* Silva, Sebastião Pereira da
Pernambuco, 32, 69, 80-1, 90, 98, 144, 170-1, 183, 202, 225, 227-8, 231-5, 238, 240-1, 258, 262, 276, 283, 294, 296, 304, 331, 347-8, 387, 479, 499
Pessoa, Isaac Salazar da Veiga, 502-3
Pessoa, João, 495-8, 521

Petrópolis, 188, 217, 219, 225, 229, 238, 299-300, 403-4, 416, 419, 507-8
Pia Sociedade de São Francisco de Sales, 447
Piauí, 15, 16, 276, 347, 426, 462, 466, 471, 499
Picos, 276
Pilatos, Pôncio, 251
Pimenta, Joaquim, 290
Pinheiro, Chico, 405-7, 409
Pinheiro, Zé, 384-5, 390, 392, 399, 405-9, 445
Pinho, Benedita, 46
Pio IX, papa, 34, 36, 87
Pio VII, papa, 179
Pio X, papa, 300, 404
Pio XI, papa, 104
Piquet Carneiro, 389; *ver também* Miguel Calmon
Pires, Francisco de Assis, dom, 507, 518
Pires, Oscar, 350
Pontifícia Universidade Gregoriana, 15, 139
Pontifício Ateneu Santo Anselmo, 15
Porteiras (CE), 216, 332, 448
Portugal, 15, 50, 125, 212, 233
positivismo, 188
Praça de São Pedro, 11, 184
PRC (Partido Republicano Conservador), 278, 323, 327, 332, 340, 342, 350, 410-2
Prestes, Júlio, 491, 496-8
Prestes, Luís Carlos, 467, 469, 471-2, 474, 479
Primeira Guerra Mundial, 420
Princesa, município de, 495-8
Proclamação da República, 91
protestantes/protestantismo *ver* evangélicos
Purgatório, 34, 78, 80, 115-6, 130-1, 137, 179, 434

Quanta cura (encíclica papal), 36
Queiroz, Rachel de, 333
Quinô, dona (mãe do padre Cícero), 23-6, *27*, 31, 47, 55, 96, 101, 197, 222, 234-5, 251, 256-7, 262, 269, 415, 416
Quintino, dom *ver* Oliveira, Quintino Rodrigues de, padre
Quixadá, 149, 393-4, 490
Quixará (Farias Brito), 61, 329, 332
Quixeramobim, 33, 393, 420

Rabelo, Marcos Franco, 341-2, 344-8, 351, *352*, 354-61, 363, 368-70, 372-4, 377-8, 387, 389, 392, 398-9, 402-3, 411, 461
Rampolla, Mariano, cardeal, 219
Rangel, José Jacome de Fontes, padre, 118
Ratzinger, Joseph, cardeal, 11-8; *ver também* Bento XVI, papa
Rebate, O (jornal), 301, *302*, 304-10, 312, 314-20, 322-3, 327, 328, 423-4, 448
Recife, 69, 90, 180, 188, 204, 227, 231-2, 239-41, 248, 261-2, 266, 325, 347, 369, 474, 498, 502, 521
Reforma Protestante, 28, 34
relíquias, 68, 90, 98, 105, 152, 158-9, 167, 193, 426, 511, 517-8
República Velha, 335, 491
República, A (jornal), 175
Revolta da Armada, 189
Revolução Francesa, 33
Ricardo, beato, 365, 374
Rio de Janeiro, 26, 30, 69, 74, 85, 90, 125, 130, 187-90, 288, 292, 299, 301, 339, 341-2, 351, 353-6, 368-70, 372, 385, 394-5, 411, 442, 444, 453, 459, 467, 474, 479-80, 484
Rio Grande do Norte, 81, 93, 347-8, 387, 448, 472, 499
Rio Grande do Sul, 84, 125, 461, 498-9

Rocha, José Gomes da, 283
Rocha, Moreira da, 469, 481
Rolim, Inácio de Sousa, padre, 30-1
Rolim, Nazário de Sousa, 109
Roma, 12, 15-7, 32, 34, 36, 42, 95, 102, 105, 107, 109, 124, 128, 139, 148, 154, 157, 162, 167, 178-81, 183-8, 197, 206, 208, 216-7, 219, 221, 224-5, 233, 236, 238-41, 245-6, 248-59, 262-4, 266-8, 270, 285, 300, 375, 418, 421, 457-9
Romana, Joaquina Vicência *ver* Quinô, dona
romeiros, 16, 23, 25-6, 47, 68, 90-1, 121, 163, 168, 170, 173, 177, 190, 194, 197, 209-11, 213-4, 219, 225, 240-1, 267, 281, 284-7, 292, 293, 306, 318, 325, 344, 349, 354, 356, 365, 375-6, 378-9, 402, 404, 426, 429, 431-2, 437, 441, 446, 449, 452, 455, 464, 477, 480, 483-4, 486-8, 498, 507, 510, 515-7, 519, 520-3
Rondon, Cândido Mariano da Silva, 444
Rota, Pedro, padre, 458

Sá, Cornélio Gomes de, 232
Sá, Emílio, 372, 377
Sá, Francisco, 355
Sacramento, Josefa do, 84, 90, 96, 198
Sagrada Congregação do Concílio, 507-8
Sagrado Coração de Jesus, devoção ao, 44, 56, 65, 69, 213, 238, 270, 365
Saint-Riquier, vila de (França), 40
Sales, Campos (presidente), 335
salesianos, 447, 458, 508-9
Salgueiro (PE), 90, 109, 225, 227, 228, 231-6, 238-40, 258, 261, 335
Sallua, Vincenzo Leone, cardeal, 179-80
Salomão, rei, 45, 100
sambas, 50, 54, 454
Sampaio, Mauro, 514
Sampaio, Mendo, 258
Sampaio, Pio, 505
Sampaio, Romão Filgueira, 232
Sampaio, Sebastião, 241, 258
San Carlo, Igreja de, 259, 264, *265*
Santa Catarina, 291, 499
Santa Cristina, Igreja de (Bolsena), 106
Santa Cruz, Augusto, 325, 347, 380
Santa Cruz, família, 325
Santa Maria, Igreja de (Bagno de Romagna), 106, 254
Santa Maria della Pace, Igreja de (Roma), 250
Santa Sé, 11, 12, 14-5, 17, 84, 93, 161-2, 167, 179, 181-2, 184, 187, 197, 214, 216-7, 219, 224, 239, 249, 264, 404, 416, 418, 419, 435, 446, 508-9, 516, 522
Santana do Cariri, 332
Santana, Antônio Joaquim de, 331-2
Santiago, José Agostinho, padre, 175
Santíssima Trindade, 24, 124, 130
Santo Antônio dos Portugueses, Igreja de (Roma), 245
Santo Ofício, 11, 13-4, 16, 19, 154, 161, 178-80, 184, 192, 193, 195, 197, 201-2, 205, 207-8, 211, 217-9, 222, 224-5, 233, 237-8, 240, 245, 248, 250, 252-61, 263-4, 266-8, 281, 284, 300, 404, 418-9, 423-4, 426, 428-30, 432, 434, 457-9, 518; *ver também* Congregação para a Doutrina da Fé; Inquisição Romana
Santos, Caetano Jorge dos, 283
Santos, José Gomes dos, 46
Santos, Licínio, 487-8
Santos, Luiz Antônio dos, dom, 32, 34, *35*, 36, 40, 42-3, 45-7, 52-3, 56, 59, 95, 230
Santos, Manoel Cândido dos, padre, 160, 164, 195, 198, 205-6

Santos, Maria Eugênia dos, baronesa, 292
Santos, Silvestre José dos, 81
São Paulo, 17, 71, 139, 178, 184, 402, 461, 467, 514, 522
São Pedro (CE), 62, 63, 309, 327, 332; *ver também* Caririaçu
Satanás, 33, 36, 50, 54, 59, 62, 76, 81, 100, 115, 139, 155, 157-8, 170, 210, 249, 250, 291, 306, 362, 394, 407, 409, 415, 453, 470, 483, 493, 519
Sé, Igreja da (Fortaleza), 43
Sebastião, dom (rei de Portugal), 81
seitas evangélicas *ver* evangélicos
Semeador, O (jornal), 510
Seminário da Prainha, 32, *38*, 40-1, 47, 52, 83, 95, 108, 154
Seminário de Mariana, 32, 40, 184
Seminário de Olinda, 28, 33, 48
Seminário do Crato, 52, 59, 68, 71, 109, 120-1, 135-7, 146, 154, 196, 205, 287, 453, 518
Senador Pompeu (CE), 393
Serafini, Giulio, cardeal, 508-9
Serpa, Justiniano de, 441
Serra do Mato, sítio, 331
Serra Talhada, 80, 183, 276
Sertões, Os (Cunha), 231
sífilis, 460, 471, 480
Silva, Andrelino Pereira da, 162, 171, 173
Silva, Augusto Álvaro da, dom, 507
Silva, Cincinato, 312
Silva, Francisco Gomes da, 240
Silva, João David da, 241, 246, *247*, 251, 257, 259, 262
Silva, Manuel Lopes da, 234
Silva, Manuel Pedro da, 518
Silva, Pedro Ribeiro da, padre, 48
Silva, Sebastião Pereira da, 476
Silva, Virgulino Ferreira da *ver* Lampião
Sinhozinho *ver* Pinheiro, Chico
Sínodo Diocesano (1888), 95
Soares, Othon, 232
socialismo, 290
Société Anonyme d'Exploitation des Mines de Cuivre d'Aurora (Brésil), 295
Soledade, Maria Vieira da, 479
Solidade, Maria Leopoldina Ferreira da, 129-30
Soubirous, Bernadette, 107
Sousa, José da Penha Alves de, 387, 389-93
Sousa, Washington Luís Pereira de, 491, 497
Souza, Ana Maria de, 283
Souza, Ladislau Lourenço de, 346-7, 361, 364, 367, 372-4, 377-80, 382-5
Studart, Barão de, 56
Suma teológica (Santo Tomás de Aquino), 104
Syllabus errorum (encíclica papal), 36, 58

Tatu, Sítio, 333
Távora, Antônio Fernandes da Silva, padre, 92, 239, 246, 250-1, 253-4, 257-8, 261, 263
Távora, Belizário, 251, 253, 441
Távora, Carloto, padre, 246
Távora, Juarez, 499
Távora, Manoel do Nascimento Fernandes, 499
Teffé, Nair de, 361
Teixeira, Alves, 308
Teles, João Marrocos, padre, 26, 30, 41
teologia, 15, 17, 37, 40, 52, 102, 109, 139, 143, 146, 152, 190
Teresa de Ávila, santa, 113-4, 116
Teresa, escrava, 47, 51
Teresinha (tia do padre Cícero), 24

Território Livre de Princesa, 495, 497
Terto, Zé, 380-5, 390, 392, 407-8
Tomás de Aquino, santo, 104, 126, 152
Tomás, Antônio, 83
"Torto" *ver* Lima, Honório
Totonha (tia do padre Cícero), 24
Trairi, distrito de, 45
Tricase, 15
Tubiba, Maria, 436
Tudinha (tia do padre Cícero), 24

Uchoa, Pedro de Albuquerque, 479
Última Ceia (Leonardo da Vinci), 44
ultramontanismo, 34, 40, 56
União, A (jornal), 498
União, município de, 156, 162, 174-7, 188-9
Unitário (jornal), 327, 348
Universidade de Santo Apolinário (Roma), 239, 246, 254
Universidade de Siena, 105
Universidade de Sorbonne, 139
Urbano IV, papa, 106, 126
Urbano VIII, papa, 183

Vale, José Ferreira do, 345
Valletta, Raffaele Monaco la, cardeal, 179-80, 184, 193, 224
Van den Brule y Cabrero, Alfredo, 418
Van den Brule, Adolphe Achille, 293-6, 307, 417, 418, 444, 446
Van den Brule, Cícero, 418
Van den Brule, Joana, 418
Van den Brule, José Maria, 418
Vargas, Getúlio, 483, 491, 495, 499
varíola, 55, 56
Várzea Alegre, 216, 332
Vasconcelos, José de Borba, 355, 361, 390, 392-4, *396*, 398, *401*
Vaticano, 11, 13, 16, 18, 36, 58, 95, 105-8, 125, 129, 131, 154, 161, 178-80, 182-4, 186-7, 193-7, 201, 204, 206, 208, 211, 216-9, 221-2, 224-5, 231, 232, 237-9, 243, 245, 249-51, 254, 256, 269-70, 284, 292, 300, 310, 375, 404, 416, 418, 434, 458, 459, 507-8, 517
Verdade sobre as condenações que afligem Mathilde Marchat em Loigny na diocese de Chartres e os adeptos das suas revelações, A, 238
Verdade, A (jornal), 205
Viana, Luís, 227
Vicência (tia do padre Cícero), 24
Vida e os antigos sermões do padre Cícero Romão Batista, A (folheto anônimo), 25
Vieira, Joaquim José, dom, 56, 58-9, *60*, 61-3, 70-1, 75-6, 78, 80-4, 86, 92-5, 97-9, 101, 104-5, 107-111, 113, 128, 136, 139, 142-3, 145-52, 154-61, 163-4, 167-8, 174-8, 180-5, 187, 189-90, 193-7, 199-202, 204, 206-7, 210, 212-4, 216-7, 221-5, 229-30, 233, 235-9, 246, 249, 253-4, 263-4, 266-7, 269-70, 276, 285, 287, 291, 296-7, 299-301, 307, 341, 400-2, 417, 420-2
Vila Bela (PE), 171, 479
Vilanova, Antônio, 230, 362
Vilanova, Honório, 230
Virgem Maria, 37, 78, 100, 107, 114, 115, 121-2, 129, 238, 261, 316, 318, 320, 376, 381, 391
Vitorino, Manuel, 312
"Viva Meu Padim" (Luiz Gonzaga), 523
Von Görres, Joseph, 59, 117
Voz da Religião no Cariri, A (jornal), 46, 47

Wang Kai, Jony, 520
Wangestel, Luis, padre, 429
Washington Luís *ver* Sousa, Washington Luís Pereira de

Wassem, Guilherme, padre, 429
Westfália, 113

Xandu, Zé *ver* Figueiredo, José Eleutério de

Zulueta, Rafael María José Pedro Francisco Borja Domingo Gerardo de la Santísima Trinidad Merry del Val y, cardeal *ver* Merry del Val, Rafael, cardeal

Xilogravura de
João Pedro do Juazeiro, 2004

1ª EDIÇÃO [2009] 10 reimpressões

ESTA OBRA FOI COMPOSTA PELO 2 ESTÚDIO GRÁFICO
EM PALATINO E IMPRESSA EM OFSETE PELA GEOGRÁFICA
SOBRE PAPEL PÓLEN DA SUZANO S.A. PARA A
EDITORA SCHWARCZ EM ABRIL DE 2024